Ouvrage réalisé sous la direction d'Hélène SABBAH

Littérature
Textes et méthode

Bruno Doucey

Adeline Lesot

Hélène Sabbah

Catherine Weil

HATIER

Présentation

Cet ouvrage constitue la **seconde édition** du manuel de seconde de la collection LITTÉRATURE, TEXTES ET MÉTHODE. Il reprend l'organisation d'ensemble et l'**esprit de la première édition** tout en intégrant des modifications qui le rendent conforme aux **Instructions Officielles** les plus récentes, celles qui sont définies dans le **B.O. n° 10 de juillet 1994** et qui concernent les exercices de l'**Épreuve anticipée de français.**

L'esprit

LITTÉRATURE, TEXTES ET MÉTHODE est un manuel orienté simultanément vers la découverte de la **littérature**, l'étude de la langue comme instrument de communication, l'**analyse méthodique** des textes, ainsi que la connaissance des **courants littéraires** et esthétiques en relation avec leur cadre historique. Cet esprit définit la démarche adoptée dans l'approche de la littérature, la structure de l'ouvrage et son fonctionnement.

La structure

L'ouvrage s'organise en six grandes périodes, du Moyen Âge au XXe siècle. Chacune de ces périodes, repérable à une couleur, est construite de la même façon : **ouverture iconographique, repères historiques** permettant de situer le cadre et rappelant les caractères principaux de l'époque considérée.

À l'intérieur de chaque siècle, le découpage est **chronologique** et reproduit un schéma identique : **ouverture** illustrée de manière iconographique et littéraire, **entrée en matière** historique, puis **extraits**, accompagnés d'une **approche pédagogique multiple, guides méthodologiques** en relation avec l'analyse des textes, **guides culturels** faisant le point sur les spécificités des différents mouvements. L'ensemble est éclairé par une iconographie soigneusement choisie.

Les textes et leur approche pédagogique

Répondant à la vocation d'**anthologie** de ce manuel, les extraits d'œuvres ont été retenus en fonction de critères convergents : intégration à un **mouvement littéraire**, intérêt linguistique, richesse de la problématique littéraire, variété thématique. Ils sont représentatifs d'un courant, d'une écriture. En même temps, ils permettent à des élèves entrant au lycée de faire l'apprentissage de l'analyse littéraire, tout en acquérant les connaissances linguistiques et stylistiques qui en sont les « instruments ».

Dans cette double perspective, les **questionnaires** qui accompagnent les textes correspondent à la démarche de la **lecture méthodique** : repérage de **formes** et de **groupes de formes** permettant de déterminer un sens ou de vérifier le sens perçu de manière intuitive. Ces questions sont suivies d'autres types de travaux, tous orientés vers l'initiation aux exercices de l'épreuve anticipée d'une part, vers l'acquisition ou la vérification de connaissances culturelles d'autre part (« Parcours culturels »).

Le fonctionnement

La structure de l'ouvrage permet une utilisation selon plusieurs **entrées** et plusieurs **parcours.** Les corrélations entre les textes et les **guides** font que l'on peut partir des guides pour aller aux textes ou faire l'inverse : on peut par exemple définir, à l'aide du **guide méthodologique,** les caractéristiques du texte argumentatif, puis les retrouver en situation dans les textes, ou, inversement, observer les textes et établir une synthèse grâce au guide.

Les **guides culturels** s'inscrivent, par leur position dans les chapitres, dans un parcours qui est le suivant : cadre historique, textes, synthèse. Ils permettent de faire le point sur un courant littéraire.

Par ailleurs, la rigueur de la **structure chronologique** et le **choix des textes** permettent au professeur d'aborder certaines notions linguistiques à travers des textes d'époque très différentes, sans risque de confusion temporelle. On peut ainsi étudier les champs lexicaux ou les figures d'analogie aussi bien à partir d'un poème d'Éluard que d'un sonnet de Du Bellay. Le même projet méthodologique peut se construire sur un parcours allant du XXᵉ siècle au Moyen Âge ou l'inverse.

L'iconographie

Conformément aux textes officiels, qui rappellent l'obligation d'intégrer l'étude de l'image, cet ouvrage offre une iconographie choisie pour son caractère à la fois illustratif et sensibilisateur. Les questions qui l'accompagnent guident les élèves dans un apprentissage de l'analyse picturale.

Les nouveautés de la seconde édition

Par rapport à la précédente, cette nouvelle édition apporte les éléments suivants :
- un **chapitre consacré au Moyen Âge** et donnant des textes représentatifs de périodes et de genres différents. Les questionnaires de **lecture méthodique,** axés sur l'étude des formes, mettent davantage l'accent sur les **aspects culturels.** Le fait qu'il s'agisse de textes traduits gêne en effet l'orientation strictement linguistique et stylistique de leur analyse ;
- des **textes argumentatifs plus nombreux** : ceux qui figuraient déjà dans l'ouvrage ont été revus dans la perspective de la nouvelle épreuve anticipée. D'autres ont été ajoutés, appartenant à des genres divers : **théâtre, poésie engagée, roman, textes d'idées, fable.**

Les questionnaires qui les accompagnent ne portent pas la dénomination **Étude du texte argumentatif** pour une raison didactique : en seconde, les élèves doivent apprendre à identifier le texte argumentatif, qui n'est donc pas donné en tant que tel *a priori.* La démarche est donc d'abord celle de la **Lecture méthodique.**

Tous ces textes sont signalés dans la table des matières dans la colonne **Vers l'épreuve anticipée de français** ;
- une **révision des différents exercices et de leur terminologie** : on trouvera ainsi une préparation au **commentaire littéraire** avec des questions de repérage, des travaux d'**écriture,** des exercices d'entraînement à la **dissertation** à partir des groupements de textes, des **sujets de réflexion** portant sur les genres littéraires ;
- une **récapitulation des groupements de textes,** en fin d'ouvrage, permettant de trouver facilement des textes regroupables autour de thématiques ou de problématiques communes.

Restant fondamentalement un ouvrage d'apprentissage et de découverte, LITTÉRATURE, TEXTES ET MÉTHODE affirme ainsi sa conformité aux Instructions officielles, qui font de la classe de seconde une « propédeutique » de l'étude littéraire et linguistique du français.

Les auteurs.

* Épreuve anticipée de français.

XVIIe siècle

XVIIIe siècle

XIXe siècle

XXe siècle

MOYEN ÂGE

historiques et culturels

Pol de Limbourg, *Très riches heures du duc de Berry*

■ À quelle catégorie sociale appartiennent les personnages représentés ? À quel type de littérature renvoient-ils ? Analysez les costumes, l'apparence, les activités.

■ De quoi se compose le second plan du tableau ?

■ Quel univers se trouve évoqué dans le lointain ? Cette représentation picturale vous semble-t-elle idéalisée ?

Ce que l'on appelle le **Moyen Âge** est une période qui s'étend de la chute de l'Empire romain, en 476, aux débuts du XVIᵉ siècle. Cette période est beaucoup plus longue que celle des « temps modernes », mais moins bien connue. Elle correspond, historiquement, à la formation de l'**unité nationale** française. Cette formation **territoriale et politique** s'est accompagnée de **bouleversements sociaux** et **culturels** dont témoignent les œuvres littéraires et artistiques. La **transformation de la langue,** qui passe du latin au français, est aussi une caractéristique du Moyen Âge.

Le cadre historique

■ *Vers l'unité nationale*

Du règne d'Hugues Capet (Xᵉ siècle) à celui de Charles VIII, qui meurt en 1498, sept rois se succèdent, et chaque règne est l'occasion d'un accroissement du royaume de France. D'un émiettement de seigneuries appartenant à des comtes qui refusent l'autorité royale et illustrent le **système féodal,** on passe progressivement à une nation regroupée, plus étendue, qui rassemble de nombreuses provinces et qui a presque ses limites modernes. Mais il aura fallu pour cela des guerres de conquête, en particulier la guerre de Cent Ans qui dure de 1337 à 1450 environ, et au cours de laquelle s'illustre le personnage de Jeanne d'Arc.

■ *L'importance des croisades*

Du XIᵉ à la fin du XIIIᵉ siècle, plusieurs **expéditions militaires** sont entreprises pour reprendre Jérusalem aux Musulmans (désignés par les termes « Maures », « Infidèles », « Sarrasins ») et installer en « Terre Sainte » un royaume chrétien. Ces expéditions, animées par une **foi** profonde, par le goût de l'**aventure** et celui des **combats,** sont appelées les **Croisades.** Elles permettent de définir l'idéal chevaleresque et alimentent toute une **littérature épique,** celle des **chansons de gestes** ▷ ▷ ▷ *p. 16.*

Mais les chevaliers croisés et les soldats ne sont pas les seuls acteurs importants de cette longue période. La société médiévale, complexe, connaît une évolution qui suit l'histoire de l'unification politique.

La société médiévale

On la divise en trois classes en fonction des occupations exercées : ceux qui **prient,** ceux qui **combattent** et ceux qui **travaillent.** Mais cette division recouvre à la fois des classifications multiples et des modifications qui se mettent en place avec les transformations économiques.

■ *La société féodale*

Elle repose sur les liens qui rattachent le **vassal** à son **suzerain :** obéissance et service en échange d'une double protection juridique et militaire. Le vassal vit grâce à la générosité du suzerain, qui est lui-même vassal d'un suzerain plus haut placé dans la hiérarchie, et ce, jusqu'au roi lui-même. Cette société, idéalisée dans les œuvres littéraires, se transforme peu à peu par assouplissement de ses cadres rigides et très hiérarchisés.

■ *L'essor de la bourgeoisie*

À partir du XIIᵉ siècle, le **développement urbain** (on passe du village dépendant du château fort au « bourg » plus autonome) traduit une évolution sociale dont les bourgeois sont les premiers bénéficiaires. La création de ligues et de confréries professionnelles témoigne d'un déplacement de certains pouvoirs. Les hautes classes de la féodalité se trouvent concurrencées par une classe laborieuse qui revendique certains privilèges économiques.

Illustration de la p. 13 : Pol de Limbourg, *Très riches heures du duc de Berry.* mois de mai (détail), XVᵉ s. (enluminure ; Chantilly, Musée Condé).

Henri III d'Angleterre fait hommage-lige entre les mains de Saint Louis, 1259 (détail) (enluminure ; Paris, Bibliothèque Nationale de France).

Le développement de la langue

■ Les origines

Le français est issu du **latin** que parlaient les soldats de César lors de la conquête de la Gaule (58-52 av. J.-C.). Il s'agit donc d'une **langue populaire,** adaptée par les Gaulois, et ayant dans un premier temps abouti à quatre dialectes : celui d'Île-de-France, le Picard, le Normand et le Bourguignon. L'unification ne se fait qu'au moment où l'Île-de-France réunit autour d'elle les différentes provinces.

■ Du premier texte français aux œuvres littéraires

On fait remonter le premier texte français (en langue d'oïl, parlée au nord de la Loire) à 842 : c'est celui des *Serments de Strasbourg* signés par deux des petits-fils de Charlemagne. La langue connaît alors des transformations successives : simplification de la déclinaison, apparition de l'article, modification de l'ordre des mots ; le français se dégage de son modèle latin pour trouver son originalité. Il s'enrichit aussi des mots venus d'autres pays. Néanmoins, il suffit de lire un extrait du XIIᵉ siècle ▷▷▷ *p. 16* pour percevoir à quel point il est encore éloigné de la langue que nous parlons. C'est dans cette langue en cours de formation que se créent d'importantes œuvres littéraires.

Genres et formes littéraires

La longue période du Moyen Âge offre une littérature variée, dans laquelle presque tous les genres sont représentés. Mais les œuvres posent toutes des problèmes d'édition : difficulté d'établir les textes parce qu'ils ont été transmis de façon fragmentaire et sous plusieurs versions, difficulté de préciser leurs auteurs, certains textes étant anonymes.

■ La chanson de geste

Héritée des épopées antiques, la chanson de geste illustre et souvent idéalise la société féodale, dont elle célèbre et met en scène les exploits (le mot *gesta* désigne en latin les hauts faits accomplis). Ses héros sont les **chevaliers,** en guerre, en tournoi, en croisade, obéissant à un **code de l'honneur** qui valorise la « prouesse » (fait d'arme), la « largesse » (générosité), le courage, le sens du sacrifice. Mêlant les personnages historiques comme Charlemagne à des héros légendaires, la chanson de geste ▷▷▷ *p. 16* exalte un idéal qui constitue une référence morale, idéal transmis par ceux qui récitent ces longs poèmes, les jongleurs, les trouvères et les troubadours.

■ La littérature courtoise

Associée à la vie des cours féodales, cette littérature met en scène des personnages héroïques dans un contexte de vie amoureuse régie par un code très strict. Le thème de ces romans en vers est la « matière de Bretagne », qui rapporte la vie à la cour légendaire du **roi Arthur.** C'est là que se situe l'histoire de Tristan et Iseut ▷▷▷ *p. 17,* symbole de l'amour éternel. Ce contexte chevaleresque inspire aussi Marie de France et Chrétien de Troyes, dont les héros sont Perceval et Lancelot. Très imprégnée de sentiment religieux, la littérature courtoise correspond à un **idéal moral** et s'interroge sur le **sens de la vie** humaine.

Les Cantiques de sainte Marie (détail), ▲ XIIIᵉ s. (Escorial, Bibliothèque).

■ La littérature populaire et bourgeoise

Si la chanson de geste et la littérature courtoise exaltent les vertus chevaleresques d'une aristocratie, d'autres genres se rattachent simplement à la vie quotidienne. Les **fabliaux,** à partir du XIIᵉ siècle, rapportent, sous forme de petits récits à morale ▷▷▷ *p. 18,* des situations comiques ou franchement grossières, qui comportent toutes une leçon. Ces fabliaux s'inscrivent dans une filiation qui va d'Ésope à La Fontaine ▷▷▷ *p. 176,* en passant par les épîtres de Marot ▷▷▷ *p. 30.*
C'est aussi dans cette tradition, qui remonte aux fabulistes grecs et latins, que se situent les différentes branches du *Roman de Renart,* qui utilisent les animaux pour critiquer les hommes.
Appartiennent enfin à cette littérature les **farces,** à vocation comique et morale, comme celle du Cuvier ▷▷▷ *p. 19-20* et celle de Maître Pathelin, et, parallèlement, les **mystères,** pièces de théâtre d'inspiration religieuse.

■ La poésie lyrique

Déjà présente dans la littérature courtoise, elle se développe dans des formes fixes surtout aux XIVᵉ et XVᵉ siècles, mêlant le souci de la **rhétorique** à l'expression des **sentiments personnels.** Après Rutebeuf (mort en 1280) et Eustache Deschamps (1346-1406), Charles d'Orléans ▷▷▷ *p. 21* et Villon ▷▷▷ *p. 22* illustrent un courant dans lequel le goût de la forme (formes fixes de la **ballade,** du **rondeau,** notamment) n'empêche pas l'expression de l'expérience, des états d'âme et des émotions. C'est essentiellement à travers eux que s'établit la jonction entre une période parfois considérée à tort comme obscure et la Renaissance, que l'on pare de toutes les lumières du renouveau.

La Chanson de Roland - vers 1100

« Ils emportent l'âme du comte en paradis »

À l'arrière-garde de l'armée de Charlemagne, Roland, trahi par Ganelon, ne peut résister aux Sarrasins. Blessé, sentant venir la mort, il tente de détruire son épée, Durandal, mais en vain. Le passage suivant rapporte ses derniers moments en soulignant qu'il s'agit là d'une mort exemplaire.

Li quens Rollant se jut desuz un pin ;
Envers Espaigne en ad turnet sun vis.
De plusurs choses a remembrer li prist :
De tantes teres cum li bers cunquist,
De dulce France, des humes de sun lign,
De Carlemagne, sun seignor, kil nurrit.
Ne poet muer n'en plurt e ne suspirt.
Mais lui meïsme ne volt mettre en ubli,
Cleimet sa culpe, si priet Deu mercit :
« Veire Patene, ki unkes ne mentis,
Seint Lazaron de mort resurrexis,
E Daniel des leons guaresis,
Guaris de mei l'anme de tuz perilz
Pur les pecchez que en ma vie fis ! »
Sun destre guant a Deu en puroffrit ;
Seint Gabriel de sa main l'ad pris.
Desur sun braz teneit le chef enclin;
Juntes ses mains est alet a sa fin.
Deus tramist sun angle Cherubin,
E seint Michel del Peril ;
Ensembl' od els sent Gabriel i vint.
L'anme del cunte portent en pareïs.

Le comte Roland est étendu sous un pin.
Vers l'Espagne il a tourné son visage.
De bien des choses le souvenir lui revient,
de tant de terres que le baron a conquises,
5 de la douce France, des hommes de son lignage[1],
de Charlemagne, son seigneur, qui l'a formé.
Il ne peut s'empêcher de pleurer et de soupirer.
Mais il ne veut pas s'oublier lui-même.
Il bat sa coulpe[2] et demande pardon à Dieu :
10 « Père véritable qui jamais ne mentis,
toi qui ressuscitas saint Lazare[3]
et qui sauvas Daniel[3] des lions,
sauve mon âme de tous les périls
pour les péchés qu'en ma vie j'ai commis ! »
15 Il a offert à Dieu son gant droit,
saint Gabriel[4] de sa main l'a pris.
Sur son bras il tenait sa tête inclinée ;
les mains jointes, il est allé à sa fin.
Dieu envoya son ange Chérubin[4]
20 et saint Michel du Péril[4] ;
et avec eux vint saint Gabriel[4].
Ils emportent l'âme du comte en paradis.

CLXXVI, 176, Éd. Bilingue Garnier-Flammarion,
traduction Jean Dufournet, 1993.

1. désigne un groupe d'individus descendant d'un même ancêtre.
2. il se frappe la poitrine en signe de culpabilité.
3. personnages bibliques : le premier fut ressuscité, le second sauvé de la fosse aux lions dans laquelle il avait été jeté.
4. anges ou archanges jouant le rôle de messagers de Dieu.

LECTURE MÉTHODIQUE

■ Distinguez ce qui appartient au **récit** et ce qui relève du **discours**. Quel est l'effet produit par le discours direct ?

■ Quels sont les éléments du texte qui renvoient au contexte de la **chevalerie** ? À quels indices peut-on percevoir l'importance de la **religion** ? Comment se mêlent ces deux domaines dans le texte ?

■ Quelles sont les deux **préoccupations** majeures de Roland au moment de sa mort ?

■ Quelle est la **signification symbolique** de l'intervention des anges ?

guides p. 39-330

Thomas, *Tristan* - *vers 1172*

« Et c'est ainsi qu'elle rend l'esprit »

Le chevalier Tristan et Iseut la blonde sont éternellement liés par le philtre qu'ils ont bu. Mais ils se sont, d'un commun accord, matériellement séparés et Tristan vit désormais avec pour compagne Iseut aux blanches mains. Blessé lors d'un combat, il demande à son ami Kaherdin de ramener Iseut la blonde, et d'annoncer le résultat de sa démarche par la couleur de la voile : blanche si Iseut est là, noire si elle est absente. Iseut aux blanches mains aperçoit la voile blanche, mais déclare par vengeance qu'elle est noire. Tristan meurt alors de douleur. Le passage qui suit rapporte l'arrivée d'Iseut la blonde, son désespoir et sa mort.

Sur la mer, le vent s'est levé et frappe la voile en plein milieu, il pousse le bateau vers le rivage. Yseut est descendue du navire, elle entend toutes ces lamentations dans la rue, les cloches des églises et des chapelles, elle demande aux hommes qui sont là ce qui se passe, pourquoi ils font ainsi sonner le glas, et sur quoi on pleure. Un vieillard lui répondit : « Chère dame, sur mon salut, nous ressentons une telle peine que per-

Le poète Sire Konrad von Altessten et sa dame, enluminure extraite du *Codex Manesse*, 1re moitié du XIVe s. (Heidelberg, Universitätsbibliothek).

sonne n'en éprouva jamais de plus grande. Tristan, le vaillant, le noble Tristan, est mort. Il était le réconfort de tous les habitants de ce royaume. Il était généreux
10 envers les malheureux, et compatissant envers les affligés. Il vient de mourir dans son lit d'une blessure qu'il avait reçue. Jamais un aussi grand malheur n'a frappé ce pays. » Dès qu'Yseut apprit la nouvelle, de douleur elle ne put prononcer un mot. Elle était si frappée de
15 sa mort qu'elle remonta la rue sans même revêtir son manteau d'apparat, précédant tout le monde, jusqu'au palais. Les Bretons n'avaient jamais vu une femme d'une telle beauté. Ils se demandent par la cité d'où elle vient et qui elle peut bien être. Yseut se dirige vers l'endroit
20 où elle aperçoit le corps, puis elle se tourne vers l'orient et se met à prier pour lui, pleine de ferveur : « Tristan mon bien-aimé, dès lors que je vous vois mort, il n'y a plus de raison pour que je vive. Vous êtes mort par amour pour moi, et moi je meurs, mon ami, de tendresse
25 pour vous, parce que je n'ai pu arriver à temps. » Elle s'étend alors auprès de lui, le prend dans ses bras, se couche contre lui, et c'est ainsi qu'elle rend l'esprit. *(Fin.)*

Traduction Ian Short, in *Tristan et Iseut, les premières versions européennes*, Bibliothèque de la Pléiade, Éd. Gallimard, 1995.

LECTURE MÉTHODIQUE

■ Par quels **procédés d'écriture** se trouve mise en relief, dans les six premières lignes, l'importance de la mort de Tristan ?

■ Quelle **image** est donnée du héros et de son rôle de chevalier ?

■ Comment le narrateur fait-il comprendre le grand **trouble** d'Iseut ?

■ Étudiez dans les paroles d'Iseut tout ce qui évoque la réciprocité, à travers le jeu des **oppositions** et des **parallélismes.**

■ Quelle est la signification **symbolique** de la dernière phrase ?

guides p. 39-78

La vieille qui oint la paume au chevalier

« Au pauvre on fait droit mais s'il donne »

Les fabliaux mettent souvent en scène des personnages de la vie courante dans des situations qui prêtent à rire ou à sourire, et qui sont de nature à faire réfléchir. Ces récits sont terminés par une morale qui révèle les intentions du conteur. Les jeux sur le langage y sont fréquents, comme ici.

1. agent seigneurial chargé d'attributions administratives, judiciaires et militaires.
2. malhonnête.
3. déçue.

Je voudrais vous conter l'histoire d'une vieille pour vous réjouir. Elle avait deux vaches, ai-je lu. Un jour, ces vaches s'échappèrent ; le prévôt¹, les ayant trouvées, les fait mener dans sa maison. Quand la bonne femme l'apprend, elle s'en va sans plus attendre pour le prier de les lui rendre. Mais ses prières restent vaines, car le prévôt félon² se moque 5 de ce qu'elle peut raconter. « Par ma foi, dit-il, belle vieille, payez-moi d'abord votre écot de beaux deniers moisis en pot. » La bonne femme s'en retourne, triste et marrie³, la tête basse. Rencontrant Hersant sa voisine, elle lui confie ses ennuis. Hersant lui nomme un chevalier : il faut qu'elle aille le trouver, qu'elle 10 lui parle poliment, qu'elle soit raisonnable et sage ; si elle lui graisse la paume, elle sera quitte et pourra ravoir ses vaches sans amende. La vieille n'entend pas malice ; elle prend un morceau de lard, va tout droit chez le chevalier. Il était devant sa maison et tenait les mains 15 sur ses reins. La vieille arrive par-derrière, de son lard lui frotte la paume. Quand il sent sa paume graissée, il jette les yeux sur la femme : « Bonne vieille, que fais-tu là ? - Pour Dieu, sire, pardonnez-moi. On m'a dit d'aller vous trouver afin de vous 20 graisser la paume : ainsi je pourrais être quitte et récupérer mes deux vaches. - Celle qui t'a dit de le faire entendait la chose autrement ; cependant tu n'y perdras rien. Je te ferai rendre tes vaches et tu auras l'herbe d'un pré. »

L'histoire que j'ai racontée vise les riches hauts placés qui sont men- 25 teurs et déloyaux. Tout ce qu'ils savent, ce qu'ils disent, ils le vendent au plus offrant. Ils se moquent de la justice ; rapiner est leur seul souci. Au pauvre on fait droit mais s'il donne.

Fabliaux, Éd. Gallimard, coll. Folio, traduction Gilbert Rouger, 1978.

François de Rus et Chaillou de Pétain, *Le Roman de Fauvel* (détails), XIVᵉ s. (enluminure ; Paris, Bibliothèque Nationale de France).

LECTURE MÉTHODIQUE

■ Comment se marquent la **présence** du conteur, celle du destinataire ? Distinguez les différents types de **discours**. Quelles sont les sources du récit ?

■ Comment pourrait-on **définir** et **caractériser** l'attitude du prévôt ?

■ Sur quel type de **jeu de mots** repose l'histoire ? Expliquez les expressions *si elle lui graisse la paume, la vieille n'entend pas malice* et *entendait la chose autrement*.

■ L'histoire est racontée *pour réjouir*. Est-ce sa seule **vocation ?** Récapitulez ce qui peut réjouir les lecteurs et ce qui peut les faire réfléchir. Quel **type de personnage** est mis en relief ? Est-il dans son rôle traditionnel ?

ÉTUDE COMPARÉE

■ Rapprochez ce fabliau et la fable de La Fontaine « Le jardinier et son seigneur » ▷▷▷ *p. 180* pour mettre en évidence une **inspiration** et une **morale** communes.

guides p. 39-139

La farce du cuvier

« Cela n'est pas dans mon rôlet »

Jacquinot est un mari presque réduit à l'état de domestique par une femme et une belle-mère tyranniques : tout ce qu'il doit faire à la maison est inscrit sur une liste, un rôlet. *Las de cet esclavage, il n'attend qu'une occasion pour tenter de se libérer. Celle-ci se présente lorsque sa femme tombe malencontreusement dans le* cuvier, *une sorte de grande lessiveuse. Elle s'y trouve encore, n'arrivant pas à en sortir seule, lorsque sa mère arrive…*

LA MÈRE

Et quoi ! ma fille est-elle tuée ?

JACQUINOT

Dans la lessive elle s'est noyée.

LA MÈRE

Perfide, assassin, qu'est-ce que tu dis ?

JACQUINOT

Je prie le Dieu du paradis et monsieur saint Denis de France, que le diable
5 lui casse la panse, avant que son âme soit passée.

LA MÈRE

Hélas ! ma fille est trépassée ?

JACQUINOT

En tordant le linge, elle s'est baissée ; puis, ce qu'elle tenait en main s'est échappé, et tête en bas la voilà tombée.

LA FEMME, *sortant la tête du cuvier*

Mère, je suis morte, voyez, si vous ne secourez votre fille.

LA MÈRE

10 Seule, je ne suis pas assez habile. Jacquinot, la main, s'il vous plaît.

JACQUINOT

Cela n'est pas dans mon rôlet.

LA MÈRE

Vous avez tort qu'il n'y soit pas.

LA FEMME

Las ! aidez-moi.

LA MÈRE

Méchant, puant ! la laisserez-vous mourir là ?

JACQUINOT

15 S'il ne tient qu'à moi, elle y restera. Je ne veux plus être son valet.

LA FEMME

Aidez-moi.

JACQUiNOT

Pas dans le rôlet. Impossible de l'y trouver.

LA MÈRE

Va, Jacquinot, sans plus tarder, aide-moi à lever ta femme.

JACQUINOT

Je ne le ferai pas, sur mon âme, avant qu'il ne me soit promis que désor-
20 mais je serai mis en mesure d'être le maître.

LA FEMME

Si hors d'ici vous voulez me mettre, je vous le promets de bon cœur.

JACQUINOT

Et vous le ferez ?

LA FEMME

Je m'occuperai du ménage, sans jamais rien vous demander, sans jamais
rien vous commander, sauf s'il y a nécessité.

JACQUINOT

25 Eh bien ! donc, il faut la lever. Mais, par tous les saints de la messe, je
veux que vous teniez promesse, tout à fait comme vous l'avez dit.

LA FEMME

Jamais je n'y mettrai contredit ; mon ami, je vous le promets. *(Et Jacquinot tire sa femme du cuvier.)*

JACQUINOT

Je serai donc le maître désormais, puisque ma femme enfin l'accorde.

LA MÈRE

30 Si en ménage il y a discorde, personne n'en peut tirer profit.

JACQUINOT

Aussi je veux certifier qu'il est honteux pour une femme de faire de son
maître un valet, si sot et mal appris qu'il soit.

LA FEMME

Et c'est pourquoi bien mal m'en prit, comme on vient de le voir ici. Mais
désormais, diligente, j'assurerai tout le ménage. C'est moi qui serai la
35 servante, comme c'est de droit mon devoir.

JACQUINOT

Je serai heureux si le marché tient, car je vivrai sans nul besoin.

LA FEMME

C'est sûr, je vous tiendrai parole. Je vous le promets, c'est raison. Vous
serez maître en la maison maintenant, c'est bien réfléchi.

JACQUINOT

Pour cela donc je veillerai à ne plus être cruel avec vous.

Adresse au public.

JACQUINOT

40 Retenez donc, à mots couverts, que par indicible folie j'avais le sens tout
à l'envers. Mais ceux qui de moi ont médit, sont maintenant de mon
avis, quand ils voient que ma femme à ma cause se rallie, elle qui avait
voulu, folle imagination, m'imposer sa domination. Adieu ! telle est ma
conclusion.

Farces du Moyen Âge, Éd. Garnier-Flammarion, 1984.

LECTURE MÉTHODIQUE

■ Sur quel **malentendu** repose la première partie de
la scène ? Étudiez la **diversité des tons** en fonction
de ce que savent les uns (les spectateurs, Jacquinot)
et les autres (la mère) de la situation exacte.

■ À partir de quel moment Jacquinot se trouve-t-il en
position de **supériorité ?** Comment marque-t-il cette
position ? Comment en profite-t-il ?

■ Quels sont les **termes** du nouveau contrat ?

■ À partir des temps verbaux et du contenu des
répliques, dites s'il s'agit d'une **situation originale** ou
si elle est adaptable et **généralisable**. Quelle est ici
la fonction du théâtre ? Quelle est selon vous la morale
de l'histoire ?

Charles d'Orléans

« En regardant vers le pays de France… »

En 1415, Charles d'Orléans est fait prisonnier par les Anglais à la bataille d'Azincourt. Emprisonné en Angleterre, il reste captif pendant vingt-cinq ans. La nostalgie du pays natal s'exprime dans des ballades qui associent le lyrisme à une virtuosité de composition. Celle qui porte le numéro XXVI est une des plus célèbres.

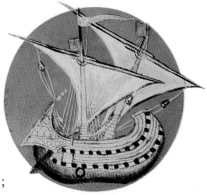

En regardant vers le pays de France,
Un jour m'advint, à Douvres sur la mer,
Qu'il me souvint de la douce plaisance[1]
Que souloye[2] au dit pays trouver.
5 Si[3] commençai de cœur à soupirer,
Combien certes que[4] grand bien me faisoit,
De voir France que mon cœur aimer doit.

Je m'avisai que c'était non savance[5]
De tels soupirs dedans mon cœur garder ;
10 Vu que je vois que la voie[6] commence
De bonne Paix, qui tous biens peut donner ;
Pour ce, tournai en confort[7] mon penser.
Mais non pourtant mon cœur ne se lassoit
De voir France que mon cœur aimer doit.

Navire à deux voiles, manuscrit de la fin du XIIIᵉ s. ou début du XIVᵉ s. (Séville, Musée naval Torre de Oro).

15 Alors chargeai en la nef d'Espérance
Tous mes souhaits, en leur priant d'aller
Outre la mer[8], sans faire demeurance[9],
Et à France de me recommander.
Or nous doint Dieu[10] bonne paix sans tarder !
20 Adonc aurai loisir[11], mais qu'ainsi soit[12],
De voir France que mon cœur aimer doit.

Paix est trésor qu'on ne peut trop louer.
Je hais guerre, point ne dois la priser ;
Destourbé[13] m'a longtemps, soit tort ou droit[14]
25 De voir France que mon cœur aimer doit.

Poètes et romanciers du Moyen Âge,
Bibliothèque de la Pléiade, Éd. Gallimard, 1984.

1. plaisir.
2. que j'avais coutume.
3. c'est pourquoi.
4. *combien que* signifie « bien que ».
5. erreur.
6. possibilité.
7. en réconfort.
8. au-delà.
9. sans délais.
10. que Dieu nous donne.
11. ainsi je pourrai.
12. qu'il en soit ainsi.
13. empêché.
14. à tort ou à raison.

LECTURE MÉTHODIQUE

■ Observez la **structure** du poème et donnez ses caractéristiques. Que remarquez-vous à la fin de chaque strophe ? Comment le dernier vers de chacune s'intègre-t-il à ce qui précède ?

■ Quelle est l'**évolution** de la réflexion : point de départ, étapes chronologiques et logiques ?

■ À partir des champs lexicaux faites apparaître les **thèmes** de la ballade. Comment s'entrelacent-ils ? La **tonalité** est-elle la même au long du texte ?

■ En observant tous les termes qui évoquent le **pays natal,** étudiez l'importance de sa présence dans le poème. Quels rôles joue-t-il ?

ÉTUDE COMPARÉE

■ Rapprochez, pour les comparer, cette ballade de Charles d'Orléans et le sonnet de Du Bellay : « Heureux qui, comme Ulysse… », ▷▷▷ *p. 67.*

guides p. 39-69

Villon, *Le Testament - 1461*

Ballade des dames du temps jadis

Le Testament est une œuvre poétique où se mêlent les thèmes lyriques de l'amour, du temps, de la mort, du bonheur et de la souffrance. Il comporte des ballades, poèmes à forme fixe avec refrain et envoi. Dans celle qui évoque les dames du temps jadis, le poète s'interroge sur le pouvoir destructeur du temps : même les figures les plus emblématiques et les plus célèbres ne peuvent échapper à celui-ci.

Dites moi ou, n'en quel pays
Est Flora la belle Romaine ;
Archipiade[1] ne Thaïs
Qui fut sa cousine germaine ;
5 Écho, parlant quand bruit on mene
Dessus riviere ou sus étang,
Qui beauté ot[2] trop plus qu'humaine ?
Mais ou sont les neiges d'antan [3] ?

Ou est la tres sage Heloïs[4],
10 Pour qui fut châtré et puis moine
Pierre Esbaillart[4] a Saint Denis ?
Pour son amour ot[2] cette essoine[5]
Semblablement ou est la roine
Qui commanda que Buridan[6]
15 Fût jeté en un sac en Seine ?
Mais ou sont les neiges d'antan ?

La roine Blanche comme un lis
Qui chantoit a voix de seraine[7]
Berthe[8] au grand pied, Bietris[8], Alis[8],
20 Aremburgis[8] qui tint le Maine,
Et Jeanne, la bonne Lorraine
Qu'Anglois brulerent a Rouen ;
Ou sont ils[9], ou, Vierge souvraine ?
Mais ou sont les neiges d'antan ?

25 Prince, n'enquerez de semaine[10]
Ou elles sont, ne de cet an,
Qu'a ce refrain ne vous remaine[11] :
Mais ou sont les neiges d'antan ?

Œuvres poétiques, Éd. Garnier-Flammarion,
texte établi par A. Mary, 1965.

1. confusion avec le personnage masculin d'Alcibiade, chef du parti démocratique athénien au Vᵉ siècle av. J.-C.
2. eut.
3. de l'an passé ou d'avant.
4. allusion à Héloïse et Abélard, héros d'une dramatique histoire d'amour.
5. épreuve.
6. allusion à une fable racontant qu'un âne se laisserait mourir plutôt que de choisir entre de l'eau et de l'avoine.
7. sirène.
8. énumération de reines et de princesses.
9. elles.
10. ne cherchez pas à savoir, de cette semaine.
11. sans que je ne vous redise ce refrain.

École de Bruges, *Triptyque du mariage du bourgmestre Jean de Witte* (détail), 1473 (Bruxelles, Musée d'Art ancien).

LECTURE MÉTHODIQUE

■ Observez la **forme** du poème et signalez tout ce qui se répète. Comment est-il construit ? Quels sont les effets produits par les **répétitions ?**

■ Quels **rapports** peut-on établir entre le titre et le contenu ? entre le titre, le contenu et le refrain ?

■ D'où vient la **musicalité** du poème ? Quelle est sa **tonalité ?** Observez les rimes, les modes verbaux, la situation de communication pour répondre à cette question.

XVIᵉ s.

historiques et culturels

Raphaël, *L'École d'Athènes*

■ Quelles relations peut-on établir entre le titre du tableau et ses composantes : personnages, costumes, lieux, objets, attitudes ? En quoi y a-t-il une synthèse de *deux époques* ?

■ Quelles caractéristiques de l'*esprit de la Renaissance* ce tableau révèle-t-il ?

On définit souvent le XVIᵉ siècle comme le siècle de la Renaissance, par référence à un Moyen Âge qui serait une période de sommeil. Il faut nuancer cette affirmation :
- à l'intérieur même du Moyen Âge, des périodes brillantes ont succédé à des périodes plus ternes ;
- le début du XVIᵉ siècle n'a pas coïncidé avec le début du renouvellement : celui-ci s'est préparé dans le courant du XVᵉ siècle.

Les événements qui préparent la Renaissance

Dans des domaines différents, plusieurs éléments du XVᵉ siècle ont créé un climat propice au renouveau.

■ L'invention de l'imprimerie

On la doit à Gutenberg, vers 1448. Les caractères romains remplacent les caractères gothiques, difficiles à lire. Le format des ouvrages les rend plus maniables : une seule grande feuille de papier peut être pliée en quatre (format *in-quarto*), ou en huit (ce format *in-octavo* est un format de poche). Ces simplifications, ainsi que la multiplication des livres et la rapidité de leur diffusion, permettent un accès plus facile et plus large au savoir, désormais accessible à un public élargi et non plus réservé aux gens d'Église.

Illustration de la p. 23 :
Raphaël (1483-1520), *L'École d'Athènes* (détail), 1508 (fresque ; Rome, Vatican, Chambre de la Signature).

Le concert champêtre : la Musique (détail), Italie, XVIᵉ siècle (Bourges, Musée de l'Hôtel Lallemant). ▶

■ La chute de Constantinople

En 1453, les Turcs prennent la ville de Constantinople, mettant fin à l'Empire grec d'Orient. Cette ville de grande culture comportait des bibliothèques riches en manuscrits anciens, sur lesquels travaillaient des savants. Chassés par l'invasion, ceux-ci se réfugient en Italie, emportant avec eux les manuscrits des œuvres de l'Antiquité grecque et latine. En Italie même, la période du « Quattrocento » (XVᵉ siècle) est une période de civilisation brillante, favorisée par le développement des banques : palais richement décorés, cours brillantes où se font connaître des peintres comme le Titien, le Primatice, des sculpteurs comme Michel-Ange. L'arrivée des savants complète l'enrichissement intellectuel du pays.

■ L'importance des guerres d'Italie

Les rois et les seigneurs français sont fascinés par la richesse culturelle et économique, qu'ils découvrent lors des guerres dites d'Italie, à partir de 1499 : l'influence italienne se fait sentir dans les arts.

■ Les grandes découvertes

En 1492, Christophe Colomb découvre l'Amérique. D'autres voyageurs, Vasco de Gama (1497), puis Magellan (1519-1522), Jacques Cartier, ouvrent de nouvelles voies de navigation. Ces expéditions modifient la représentation que l'on a du monde : le monde connu s'étend ainsi considérablement. On vérifie la théorie de la rotondité de la Terre, on découvre de nouveaux peuples, de nouvelles mœurs, des religions inconnues.

Cette mutation s'accentue encore lorsque l'on finit par admettre le système de Copernic, selon lequel la Terre n'est plus au centre du monde ; or cette théorie du **géocentrisme**[1] était aussi celle de l'Église. **L'héliocentrisme**[2] conduit donc à un bouleversement des consciences et à la remise en question des croyances religieuses, qui entrent en conflit avec les découvertes et vérifications scientifiques : l'homme, création de Dieu, n'est plus au cœur de l'Univers.

◄ *Sphère céleste,* Italie, 1502, (bronze doré ; Écouen, Musée de la Renaissance).

On peut ainsi considérer que les événements majeurs du XVᵉ siècle et du début du XVIᵉ ont favorisé un renouvellement en permettant :
- la diffusion du savoir par le livre ;
- le déplacement du savoir, car un public élargi accède à ce savoir qui était autrefois réservé aux gens d'Église ;
- la modification du savoir et sa emise en question.
Cette révolution du savoir conduit, en France et en Europe, à la naissance de deux courants de pensée, l'un culturel et profane, **l'Humanisme,** l'autre religieux, **la Réforme** ▷▷▷ *p. 81.*

Les nouvelles données

Les bouleversements nés des découvertes trouvent dans les événements du XVIᵉ siècle un relais et un développement.

■ *Une nouvelle politique culturelle*

Les orientations que Louis XII, puis François Iᵉʳ et Henri II donnent à la vie artistique et intellectuelle sont déterminantes.

- La protection des arts

Dans le domaine de l'architecture, Louis XII, qui règne de 1498 à 1515, puis François Iᵉʳ (1515-1547) innovent, en faisant bâtir, en particulier dans la vallée de la Loire, des châteaux qui n'ont plus la lourdeur des constructions anciennes : les fortifications constituent un décor, les toits s'ornent de lucarnes, de cheminées ; l'influence italienne est sensible dans les larges ouvertures, les colonnes, les statues…

1. théorie selon laquelle la Terre est au centre de l'Univers.
2. théorie selon laquelle le Soleil est au centre de l'Univers.

Les artistes sont protégés par les seigneurs, et surtout par le roi : François Iᵉʳ joue un rôle essentiel, aidé par sa sœur, Marguerite d'Angoulême, reine de Navarre, écrivain elle-même : il invite Léonard de Vinci, peintre de *la Joconde* et passionné de technique. Il fonde à Fontainebleau à partir de 1526 une sorte de foyer d'art : il fait installer des ateliers de bronze et de tapisserie. De plus, il achète pour sa bibliothèque personnelle les nouveaux livres publiés, et s'entoure de poètes comme Marot, de savants comme Guillaume Budé. Le développement des lettres se poursuit avec Henri II, à partir de 1547 : la création littéraire et poétique s'épanouit avec **la Pléiade** ▷▷▷ *p. 57.*

- Un enseignement progressiste

François Iᵉʳ favorise aussi le développement d'un enseignement « progressiste » : l'enseignement dispensé dans les universités médiévales, dirigées par l'Église, était sclérosé, fondé essentiellement sur la mémoire et la connaissance des commentaires des textes. Pour le changer, des érudits comme Guillaume Budé, Lefèvre d'Étaples, souhaitent qu'on puisse aborder les œuvres antiques dans le texte d'origine. Il faut donc enseigner les langues anciennes, latin, grec, hébreu, éditer et diffuser les textes : à cette fin, François Iᵉʳ, en 1530, crée et finance sur sa cassette personnelle le Collège des Lecteurs Royaux, actuel Collège de France ; ses professeurs, qui échappent à la tutelle de l'Église, y enseignent les langues anciennes.

- L'unification linguistique

Par ailleurs, François Iᵉʳ impose par l'Édit de Villers-Cotterêts en 1539 l'usage du français au lieu du latin dans tous les actes juridiques et administratifs ; le latin se limite progressivement au domaine religieux. La langue française se

▲ Pier Jacopo Alari Bonacolsi, *Bacchus,* XVIᵉ siècle (bronze partiellement doré ; Vienne, Kunsthistorisches Museum, Kunstkammer).

◄ Femme se tirant une épine du pied (bronze, 24,9 cm ; Londres, Victoria and Albert Museum).

Niccolo
dell'Abate
(v. 1512-1571),
Le Sommeil de Vénus
(Quimper, Musée des Beaux-Arts).

répand dès lors, s'enrichit et acquiert une sorte d'autonomie. Un signe majeur de cette évolution sera la publication, par le poète Du Bellay, en 1549, sous le règne suivant (Henri II), d'un manifeste en faveur de la langue, *Défense et Illustration de la langue française.* Cette officialisation du français permet aussi, sur le plan politique, d'unifier et de centraliser un pouvoir qui s'étend par l'annexion de la Bretagne et du Bourbonnais. Elle pose les bases d'un pouvoir central et permet la constitution d'une nation.

Sur le plan culturel, le règne de François II, de 1559 à 1560, la régence de Catherine de Médicis, de 1560 à 1562, les règnes de Charles IX (1562 à 1574), de Henri III (1574 à 1589) et de Henri IV, à partir de 1589 jusqu'en 1610, marquent une nette décadence : c'est que s'accentuent alors les problèmes liés à la question religieuse.

■ *La question religieuse*

À l'origine contestation des abus de pouvoir de l'Église, le problème religieux se pose rapidement en termes de conflit, souvent idéologique, à l'intérieur de l'Europe et en particulier en Allemagne, en Angleterre et en France ; en France, ce conflit dégénère en guerres civiles féroces, qui ensanglantent le pays et font vaciller le pouvoir royal ▷▷▷ **la question religieuse,** *p. 81.*

- Origines des conflits

Dès le XVᵉ siècle, les abus de l'Église ont suscité des protestations :
• le bas clergé est grossier et mal formé ; des ecclésiastiques mènent comme certains papes une vie scandaleuse (Alexandre VI Borgia a des enfants) et s'enrichissent considérablement grâce aux impôts ;
• les fidèles admettent mal de verser de l'argent au clergé pour être rachetés de leurs péchés : ils refusent le « trafic des Indulgences ».

- Le retour aux textes anciens, directement et sans passer par les commentaires, est également important : on découvre en effet dans la Bible et les Évangiles une religion où la pauvreté et la charité sont des vertus essentielles ; les pratiques de l'Église en paraissent d'autant plus scandaleuses.

- Premières manifestations des conflits

En 1517, **Luther,** moine allemand, proteste contre le principe des Indulgences dans ses *95 Thèses,* qu'il affiche sur la porte d'une église. Selon lui, les Chrétiens ne doivent avoir pour loi que les Évangiles. Il rompt avec le Pape et est excommunié, mais le mouvement se développe : l'Allemagne du Nord se sépare de Rome ; le Protestantisme est né.

- En France

Le mouvement appelé **Évangélisme** se développe autour de Lefèvre d'Étaples, traducteur de la Bible en français en 1530 ; les bases sont les mêmes que celles du Luthérianisme, mais les Évangélistes ne rejettent pas l'autorité de Rome. L'Église est cependant hostile à un mouvement qu'elle ne contrôle pas. François Iᵉʳ protège les Évangélistes dans un premier temps. Mais, en 1534, des affiches contre la messe sont placardées jusque sur la porte des appartements du roi, ce qui est braver le pouvoir autant que l'Église, puisque le Catholicisme est religion d'État. Cette **Affaire des Placards** marque le début des affrontements religieux entre Catholiques et Réformés.

Le Calvinisme, mouvement de Calvin, se développe après l'affaire des Placards.

Les trois mouvements ont des bases communes ; leur opposition au Catholicisme ébranle le pouvoir royal, car le roi ne peut admettre qu'une grande partie des sujets n'ait pas la même religion que lui. Or le Concile de Trente* (1545 à 1563) ne peut rétablir l'unité religieuse et les oppositions dégénèrent en conflit.

Lucio Piccinino,
*Armure de parade
pour Alexandre Farnèse :
le heaume,* vers 1578
(Vienne, Kunsthistorisches
Museum).

■ L'affaiblissement du pouvoir royal et les guerres

Vers la guerre. Le pouvoir royal se sent de plus en plus menacé par les Réformés :
- Beaucoup de nobles n'obéissent plus à la monarchie, en ne pratiquant plus la religion du roi.
- Parallèlement, le pouvoir est affaibli par la jeunesse des rois : à la mort de François II en 1560, Catherine de Médicis assure la Régence pendant la minorité de Charles IX. De grandes familles, comme les Guise, Catholiques, et les Condé, Protestants, cherchent alors à prendre de l'influence et se déchirent. Le conflit est dès lors plus politique que religieux.
- En 1562, Catherine de Médicis tente d'éviter l'aggravation des conflits en donnant des droits aux Protestants, mais c'est un échec qui marque le début des guerres de religion.

Les guerres de religion. Chacun des partis cherche un soutien à l'étranger : l'Angleterre est du côté des Réformés, et les Espagnols pénètrent jusque sur le territoire français pour soutenir les Guise, catholiques. Les massacres se succèdent. L'indépendance, autant que l'unité du pays, est menacée.
Cependant, en 1570, **la paix de Saint-Germain** accorde aux Protestants des droits importants ; mais l'amiral de Coligny, chef protestant, pousse le roi Charles IX à faire la guerre à l'Espagne ; les Catholiques, eux, qui ont pour chefs de file Catherine de Médicis et les Guise, refusant cette guerre, tentent vainement de faire assassiner Coligny ; ils décident alors de massacrer les chefs protestants réunis à Paris pour un mariage qui devait être une réconciliation, celui de la sœur catholique de Charles IX avec Henri de Navarre, chef protestant ; c'est **le massacre de la Saint-Barthélemy**, le 24 août 1572, pendant lequel les Protestants sont pourchassés et assassinés. Dès lors, les guerres civiles se succèdent, séparées par des trêves fragiles, et dominées par les visées des Guise, alliés à l'Espagne, qui menacent le pouvoir du roi Henri III, malgré l'assassinat du duc de Guise, en 1588.

Vers la paix. En 1589, après l'assassinat du roi Henri III, Henri de Navarre, un Réformé, hérite du trône ; après des années de lutte pour le pouvoir, il se convertit au Catholicisme et peut ainsi régner sous le nom d'Henri IV dès 1594 ; il promulgue en 1598 l'**Édit de Nantes** qui accorde aux Protestants des droits : la liberté de conscience, le libre exercice du culte, l'égalité politique et des places de sûreté. C'est la fin des guerres de religion.

La Bataille de Jarnac, 1569 (tapisserie ; Écouen, Musée de la Renaissance).

Les incidences sur les arts

L'évolution de l'art va de pair avec celle des données historiques : en littérature, le début du siècle est d'abord une période de transition qui garde des éléments de la littérature médiévale ▷▷▷ *Marot, p. 31,* mais exprime l'ambition du savoir nouveau ▷▷▷ *Rabelais, p. 49 ;* la rupture avec le siècle précédent est nette vers le milieu du XVIᵉ, période d'invention littéraire en matière de poésie ▷▷▷ *la Pléiade, p. 57.* Dans la seconde moitié du XVIᵉ siècle, les troubles politiques se traduisent en littérature par des textes de combat engagés dans les luttes religieuses ▷▷▷ *d'Aubigné, p. 84,* ou par des œuvres qui s'interrogent sur la fragilité de l'homme et l'inconstance du monde ▷▷▷ *Montaigne, p. 95-96.*

Siècle de la diversité, le XVIᵉ est aussi le siècle du paradoxe et des contradictions ; à l'espoir, à l'enthousiasme, à l'appétit de savoir qui marquent l'époque, répond l'horreur des guerres civiles, et leur inhumanité trouve certaines de ses racines au sein même de l'Humanisme. Ces tendances diverses aboutissent aux nombreuses incertitudes qui caractériseront le mouvement **baroque** ▷▷▷ *p. 118.*

La Diane d'Anet, XVIᵉ siècle (plume, encre noire et brune, lavis brun, papier beige 42 x 25,2 cm ; Paris, Musée du Louvre, Cabinet des Dessins).

> Malgré un certain nombre d'adaptations concernant la langue du XVIᵉ siècle, il reste des tournures et une orthographe spécifiques à l'époque, qui ont été maintenues dans la plupart des textes.

1. De l'héritage médiéval à l'esprit nouveau

Marot

Rabelais

Vittore Carpaccio (1455-1526), *Jeune Chevalier dans un paysage*, 1510 (huile sur toile, 218,5 × 151,5 cm ; Lugano, Fondation Thyssen-Bornemisza).

■ Quels indices permettent de déterminer *l'époque historique* à laquelle appartiennent les deux personnages ?

■ Observez la *représentation du monde* qui est donnée ici : quels éléments comporte-t-elle ? Vous semble-t-elle *réaliste, allégorique, mythologique* ?

■ Comment pourriez-vous caractériser la *technique* du peintre ?

"L'imitation de l'Antiquité n'entraîna pas, quoi qu'en aient dit nos auteurs eux-mêmes, de brusque rupture avec le passé. La tradition médiévale coule toujours. Rabelais, tous les conteurs ; de Bèze, tous les dramaturges ; Marot, et bien des poètes, sont au confluent de la veine médiévale et de la veine antique. La Pléiade respecte Le Roman de la Rose, Bible *et somme du Moyen Âge. Le succès de la farce dure pendant tout le siècle. Si la* Défense *parle si fort de rompre avec tout le passé, c'est par le procédé classique des jeunes écoles qui ne peuvent se poser qu'en s'opposant, et s'affirment par le scandale."*

V.-L. Saulnier, *La littérature de la Renaissance*, Éd. PUF, 1948.

Considérée longtemps comme une rupture avec le Moyen Âge, la Renaissance a retenu de la période médiévale un legs considérable, autant par les formes que par certaines méthodes et par les thèmes d'inspiration.

Les méthodes

Bien des humanistes s'intéressent ouvertement aux méthodes du Moyen Âge. Ainsi **le goût pour les « sommes* »** est caractéristique de l'héritage médiéval : l'humanisme naissant admire *Le Roman de la Rose,* somme de la culture médiévale ; soucieux de tout connaître, il tend à accumuler les notions plutôt qu'à y chercher un classement. Cette prédilection pour les compilations explique largement la composition - ou plutôt l'absence de composition - des œuvres en prose : celles-ci n'ont guère d'unité, et s'organisent autour d'anecdotes diverses plus qu'autour d'une idée ; chez Rabelais, le titre de chaque chapitre résume un épisode différent des aventures des héros.

Cet éclatement va de pair avec **le mélange des tonalités** : la même œuvre mêle la grossièreté avec l'élévation de la pensée et du style ; Rabelais présente aussi bien une réflexion sérieuse sur l'éducation ▷▷▷ *p. 44 et 49,* que la lourde violence du duel avec Loupgarou.

Cependant, même marquées par l'empreinte médiévale, ces œuvres ont pour centre l'étude et **l'amélioration de l'homme** ; en cela, elles reflètent l'esprit nouveau.

Les thèmes

Les thèmes d'inspiration sont eux-mêmes encore proches du Moyen Âge : le comique épais de la littérature orale, des chroniques populaires, des fabliaux, est rappelé chez Rabelais par des personnages types, des situations grossières et un langage souvent cru : ces éléments sont sensibles avec l'allusion aux « maîtres crasseux » et à la goinfrerie de Gargantua ▷▷▷ *p. 42.* Les romans médiévaux, remaniés, sont également à la mode, comme le roman à succès *Amadis de Gaule,* parallèlement au goût pour les mœurs et l'idéal chevaleresque, présent dans le mythe de Thélème ▷▷▷ *p. 46.*

Mais, là encore, ces thèmes recouvrent en fait une idée fondamentale, centrale, et caractéristique de cette période : l'homme, dans son éducation ▷▷▷ *p. 44,* dans sa vie sociale ▷▷▷ *p. 46.*

Les formes

En ce qui concerne les formes, la littérature et particulièrement la poésie du XVIᵉ siècle se rattachent aux **Grands Rhétoriqueurs*** : le père de Marot était l'un d'eux, et Clément lui gardera toujours une grande admiration ; les acrobaties techniques de la Grande Rhétorique*, notamment les jeux sur les rimes, se retrouvent dans sa poésie ▷▷▷ *p. 34.*

Plus généralement, malgré une apparente rupture revendiquée par Du Bellay, le goût de la technique, présent chez les poètes de la Pléiade, est un héritage des Grands Rhétoriqueurs : comme eux, par exemple, cette école exécute des variations sur le même thème ; comme eux, elle attache une grande importance à la métrique.

Ce qu'apporte alors l'esprit de la Renaissance ne se substitue pas aux formes anciennes, mais y ajoute un supplément d'art : il s'agit de **l'inspiration,** au centre de la création poétique.

Il serait donc injuste de négliger l'héritage du Moyen Âge dans la littérature et la pensée du XVIᵉ siècle ; mais le grand mérite de la Renaissance est d'avoir superposé à cette base des nouveautés de toute sorte, qui finiront par s'imposer.

Giovanni Bellini (1430-1516), *Jeune Femme à sa toilette* (détail), 1515 (huile sur bois, 62 X 79 cm ; Vienne, Kunsthistorisches Museum, Gemäldegalerie).

Marot

Clément Marot est né en 1496 à Cahors en Quercy. Initialement petit boutiquier, son père a obtenu une place à la cour de Louis XII grâce à son talent de poète, dans la tradition médiévale des « Grands Rhétoriqueurs », dont la poésie est essentiellement fondée sur des acrobaties verbales. Cette influence médiévale restera sensible chez Marot dans la forme de certains textes : rondeau, chanson, ballade.

1496-1544

Premières expériences

En 1519, Clément entre au service de Marguerite d'Angoulême, reine de Navarre, sœur de François Ier, écrivain et poète elle-même ; elle protège les intellectuels et s'intéressera aux Évangélistes ▷▷▷ *p. 81.*

Marot connaît rapidement ses premiers ennuis avec les autorités ecclésiastiques, qui l'accusent de désobéissance : elles le font incarcérer au Châtelet, en 1526, puis en 1527 ; le roi, au service duquel il est entré, le fait libérer de sa deuxième incarcération.

Le poète de Cour

À partir de 1528 et jusqu'en 1534, Marot est en grande faveur à la Cour. La publication en 1532 de la plupart de ses œuvres - à l'exception de celles qui concernaient son emprisonnemont -, sous le titre *L'Adolescence clémentine,* consacre sa gloire ; le recueil sera suivi au début de 1534 par *La Suite de l'Adolescence clémentine.*

De nouveau inculpé en 1532 pour désobéissance, il est rapidement délivré sur une intervention indirecte de Marguerite de Navarre ; mais sa traduction du *Psaume VI de David* accentue à son égard les soupçons d'une Église qui entendait garder toute autorité sur les textes sacrés.

L'exil et les dernières difficultés

Au moment de l'affaire des Placards (▷▷▷ *p. 26*), en octobre 1534, Marot s'enfuit ; arrêté à Bordeaux, il s'échappe et gagne la Navarre, condamné par contumace à être brûlé.

Il se réfugie ensuite à Ferrare, puis s'exile à Venise en 1536. Cependant, il obtient la permission de rentrer en France et abjure solennellement ses erreurs en décembre 1536 à Lyon.

De retour à la Cour, il fait paraître en 1538 une édition de ses œuvres et poursuit aussi la traduction et la publication de trente *Psaumes de David.* En 1542, la première édition française de *L'Enfer* est suivie de nouvelles persécutions : Marot se réfugie à Genève puis à Chambéry. Il meurt à Turin en 1544.

Portrait : Corneille de Lyon (1505-1574), *Portrait présumé de Clément Marot* (12 X 10 cm ; Paris, Musée du Louvre).

Rondeaux

De l'amour du siècle antique

Les trois textes qui suivent renvoient peut-être à des expériences vécues ; mais rien ne permet de l'affirmer, et il est plus probable que l'on retrouve là un thème fréquent en poésie, et « obligé » pour le poète de cour qu'est Marot.

Au bon vieux temps un train[1] d'amour régnait,
Qui sans grand art et dons se démenait[2],
Si[3] qu'un bouquet donné d'amour profonde[4],
C'était donné toute la terre ronde,
5 Car seulement au cœur on se prenait.

Et si, par cas[5], à jouir on venait,
Savez-vous bien comme on s'entretenait[6] ?
Vingt ans, trente ans, cela durait un monde
Au bon vieux temps.

10 Or est perdu ce qu'amour ordonnait :
Rien que pleurs feints, rien que changes[7] on n'oit[8].
Qui voudra donc qu'à aimer je me fonde,
Il faut premier[9] que l'amour on refonde,
Et qu'on la mène ainsi qu'on la menait
15 Au bon vieux temps.

1. manière de vivre.
2. se pratiquait.
3. si bien que.
4. « amour » est féminin.
5. éventuellement.
6. combien de temps on restait amoureux.
7. changements, infidélités.
8. on n'entend.
9. premièrement.

Œuvres poétiques, XXXII, Éd. Garnier-Flammarion.

Attribué au Primatice (1505-1570), *Ulysse et Pénélope*, v. 1560 (huile sur toile, 113,6 × 123,8 cm ; Toledo Museum of Art, Toledo, Ohio).

LECTURE MÉTHODIQUE

■ En quoi le poème illustre-t-il le titre ? Repérez les termes qui se rattachent aux **deux notions** évoquées. En ce qui concerne l'amour, quelle conception Marot défend-il ?

■ Identifiez les temps verbaux ; que pouvez-vous en déduire ? Que remarquez-vous au vers 10 ? Quel est le **rôle** joué par l'expression « au bon vieux temps » (v. 1-9-15) ?

■ Comment sont regroupés les vers ? Quelle est la nature des rimes ? Qu'ont de commun les strophes 2 et 3 ? À partir de ces réponses, dites quel nom porte ce **type de poème**.

PARCOURS CULTUREL

■ Les fleurs sont souvent citées dans la **poésie lyrique**. Cherchez dans cet ouvrage d'autres textes faisant allusion à l'offrande d'un bouquet et comparez-les (circonstances de composition et d'offrande, nature, signification, destinataire…).

guides p. 69-306-418

Giovanni Busi, dit Cariani (1480-1548), *Le Joueur de luth*, 1510/1517 (71 X 65 cm ; Strasbourg, Musée des Beaux-Arts).

Chansons

Chanson première

1. le pronom *je* n'est pas exprimé dans ce texte.
2. désolation.
3. le bonheur.
4. consolation.
5. souffrant.
6. tourmente.
7. *amour* est féminin.
8. ce dont.
9. abattement.
10. abattu.
11. amertume (selon une conception médicale en vigueur au XVIᵉ siècle, le corps comporte des liquides différents correspondant aux différentes humeurs).
12. déchire.

Plaisir n'ai[1] plus, mais vis en déconfort[2].
Fortune m'a remis en grand douleur.
L'heur[3] que j'avais est tourné en malheur,
Malheureux est qui n'a aucun confort[4].

5 Fort suis dolent[5], et regret me remord[6] ;
Mort m'a ôté ma dame de valeur ;
L'heur que j'avais est tourné en malheur :
Malheureux est qui n'a aucun confort.

Valoir ne puis, en ce monde suis mort ;
10 Morte est m'amour[7] dont[8] suis en grand langueur[9],
Langoureux[10] suis, plein d'amère liqueur[11] ;
Le cœur me part[12] pour sa dolente mort.

Œuvres poétiques, Éd. Garnier-Flammarion.

LECTURE MÉTHODIQUE

■ Quelle **relation** pouvez-vous établir entre les rimes du poème ainsi que les vers 3-4 et 7-8 d'une part, et le titre d'autre part ?

■ Quel est le **thème dominant** du texte ? À travers quels termes s'exprime-t-il ? Faites des remarques sur leur fréquence et leur situation dans le texte.

■ À quelle personne ce texte est-il écrit ? Est-il pour autant l'évocation d'une expérience tout à fait personnelle ? Qu'en déduisez-vous en ce qui concerne le rôle de la **chanson ?**

PARCOURS CULTUREL

■ Repérez, puis relisez les différentes **chansons** qui figurent dans cet ouvrage. Trouvez-en d'autres, et, à partir de cet échantillonnage, faites un tableau des thèmes qui reviennent le plus souvent. Que pouvez-vous déduire de ces observations :
- en ce qui concerne leurs différentes caractéristiques ?
- en ce qui concerne l'inspiration des chansons ?
- en ce qui concerne leur(s) fonction(s) ?

Ballades

Chant de Mai et de Vertu

Volontiers en ce mois ici[1]
  La terre mue et renouvelle.
Maints amoureux en font ainsi,
Sujets à faire amour nouvelle
5 Par légèreté de cervelle
  Ou pour être ailleurs plus contents.
  Ma façon d'aimer n'est pas telle :
  Mes amours durent en tout temps.

  N'y a si belle dame aussi[2]
10 De qui la beauté ne chancelle :
  Par temps, maladie ou souci
  Laideur les tire en sa nacelle[3].
  Mais rien ne peut enlaidir celle
  Que servir sans fin je prétends,
15 Et pour ce[4] qu'elle est toujours belle
  Mes amours durent en tout temps.

  Celle dont je dis tout ceci,
  C'est Vertu, la nymphe éternelle,
  Qui au mont d'honneur éclairci[5]
20 Tous les vrais amoureux appelle :
  « Venez, amants, venez, dit-elle,
  Venez à moi, je vous attends ;
  Venez, ce dit la jouvencelle,
  Mes amours durent en tout temps. »

ENVOI

25 Prince, fais amie immortelle
  Et à la bien aimer entends[6],
  Lors pourras dire sans cautelle[7] :
  Mes amours durent en tout temps.

Œuvres poétiques, XVIII,
Éd. Garnier-Flammarion.

Sandro Botticelli (1444-1510), *La Naissance de Vénus* (détail), 1486 (tempera sur toile, 175 X 134 cm ; Florence, Galerie des Offices).

1. ce mois-ci. 2. mais aussi, il n'y a pas de dame si belle que sa beauté… 3. barque. 4. parce que. 5. célèbre. 6. fais attention à… 7. hypocrisie.

LECTURE MÉTHODIQUE

■ Observez la fin de chaque **strophe :** qu'y a-t-il de commun, qu'y a-t-il de différent ?

■ À partir des trois termes suivants : *amour,* v. 4 ; *dame,* v. 9 ; *Vertu,* v. 18 et de l'analyse du vocabulaire qui s'y rattache, précisez comment **évoluent** les trois strophes : quel est le thème commun, et comment, à l'intérieur de ce thème, les éléments progressent-ils ?

■ Quelle est la **leçon** du poème ? À qui s'adresse-t-elle ? Est-elle affective ? politique ? Justifiez votre réponse par l'observation de certains champs lexicaux du texte.

■ Détaillez les caractéristiques de ce poème ; quel **nom** porte-t-il ?

guides p. 39-69

Épîtres

Petite épître au roi

L'épître est un genre très représenté dans l'Antiquité latine : il s'agit d'une lettre adressée à un grand personnage, souvent pour formuler une requête. En 1518, Marot remet ce genre au goût du jour, et écrit au roi. Sa « Petite épître au roi » reprend avec brio les techniques des grands rhétoriqueurs : jeux de mots, rimes équivoquées. Il s'agit en effet d'attirer l'attention, et la bienveillance, du monarque.

École Française du XVIᵉ siècle, *Personnage de Mascarade* (plume, encre brune, lavis d'encre gris-brun et ocre avec rehauts d'aquarelle ; Paris, Bibliothèque Nationale de France).

1. jeu de mots avec *m'enrhume*.
2. tout à.
3. ce que je regrette.
4. *je ne soutiens maille* : je ne gagne rien.
5. personnage inconnu, sans doute imaginaire, dont le nom a été inventé pour la rime.
6. greffe.
7. que je mette mon rire.
8. aussi.
9. dise.

En m'ébattant je fais rondeaux en rime,
Et en rimant bien souvent je m'enrime[1] ;
Bref, c'est pitié d'entre nous rimailleurs,
Car vous trouvez assez de rimes ailleurs,
5 Et quand vous plaît, mieux que moi rimassez.
Des biens avez et de la rime assez.
Mais moi, à tout[2] ma rime et ma rimaille,
Je ne soutiens (dont je suis marri[3]) maille[4].
    Or ce, me dit (un jour) quelque rimart :
10 « Viens ça, Marot, trouves-tu en rime art
Qui serve aux gens, toi qui as rimassé ?
- Oui vraiment (réponds-je) Henri Macé[5] ;
Car vois-tu bien, la personne rimante,
Qui au jardin de son sens la rime ente[6],
15 Si elle n'a des biens en rimoyant,
Elle prendra plaisir en rime oyant ;
Et m'est avis que, si je ne rimois,
Mon pauvre corps ne serait nourri mois
Ni demi-jour. Car la moindre rimette,
20 C'est le plaisir où faut que mon ris[7] mette. »
    Si[8] vous supplie qu'à ce jeune rimeur
Fassiez avoir un jour par sa rime heur,
Afin qu'on die[9], en prose ou en rimant :
« Ce rimailleur, qui s'allait enrimant,
25 Tant rimassa, rima et rimonna,
Qu'il a connu quel bien par rime on a. »

Œuvres poétiques, Éd. Garnier-Flammarion.

LECTURE MÉTHODIQUE

■ Observez les **rimes** du texte ; que remarquez-vous ? Qu'ont-elles en commun ?

■ Quel est le **thème** général de ce texte construit autour de l'idée de rime ?

■ En tenant compte du titre, étudiez l'utilisation des pronoms personnels du texte (attention aux passages entre guillemets). Qu'en déduisez-vous en ce qui concerne :
- les **interlocuteurs** de Marot ?

- le **statut des poètes,** en général, à l'époque de Marot ?

PARCOURS CULTUREL

■ Retrouvez à l'intérieur de cet ouvrage, ou dans vos lectures personnelles, des textes construits sur des **jeux de mots.** Établissez à partir de là une typologie de ces jeux selon qu'ils portent sur les sons, sur les sens, sur l'orthographe, sur la syntaxe.

guides p. 128-306

« Ô pauvre verminière »

Marot a composé de nombreux poèmes en relation avec les questions religieuses. Dans celui qui suit, le poète demande à son ami Lyon Jamet de l'aider à sortir de prison en 1526. C'est l'occasion pour lui de composer une variation sur la fable d'ésope : « Le lion et le rat reconnaissant ».

Cestuy[1] Lyon, plus fort qu'un vieux Verrat[2],
Vit une fois que le Rat ne savait
Sortir d'un lieu, pour autant[3] qu'il avait
Mangé le lard et la chair toute crue[4] ;
5 Mais ce Lyon (qui jamais ne fut Grue[5])
Trouva moyen et manière et matière,
D'ongles et dents, de rompre la ratière,
Dont maître Rat échappe vitement,
Puis mit à terre un genou gentement[6],
10 Et, en ôtant son bonnet de la tête,
A mercié[7] mille fois la grand'Bête,
Jurant le dieu des Souris et des Rats
Qu'il lui rendrait. Maintenant tu verras
Le bon du conte. Il advint d'aventure
15 Que le Lyon, pour chercher sa pâture,
Saillit[8] dehors sa caverne et son siège[9],
Dont[10] (par malheur) se trouva pris au piège,
Et fut lié contre un ferme poteau.
    Adonc[11] le Rat, sans serpe ni couteau,
20 Y arriva joyeux et ébaudi[12],
Et du Lyon (pour vrai) ne s'est gaudi[13],
Mais dépita[14] Chats, Chattes et Chatons,
Et prisa fort Rats, Rates et Ratons,
Dont[15] il avait trouvé temps favorable
25 Pour secourir le Lyon secourable,
Auquel a dit : « Tais-toi, Lyon lié,
Par moi seras maintenant délié ;
Tu le vaux bien, car le cœur joli as ;
Bien y parut, quand tu me délias.
30 Secouru m'as fort lyonneusement ;
Or secouru seras rateusement. »
    Lors le Lyon ses deux grands yeux vêtit[16],
Et vers le Rat les tourna un petit[17],
En lui disant : « Ô pauvre verminière[18],
35 Tu n'as sur toi instruments ni manière,
Tu n'as couteau, serpe ni serpillon,
Qui sût couper corde ni cordillon,
Pour me jeter de cette étroite voie.
Va te cacher, que le Chat ne te voie.
40 - Sire Lyon (dit le fils de Souris),
De ton propos (certes) je me souris ;
J'ai des couteaux assez, ne te soucie,
De bel os blanc, plus tranchants qu'une scie ;
Leur gaine, c'est ma gencive et ma bouche ;
45 Bien couperont la corde qui te touche
De si très près[19], car j'y mettrai bon ordre. »

1. ce.
2. porc ; ce surnom est souvent appliqué par Marot aux théologiens.
3. parce que.
4. allusion aux raisons qui avaient provoqué l'emprisonnement du poète, accusé d'avoir mangé de la viande (du lard) pendant la période du Carême, donc de s'opposer aux lois de l'Église.
5. sot.
6. noblement.
7. remercié.
8. bondit.
9. sa demeure.
10. par suite de quoi.
11. alors.
12. joyeux.
13. moqué.
14. méprisa.
15. de ce que.
16. recouvrit de ses paupières.
17. un peu.
18. vermisseau.
19. tellement près.

Lors sire Rat va commencer à mordre
Ce gros lien ; vrai est qu'il y songea
Assez longtemps ; mais il le vous rongea
50 Souvent, et tant, qu'à la parfin[20] tout rompt ;
Et le Lyon de s'en aller fut prompt,
Disant en soi : « Nul plaisir (en effet)
Ne se perd point, quelque part où soit fait. »
Voilà le conte en termes rimassés ;
55 Il est bien long, mais il est vieil assez,
Témoin Ésope et plus d'un million.
    Or me viens voir pour faire le Lyon,
Et je mettray peine, sens et étude
D'être le Rat, exempt d'ingratitude,
60 J'entends, si Dieu te donne autant d'affaire[21]
Qu'au grand Lyon, ce qu'il ne veuille faire.

20. à la fin.
21. embarras.

Œuvres poétiques, IX, v. 16 à 76,
Éd. Garnier-Flammarion.

■ TEXTES ÉCHOS   *Voici deux fables sur le même thème : celle d'Ésope et celle de La Fontaine.*

Le Lion et le rat reconnaissant

Un lion dormait ; un rat s'en vint trotti-
ner sur son corps. Le lion, se
réveillant, le saisit, et il allait le manger,
quand le rat le pria de le relâcher, promet-
5 tant, s'il lui laissait la vie, de le payer de
retour. Le lion se mit à rire et le laissa aller.
Or il arriva que peu de temps après il dut
son salut à la reconnaissance du rat. Des
chasseurs en effet le prirent et l'attachèrent
10 à un arbre avec une corde. Alors le rat
l'entendant gémir accourut, rongea la corde
et le délivra. « Naguère, dit-il, tu t'es moqué
de moi, parce que tu n'attendais pas de
retour de ma part ; sache maintenant que
15 chez les rats aussi on trouve de la reconnaissance. »
    Cette fable montre que dans les change-
ments de fortune les gens les plus puissants
ont besoin des faibles.

Ésope.

Le Lion et le Rat

Il faut, autant qu'on peut, obliger tout le monde,
    On a souvent besoin d'un plus petit que soi.
De cette vérité deux fables feront foi,
    Tant la chose en preuves abonde.

5   Entre les pattes d'un lion
Un rat sortit de terre assez à l'étourdie.
Le roi des animaux, en cette occasion,
Montra ce qu'il était, et lui donna la vie.
    Ce bienfait ne fut pas perdu.
10   Quelqu'un aurait-il jamais cru
    Qu'un lion d'un rat eût affaire ?
Cependant il avint[1] qu'au sortir des forêts
    Ce lion fut pris dans des rets[2],
Dont ses rugissements ne le purent défaire.
15 Sire rat accourut, et fit tant par ses dents
Qu'une maille rongée emporta tout l'ouvrage.

    Patience et longueur de temps
    Font plus que force ni[3] que rage.

La Fontaine, *Fables*, II, 11.

1. advint. 2. filets. 3. et.

ÉTUDE COMPARÉE

■ Faites un **tableau comparatif** des trois textes en
rapprochant ce qui leur est commun. Trouvez vous-
même votre principe de classification.

■ Montrez ensuite les **différences** perceptibles à la
lecture (longueur et développement, modifications
dans le traitement du thème, la forme du texte).

■ Le texte de Marot est adapté à une **situation très
précise** : en quoi l'adaptation est-elle particulièrement pertinente ? Comment Marot a-t-il dramatisé
la situation ?

guides p. 184-306

« Au Roi, pour avoir été dérobé »

Composée en 1532, cette Épître est encore une requête adressée au roi. Elle vaudra à Marot cent écus d'or.

J'avais un jour un valet de Gascogne,
Gourmand, ivrogne, et assuré menteur,
Pipeur[1], larron, jureur, blasphémateur,
Sentant la hart[2] de cent pas à la ronde,
5 Au demeurant, le meilleur fils du monde,
Prisé, loué, fort estimé des filles
Par les bordeaux[3], et beaux joueurs de quilles[4].
  Ce vénérable hillot[5] fut averti
De quelque argent que m'aviez départi[6],
10 Et que ma bourse avait gros apostume[7] ;
Si[8] se leva plus tôt que de coutume,
Et me va prendre en tapinois icelle[9],
Puis vous la mit très bien sous son aisselle
Argent et tout (cela se doit entendre).
15 Et ne crois point que ce fut pour la rendre
Car oncques puis[10] n'en ai ouï parler.
  Bref, le vilain ne s'en voulut aller
Pour si petit[11] ; mais encore il me happe
Saie[12] et bonnet, chausses, pourpoint et cape ;
20 De mes habits (en effet) il pilla
Tous les plus beaux, et puis s'en habilla
Si justement, qu'à le voir ainsi être,
Vous l'eussiez pris (en plein jour) pour son maître.
  Finalement, de ma chambre il s'en va
25 Droit à l'étable, où deux chevaux trouva ;
Laisse le pire, et sur le meilleur monte,
Pique et s'en va. Pour abréger le conte,
Soyez certain qu'au partir dudit lieu
N'oublia rien, fors[13] à me dire adieu.
30 Ainsi s'en va, chatouilleux de la gorge[14],
Ledit valet, monté comme un saint George[15],
Et vous laissa Monsieur dormir tout son saoul,
Qui au réveil n'eût su finer[16] un sou.
Ce Monsieur-là (Sire) c'était moi-même,
35 Qui sans mentir, fus au matin bien blême,
Quand je me vis sans honnête[17] vêture,
Et fort fâché de perdre ma monture ;
Mais de l'argent que vous m'aviez donné,
Je ne fus point de le perdre étonné ;
40 Car votre argent (très débonnaire[18] Prince)
Sans point de faute est sujet à la pince[19].
  Bientôt après cette fortune là,
Une autre pire encore se mêla
De m'assaillir, et chacun jour m'assaut,
45 Me menaçant de me donner le saut[20],
Et de ce saut m'envoyer à l'envers
Rimer sous terre et y faire des vers.

Œuvres poétiques, XXIII, v. 8 à 54,
Éd. Garnier-Flammarion.

Jérôme Bosch (1450-1516), *Le Portement de croix* (détail), 1515/1516 (huile sur panneau, 76,5 × 83,5 cm ; Gand, Musée des Beaux-Arts).

1. trompeur. 2. la corde (avec laquelle on pend les malfaiteurs). 3. bordels. 4. le jeu de mots est obscène. 5. garçon, en gascon. 6. attribué. 7. enflure. 8. aussi. 9. celle-ci. 10. jamais depuis. 11. si peu. 12. casaque, manteau court. 13. sauf. 14. il est menacé d'être pendu. 15. Saint George combattit à cheval contre un dragon. 16. payer. 17. honorable. 18. noble. 19. on vole facilement l'argent ; allusion probable à des malversations faites par un trésorier du roi condamné à la pendaison. 20. des coups mortels.

LECTURE MÉTHODIQUE

■ Par l'observation des temps verbaux, des articulations chronologiques et des verbes, dites à quel **type de texte** appartient la plus grande partie de ce poème : descriptif, narratif, argumentatif ?

■ Quels termes servent à présenter le valet ? Étudiez-en la progression et explicitez **l'intention** de Marot.

■ Faites apparaître les **différentes étapes du vol** et analysez la précision visuelle des détails.

■ Marot s'adresse directement au roi. À quoi le voit-on ? Que cherche-t-il à **provoquer chez lui**, et par quels moyens ?

ÉCRITURE

■ Exposez en quelques paragraphes argumentés les raisons qui peuvent justifier le **choix d'une vie marginale**.

■ En prenant appui sur les textes de Marot, et sur des éléments biographiques trouvés chez d'autres auteurs, expliquez en quoi la **vie de poète** n'était pas toujours enviable ni facile au XVIe siècle.

guides p. 237-418

Jérôme Bosch (1450-1516), triptyque du *Jardin des Délices,* partie droite : *L'Enfer du Musicien,* 1503/1504 (huile sur panneau, 220 X 97 cm ; Madrid, Musée du Prado).

1. pour celui qui l'atteint. 2. en quantité. 3. grande. 4. en dehors. 5. rapidement. 6. s'il n'y fait pas attention. 7. sont irrités. 8. ceci. 9. vrai. 10. blessé. 11. attaqueront plus. 12. celui. 13. allusion à l'Hydre de Lerne, monstre mythologique tué par Hercule. 14. vivantes.

LECTURE MÉTHODIQUE

■ Repérez tous les termes relatifs aux serpents. Quelle observation pouvez-vous faire sur leur nombre, leur place, leur fréquence ? Distinguez parmi ces termes ceux qui sont **descriptifs** et ceux qui expriment **l'action** des serpents.

■ Par quels procédés stylistiques s'exprime **le sentiment du poète face aux Procès ?** Précisez quel est ce sentiment, en relation avec le titre de l'œuvre.

■ Par l'observation des figures, des rythmes, du choix des termes, dites quelle est la **tonalité** de cet extrait.

PARCOURS CULTUREL

■ Le **serpent** est associé à de nombreux mythes et à de nombreuses croyances. Retrouvez dans le contexte biblique et dans les mythologies antiques des exemples d'utilisation de cet animal. Quelles sont ses significations symboliques ?

───── *guides* p. 39-87 ─────

L'Enfer - 1526

« Ce sont serpents enflés... »

Toujours lié aux questions religieuses, cet extrait est une satire de la justice. Les procès y sont assimilés à des serpents.

C e sont serpents enflés, envenimés,
  Mordants, maudits, ardents et animés,
Jetant un feu qu'à peine on peut éteindre,
Et en piquant dangereux à l'atteindre[1] :
5 Car qui en est piqué ou offensé
Enfin devient chétif ou insensé :
C'est la nature au serpent plein d'excès
Qui par son nom est appelé Procès.
Tel est son nom, qui est de mort une ombre.
10 Regarde un peu, en voilà un grand nombre
De gros, de grands, de moyens et de grêles,
Plus malfaisants que tempêtes et grêles.
Celui qui jette ainsi feu à planté[2]
Veut enflammer quelque grand[3] parenté ;
15 Celui qui tire ainsi hors[4] sa languette
Détruira bref[5] quelqu'un, s'il ne s'en guette[6] ;
Celui qui siffle et a les dents si drues,
Mordra quelqu'un qui en courra les rues ;
Et ce froid-là, qui lentement se traîne,
20 Par son venin a bien su mettre haine
Entre la mère et les mauvais enfants :
Car serpents froids sont les plus échauffants[7].
Et de tous ceux qui en ce parc habitent,
Les nouveau-nés, qui s'enflent et dépitent,
25 Sont plus sujets à engendrer ici[8]
Que les plus vieux : voire[9], qu'il soit ainsi,
Ce vieil serpent sera tantôt crevé,
Combien qu'il ait maint lignage grevé[10],
Et celui-là, plus antique qu'un roc,
30 Pour reposer s'est pendu à un croc ;
Mais ce petit plus mordant qu'une louve
Dix grands serpents dessous sa panse couve ;
Dessous sa panse il en couve dix grands,
Qui quelque jour seront plus dénigrants[11]
35 Honneurs et biens que cil[12] qui les couva ;
Et pour un seul qui meurt ou qui s'en va,
En viennent sept. Dont ne faut t'étonner ;
Car pour du cas la preuve te donner,
Tu dois savoir qu'issues sont ces bêtes
40 Du grand serpent Hydra[13], qui eut sept têtes,
Contre lequel Hercule combattait,
Et quand de lui une tête abattait,
Pour une morte en revenait sept vives[14].

Œuvres poétiques, v. 139 à 181,
Éd. Garnier-Flammarion.

Les problèmes lexicaux

Tout texte est composé de mots organisés les uns par rapport aux autres. Bien repérer leur(s) sens et comprendre leur utilisation sont deux opérations fondamentales pour analyser les enjeux du texte.

Dénotation et connotation

Définitions

Observez le mot *terre* dans ces deux exemples :
Volontiers en ce mois ici
La terre mue et renouvelle. ▷▷▷ Marot, *p. 33.*

Le soleil d'avril rayonnait dans sa gloire,
échauffant la terre qui enfantait. ▷▷▷ Zola, *p. 335.*

Dans le premier cas, le mot est pris dans son sens premier : la terre est le sol. Le mot a un sens **dénoté.** Dans le second, le terme renvoie à l'idée de maternité : le mot a un sens **connoté,** c'est-à-dire un sens modifié, enrichi par le contexte et par la sensiblilité de celui qui l'utilise.

On appelle **dénotation** ou sens dénoté le sens premier d'un mot. On appelle **connotation** ou sens connoté le sens que prend un mot lorsqu'il est employé avec une intention particulière.

Importance de la connotation

Par rapport à la dénotation, la connotation confère aux mots une grande richesse et rattache plus précisément un terme à son contexte. Ainsi, dans le début de la *Lettre Persane 37,* le nom *France* renvoie au pays ▷▷▷ *p. 214 ;* tandis que dans le sonnet de Du Bellay, il évoque aussi, pour qui connaît la vie du poète qui a mal supporté son éloignement à Rome, le sentiment de l'exil, sa profonde nostalgie ▷▷▷ *p. 66.*

De même, le *loup* de la fable de La Fontaine, « Les animaux malades de la peste » ▷▷▷ *p. 177,* désigne seulement l'animal, alors que celui du texte de d'Aubigné « L'homme est en proie à l'homme, un loup à son pareil » évoque la férocité des comportements humains lors des guerres de Religion ▷▷▷ *p. 84.*

Découvrir les connotations d'un mot ou d'une expression permet de cerner son ou ses sens **dans un contexte précis.** C'est un outil essentiel de la lecture méthodique et du commentaire composé. C'est également un « instrument » utile dans l'explication des mots et expressions qui accompagnent le résumé de texte ou dans la compréhension de certains sujets d'essais littéraires.

Le champ lexical

Le champ lexical

Il arrive souvent que dans un même texte plusieurs termes se rattachent à la même notion ; par exemple, dans le sonnet de Du Bellay, « Heureux qui comme Ulysse... », un certain nombre de termes dans le second quatrain caractérisent l'univers du poète : *petit, village, cheminée, clos, pauvre, maison.* Ils renvoient tous à l'idée d'un monde modeste et simple, soit par leur sens premier - *petit, pauvre* -, soit par leur connotation : *village* renvoie à un groupe restreint ; *cheminée,* au singulier, fait penser à une demeure de petite taille ; *clos* exprime l'idée d'un univers limité ▷▷▷ *p. 67.*

Le **champ lexical** est l'ensemble des termes qui renvoient à une même réalité, à une même idée, à une même notion.

L'importance du champ lexical

Observer la composition des champs lexicaux d'un texte est très important puisqu'ils permettent de déterminer **le ou les thèmes dominants.** Mais il ne suffit pas, dans la lecture méthodique ou le commentaire composé, d'énumérer des termes, il faut les **interpréter** en tenant compte de leur choix, de leur organisation, de leurs liens, de leur relation, directe ou non, avec la notion considérée.
Ainsi, l'extrait de *Germinal* ▷▷▷ *p. 335,* et l'extrait de *l'Étranger* ▷▷▷ *p. 412,* comprennent l'un et l'autre un champ lexical du soleil, chaleur et lumière. Mais dans *Germinal,* il est associé à tout un vocabulaire du renouveau, de la vie et de la fécondité, alors que chez Camus, le champ lexical du soleil renvoie à l'idée de blessure, de douleur et de mort.

L'interprétation d'un même champ lexical diffère donc selon le **contexte ;** il faudra par conséquent l'expliquer en fonction du passage où il se trouve.

Le champ sémantique

Il ne faut pas confondre champ lexical et **champ sémantique ;** le **champ sémantique** est l'**ensemble des significations que peut présenter un mot :** il correspond à un article de dictionnaire. Ainsi, le terme *Fantaisie,* dans le poème de Nerval ▷▷▷ *p. 265,* peut avoir les sens suivants : créativité libre et imprévisible, caprice, création qui ne suit pas les règles établies, notamment dans le domaine musical... Lorsqu'un terme a plusieurs significations, on dit qu'il est **polysémique*.**

Rabelais

Des études éclectiques

Né près de Chinon, en 1494, dans une riche famille bourgeoise, François Rabelais se destine à la vie monacale : novice chez les Franciscains en 1510, il devient moine en 1520 ; lié avec quelques érudits, il s'intéresse notamment à la science et au droit de l'Antiquité, ainsi qu'au grec, curiosité condamnée par ses supérieurs. Après un passage chez les Bénédictins, pourtant plus tolérants et plus ouverts, il abandonne l'habit monacal pour la médecine.

1494-1553

Étudiant à Paris, puis à Montpellier, il exerce à Lyon, puis à Paris, où il est médecin particulier de l'évêque, et dans d'autres régions. Sa curiosité le pousse à pratiquer la chirurgie et les dissections, alors suspectes à l'Église. Ce désir de savoir, caractéristique de Rabelais, se manifeste aussi dans son importante œuvre littéraire.

Premières œuvres

Rabelais connaît des milieux très différents, celui des moines, des universités et des juristes ; d'autre part, il est au contact des intellectuels qui souhaitent accéder directement aux textes anciens : c'est cette diversité d'expériences qu'il met en œuvre dans ses ouvrages.

Il fait paraître à Lyon en 1532 *Les Horribles et Épouvantables Faits et Prouesses du très renommé Pantagruel, roi des Dipsodes,* sous le pseudonyme de Maître Alcofribas Nasier, anagramme* de son nom. Cette histoire souvent grossière met en scène un géant respectueux des traditions. L'ouvrage sera condamné par la Sorbonne, qui y voit l'exaltation des idées nouvelles.

En 1534, *La Vie très horrifique du grand Gargantua, père de Pantagruel,* reprend le même sujet, mais critique nettement les autorités ecclésiastiques. Le livre sera également condamné.

En raison de l'hostilité de la Sorbonne, Rabelais, prudent, cesse d'écrire pendant douze ans.

Dernières œuvres, dernières oppositions

Bien que la Sorbonne renouvelle en 1543 la condamnation du *Pantagruel* et du *Gargantua,* la publication du *Tiers Livre* (« tiers » signifie troisième) sera autorisée en 1546 par le roi, qui affirme ainsi son autorité vis-à-vis des ecclésiastiques. Le nouvel ouvrage est immédiatement censuré, et Rabelais s'enfuit à Metz. Il publie en 1552 le *Quart Livre* (« quart signifie » quatrième), aussitôt condamné.

Rabelais meurt à Paris en 1553 ou 1554. En 1564, paraît le *Livre Cinquième,* qui conclut les aventures précédentes, mais son authenticité en est très discutée.

Portrait : École française, XVIᵉ siècle, *François Rabelais* (Versailles, Musée du Château).

Gargantua - 1534

Prologue de l'auteur

Rabelais expose dans ce Prologue ses intentions d'auteur.

Buveurs très illustres, [...] Alcibiades, au dialogue de Platon intitulé *le Banquet,* louant son précepteur Socrates, sans controverse prince[1] des philosophes, entre autres paroles le dit être semblable ès[2] Silènes. Silènes étaient jadis petites boîtes, telles que voyons de présent ès[3] boutiques des
5 apothicaires, peintes au-dessus de figures joyeuses et frivoles, comme de harpies, satyres, oisons bridés, lièvres cornus, canes bâtées, boucs volants, cerfs limonniers et autres telles peintures contrefaites à plaisir pour exciter le monde à rire (quel[4] fut Silène, maître du bon Bacchus) ; mais au-dedans l'on réservait les fines drogues, comme baume, ambre gris, amo-
10 mon[5], musc, civette, pierreries et autres choses précieuses. Tel disait être Socrates, parce que, le voyant au-dehors et l'estimant par l'extérieure apparence, n'en eussiez donné un coupeau[6] d'oignon tant laid il était de corps et ridicule en son maintien, le nez pointu, le regard d'un taureau, le visage d'un fol[7], simple en mœurs, rustique en vêtements, pauvre de fortune
15 [...], inepte[8] à tous offices de la république[9], toujours riant, toujours buvant d'autant à un chacun[10], toujours se guabelant[11], toujours dissimulant son divin savoir ; mais, ouvrant cette boîte, eussiez au-dedans trouvé une céleste et impréciable[12] drogue : entendement plus que humain, vertu merveilleuse, courage invincible, sobresse[13] non pareille, contentement
20 certain, assurance parfaite, déprisement[14] incroyable de tout ce pourquoi les humains tant veillent, courent, travaillent, naviguent et bataillent.

À quel propos, en[15] votre avis, tend ce prélude et coup d'essai ? Pour autant que[16] vous, les bons disciples et quelques autres fols de séjour[17], lisant les joyeux titres d'aucuns[18] livres de notre invention, comme *Gar-*
25 *gantua, Pantagruel, Fessepinte*[19] [...], *Des Pois au lard cum commento*[19], etc., jugez trop facilement n'être au-dedans traité que moqueries, folâtreries et menteries joyeuses : vu que l'enseigne extérieure (c'est le titre), sans plus avant enquérir[20], est communément reçue à dérision et gaudisserie[21]. Mais par[22] telle légèreté ne convient estimer les œuvres des humains : car
30 vous-mêmes dites que l'habit ne fait pas le moine et tel est vêtu de cape espagnole qui en son courage nullement affiert à l'Espagne[23]. C'est pourquoi faut ouvrir le livre et soigneusement peser ce qui est déduit[24]. Lors connaîtrez que la drogue dedans contenue est bien d'autre valeur que ne promettait la boîte. C'est-à-dire que les matières ici traitées ne sont tant
35 folâtres comme le titre au-dessus prétendait.

Petits Classiques Larousse.

1. premier.
2. aux.
3. dans les.
4. ainsi.
5. gingembre.
6. morceau.
7. fou.
8. inapte.
9. l'État.
10. autant que chacun des autres.
11. se moquant.
12. inappréciable.
13. sobriété.
14. indifférence pour.
15. à.
16. parce que.
17. fous d'oisiveté.
18. certains.
19. ouvrages probablement imaginaires.
20. sans chercher plus loin.
21. plaisanterie.
22. avec.
23. ne convient à l'Espagne.
24. raconté.

LECTURE MÉTHODIQUE

■ En observant la division du texte en paragraphes et le début du deuxième d'entre eux, dites quelle est la **structure** de l'ensemble. Par quelle relation sont liés les deux paragraphes ?

■ Approfondissez votre première réponse par l'étude des **deux exemples** du premier paragraphe : qu'ont-ils en commun (idée dominante, champs lexicaux, figures de style) ? À quoi servent-ils ?

■ Quels sont les objectifs de ce **prologue ?** À quel moment du texte les découvrez-vous ? En quoi peut-on dire de ce texte qu'il est à la fois l'exposé d'une méthode et un mode d'emploi ?

PARCOURS CULTUREL

■ Les deux textes qui figurent *p. 91* et *p. 240* sont aussi des **prologues.** Comparez-les et faites un tableau de leurs similitudes et de leurs différences.

guides p. 39-78

Pieter Bruegel l'Ancien (1530-1569), *Le Combat de Carnaval et Carême* (détail), 1559 (huile sur panneau, 118 × 164,5 cm ; Vienne, Kunsthistorisches Museum, Gemäldegalerie).

« Lever matin n'est point bonheur ;
Boire matin est le meilleur. »

Le début de l'œuvre est consacré à la naissance et à la petite enfance de Gargantua. Rabelais en vient ensuite à l'enseignement que Gargantua reçoit à Paris. Celui-ci est dans un premier temps soumis à l'autorité de précepteurs qui lui donnent une éducation « à l'ancienne », c'est-à-dire inspirée de celle qu'on recevait dans les écoles médiévales.

1. selon qu'il faisait jour ou non.
2. il s'agit de ses précepteurs de la Sorbonne, hommes d'Église.
3. *C'est pour vous vanité de vous lever avant le jour* (verset du Psaume CXXVII, détourné de son sens).
4. dans.
5. animer.
6. éléments porteurs de l'énergie vitale.
7. laine.
8. jeu de mots sur le nom d'un théologien du début du XVIᵉ siècle, Jacques Almain.

Il dispensait donc son temps de telle façon que, ordinairement, il s'éveillait entre huit et neuf heures, fût jour ou non[1], ainsi l'avaient ordonné ses régents théologiques[2], alléguants ce que dit David : *vanum est vobis ante lucem surgere*[3]. Puis se gambayait, penadait, et paillardait parmi[4]
5   le lit quelque temps, pour mieux esbaudir[5] ses esprits animaux[6], et s'habillait selon la saison, mais volontiers portait-il une grande et longue robe de grosse frise[7], fourrée de renards ; après se peignait du peigne d'Almain[8], c'était des quatre doigts et le pouce, car ses précepteurs disaient que soi autrement peigner, laver et nettoyer était perdre temps
10   en ce monde.

Puis fientait, pissait, rendait sa gorge[9], rotait, pétait, baîllait, crachait, toussait, sanglotait, éternuait et se morvait en archidiacre, et déjeunait pour abattre la rosée et mauvais air : belles tripes frites, belles carbonnades[10], beaux jambons, belles cabirotades[11], et force soupes de prime[12].

15 Ponocrates lui remontrait que tant soudain ne devait repaître[13] au partir du lit, sans avoir premièrement fait quelque exercice. Gargantua répondit :

« Quoi ? N'ai-je fait suffisant exercice ? Je me suis vautré six ou sept tours parmi le lit devant que me lever. N'est-ce assez ? Le pape Alexandre

20 ainsi faisait par le conseil de son médecin juif, et vécut jusques à la mort, en dépit des envieux. Mes premiers maîtres m'y ont accoutumé, disants que le déjeuner faisait bonne mémoire ; pourtant y buvaient les premiers[14]. Je me trouve fort bien, et n'en dîne que mieux. Et me disait maître Tubal, qui fut premier de sa licence à Paris, que ce n'est tout l'avantage de cou-

25 rir bien tôt, mais bien de partir de bonne heure ; aussi n'est-ce la santé totale de notre humanité boire à tas, à tas, à tas, comme canes, mais oui bien de boire matin ; *unde versus*[15] :

> Lever matin n'est point bonheur ;
> Boire matin est le meilleur. »

30 Après avoir bien à point déjeuné, allait à l'église, et lui portait-on, dedans un grand panier, un gros bréviaire empantouflé[16], pesant, tant en graisse qu'en fermoirs et parchemin, poi plus poi moins[17], onze quintaux six livres. Là oyait[18] vingt et six ou trente messes. Cependant venait son diseur d'heures en place[19] empaletoqué comme une dupe[20], et très bien antidoté son

35 haleine à force sirop vignolat[21]. Avec icelui marmonnait toutes ces kyrielles[22], et tant curieusement[23] les épluchait qu'il n'en tombait un seul grain en terre. Au partir de l'église, on lui amenait, sur une traîne[24] à bœufs, un farat de patenôtres de Saint-Claude[25] aussi grosses chacune qu'est le moule d'un bonnet, et, se promenant par les cloîtres, galeries ou jardin,

40 en disait plus que seize ermites.

Puis étudiait quelque méchante demie heure, les yeux assis dessus son livre ; mais, comme dit le Comique[26], son âme était en la cuisine.

Chapitre XXI, Petits Classiques Larousse.

9. vomissait.
10. grillades de viande.
11. grillades de chevreau.
12. tranches de pain trempées dans du bouillon et que l'on mangeait, dans les communautés religieuses, à prime (6 heures du matin).
13. manger.
14. par conséquent ils étaient les premiers à y boire.
15. « d'où les vers ».
16. enveloppé dans un sac comme dans une pantoufle.
17. plus ou moins.
18. entendait.
19. lecteur en titre du livre de prières.
20. enveloppé comme une huppe.
21. ayant modifié son haleine en buvant du vin.
22. longue suite ininterrompue, ici de prières dites avec un chapelet.
23. soigneusement.
24. sorte de char.
25. tas de chapelets ; Saint-Claude : la localité était connue pour ses bois travaillés.
26. Térence, auteur de comédies latines.

Pieter Bruegel l'Ancien (1530-1569), *Le Repas de Noces* (détail), 1568 (huile sur panneau, 114 × 163 cm ; Vienne, Kunsthistorisches Museum, Gemäldegalerie).

LECTURE MÉTHODIQUE

■ Étudiez le système d'énonciation du texte : qui raconte ? Qui parle, au style direct ? Quelles sont les différentes **opinions** mises en œuvre dans cet extrait ? À qui appartiennent-elles ? Quelle est l'utilité de cette **confrontation** de points de vue ?

■ À partir de l'observation des champs lexicaux dominants et des indicateurs temporels, précisez le **thème** du texte et sa **structure**.

■ **L'éducation** exposée ici privilégie-t-elle le corps ou l'esprit ? Peut-elle être considérée comme **réaliste ?** Étudiez, pour répondre à cette question, les accumulations et les hyperboles.

guides p. 39-78-369

Pieter Bruegel l'Ancien (1530-1569), *Jeux d'Enfants* (détail), 1560 (huile sur panneau, 118 X 161 cm ; Vienne, Kunsthistorisches Museum, Gemäldegalerie).

« Cependant Monsieur l'Appétit venait… »

Gargantua est ensuite éduqué par un jeune précepteur dont les méthodes sont bien différentes…

Ce fait, était habillé, peigné, testonné[1], accoutré[2] et parfumé, durant lequel temps on lui répétait les leçons du jour d'avant. Lui-même les disait par cœur et y fondait quelques cas pratiques et concernants l'état humain, lesquels ils étendaient aucunes fois[3] jusque deux ou trois heures,
5 mais ordinairement cessaient lorsqu'il était du tout[4] habillé. Puis par trois bonnes heures lui était faite lecture.

Ce fait, issaient hors[5], toujours conférants des propos de la lecture, et se déportaient en Bracque[6], ou ès prés[7], et jouaient à la balle, à la paume, à la pile trigone[8], galantement[9] s'exerçants les corps comme ils avaient
10 les âmes auparavant exercé. Tout leur jeu n'était qu'en liberté, car ils laissaient la partie quand leur plaisait, et cessaient ordinairement lorsque suaient parmi le corps, ou étaient autrement las. Adonc[10] étaient très bien essuyés et frottés, changeaient de chemise, et, doucement se promenants, allaient voir si le dîner était prêt. Là attendants, récitaient clairement et
15 éloquentement quelques sentences retenues de la leçon.

Cependant Monsieur l'Appétit venait, et par bonne opportunité s'asseyaient à table. Au commencement du repas, était lue quelque histoire plaisante des anciennes prouesses[11], jusques à ce qu'il eût pris son vin. Lors, si bon semblait, on continuait la lecture, ou commençaient à
20 deviser joyeusement ensemble, parlants, pour les premiers mois, de la vertu, propriété, efficace[12] et nature de tout ce que leur était servi à table : du pain, du vin, de l'eau, du sel, des viandes, poissons, fruits, herbes, racines, et de l'apprêt d'icelles. Ce que faisant, apprit en peu de temps tous les passages à ce compétants en Pline, Athénée, Dioscorides, Julius Pollux, Galien,
25 Porphyre, Oppian, Polybe, Héliodore, Aristotèles, Elian[13] et autres. Iceux propos tenus, faisaient souvent, pour plus être assurés, apporter les livres susdits à table. Et si bien et entièrement retint en sa mémoire les choses dites, que, pour lors, n'était médecin qui en sut à la moitié tant comme il faisait. Après, devisaient des leçons lues au matin, et, parachevant leur
30 repas par quelque confection de cotoniat[14], s'écuraient les dents avec un trou de lentisque[15], se lavaient les mains et les yeux de belle eau fraîche et rendaient grâces à Dieu par quelques beaux cantiques faits à la louange de la munificence et bénignité divine.

Ce fait, on apportait des cartes, non pour jouer, mais pour y apprendre
35 mille petites gentillesses et inventions nouvelles, lesquelles toutes issaient d'arithmétique. En ce moyen entra en affection d'icelle[16] science numé-

1. coiffé.
2. arrangé.
3. faisaient durer quelquefois.
4. tout à fait.
5. sortaient.
6. allaient au jeu de paume du Grand Bracque, dans le quartier Latin.
7. dans les prés.
8. jeu de balle à trois joueurs placés en triangle.
9. gaillardement.
10. alors.
11. celles des chansons de geste et des romans du Moyen Âge.
12. efficacité.
13. auteurs de l'Antiquité grecque (à l'exception du Latin Pline).
14. confiture de coings.
15. trognon d'une variété d'arbrisseau.
16. prit goût à cette…

rale, et, tous les jours après dîner et souper, y passait temps aussi plaisamment qu'il soulait ès dés[17] ou ès cartes. À tant[18] sut d'icelle et théorique et pratique, si bien que Tunstal, Anglais qui en avait amplement
40 écrit, confessa que vraiment, en comparaison de lui, il n'y entendait que le haut allemand.

Et non seulement d'icelle, mais des autres sciences mathématiques comme géométrie, astronomie et musique ; car, attendants la concoction et digestion de son past[19], ils faisaient mille joyeux instruments et figures
45 géométriques, et de même pratiquaient les canons[20] astronomiques. Après s'esbaudissaient[21] à chanter musicalement à quatre et cinq parties, ou sur un thème, à plaisir de gorge. Au regard des instruments de musique, il apprit à jouer du luc[22], de l'épinette[23], de la harpe, de la flûte d'allemand et à neuf trous, de la viole et de la sacquebutte[24].

50 Cette heure ainsi employée, la digestion parachevée, se purgeait des excréments naturels ; puis se remettait à son étude principale par trois heures ou davantage, tant à répéter la lecture matutinale qu'à poursuivre le livre entrepris, qu'aussi à écrire et bien traire et former les antiques et romaines lettres[25].

55 Ce fait, issaient hors leur hôtel, avec eux un jeune gentilhomme de Touraine nommé l'écuyer Gymnaste, lequel lui montrait l'art de chevalerie. Changeant donc de vêtements, montait sur un coursier, sur un roussin, sur un genet, sur un cheval barbe, cheval léger[26], et lui donnait cent carrières[27], le faisait voltiger en l'air, franchir le fossé, sauter le
60 palis[28], court tourner en un cercle, tant à dextre comme à senestre[29]. Là rompait, non la lance, car c'est la plus grande rêverie du monde dire : « J'ai rompu dix lances en tournoi ou en bataille », un charpentier le ferait bien ; mais louable gloire est d'une lance avoir rompu dix de ses ennemis. De sa lance donc, acérée, verte[30] et raide, rompait un huis, enfon-
65 çait un harnais[31], aculait un arbre[32], enclavait[33] un anneau, enlevait une selle d'armes, un haubert, un gantelet. Le tout faisait armé de pied en cap.

Chapitre XXIII, Petits Classiques Larousse.

17. avait l'habitude de le faire dans les dés...
18. alors il sut de celle-ci...
19. assimilation et digestion de son repas.
20. lois.
21. s'enhardissaient.
22. luth.
23. ancêtre du clavecin.
24. trombone.
25. tracer et former les caractères gothiques (employés au Moyen Âge) et romains (en usage au XVIᵉ siècle).
26. divers types de chevaux.
27. le faisait courir cent fois dans la carrière du manège.
28. palissade.
29. autant à droite qu'à gauche.
30. solide.
31. une armure.
32. abattait un arbre.
33. enfilait.

LECTURE MÉTHODIQUE

■ Par l'étude des champs lexicaux, repérez les termes relatifs à l'exercice et au **soin du corps** d'une part, **de l'esprit** d'autre part. Quelle remarque pouvez-vous faire sur leur place ? De quel souci cela témoigne-t-il chez Rabelais ?

■ L'enseignement, à la fin du Moyen Âge, était fondé sur la mémorisation. Relevez et classez les termes évoquant les **méthodes pédagogiques** ; l'enseignement médiéval est-il entièrement rejeté ?

■ Quelles matières sont au programme de Gargantua ? De quelle **conception** de l'homme un tel programme est-il révélateur ?

PARCOURS CULTUREL

■ Cherchez comment se dit « école » en latin. Quel est le mot, formé sur cette étymologie, qui désigne **l'enseignement médiéval ?** Quelles sont ses principales caractéristiques ?

École Française, XVIᵉ siècle, *Le Concert champêtre*, Bourges.

« Fais ce que voudras »

Cet extrait présente l'aboutissement de l'éducation idéale. Pour récompenser un moine qui s'était distingué dans des combats à ses côtés, Gargantua fait construire l'abbaye de Thélème[1], un château de la Renaissance qui reçoit de curieux pensionnaires...

Toute leur vie était employée[2], non par lois, statuts ou règles, mais selon leur vouloir et franc arbitre. Se levaient du lit quand bon leur semblait, buvaient, mangeaient, travaillaient, dormaient quand le désir leur venait. Nul ne les éveillait, nul ne les parforçait[3], ni à boire, ni à man-
5 ger, ni à faire chose autre quelconque. Ainsi l'avait établi Gargantua. En leur règle n'était que cette clause :

FAIS CE QUE VOUDRAS,

parce que gens libéres[4], bien nés, bien instruits, conversants[5] en compagnies honnêtes, ont par nature un instinct et aiguillon qui toujours les
10 pousse à faits vertueux et retire de[6] vice, lequel ils nommaient honneur. Iceux[7], quand par vile subjection et contrainte sont déprimés[8] et asservis, détournent la noble affection[9] par laquelle à vertu franchement[10] tendaient, à déposer et enfreindre ce joug de servitude[11], car nous entreprenons toujours choses défendues et convoitons ce que nous est dénié[12].
15 Par cette liberté, entrèrent en louable émulation de faire tous ce qu'à un seul voyaient plaire. Si quelqu'un ou quelqu'une disait : « Buvons », tous buvaient. Si disait : « Jouons », tous jouaient. Si disait : « Allons à l'ébat ès champs », tous y allaient. Si c'était pour voler[13] ou chasser, les dames, montées sur belles haquenées[14], avec leur palefroi gorrier[15], sur le
20 poing mignonnement engantelé[16] portaient chacune ou un épervier ou un laneret[17], ou un émerillon[18] ; les hommes portaient les autres oiseaux.
Tant noblement étaient appris[19] qu'il n'était entre eux celui ni celle qui ne sût lire, écrire, chanter, jouer d'instruments harmonieux, parler de cinq à six langages, et en iceux composer, tant en carmes[20] qu'en orai-
25 son solue[21]. Jamais ne furent vus chevaliers tant preux, tant galants, tant

1. en grec : « bon vouloir ».
2. organisée.
3. forçait.
4. libres, de bonne naissance.
5. vivant.
6. sans.
7. ceux-ci.
8. écrasés.
9. passion.
10. librement.
11. détournent leur passion en l'utilisant à déposer et à transgresser...
12. refusé.
13. chasser avec des oiseaux de proie.
14. jument facile à monter, donnée aux femmes.
15. cheval de promenade, harnaché richement.
16. ganté.
17. faucon mâle dressé.
18. petit faucon.
19. cultivés.
20. vers.
21. prose.

46

22. adroits.
23. vigoureux.
24. armes.
25. élégantes.
26. ennuyeuses.
27. féminin.
28. quelqu'un.
29. cette.
30. sortir.
31. ami dévoué.
32. dévouement.
33. tout autant.

dextres[22] à pied et à cheval, plus verts[23], mieux remuants, mieux maniants tous bâtons[24], que là étaient. Jamais ne furent vues dames tant propres[25], tant mignonnes, moins fâcheuses[26], plus doctes à la main, à l'aiguille, à tout acte mulièbre[27] honnête et libre, que là étaient. Par cette raison quand
30 le temps venu était que aucun[28] d'icelle[29] abbaye, ou à la requête de ses parents, ou pour autre cause, voulût issir[30] hors, avec soi il emmenait une des dames, celle laquelle l'aurait pris pour son dévot[31], et étaient ensemble mariés ; et si bien avaient vécu à Thélème en dévotion[32] et amitié, encore mieux la continuaient-ils en mariage ; d'autant[33] s'entr'aimaient-ils à la
35 fin de leurs jours comme le premier de leurs noces.

Chapitre LVII, Petits Classiques Larousse.

LECTURE MÉTHODIQUE

■ Quelles expressions, quel vocabulaire illustrent dans le texte la **devise** donnée à la ligne 7 ?

■ Comment s'expriment toutes les qualités des Thélémites ? Relevez et analysez tous les procédés qui mettent ces qualités en relief. Quelle est la **tonalité** du texte ? Utilisez les connotations pour répondre.

■ Une **liberté** d'action totale ne serait-elle pas dangereuse ? D'où vient que les dangers paraissent ici inexistants ? Quelle **règle de vie sociale** se trouve exprimée ?

PARCOURS CULTUREL

■ À partir des extraits de *Gargantua* et de *Pantagruel*, établissez un tableau des reproches adressés à l'éducation scolastique et des caractéristiques de l'**éducation idéale selon Rabelais.**

guides p. 39-99

« Quelle furie donc t'émeut maintenant... »

Une guerre éclate entre le père de Gargantua, Grandgousier, et son voisin Picrochole, pour un motif infime : les vendeurs de fouaces (sortes de gâteaux) du pays de Picrochole ont refusé de vendre leurs produits aux bergers de Grandgousier. On en vient à la violence : Picrochole attaque brutalement les terres de Grandgousier, qui se défend ; mais, désireux de parvenir à une conciliation, il envoie à son adversaire Ulrich Gallet, un maître des requêtes. Celui-ci tient ce discours :

1. folie.
2. foulée aux pieds.
3. transgressé.
4. crois-tu que ces outrages sont cachés aux esprits éternels...
5. marquées par le sort.
6. fluides qui coulent des astres dans les esprits.
7. terme.
8. le plus haut.
9. précipitées.
10. si cela était fatal et que ton bonheur et ton repos devaient prendre fin.
11. faisant du tort à.
12. s'écrouler.
13. pourvue.
14. tellement hors des limites de la raison.
15. éloignée.
16. (la chose) demeurera incroyable entre les étrangers jusqu'à ce que...

« Quelle furie[1] donc t'émeut maintenant, toute alliance brisée, toute amitié conculquée[2], tout droit trépassé[3], envahir hostilement ses terres sans en rien avoir été par lui ni les siens endommagé, irrité ni provoqué ? Où est foi ? où est loi ? où est raison ? où est humanité ? où est
5 crainte de Dieu ? Cuides-tu ces outrages être recélés ès esprits éternels[4] et au Dieu souverain, qui est juste rétributeur de nos entreprises ? Si le cuides, tu te trompes, car toutes choses viendront à son jugement. Sont-ce fatales[5] destinées ou influences[6] des astres qui veulent mettre fin à tes aises et repos ? Ainsi ont toutes choses leur fin et période[7], et quand elles
10 sont venues à leur point superlatif[8], elles sont en bas ruinées[9], car elles ne peuvent longtemps en tel état demeurer. C'est la fin de ceux qui leurs fortunes et prospérités ne peuvent par raison et tempérance modérer.

« Mais si ainsi était fée et dut ores ton heur et repos prendre fin[10], fallait-il que ce fût en incommodant[11] à mon roi, celui par lequel tu étais
15 établi ? Si ta maison devait ruiner[12], fallait-il qu'en sa ruine elle tombât sur les âtres de celui qui l'avait ornée[13] ? La chose est tant hors les mètes de raison[14], tant abhorrente[15] de sens commun, qu'à peine peut-elle être par humain entendement conçue, et jusques à ce demeurera non croyable entre les étrangers que[16] l'effet assuré et témoigné leur donne à entendre
20 que rien n'est saint ni sacré à ceux qui se sont émancipés de Dieu et raison pour suivre leurs affections perverses.

« Si quelque tort eût été par nous fait en tes sujets et domaines, si par nous eût été porté faveur à tes mal voulus[17], si en tes affaires ne t'eussions secouru, si par nous ton nom et honneur eût été blessé, ou, pour mieux
25 dire, si l'esprit calomniateur, tentant à mal te tirer[18], eût, par fallaces espèces et fantasmes ludificatoires[19], mis en ton entendement qu'envers toi eussions fait chose non digne de notre ancienne amitié, tu devais premier[20] enquérir de la vérité, puis nous en admonester[21], et nous eussions tant à ton gré satisfait qu'eusses eu occasion de toi contenter[22]. Mais, ô Dieu
30 éternel ! quelle est ton entreprise ? Voudrais-tu, comme tyran perfide, piller ainsi et dissiper le royaume de mon maître ? L'as-tu éprouvé tant ignave[23] et stupide qu'il ne voulût, ou tant destitué[24] de gens, d'argent, de conseil et d'art militaire qu'il ne pût résister à tes iniques assauts ? »

Chapitre XXXI, *Petits Classiques Larousse.*

17. ennemis.
18. te tirer du mal.
19. par des apparences trompeuses et par des visions illusoires.
20. premièrement.
21. avertir.
22. nous t'aurions assez satisfait pour que tu t'en contentes.
23. lâche.
24. dépourvu.

LECTURE MÉTHODIQUE

■ Observez la ponctuation du texte. Quel signe revient le plus souvent ? Que traduit chez le locuteur cette **façon de s'exprimer ?**

■ Étudiez par quels moyens s'exprime la **volonté de persuader :** observez en particulier la structure syn-

taxique des paragraphes 2 et 3, et l'opposition entre la raison et les actions de Picrochole.

■ Quelle **critique de la guerre** passe à travers ce texte ? Utilisez les champs lexicaux pour répondre à cette question.

guides p. 39-151

« Qui trop embrasse peu étreint »

La guerre se déroule ; le capitaine Touquedillon, un des chefs de l'armée de Picrochole, est fait prisonnier, et mené auprès de Grandgousier.

Touquedillon fut présenté à Grandgousier et interrogé par icelui[1] sur l'entreprise et affaires de Picrochole, quelle fin il prétendait[2] par ce tumultuaire[3] vacarme. À quoi répondit que sa fin et sa destinée[4] était de conquêter tout le pays, s'il pouvait, pour l'injure faite à ses fouaciers[5].
5 « C'est, dit Grandgousier, trop entrepris : qui trop embrasse peu étreint. Le temps n'est plus d'ainsi conquêter les royaumes, avec dommage de son prochain frère christian[6]. Cette imitation des anciens Hercules, Alexandres, Annibals, Scipions, Césars, et autres tels, est contraire à la profession[7] de l'évangile, par lequel nous est commandé garder, sauver[8],
10 régir et administrer chacun ses pays et terres, non hostilement envahir les autres, et ce que les Sarrasins et barbares jadis appelaient prouesses, maintenant nous appelons briganderies et méchancetés. Mieux eût-il fait soi contenir[9] en sa maison, royalement la gouvernant, qu'insulter en la mienne, hostilement la pillant, car par bien la gouverner l'eût augmen-
15 tée, par me piller[10] sera détruit.
« Allez-vous-en, au nom de Dieu, suivez bonne entreprise, remontrez à votre roi les erreurs que connaîtrez, et jamais ne le conseillez ayant égard à votre profit particulier, car avec le commun[11] est aussi le propre[12] perdu. Quant est de votre rançon, je vous la donne entièrement, et veux que vous
20 soient rendus armes et cheval. »

Chapitre XLVI, *Petits Classiques Larousse.*

1. celui-ci.
2. visait.
3. tumultueux.
4. son but et son projet.
5. ces marchands de fouaces, sortes de gâteaux, étaient à l'origine de la guerre.
6. chrétien.
7. enseignement.
8. protéger.
9. il aurait mieux fait de demeurer en sa maison…
10. en la gouvernant… en me pillant.
11. le bien commun.
12. le bien personnel.

LECTURE MÉTHODIQUE

■ Identifiez les **différents types de discours** utilisés dans cet extrait. Quel est le discours dominant ? Comment cette importance peut-elle se justifier ?

■ À qui Grandgousier fait-il successivement allusion ?

En observant la nature des exemples et les formulations employées, précisez quels sont ses **arguments.**

■ Quelle est l'**attitude de Grandgousier** vis-à-vis de son prisonnier ? Comment Rabelais met-il en relief le caractère nouveau de ce comportement ?

guides p. 151-330

Pantagruel - 1532

« Science sans conscience n'est que ruine de l'âme »

Antérieur de deux ans à Gargantua, Pantagruel *raconte les prouesses du fils de Gargantua ; ayant reçu une éducation humaniste, le géant exécute maints exploits avec son ami Panurge. Après avoir évoqué sa naissance et sa généalogie, Rabelais décrit le tour de France de son héros. Puis Pantagruel étudie à Paris ; la lettre de Gargantua illustre les ambitions intellectuelles de l'époque.*

Platearius, Livre des Simples,
Manuscrit Français XVIᵉ *siècle* (Paris,
Bibliothèque Nationale de France).

« Mais, encore que mon feu père, de bonne mémoire, Grandgousier, eût adonné tout son étude[1] à ce que je profitasse en toute perfection et savoir politique et que mon labeur et étude correspondît très bien, voire encore outrepassât son désir, toutefois, comme tu peux bien
5 entendre, le temps n'était tant idoine[2] ni commode ès lettres comme est de présent, et n'avais copie[3] de tels précepteurs comme tu as eu. Le temps était encore ténébreux et sentant l'infélicité et calamité des Goths[4] qui avaient mis à destruction toute bonne littérature. Mais, par la bonté divine, la lumière et dignité a été de mon âge rendue ès lettres, et y vois tel amen-
10 dement que de présent à difficulté serais-je reçu en la première classe des petits grimauds[5], qui[6], en mon âge viril étais (non à tort) réputé le plus savant dudit siècle.

« Ce que je ne dis par jactance vaine, encore que je le puisse louablement faire en t'écrivant, comme tu as l'autorité de Marc Tulle en son livre
15 de *Vieillesse*, et la sentence de Plutarque au livre intitulé *Comment on se peut louer sans envie*, mais pour te donner affection de plus haut tendre.

« Maintenant toutes disciplines sont restituées, les langues instaurées : grecque, sans laquelle c'est honte qu'une personne se dise savant ; hébraïque, chaldaïque, latine. Les impressions[7] tant élégantes et cor-
20 rectes, en usance[8], qui ont été inventées de mon âge par inspiration divine, comme, à contre-fil[9], l'artillerie par suggestion diabolique. Tout le monde est plein de gens savants, de précepteurs très doctes, de librairies[10] très amples, qu'il m'est avis que ni au temps de Platon, ni de Cicéron, ni de Papinien[11] n'était telle commodité d'étude qu'on y voit main-
25 tenant ; et ne se faudra plus dorénavant trouver en place ni en compagnie, qui[12] ne sera bien expoli[13] en l'officine de Minerve[14]. Je vois les brigands, les bourreaux, les aventuriers[15], les palefreniers de maintenant plus doctes que les docteurs et prêcheurs de mon temps.

« Que dirai-je ? Les femmes et filles ont aspiré à cette louange et manne
30 céleste de bonne doctrine. Tant y a[16] qu'en l'âge où je suis, j'ai été contraint d'apprendre les lettres grecques, lesquelles je n'avais contemné[17] comme Caton, mais je n'avais eu loisir de comprendre[18] en mon jeune âge, et volontiers me délecte à lire les *Moraux* de Plutarque, les beaux *Dialogues* de Platon, les *Monuments* de Pausanias et *Antiquités* d'Atheneus,
35 attendant l'heure qu'il plaira à Dieu mon créateur m'appeler et commander issir[19] de cette terre.

« Par quoi[20], mon fils, je t'admoneste[21] qu'emploies ta jeunesse à bien profiter en étude et en vertus. Tu es à Paris, tu as ton précepteur Épistémon[22], dont l'un[23] par vives et vocales[24] instructions, l'autre[25] par louables
40 exemples, te peut endoctriner. J'entends et veux que tu apprennes les langues parfaitement, premièrement la grecque, comme le veut Quintilien, secondement la latine, et puis l'hébraïque pour les saintes lettres,

1. consacré tout son zèle.
2. apte.
3. abondance.
4. les gens du Moyen Âge, les barbares.
5. écoliers des petites classes.
6. moi qui.
7. ouvrages imprimés.
8. (sont) en usage.
9. à l'opposé.
10. bibliothèques.
11. Papinien : juriste romain.
12. si on.
13. poli, perfectionné.
14. dans l'atelier de Minerve (déesse de la sagesse).
15. soldats irréguliers réputés vivre de pillage.
16. à tel point.
17. méprisées ; Caton avait refusé d'apprendre le grec par fidélité à Rome.
18. d'étudier dans leur ensemble.
19. sortir.
20. c'est pourquoi.
21. je t'engage.
22. nom grec signifiant « savant ».
23. Épistémon.
24. orales.
25. Paris.

et le chaldaïque et arabique pareillement, et que tu formes ton style, quant à la grecque, à l'imitation de Platon, quant à la latine, à Cicéron, qu'il
45 n'y ait histoire que tu ne tiennes en mémoire présente[26], à quoi t'aidera la cosmographie[27] de ceux qui en ont écrit. Des arts libéraux, géométrie, arithmétique et musique[28], je t'en donnai quelque goût quand tu étais encore petit, en l'âge de cinq à six ans ; poursuis le reste, et d'astronomie saches-en tous les canons[29]. Laisse-moi l'astrologie divinatrice et
50 l'art de Lullius[30] comme abus et vanités. Du droit civil, je veux que tu saches par cœur les beaux textes et me les conféres[31] avec philosophie.

« Et quant à la connaissance des faits de nature, je veux que tu t'y adonnes curieusement[32], qu'il n'y ait mer, rivière ni fontaine dont tu ne connaisses les poissons ; tous les oiseaux de l'air, tous les arbres, arbustes et fruc-
55 tices[33] des forêts, toutes les herbes de la terre, tous les métaux cachés au ventre des abîmes, les pierreries de tout Orient et Midi, rien ne te soit inconnu.

« Puis, soigneusement revisite[34] les livres des médecins grecs, arabes et latins, sans contemner les talmudistes et cabalistes[35], et par fréquentes
60 anatomies[36] acquiers-toi parfaite connaissance de l'autre monde qui est l'homme. Et par[37] quelques heures du jour commence à visiter[38] les saintes lettres, premièrement en grec le *Nouveau Testament* et *Épîtres des Apôtres,* et puis en hébreu le *Vieux Testament.* Somme[39], que je voie un abîme de science, car dorénavant que[40] tu deviens homme et te fais grand, il te
65 faudra issir de cette tranquillité et repos d'étude et apprendre la chevalerie et les armes pour défendre ma maison et nos amis secourir en tous leurs affaires contre les assauts des malfaisants. Et veux que, de bref[41], tu essaies combien tu as profité, ce que tu ne pourras mieux faire que tenant conclusions[42] en tout savoir, publiquement, envers tous et contre tous,
70 et hantant les gens lettrés qui sont tant à Paris comme ailleurs.

« Mais parce que, selon le sage Salomon[43], sapience[44] n'entre point en âme malivole[45], et science sans conscience n'est que ruine de l'âme, il te convient servir, aimer et craindre Dieu et en lui mettre toutes tes pensées et tout ton espoir, et par foi, formée de charité, être à lui adjoint, en
75 sorte que jamais n'en sois désemparé[46] par péché. Aie suspects[47] les abus du monde. Ne mets ton cœur à vanité[48], car cette vie est transitoire, mais la parole de Dieu demeure éternellement. Sois serviable à tous tes prochains et les aime comme toi-même. Révère tes précepteurs, fuis les compagnies de gens esquels tu ne veux point ressembler, et, les grâces que
80 Dieu t'a données, icelles[49] ne reçois en vain. Et quand tu reconnaîtras que auras tout le savoir de par-delà[50] acquis, retourne vers moi afin que je te voie et donne ma bénédiction devant que mourir.

« Mon fils, la paix et grâce de Notre-Seigneur soit avec toi, *amen.* D'Utopie[51], ce dix-septième jour du mois de mars.
85 « Ton père,
« Gargantua. »

Chapitre VIII, Petits Classiques Larousse.

26. présente à la mémoire.
27. géographie.
28. les lois de composition musicale sont analogues aux lois mathématiques.
29. règles.
30. l'alchimie, à laquelle s'est intéressé l'Espagnol Raymond Lulle, au XIIIe siècle.
31. compares.
32. soigneusement.
33. petits arbres.
34. étudie souvent.
35. médecins juifs, très renommés, qui se fondent sur deux ouvrages fondementaux, le *Talmud* et la *Cabbale.*
36. dissections.
37. pendant.
38. examiner.
39. bref.
40. maintenant que.
41. rapidement.
42. soutenant des conclusions de thèses sur toute question.
43. citation du *Livre de la Sagesse* de Salomon.
44. sagesse.
45. malveillante.
46. séparé.
47. considère comme suspects.
48. ne te consacre pas à des choses vaines.
49. celles-ci.
50. de là-bas, de Paris.
51. nom du pays de Gargantua, d'après l'ouvrage de Thomas More, contemporain de Rabelais ; dans le pays d'Utopie, le gouvernement et le peuple imaginaires sont idéaux.

LECTURE MÉTHODIQUE

■ À quels indices repère-t-on qu'il s'agit ici d'une **lettre ?** Définissez, à partir de ces indices, les caractéristiques de l'écriture épistolaire.

■ Par l'observation des temps et des modes verbaux, analysez la **composition** du texte : récit, constat, recommandations... Déterminez le **thème essentiel** et les **thèmes secondaires** du texte par le repérage des champs lexicaux.

■ De quoi se compose l'**éducation idéale** d'après la lettre de Gargantua ?

ÉCRITURE

■ *Science sans conscience n'est que ruine de l'âme.* Élaborez une **thèse argumentée** et illustrée d'exemples pour montrer les risques qu'il y a à utiliser les sciences sans réflexion morale.

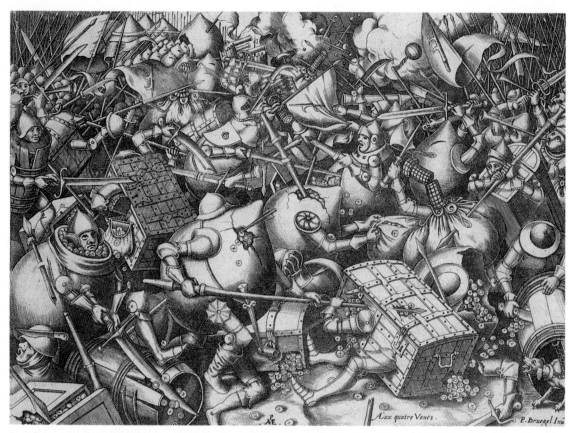

Pieter Bruegel l'Ancien (1530-1569), *Le Combat des Tirelires et des Coffres-forts*, XVIᵉ siècle (gravé par Pierre van der Heyden, 23,6 × 30,4 cm ; Bruxelles, Bibliothèque Royale Albert Iᵉʳ, Cabinet des Estampes).

« Pantagruel prit Loupgarou par les deux pieds… »

Dans le passage qui suit, Pantagruel défend son royaume contre les Dipsodes. Au cours de ce combat, il doit affronter seul le géant Loupgarou.

Puis voyant Pantagruel que Loupgarou approchait la gueule ouverte, vint contre lui hardiment et s'écria tant qu'il put : « À mort, ribaud ! à mort ! » pour lui faire peur, selon la discipline des Lacédémoniens, par son horrible cri. Puis lui jeta de sa barque[1], qu'il portait à sa ceinture,
5 plus de dix et huit caques[2] et un minot[3] de sel, dont il lui emplit et gorge et gosier, et le nez et les yeux. De ce[4] irrité, Loupgarou lui lança un coup de sa masse, lui voulant rompre la cervelle, mais Pantagruel fut habile et eut toujours bon pied, et bon œil. Par ce[5] démarcha[6] du pied gauche un pas en arrière, mais il ne sut si bien faire que le coup ne tombât sur
10 la barque, laquelle rompit en quatre mille octante et six pièces[7], et versa le reste du sel en terre[8].

Quoi voyant Pantagruel, galantement[9] ses bras déplie, et, comme est l'art de la hache, lui donna du gros bout de son mât en estoc[10], au-dessus de la mamelle, et retirant le coup à gauche en taillade[11], lui frappa
15 entre le col et collet.

[Loupgarou veut frapper de sa masse ; mais le coup dévie et la masse s'enfonce en terre. Pantagruel brise son mât.]

Puis Pantagruel, ainsi destitué de bâton[12], reprit le bout de son mât, en frappant torche lorgne[13] dessus le géant ; mais il ne lui faisait mal en plus que feriez baillant[14] une chiquenaude sur une enclume de forgeron.

1. baril.
2. barrique, ici donnée comme une unité de mesure.
3. unité de mesure de trente-neuf litres environ.
4. de cela.
5. aussi.
6. il recula.
7. se brisa en quatre mille quatre-vingt-six pièces.
8. le reste du sel se renversa par terre.
9. vigoureusement.
10. en frappant avec la pointe.
11. coupure en longueur.
12. privé d'arme.
13. à tort et à travers.
14. donnant.

Cependant Loupgarou tirait de terre sa masse, et l'avait jà[15] tirée et la parait
20 pour en férir[16] Pantagruel ; mais Pantagruel, qui était soudain au remuement[17] et déclinait[18] tous ses coups, jusqu'à ce qu'une fois, voyant que Loupgarou le menaçait, disant : « Méchant, à cette heure te hacherai-je comme chair à pâtés, jamais tu n'altéreras[19] les pauvres gens », Pantagruel lui frappa du pied un si grand coup contre le ventre, qu'il le jeta
25 en arrière à jambes rebindaines[20], et vous le traînait ainsi à l'écorche-cul plus d'un trait d'arc. Et Loupgarou s'écriait, rendant le sang par la gorge : « Mahom ! Mahom ! Mahom ! »

À quelle[21] voix se levèrent tous les géants pour le secourir. Mais Panurge leur dit : « Messieurs, n'y allez pas si m'en croyez, car notre maître
30 est fol et frappe à tort et à travers, et ne regarde point où. Il vous donnera malencontre[22]. » Mais les géants n'en tinrent compte, voyant que Pantagruel était sans bâton.

Lorsque approcher les vit, Pantagruel prit Loupgarou par les deux pieds et son corps leva comme une pique en l'air, et, d'icelui armé d'enclumes[23],
35 frappait parmi ces géants armés de pierres de taille, et les abattait comme un maçon fait de copeaux[24], que nul n'arrêtait devant lui qu'il ne ruât[25] par terre. Dont, à la rupture de ces harnais pierreux[26], fut fait un si horrible tumulte qu'il me souvint quand la grosse tour de beurre, qui était à Saint-Étienne de Bourges[27], fondit au soleil. Panurge, ensemble[28] Car-
40 palim et Eusthènes, cependant égorgetaient[29] ceux qui étaient portés par terre. Faites votre compte qu'il n'en échappa un seul, et à voir Pantagruel, semblait un faucheur qui de sa faux (c'était Loupgarou) abattait l'herbe d'un pré (c'étaient les géants), mais à cette escrime, Loupgarou perdit la tête. Ce fut quand Pantagruel en abattit un qui avait nom Riflandouille,
45 qui était armé à haut appareil, c'était de pierres de grison[30], dont un éclat coupa la gorge tout outre à Épistémon, car autrement la plupart d'entre eux étaient armés à la légère : c'était de pierres de tuf[31], et les autres de pierre ardoisine. Finalement, voyant que tous étaient morts, jeta le corps de Loupgarou tant qu'il put contre la ville, et tomba comme une gre-
50 nouille sur ventre en la plage mage[32] de ladite ville, et en tombant, du coup tua un chat brûlé, une chatte mouillée, une canepetière[33] et un oison bridé.

Chapitre XXIX, Petits Classiques Larousse.

15. déjà.
16. la préparait pour en frapper.
17. prompt à bouger.
18. évitait.
19. tu ne donneras soif ; Pantagruel est le démon de la soif, et il combat ici avec du sel, essayant de donner soif à ses ennemis.
20. les jambes en l'air.
21. cette.
22. malheur.
23. avec celui-ci - le corps de Loup-Garou -, qui était armé d'enclumes.
24. comme un maçon abat des éclats de pierre.
25. sans être précipité.
26. par suite, à la rupture de ces harnais de pierre, il fut fait…
27. une des tours de la cathédrale Saint-Étienne de Bourges s'était écroulée en 1506 ; en fait, c'est la tour reconstruite à ce moment que l'on appela « tour de beurre » : elle fut édifiée grâce à l'argent que donnaient les fidèles pour avoir l'autorisation de manger du beurre en Carême.
28. avec.
29. n'arrêtaient pas d'égorger.
30. de toutes pièces, en grès très dur.
31. pierre tendre.
32. la grande place.
33. outarde (oiseau échassier).

LECTURE MÉTHODIQUE

■ Quels termes permettent de déterminer les différentes parties de ce texte ? Quelle **progression** suit-il ? Quels temps sont utilisés de façon dominante ?

■ À partir des réponses précédentes, déterminez quel est ici le **type de texte** et précisez son thème.

■ Dans quelle **tonalité** ce thème est-il traité ? Pour répondre à cette question, observez la présence de figures comme l'hyperbole et la comparaison.

■ Quel **effet** produit la dernière phrase ? Repérez tous les indices qui montrent que rien de tout ce qui est raconté n'est très sérieux. Quelle est alors la véritable **tonalité** du texte ?

PARCOURS CULTUREL

■ À partir de l'ensemble des textes de Rabelais, déterminez quelques caractéristiques de **l'esprit de l'époque** : comment s'expriment, en particulier, l'enthousiasme, la croyance en de nouvelles valeurs, le respect de l'être humain ? Quels sont les emprunts à l'Antiquité ? Vous pouvez également prendre appui sur le texte de la page 55.

guides p. 87-175-237

Quart Livre - 1552

« Lors nous jeta sur le tillac pleines mains de paroles gelées… »

Pantagruel fait un voyage en bateau ; parvenant dans les mers froides, il entend des bruits étranges et s'en inquiète…

Le pilote fit réponse : « Seigneur, de rien ne vous effrayez. Ici est le confin de la mer glaciale, sur laquelle fut, au commencement de l'hiver dernier passé, grosse et félonne¹ bataille entre les Arismapiens² et les Néphélibates³. Lors gelèrent en l'air les paroles et cris des hommes et femmes, les chaplis des masses⁴, les hurtis des harnois⁵, des bardes⁶, les hennissements des chevaux, et tout autre effroi de combat. À cette heure, la rigueur de l'hiver passée, advenant la sérénité et tempérie⁷ du bon temps, elles fondent et sont ouïes.

- Par Dieu, dit Panurge, je l'en crois. Mais en pourrions-nous voir quelqu'une ? Me souvient avoir lu que l'orée⁸ de la montagne en laquelle Moses reçut la loi des Juifs, le peuple voyait les voix sensiblement.

1. déloyale.
2. peuplade scythe.
3. peuplade imaginaire.
4. bruits des massues.
5. heurts des armures.
6. armures des chevaux de guerre.
7. lorsqu'adviennent la sérénité et la douceur.
8. le long de.

Jérôme Bosch (1450-1516), triptyque du *Jardin des Délices*, partie droite, *L'Enfer du Musicien* (détail), 1503/1504 (Madrid, Musée du Prado).

- Tenez, tenez, dit Pantagruel, voyez-en ci qui encore ne sont dégelées. »
Lors nous jeta sur le tillac pleines mains de paroles gelées, et semblaient
dragées perlées de diverses couleurs. Nous y vîmes des mots de gueules,
des mots de sinople, des mots d'azur, des mots de sable[9], des mots dorés.
Lesquels, être[10] quelque peu échauffés entre nos mains, fondaient comme
neige, et les oyons réellement, mais ne les entendions[11], car c'était langage barbare. Excepté un assez grosset, lequel ayant frère Jean échauffé
entre ses mains, fit un son tel que font les châtaignes jetées en la braise
sans être entommées[12] lorsque s'éclatent, et nous fit tous de peur tressaillir.
« C'était, dit frère Jean, un coup de faucon[13] en son temps. » Panurge
requit Pantagruel[14] lui en donner encore. Pantagruel lui répondit que donner paroles était acte des amoureux. « Vendez-m'en donc, disait Panurge.
- C'est acte d'avocats, répondit Pantagruel, vendre paroles. Je vous ven-
drais plutôt silence et plus chèrement, ainsi que quelque fois le vendit
Démosthènes moyennant son argentangine[15]. »

Ce nonobstant il en jeta sur le tillac trois ou quatre poignées. Et y
vis des paroles bien piquantes, des paroles sanglantes (lesquelles le pilote
nous disait quelquefois retourner on[16] lieu duquel étaient proférées, mais
c'était la gorge coupée), des paroles horrifiques, et autres assez mal plaisantes à voir. Lesquelles ensemblement fondues ouïmes, hin, hin, hin, hin, hin,
his, ticque, torche, lorgne, brededin, brededac, frr, frrr, frrrr, bou, bou,
bou, bou, bou, bou, bou, bou, tracc, tracc, trr, trr, trr, trrrrrr, on, on, on,
on, ouououon, goth, magoth, et ne sais quels autres mots barbares, et
disait que c'était vocables du hourt[17] et hennissement des chevaux à
l'heure qu'on choque. Puis en ouïmes d'autres grosses, et rendaient son
en dégelant, les unes comme de tambours et fifres, les autres comme de
clairons et trompettes. Croyez que nous y eûmes du passe-temps beaucoup. Je voulais quelques mots de gueule mettre en réserve dedans de
l'huile comme l'on garde la neige et la glace, et entre du feurre[18] bien
net.

Chapitre LVI,
Petits Classiques Larousse.

9. vocabulaire de l'héraldique : gueules : rouge ; sinople : vert ; sable : noir.
10. après avoir été.
11. comprenions.
12. entamées.
13. pièce d'artillerie.
14. demande à Pantagruel de.
15. acheté par des ambassadeurs ennemis en échange de son silence lors de leur requête, l'orateur grec Démosthène prétexta une angine pour rester muet ; il s'agissait plutôt d'une « argentangine », comme on le lui fit remarquer.
16. au.
17. heurt.
18. foin.

LECTURE MÉTHODIQUE

■ Sur quelle idée concernant les paroles le texte repose-t-il ? Utilisez, pour répondre à cette question, le repérage de toutes les caractéristiques des paroles. En quoi ces caractéristiques rejoignent-elles ce que l'on appelle le **signifiant** et le **signifié** d'un mot ?

■ Repérez les différents **jeux de mots** du texte : sur quoi sont-ils construits ?

■ Définissez la **tonalité** du texte. Est-il cependant tout à fait dépourvu de sérieux ?

PARCOURS CULTUREL

■ Établissez une comparaison entre cet extrait et ceux qui figurent p. 34-375-377-426. Faites un tableau pour classer vos observations en trouvant vous-même un principe de classification.

ÉCRITURE

■ En prenant pour appui certains textes de Marot et des fables, expliquez le choix des animaux pour **dénoncer les comportements humains.**

■ Après avoir lu la lettre de Gargantua à Pantagruel, vous direz si toutes ces **recommandations d'un père à son fils** sont encore d'actualité ou si certaines vous semblent dépassées.

■ En vous inspirant de l'extrait du *Quart Livre*, imaginez et racontez l'**histoire d'une parole gelée** en fonction de sa couleur (*gueule, sinople, azur, sable…*).

■ Racontez à la manière de Rabelais, c'est-à-dire sur le **mode épique**, avec de fortes exagérations, un épisode de votre **vie** familiale ou scolaire.

guides p. 87-128-381

Le texte suivant analyse les caractéristiques de la période de transition entre le Moyen Âge et la Renaissance.

L a Renaissance - tant vantée depuis un siècle où Michelet a lancé cette notion - ne consiste pas en un simple retour à l'Antiquité. Quel qu'ait été le rôle des voyages à Rome, des survivances antiques à travers le Moyen Âge, et des engouements pour Rome et Athènes, le début du XVIᵉ siècle
5 reste beaucoup plus marqué par cette libération de l'homme, que Michelet avait devinée : le nouvel esprit artistique et littéraire va de pair avec l'élargissement du monde, le renouvellement économique et social ; l'expansion maritime de l'Europe sur les trois Océans, cent ans plus tôt à peine abordés, compte autant que la lecture de Cicéron par les contem-
10 porains de Lefèvre d'Étaples. Et l'audace religieuse de Luther et Calvin même prend sa part d'un véritable renouvellement spirituel, car le petit monde des artistes a été sensible à tous ces ébranlements, aux perspectives de reflux de l'Islam comme de la conquête des Indes occidentales.

Que la soif de savoir, cet appétit de découvrir tout ce que le vaste monde
15 est en train de révéler aux Européens ébahis, se soit étendu jusqu'à l'Antiquité, ce n'est pas douteux ; tous les peintres de la Renaissance ont traité des sujets mythologiques, de même que tous les écrivains ont recopié du Virgile, du Martial, et invoqué les *Di Immortales*[1], sans devenir païens pour autant. La Renaissance n'en reste pas moins le moment d'une exaltation
20 sans précédent des forces de libération individuelle : moment de joie de vivre, de réussir une vie nouvelle ; de l'Italie aux Pays-Bas, de l'Espagne à l'Allemagne, c'est le même souffle de liberté, de grandeur humaine qui parcourt la France en tous sens ; l'Italie sans nul doute exerce la plus forte influence, puisque ses enfants envahissent le pays : non seulement les artistes
25 comblés d'honneurs et d'argent, dont Léonard de Vinci est l'exemple type, mais aussi ses clercs qui occupent maints bénéfices importants, résident et apportent avec eux le goût nouveau.

Ainsi la Renaissance des arts doit-elle avoir le visage souriant d'une époque de détente, et de conquête : c'est le moment - qui ne se prolonge
30 guère au-delà de 1540 - des plus belles espérances ; pour ces hommes, encore une fois peu nombreux, qui voient l'Europe prendre pied dans le monde entier, respirer au rythme de l'Atlantique, rénover la foi malmenée, qui vivent dans la facilité luxueuse des rois, des princes et des riches marchands, ces premières années du XVIᵉ siècle sont des années de joie et
35 d'espérance, de créations nouvelles dans tous les domaines.

1. Dieux immortels.

Robert Mandrou, *Introduction à la France moderne*,
Éd. Albin Michel, pp. 235-236.

PARCOURS CULTUREL

▌Après avoir lu ce texte, retrouvez dans les extraits qui précèdent (Marot, Rabelais) et dans l'iconographie des exemples pouvant illustrer **l'analyse** faite par R. Mandrou. Classez ces exemples de manière thématique, pour en faire soit un tableau, soit le plan d'un exposé oral.

guide p. 99

2. Le renouveau poétique

Scève

Labé

Du Bellay

Ronsard

Sandro Botticelli (1444-1510), *Le Printemps* (détail),
1477 (tempera sur bois, 203 × 314 cm ; Florence,
Galerie des Offices).

"*Celui sera véritablement le poète que je cherche en notre
langue, qui me fera indigner, apaiser, éjouir, douloir, aimer, haïr,
admirer, étonner, bref, qui tiendra la bride de mes affections, me
tournant çà et là à son plaisir. Voilà la vraie pierre de touche
où il faut que tu éprouves tous poèmes, et en toutes langues. Je
m'attends bien qu'il s'en trouvera beaucoup de ceux qui ne trouvent rien bon, sinon ce qu'ils entendent et pensent pouvoir imiter, auxquels notre poète ne sera pas agréable ; qui diront qu'il
n'y a aucun plaisir, et moins de profit, à lire tels écrits, que ce
ne sont que fictions poétiques, que Marot n'a point ainsi écrit.
À tels, pour ce qu'ils n'entendent la poésie que de nom, je ne suis
délibéré de répondre. [...] Seulement veux-je admonester celui qui
aspire à une gloire non vulgaire, s'éloigner de ces ineptes admirateurs, fuir ce peuple ignorant, peuple ennemi de tout rare et antique
savoir.*"

Du Bellay, *Défense et Illustration de la langue française*, II, 9.

Dans le domaine poétique, le début du siècle est encore proche du Moyen Âge : Marot cultive toujours les formes poétiques médiévales, comme le rondeau*, la ballade*… ▷▷▷ *p. 69.* Mais la situation politique à l'intérieur et à l'extérieur, ainsi que des influences étrangères créent les conditions d'un renouvellement ; l'inspiration, les formes, la langue même sont différentes.

Le contexte

Plusieurs éléments sont à l'origine de ce renouvellement : **l'influence italienne,** liée aux contacts entre la France et l'Italie au moment des guerres d'Italie, **l'attitude du pouvoir royal** vis-à-vis des poètes et la création de centres poétiques.

Le rôle de l'Italie

Le XVe siècle italien, le Quattrocento, était considéré par les intellectuels et artistes français comme un modèle et sa poésie marquée par deux influences : **Pétrarque** et l'Antiquité.

Poète du XIVe siècle, Pétrarque (1304-1374), avait chanté sous forme poétique son amour pour une jeune fille, Laure ; le recueil de son *Canzoniere* avait connu un succès considérable dès le XIVe siècle ; la diffusion de l'œuvre liée à l'invention de l'imprimerie avait multiplié ce succès au XVe siècle. Le public lettré aimait particulièrement la forme nouvelle, le **sonnet,** l'écriture, caractérisée par des images, des hyperboles*, des antithèses*, l'inspiration. Le thème était l'amour, marqué par l'inquiétude, l'angoisse, la mélancolie… Cette poésie fut adoptée comme modèle par certains poètes français.

Le retour à l'Antiquité, caractéristique de cette période, se fait dans deux directions :
- Le **néo-platonisme** est un courant philosophique qui se répand au XVe siècle grâce à l'Italien Marsile Ficin. Celui-ci traduit Platon dont l'idée-force est que la création terrestre n'est que le reflet d'un monde supérieur, celui des idées. Dans l'adaptation qu'en font les poètes, ce qui domine est la notion d'amour platonique, c'est-à-dire refusant le plaisir physique pour un amour idéal ; on trouve cette influence chez Scève notamment dans son recueil *Délie* (anagramme* de « l'idée »).
- D'une façon plus générale, l'admiration pour l'Italie et le goût des textes anciens conduisent à la **découverte de l'Histoire, de la mythologie** grecque et, particulièrement, romaine ; celle-ci constitue une source d'inspiration essentielle chez Du Bellay et Ronsard.

L'importance de la Cour

Au Moyen Âge, l'écrivain était lié aux notables de la société seigneuriale pour laquelle il écrivait, et qui le faisaient vivre matériellement. Au XVIe siècle, le développement du pouvoir politique a des conséquences sur la vie culturelle : la condition de l'écrivain se modifie : il est désormais pensionné par le roi - c'est déjà le cas de Marot ▷▷▷ *p. 30.* La mode littéraire commence à s'élaborer à la Cour. On observe aussi l'existence de deux centres poétiques importants.

Deux centres poétiques

L'école lyonnaise : Lyon est un carrefour entre la Suisse, l'Allemagne et surtout l'Italie ; cette ville commerciale et industrielle voit l'installation et le développement de l'imprimerie, qui attire les intellectuels. Les poètes lyonnais s'enrichissent de l'influence italienne, en particulier de Pétrarque : L'amour et la fuite du temps ▷▷▷ *p. 60,* le goût pour les images ▷▷▷ *p. 61,* la maîtrise de la technique du sonnet* caractérisent cette poésie qui se démarque de la poésie médiévale. Elle est représentée par Maurice Scève ▷▷▷ *p. 59,* et par Louise Labé ▷▷▷ *p. 60.* Mais c'est surtout à Paris que s'opère l'essentiel du renouveau poétique.

La Pléiade

Ce mot désigne un groupe de sept écrivains et poètes regroupés au collège de Coqueret, un petit établissement universitaire du Quartier latin, sous la direction de l'helléniste Dorat. Celui-ci leur avait fait découvrir les auteurs grecs et latins, qu'ils lisent dans le texte ; ils lisent aussi et admirent les poètes italiens, qui ont donné à leur pays une littérature écrite en langue moderne.

Nef de cristal de roche en forme d'oiseau, v. 1570 (Collection de François de Médicis). ▶

57

Le nom du groupe - qui s'était appelé auparavant la Brigade - vient de celui d'une constellation de sept étoiles. Il avait déjà été choisi par sept poètes grecs à l'époque alexandrine*. Ses membres sont en 1556 Du Bellay, Baïf, Pontus de Tyard, Belleau, Jodelle, Pelletier, Ronsard.

Le manifeste* du groupe, *Défense et Illustration de la langue française* ▷▷▷ *p. 56,* publié en 1549, contient les idées essentielles de l'École : défendre le français contre la suprématie du latin, et l'illustrer, c'est-à-dire lui donner de l'éclat : on enrichit le vocabulaire, on diversifie les tournures des phrases, les figures de style, on cultive des genres nouveaux.

Une poésie nouvelle

Le renouveau poétique s'exprime dans l'inspiration, les formes, les mots.

L'inspiration et le travail

Dans le domaine poétique, le retour à l'Antiquité se marque par l'imitation des poètes anciens, avec des références constantes à la mythologie : les modèles sont grecs, latins (Du Bellay, « Comme on passe en été… » s'inspire de Phèdre ▷▷▷ *p. 65),* et aussi italiens (Pétrarque et Rinieri sont à l'origine du sonnet de Du Bellay, « Déjà la nuit… » ▷▷▷ *p. 63).* Il ne s'agit pas de copier, mais de s'approprier les œuvres de façon à inventer une nouvelle littérature nourrie des Anciens.

Niccolo Pelipario, Plat en faïence du service Ridolfi, *Soldats allemands devant le château Saint-Ange à Rome,* 1525 (Venise, Musée Correr).

La poésie nécessite aussi un travail important ; le rôle du poète se modifie alors : d'un simple amusement, la poésie devient une activité presque sacrée, à laquelle le poète doit se sacrifier, ce qui lui confère une importance et une noblesse nouvelles : il s'apparente ainsi à **Orphée***.

Les formes

La Pléiade abandonne les formes médiévales, rondeaux et ballades ▷▷▷ *p. 69,* pour des **formes neuves** où l'on retrouve les influences antiques et italiennes dans la reprise des genres traditionnels, comme **l'ode,** un poème de célébration (Ronsard, « Ode à Cassandre » ▷▷▷ *p. 72),* ou **l'épopée,** inspirée de l'Histoire. Imité de la poésie italienne, et particulièrement de Pétrarque, **le sonnet** triomphe, et pour longtemps ▷▷▷ *p. 69.*

La métrique évolue : plus équilibré, plus musical et mieux adapté à la poésie lyrique, l'alexandrin* s'impose progressivement face au décasyllabe*.

La langue

Pour prouver la capacité du français à devenir une langue poétique, les poètes l'enrichissent, par le vocabulaire et par les figures de style.

L'enrichissement lexical se fait par des emprunts et par des créations. On emploie des mots non usuels, comme *étoupé* ▷▷▷ *p. 77,* qui appartient à la langue des métiers. Par ailleurs, des mots nouveaux sont créés : par exemple, on transforme des infinitifs en noms *(l'étudier* ▷▷▷ *p. 71) ;* on forme des termes par mots composés, par dérivation du latin *(Indique* ▷▷▷ *p. 63),* par suffixation ou préfixation *(démusclé, dépoulpé* ▷▷▷ *p. 77).*

Le Moyen Âge n'avait pas négligé **les figures de style,** mais le XVIe, nourri de Pétrarque et de ses imitateurs, les multiplie, et d'autres tournures apparaissent, calquées sur le latin et le grec ; ainsi, « Heureux qui comme Ulysse » ▷▷▷ *p. 67,* est une tournure exclamative identique à celle du latin *(Felix qui…).* Les figures de style sont essentielles dans la mesure où elles aussi permettent à la poésie de se différencier du style prosaïque que méprise la Pléiade : les comparaisons, métaphores, allégories, entre autres sont constantes ; elles visent à suggérer et à frapper l'imagination.

Le poète a désormais conscience d'exercer un art exigeant, qui requiert un travail difficile. En même temps, **son influence grandit sur le plan intellectuel comme sur le plan politique :** Ronsard s'engage officiellement dans les luttes de son temps ▷▷▷ *p. 82.* Une poésie nouvelle est née, ainsi que de nouvelles fonctions pour le poète.

Maurice Scève

Né à Lyon dans une famille aisée, Maurice Scève reçoit une éducation humaniste : il se familiarise avec le latin et le grec, connaît l'espagnol, l'italien et le droit ; il voyage, notamment en Italie. Touchant les revenus d'un prieuré, il peut se consacrer à la poésie ; poète officiel, il est admirateur et imitateur de Pétrarque dans un premier temps.

En 1536, son amour contrarié pour une jeune poétesse lyonnaise, Pernette du Guillet, est à l'origine de son œuvre maîtresse, le recueil *Délie,* où il exprime sa souffrance, et aussi son aspiration vers un amour idéal : « Délie » est en effet l'anagramme* de « l'idée », mot appartenant au vocabulaire platonicien ▷▷▷ *p. 57.*

1510?-1564?

Après la mort de la jeune femme, en 1545, Scève se retire pour un temps de la vie lyonnaise, tout en continuant à écrire. La fin de sa vie, ainsi que la date exacte de sa mort, sont mal connues.

Portrait : *Maurice Scève* (gravure, XVIᵉ siècle, Paris, Bibliothèque Nationale de France).

Délie - 1544

« Comme des rais du soleil gracieux »

Comme des rais du soleil gracieux
Se paissent¹ fleurs durant la primevère²,
Je me recrée aux rayons de ses yeux,
Et loin et près autour d'eux persévère ;
5 Si³ que le cœur, qui en moi la révère,
La me⁴ fait voir en celle⁵ même essence
Que ferait l'œil par sa belle présence,
Que tant j'honore et que tant je poursuis :
    Par quoi de rien ne me nuit son absence,
10 Vu qu'en tous lieux, malgré moi, je la suis.

Dizain 141.

1. se nourrissent. 2. printemps. 3. si bien que. 4. me la. 5. cette.

Piero di Cosimo (1462-1521), *Simonetta Vespucci,* vers 1477 (tempera sur bois, 56,8 X 41,9 cm ; Chantilly, Musée Condé).

LECTURE MÉTHODIQUE

■ Repérez les termes de la comparaison initiale. Montrez précisément les parallélismes qui sont établis. Comment cette comparaison concourt-elle à la **célébration de la femme aimée** ?

■ Repérez une deuxième série de comparaisons ; à travers l'analyse précise des termes, montrez **comment s'exprime l'amour** du poète.

■ Précisez à quelle personne est écrit le poème. En tenant compte de cette personne ainsi que des jeux de comparaisons, dites quelle est la **tonalité** du texte.

guides p. 39-78

Louise Labé

Née à Lyon dans le riche milieu des fabricants de cordes (son mari sera cordier, ce qui lui vaudra le surnom de « belle cordière »), Louise Labé reçoit une éducation intellectuelle et sportive très poussée pour une fille de cette époque : elle apprend le latin, l'italien, la musique, et elle participe à des tournois.

On retrouve cette liberté et cette originalité dans l'œuvre brève qu'elle a laissée, environ vingt-cinq pièces dont vingt-trois sonnets : cette poésie très personnelle est inspirée par une expérience vécue : elle fut en effet quittée par un jeune homme qu'elle aimait ; loin d'imiter Pétrarque, modèle alors à la mode, elle décrit avec sincérité cet amour et cet échec. Sa vie par ailleurs est mal connue ; elle meurt vers 1566.

1524-1566

Portrait : Pierre Woreiot (1532-1596), *Louise Labé,* 1555 (gravure).

Sonnets - 1555

« Tant que mes yeux pourront larmes épandre… »

Tant que mes yeux pourront larmes épandre
   À l'heur passé avec toi regretter[1],
Et qu'aux sanglots et soupirs résister
Pourra ma voix, et un peu faire entendre[2],

5 Tant que ma main pourra les cordes tendre
   Du mignard[3] luth , pour tes grâces chanter,
Tant que l'esprit[4] se voudra contenter
De ne vouloir rien fors que toi comprendre[5],

Je ne souhaite encore point mourir.
10 Mais quand mes yeux je sentirai tarir,
Ma voix cassée, et ma main impuissante,

Et mon esprit en ce mortel séjour
Ne pouvant plus montrer signe d'amante,
Prierai la Mort noircir mon plus clair jour.

                     XIV.

Raphaël (1483-1520), *Portrait de Jeune Femme* (Strasbourg, Musée des Beaux-Arts).

LECTURE MÉTHODIQUE

■ En observant précisément la ponctuation et les mots de liaison, repérez chacune des deux phrases de ce sonnet. Quel est entre elles le **lien logique ?**

■ En quoi y a-t-il **parallélisme** entre les deux phrases ? Étudiez les reprises de termes, la structure syntaxique. Quelles sont cependant les différences ?

■ En quoi ce sonnet est-il un **poème d'amour ?** Quels liens établit-il entre les amants, l'amour et la mort ?

guides p. 39-78

1. à regretter le bonheur passé avec toi. 2. se faire entendre. 3. délicat. 4. mon esprit. 5. à part te prendre tout entier.

École de Fontainebleau, milieu XVIe siècle, *Diane chasseresse*, vers 1550
(panneau, 190 X 133 cm ; Paris, Musée du Louvre).

« Diane étant en l'épaisseur d'un bois »

D iane étant en l'épaisseur d'un bois,
   Après avoir mainte bête assénée[1],
Prenait le frais, de Nymphes couronnée.
J'allais rêvant, comme fais maintes fois,

5 Sans y penser, quand j'ouïs une voix
   Qui m'appela, disant : Nymphe étonnée,
   Que ne t'es-tu vers Diane tournée ?
   Et, me voyant sans arc et sans carquois :

   Qu'as-tu trouvé, ô compagne, en ta voie,
10 Qui de ton arc et flèches ait fait proie ?
   - Je m'animai, réponds-je, à un passant,

   Et lui jetai en vain toutes mes flèches
   Et l'arc après ; mais lui, les ramassant
   Et les tirant, me fit cent et cent brèches[2].

                                   XIX.

1. abattu (l'accord avec le COD
ne se ferait plus aujourd'hui).
2. blessures.

LECTURE MÉTHODIQUE

■ Par le repérage du lexique, analysez comment se
développe le **thème mythologique de la chasse**.
Comment sont marquées les étapes du récit ?

■ **Qui parle ?** À quels indices voyez-vous qu'il s'agit
d'une **femme** ? À qui est-elle assimilée ?

■ Quelle est la **valeur symbolique de l'arc et des
flèches ?** À quelle métaphore sont-ils associés ?

PARCOURS CULTUREL

■ Faites une recherche concernant la figure mythologique de **Diane** (ses fonctions, ses attributs, son nom
grec). Faites la même recherche concernant les personnages mythologiques suivants : **Vénus, Neptune,
Vulcain, Hercule** et **Prométhée.** Quelle différence
établissez-vous entre les trois premiers et les deux
suivants ?

guides p. 39-78-386

Joachim Du Bellay

Les débuts

Né en1522 en Anjou dans une famille noble à laquelle appartient notamment Jean Du Bellay, cardinal et homme de cour, cousin du poète, l'enfant, rapidement orphelin, est éduqué de façon négligée. Il vit surtout au contact de la nature, dans cette région à laquelle il s'attache ▷ ▷ ▷ *p. 67*.

Adolescent, se destinant à l'état ecclésiastique, il apprend le latin avec Peletier du Mans qui encourage son goût pour la poésie. Il rencontre aussi Ronsard et va étudier les Lettres au collège de Coqueret à Paris ▷ ▷ ▷ *p. 57*.

Il écrit *Défense et Illustration de la langue française* ▷ ▷ ▷ *p. 56*, et publie un premier recueil de sonnets, *L'Olive* (1549). Il tombe alors malade et se consacre à la littérature - œuvres personnelles et traduction d'un livre de *l'Énéide* - et continue à publier. Mais c'est à une autre expérience qu'il doit son œuvre majeure.

Rome et les dernières années - 1553-1557

Espérant y faire carrière et mieux comprendre la grandeur et la décadence de l'Antiquité, il accompagne à Rome comme secrétaire le cardinal Jean Du Bellay. Il commence à composer *Les Antiquités de Rome,* qui paraissent en 1558.

Mais il est surtout accablé par la lourdeur des tâches matérielles qu'il doit assurer et par le poids de ses obligations mondaines. Il souffre de la nostalgie de son pays natal. Il évoque ces expériences dans le recueil des *Regrets* (1558).

Cependant, son retour en France en 1557 se révèle également douloureux : en proie à des difficultés financières, il est contraint de s'adresser au roi pour obtenir une pension, puis tombe à nouveau malade et meurt le 1er janvier 1560.

1522-1560

Portrait : Jean Cousin le Jeune (vers 1522-1594), *Portrait de Joachim Du Bellay* (Paris, Bibliothèque Nationale de France).

Étienne de Martellange (1569-1641), *Galerie intérieure du Colisée,* 1586 (plume, encre brune, lavis brun et trace de lavis bleu, 26,7 X 42,8 cm ; Paris, Musée du Louvre). ▶

Joachim de Patinir (vers 1480-1534), *La Tentation de saint Antoine* (détail), (huile sur bois, 155 X 173 cm ; Madrid, Musée du Prado).

L'Olive - 1549

« Déjà la nuit en son parc amassait… »

Dans ce recueil largement inspiré du style très recherché de Pétrarque, Du Bellay célèbre une femme idéale, qu'il nomme Olive.

Déjà la nuit en son parc amassait
Un grand troupeau d'étoiles vagabondes,
Et pour entrer aux cavernes profondes
Fuyant le jour, ses noirs chevaux chassait ;

5 Déjà le ciel aux Indes rougissait,
Et l'aube encor de ses tresses tant blondes
Faisant grêler mille perlettes rondes,
De ses trésors les prés enrichissait ;

Quand d'occident, comme une étoile vive¹,
10 Je vis sortir dessus ta verte rive,
Ô fleuve mien ! une Nymphe en riant².

Alors voyant cette nouvelle Aurore,
Le jour honteux d'un double teint colore
Et l'Angevin et l'Indique³ orient.

Sonnet LXXXIII.

1. vivante.
2. en riant.
3. de l'Inde.

LECTURE MÉTHODIQUE

■ Relevez et observez les termes qui se rapportent à la nuit, à l'aube. Désignent-ils habituellement ces réalités ? De quoi celles-ci sont-elles rapprochées ? Quel est le nom de cette figure de style ? Cherchez, à l'intérieur des deux quatrains, une autre figure de style de ce type. Quels sont les **effets** produits par ces divers **rapprochements** ?

■ De quelle réalité la Nymphe citée au vers 11 est-elle rapprochée dans le second tercet ? Sur quelle **qualité** de la Nymphe le poète a-t-il voulu insister ?

■ Étudiez les temps verbaux dans les quatrains et les tercets. Quelle remarque pouvez-vous faire ?

■ Quelle est la **position du poète** par rapport à la scène décrite ?

PARCOURS CULTUREL

■ Retrouvez dans cet ouvrage d'autres textes inspirés par l'aube. Dites ce qu'ils ont en commun, ce qu'ils ont de différent. Trouvez vous-même votre principe de classification.

guides p. 39-78-418

Joachim de Patinir (vers 1480-1534), *Paysage avec saint Jérôme* (détail)
(74 X 91 cm ; Madrid, Musée du Prado).

D e ses cheveux la rousoïante Aurore
Éparsement les Indes remplissait
Et jà le ciel à leurs traits rougissait
De maint émail qui le matin décore,

5 Quand elle vit la Nymphe que j'adore
Tresser son chef, dont l'or qui jaunissait
Le crêpe honneur du sien éblouissait
Voire elle-même et tout le ciel encore.

Lors ses cheveux vergogneuse arracha,
10 Si qu'en pleurant sa face elle cacha,
Tant la beauté des beautés lui ennuie.

Et ses soupirs parmi l'air se suivants,
Trois jours entiers enfantèrent des vents,
Sa honte un feu, et ses yeux une pluie.

Ronsard, *Amours,* I, XCI.

L a mer était tranquille ; les forêts et les
prés découvraient au ciel leurs beautés,
fleurs et feuillages ; et la nuit déjà déchirait son voile et éperonnait ses chevaux
5 sombres et ailés.

L'aurore faisait tomber de ses cheveux
d'or des perles d'un état glacé brillant ;

Et déjà le Dieu qui naquit à Délos faisait tomber ses rayons depuis les rivages
10 parfumés de l'Orient.

Quand d'Occident se leva en face de lui
un soleil plus beau illuminant le jour et faisant pâlir celui d'Orient.

Lumineuses et éternelles étoiles et toi
15 soleil, le beau visage que j'aime parut alors
plus brillant et plus gracieux que vous.

Antonio Francesco Rinieri,
Giolito, t. II, p. 22,
in XVIe *siècle, Documents,* Éd. Bordas.

ÉTUDE COMPARÉE

■ À partir de l'observation des champs lexicaux, trouvez et classez tous les **éléments communs** aux
deux textes.

■ Mettez ensuite en relief leurs **différences :** que
comporte de plus le texte de Ronsard ? Qu'a de particulier l'**énonciation** du poème de Rinieri ?

guides p. 39-78

Lambert Sustris (1515-1568), 1552-1553, *Paysage avec les ruines de bains romains* (détail) (huile sur toile, 101 × 150 cm ; Vienne, Kunsthistorisches Museum, Gemäldegalerie).

Les Antiquités de Rome - 1558

« Comme on passe en été... »

Dans ce recueil publié au retour de Du Bellay en France, le poète évoque la grandeur ancienne de Rome et sa décadence, ce qui lui fournit l'objet d'une méditation sur le temps qui passe.

Comme on passe en été le torrent sans danger,
Qui soulait[1] en hiver être roi de la plaine
Et ravir[2] par les champs, d'une fuite hautaine,
L'espoir du laboureur et l'espoir du berger ;

5 Comme on voit les couards animaux outrager
Le courageux lion gisant dessus l'arène[3],
Ensanglanter leurs dents et d'une audace vaine
Provoquer l'ennemi qui ne se peut venger ;

Et comme devant Troie on vit des Grecs encor
10 Braver les moins vaillants[4] autour du corps d'Hector :
Ainsi ceux qui jadis soulaient, à tête basse,

Du triomphe romain la gloire accompagner,
Sur ces poudreux tombeaux exercent leur audace,
Et osent les vaincus les vainqueurs dédaigner.

Sonnet XIV.

1. avait l'habitude.
2. enlever.
3. le sable.
4. les moins vaillants des Grecs faire les braves.

« Le lion devenu vieux, le sanglier, le taureau et l'âne »

Abattu par les ans, abandonné de ses forces, le lion gisait à terre, exhalant avec peine son dernier souffle. Le sanglier accourut, la dent foudroyante, et d'un coup il se vengea d'une vieille injure. Puis le taureau fouilla de sa corne furieuse le corps de son ennemi. Voyant qu'on frap-
5 pait impunément le sauvage animal, l'âne lui brisa le front de son sabot. Le lion expirant lui dit : « J'ai supporté en frémissant les insultes des braves ; mais être réduit à souffrir les tiennes, opprobre de la nature, c'est mourir deux fois. » (Trad. Vianey.)

Phèdre, *Fables*, I, 21.

LECTURE MÉTHODIQUE

■Repérez les comparaisons ; identifiez les comparants et leur point commun, le comparé, les **correspondances** entre eux. De quelle manière structurent-ils le texte ? Quelle remarque pouvez-vous faire sur le nombre des comparants ?

■Analysez les champs lexicaux récurrents. Qu'ont de différent les **domaines** envisagés ? Quelle évolution observe-t-on ?

■Observez le temps de la plupart des verbes conjugués ; quelle valeur a-t-il ? Quelle vous semble être la **fonction** de ce sonnet ?

PARCOURS CULTUREL

■Le premier tercet fait allusion à la **guerre de Troie**. Faites une recherche pour en préciser l'époque, les causes, le déroulement.

■Le second tercet évoque le « **triomphe** » à Rome. Que désigne ce terme ? À quelle cérémonie est-il fait référence ?

■Quels éléments Du Bellay a-t-il gardés de la fable de Phèdre *(p. 65)* ? Quels éléments a-t-il rajoutés ? De quelles **sources d'inspiration** témoignent ces ajouts ?

guides p. 39-78-418

Les Regrets - 1558

« France, mère des arts… »

Publié, comme le précédent, en 1558, ce recueil traduit la déception éprouvée par Du Bellay lors de son séjour à Rome : il s'attendait à trouver la grandeur de la Rome antique, il découvre une ville en ruines et les intrigues de la Cour pontificale ; Les Regrets exprimation la souffrance de l'exil, et peignent férocement les travers des courtisans.

France, mère des arts, des armes et des lois,
  Tu m'as nourri longtemps du lait de ta mamelle :
Ores[1], comme un agneau qui sa nourrice appelle,
Je remplis de ton nom les antres et les bois.

5 Si tu m'as pour enfant avoué[2] quelquefois,
  Que ne me réponds-tu maintenant, ô cruelle ?
France, France, réponds à ma triste querelle[3].
Mais nul, sinon Écho, ne répond à ma voix.

Entre les loups cruels j'erre parmi la plaine ;
10 Je sens venir l'hiver, de qui la froide haleine
D'une tremblante horreur[4] fait hérisser ma peau.

Las ! Tes autres agneaux n'ont faute[5] de pâture,
Ils ne craignent le loup, le vent, ni la froidure :
Si[6] ne suis-je pourtant le pire du troupeau.

Sonnet IX.

1. maintenant.
2. reconnu.
3. plainte.
4. effroi qui fait se dresser les cheveux.
5. ne manquent pas.
6. cependant (intensifié par la reprise).

LECTURE MÉTHODIQUE

■Identifiez la **métaphore initiale** et montrez, par l'observation du vocabulaire, comment elle se développe dans la suite du sonnet. Étudiez en particulier la comparaison qui la complète.

■Quels termes évoquent, par leur sens dénoté ou connoté, les **sentiments du poète ?** Quels sont ces sentiments ?

PARCOURS CULTUREL

■Pourquoi le terme « **Écho** » est-il ici écrit avec une majuscule ? Qui désigne-t-il ? Faites une recherche à ce sujet dans un ouvrage de mythologie.

guides p. 39-78

« Heureux qui, comme Ulysse… »

Heureux qui, comme Ulysse, a fait un beau voyage,
Ou comme cestui-là qui conquit la toison[1],
Et puis est retourné, plein d'usage et raison,
Vivre entre ses parents le reste de son âge !

5 Quand reverrai-je, hélas ! de mon petit village
Fumer la cheminée, et en quelle saison
Reverrai-je le clos de ma pauvre maison,
Qui m'est une province, et beaucoup davantage ?

Plus me plaît le séjour qu'ont bâti mes aïeux
10 Que des palais romains le front audacieux ;
Plus que le marbre dur me plaît l'ardoise fine,

Plus mon[2] Loire gaulois que le Tibre latin,
Plus mon petit Liré[3] que le mont Palatin,
Et plus que l'air marin la douceur angevine.

Sonnet XXXI.

1. Jason, qui partit à la conquête de la Toison d'or en Asie, avant de revenir en Grèce. 2. la Loire ; latinisme : le nom des fleuves est masculin en latin. 3. village natal de Du Bellay.

Lucas van Valckenborch (1535-1597), *Printemps* (détail) (huile sur toile ; Vienne, Kunsthistorisches Museum, Gemäldegalerie).

LECTURE MÉTHODIQUE

■ Identifiez les comparants dans les deux premiers vers ; précisez les **références à l'Antiquité**. Quels termes du premier et du deuxième quatrain permettent de mieux comprendre cette double référence ?

■ Par l'observation de la ponctuation et du choix de certains termes du texte, précisez quels semblent être les **sentiments du poète.**

■ Quel **type de comparaison** trouve-t-on dans les deux tercets ? Quels sont les champs lexicaux utilisés à l'intérieur de chaque série de termes de la comparaison ?

■ Quels éléments des deux tercets renvoient aux termes du second quatrain et comment ? Que **met en relief** cette succession de comparaisons ?

VERS LE COMMENTAIRE LITTÉRAIRE

■ À partir des repérages de la lecture méthodique du sonnet, construisez un commentaire littéraire autour des notions de **regret,** mais aussi de **célébration du pays natal.** Terminez par des remarques sur le caractère décevant du voyage.

guides p. 39-78-276

« Marcher d'un grave pas… »

Marcher d'un grave pas et d'un grave sourci[1],
Et d'un grave souris[2] à chacun faire fête,
Balancer[3] tous ses mots, répondre de la tête,
Avec un *Messer non,* ou bien un *Messer si*[4] ;

5 Entremêler souvent un petit *È cosi*[5],
Et d'un *son Servitor*[6] contrefaire l'honnête[7],
Et, comme si l'on eût sa part en la conquête,
Discourir sur Florence, et sur Naples aussi[8] ;

Seigneuriser[9] chacun d'un baisement de main,
10 Et suivant la façon du courtisan romain,
Cacher sa pauvreté d'une brave apparence ;

Voilà de cette cour la plus grande vertu,
Dont[10] souvent, mal monté[11], mal sain[12], et mal vêtu,
Sans barbe[13] et sans argent, on s'en retourne en France.

Sonnet LXXXVI.

1. sourcil.
2. sourire.
3. peser.
4. « Non, Monsieur »,
« Oui, Monsieur ».
5. « c'est cela ».
6. « je suis votre serviteur ».
7. l'homme bien élevé.
8. allusion à la situation
politique.
9. traiter comme un seigneur.
10. d'où.
11. sur un mauvais cheval.
12. en mauvaise santé.
13. maladie vénérienne,
la pelade rendait imberbe
et chauve.

Angiolo Bronzino (1503-1573), *Portrait d'Ugolino Martelli,* 1537-1538 (huile sur bois,
102 × 85 cm ; Berlin, Staatliche Museen, Gemäldegalerie).

LECTURE MÉTHODIQUE

■ Mettez en évidence la **structure syntaxique** du poème : observez pour cela le dernier tercet et la manière dont commence chacune des autres strophes.

■ Qu'ont en commun les verbes qui sont au même mode ? Quelle **attitude** permettent-ils de définir ? Quel terme du texte traduit cette attitude ?

■ Comment faut-il comprendre l'expression *la plus grande vertu* ? En quoi permet-elle de caractériser la **tonalité** du texte et les sentiments du poète ?

■ En vous appuyant sur l'observation de la ponctuation, déterminez les **effets de rythme.** Quel est leur rôle ?

PARCOURS CULTUREL

■ Retrouvez dans ce manuel des textes qui font, comme ce sonnet, la **présentation satirique** d'un homme ou d'un groupe social. Récapitulez les procédés d'écriture qui leur sont communs.

LIRE LA PEINTURE

■ Cherchez quelles **relations** on peut établir entre le tableau et le texte. Quel rôle attribuer au jeune homme ?

■ Que peuvent **révéler** de ses pensées son **attitude,** sa physionomie, son regard ?

■ Que **connotent** ses vêtements : l'austérité, le luxe, la pauvreté ? Quelle est sa condition sociale ?

■ Parmi les personnages dont-il est question dans le sonnet, à qui pourrait-on **l'assimiler ?**

guides p. 39-69-224

Trois formes fixes en poésie

On appelle poèmes à **forme fixe** les poèmes qui suivent des règles précises de composition. Le xvie siècle utilise le rondeau et la ballade hérités du Moyen Âge et développe le sonnet.

▌ *Le rondeau* ▷▷▷ *p. 31*

Le rondeau existe depuis la fin du xiiie siècle : il signifie « danse en rond » ; initialement, c'est une chanson vocale ou instrumentale faite pour la **danse.** Le rondeau comprend en général quinze vers regroupés en **trois strophes,** chacune des deux dernières étant suivie d'un refrain, avec les rimes suivantes ▷▷▷ Marot, « De l'amour du siècle antique », ▷▷▷ *p. 31* :

1 quintil	rime : **aa bb a**
1 tercet + 1 refrain (moitié du 1er vers du 1er quintil)	rime : **aab**
1 quintil + 1 refrain (moitié du 1er vers du 1er quintil)	rime : **aa bb a**

Les rondeaux sont essentiellement écrits en **octosyllabes*** ou en **décasyllabes*** ; c'est ce dernier vers qu'utilise le plus souvent Marot, car il favorise la **diversité du rythme** (6 + 4, 4 + 6, 5 + 5) ▷▷▷ *p. 31*. La reprise du **refrain** crée un mouvement circulaire et dansant qui correspond à l'origine du poème et à son nom. Poème bref, le rondeau se prête particulièrement à l'expression du sentiment personnel, en particulier du **sentiment amoureux.**

▌ *La ballade* ▷▷▷ *p. 33*

Le nom de ce poème est formé sur le provençal *balar,* danser : il s'agit là encore d'un poème souvent accompagné de musique ▷▷▷ *p. 33*. La ballade comprend en général **trois strophes** de 8 vers en octosyllabes ou de 10 vers en décasyllabes*, suivies d'une demi-strophe (de 4 vers si les strophes en comptent 8, de 5 vers si les strophes en comptent 10).

Cette demi-strophe commence en général par une apostrophe à un **dédicataire,** prince ou toute autre personnalité : **l'envoi.**
Le dernier vers de chaque strophe est repris et forme **refrain.**

Le schéma des rimes est en général :

abab bcbc	dans chaque strophe.
bcbc	dans l'envoi.

Comme le rondeau, la ballade permet essentiellement l'expression des sentiments personnels. Au xvie siècle, le rondeau comme la ballade sont condamnés par la Pléiade : *rondeaux, ballades,* [...]

et autres telles épiceries qui corrompent le goût de notre langue, écrit Du Bellay dans *Défense et Illustration de la langue française.* Ces formes sont détrônées par le sonnet.

▌ *Le sonnet* ▷▷▷ *p. 66*

Le mot vient de l'italien *sonetto,* petit son, et désigne à l'origine un poème court destiné à être chanté. Le poète Pétrarque, au xive siècle, lui donne la forme qu'il conservera ensuite. Marot écrit le premier sonnet en français ; ce sont Du Bellay, et surtout Ronsard, qui l'imposeront.
Le sonnet compte 14 vers répartis en deux **quatrains*** et deux **tercets*** sur un de ces schémas :

1/ abba abba ccd eed ▷▷▷ Du Bellay, *p. 63.* Ronsard privilégie lui aussi cette répartition des rimes.
2/ abba abba ccd ede ▷▷▷ Du Bellay ▷▷▷ *p. 65.*

D'abord écrit en décasyllabes*, le sonnet est ensuite composé en **alexandrins***, vers qui permet des coupes plus variées.

La **composition** même du sonnet est souvent dictée par le schéma métrique : par exemple les deux tercets* ouvrent sur une autre idée que celle des deux quatrains*. Le dernier vers du sonnet constitue souvent une **chute** inattendue ou qui met l'accent sur un point particulier ▷▷▷ *p. 77.*

Le sonnet est à l'origine un **poème d'amour ;** cette thématique, élargie à l'expression du sentiment personnel, domine au xvie siècle. Mais elle n'exclut pas, dans certains sonnets des *Regrets* de Du Bellay, une autre inspiration, celle de la **satire***, imitée de sonnets italiens ▷▷▷ *p. 68.*

▌ *Postérité de ces formes fixes*

Le nombre réduit de rimes, notamment dans la ballade, impose la maîtrise d'un **vocabulaire riche.** La brièveté de ces poèmes oblige à une grande **concision** dans le traitement des thèmes. Ces formes poétiques survivent bien au-delà du xvie siècle : le **rondeau** sera repris au xixe siècle, sans les mêmes contraintes. La **ballade** est utilisée au xviie siècle dans la poésie mondaine : au xixe siècle cependant, le poème appelé « Ballade » ne correspond plus aux schémas précédents : il s'agit d'une poésie narrative sans les mêmes contraintes techniques. Le **sonnet** reste en vigueur au xixe et au xxe siècle :
les contraintes qu'il impose obligent à des jeux sur le langage qui ne sont pas incompatibles avec la poésie contemporaine.

1524-1585

Portrait : École française, XVIIe siècle,
Pierre de Ronsard (Blois).

Pierre de Ronsard

Prince des poètes et poète des princes, Ronsard marque son époque par la façon dont il renouvelle et enrichit la poésie de son temps.

De l'enfance à la formation

Né en 1524 dans une famille noble et cultivée du Vendômois, Pierre de Ronsard passe l'essentiel de ses douze premières années au contact de la nature, dont il gardera un souvenir émerveillé et fidèle ▷▷▷ *p. 72.* Cadet de famille, destiné à la carrière militaire ou diplomatique, il devient à douze ans (1536) page des enfants du roi, puis l'humaniste Lazare de Baïf l'introduit dans les milieux lettrés.

À cette époque, une maladie le rend sourd ; il se lie avec plusieurs humanistes et participe à la rédaction de *Défense et Illustration de la langue française* ▷▷▷ *p. 58.*

Des débuts prometteurs à la gloire incontestée

En 1550, quatre premiers livres d'*Odes* imitant le poète latin Horace ou inspirées du poète grec Pindare reçoivent un accueil médiocre. Le second recueil, *Les Amours de Cassandre,* paru en 1552, sacrifie à la mode d'alors : très marqué par Pétrarque, il chante l'amour inspiré par une jeune fille entrevue à la Cour quelques années auparavant ; les recueils suivants, ceux des *Continuations des Amours* notamment (1555 et 1556), vont dans le sens d'une plus grande simplicité. La gloire de Ronsard grandit, et il s'impose à la Cour.

Des fonctions officielles au déclin et à la mort

Outre la poésie amoureuse, Ronsard publie les recueils des *Hymnes* (1555 et 1556), où il fait l'éloge de ses protecteurs, ainsi que des œuvres à caractère philosophique et des divertissements de circonstance ; il occupe à la Cour des fonctions officielles et s'engage aux côtés des catholiques dans les guerres de Religion, comme en témoignent les *Discours des Misères* (1562 et 1563) et la *Réponse aux injures et calomnies* (1563) ▷▷▷ *p. 82-83.*

Lorsque son rôle officiel commence à décliner après l'échec de *la Franciade* en 1572, il se consacre à la poésie : les sonnets *Sur la mort de Marie* et *Pour Hélène* (1578), et les *Derniers vers,* posthumes, sont marqués par l'évocation de la vieillesse et de la mort. Il retouche aussi les éditions de son œuvre. À sa mort, en 1585, des funérailles exceptionnelles témoignent de sa célébrité.

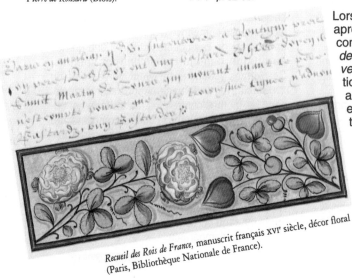

Recueil des Rois de France, manuscrit français XVIe siècle, décor floral
(Paris, Bibliothèque Nationale de France).

Odes - 1550

« J'ai l'esprit tout ennuyé… »

Les livres des Odes *imitent les Anciens, le poète grec Pindare et le Latin Horace ; de ce dernier, Ronsard retient le sentiment épicurien de la fuite du temps et la nécessité de profiter de la vie, ainsi que l'amour de la nature.*

J'ai l'esprit tout ennuyé[1]
D'avoir trop étudié
Les *Phénomènes* d'Arate[2] ;
Il est temps que je m'ébatte
5 Et que j'aille aux champs jouer.
Bons Dieux ! qui voudrait louer
Ceux qui, collés sur un livre,
N'ont jamais souci de vivre !

Que nous sert l'étudier,
10 Sinon de nous ennuyer
Et soin[3] dessus soin accroître,
À nous qui serons peut-être,
Ou ce matin ou ce soir,
Victime de l'Orque[4] noir,
15 De l'Orque qui ne pardonne,
Tant il est fier[5], à personne ?

Corydon[6], marche devant ;
Sache où le bon vin se vend.
Fais rafraîchir la bouteille,
20 Cherche une feuilleuse treille
Et des fleurs pour me coucher.
Ne m'achète point de chair,
Car, tant soit-elle friande,
L'été je hais la viande ;

25 Achète des abricots,
Des pompons[7], des artichauts,
Des fraises et de la crème :
C'est en été ce que j'aime,
Quand, sur le bord d'un ruisseau,
30 Je les mange au bruit de l'eau,
Étendu sur le rivage
Ou dans un antre sauvage.

Ores[8] que je suis dispos,
Je veux rire sans repos,
35 De peur que la maladie
Un de ces jours ne me die,
Me happant à l'impourvu :
« Meurs, galant : c'est trop vécu ! »

II, 18.

Le Titien (vers 1490-1576), *Bacchanale* ou *Les Andriens* (détail), 1519/1520 (huile sur toile, 175 X 193 cm ; Madrid, Musée du Prado).

1. tourmenté. 2. poète et astronome grec. 3. souci. 4. dieu des Enfers, à Rome. 5. cruel. 6. c'est le nom d'un valet, chez Virgile. 7. melons. 8. pendant.

LECTURE MÉTHODIQUE

■ Étudiez les modes verbaux dans les deux premières strophes ; quelle **impression** crée le changement qui intervient à la strophe 3 ?

■ Étudiez le champ lexical dominant dans les strophes 3 et 4 : comment s'accorde-t-il au changement de mode ? Quel **type de vie** souhaite le poète ?

■ Les deux thèmes de l'étude et de la vie heureuse sont complétés par un **troisième thème** : lequel ? En quoi évoque-t-il une menace ?

■ Le poème est une **chanson** ; qu'est-ce qui le rappelle constamment, aussi bien dans l'inspiration que dans la forme et dans les rythmes ?

PARCOURS CULTUREL

■ Voici un texte d'Horace qui a pu inspirer ce poème (*Odes,* II, 2). Quelle est la part d'originalité et la part d'imitation chez Ronsard ?

Pourquoi ne pas nous étendre sous ce platane, sous ce pin élevés, sans plus de façons, et, tant que nous le pouvons encore, embaumant nos cheveux gris de l'odeur des roses et les parfumant de nard[1] assyrien, ne pas boire ? Bacchus dissipe les soucis rongeurs. Quel garçon sera le plus agile pour éteindre, dans les coupes, le feu du Falerne[2] avec cette eau courante ?

Éd. Budé, traduction F. Villeneuve.

1. parfum. 2. désigne un vin.

guides *p. 39-418*

« Quand je suis vingt ou trente mois… »

Joachim de Patinir (vers 1480-1534), *Paysage avec saint Jérôme* (détail) (74 × 91 cm ; Madrid, Musée du Prado).

Quand je suis vingt ou trente mois
Sans retourner en Vendômois,
Plein de pensées[1] vagabondes,
Plein d'un remords et d'un souci,
5 Aux rochers je me plains ainsi,
Aux bois, aux antres, et aux ondes :

« Rochers, bien que soyez âgés
De trois mille ans, vous ne changez
Jamais ni d'état ni de forme :
10 Mais toujours ma jeunesse fuit,
Et la vieillesse qui me suit[2]
De jeune en vieillard me transforme.

« Bois, bien que perdiez tous les ans
En hiver vos cheveux mouvants,
15 L'an d'après qui se renouvelle
Renouvelle aussi votre chef :
Mais le mien ne peut derechef[3]
Ravoir sa perruque[4] nouvelle.

« Antres, je me suis vu chez vous
20 Avoir jadis verts les genoux,
Le corps habile, et la main bonne :
Mais ores[5] j'ai le corps plus dur,
Et les genoux, que n'est le mur
Qui froidement vous environne.

25 « Ondes, sans fin vous promenez,
Et vous menez et ramenez
Vos flots d'un cours qui ne séjourne.
Et moi sans faire long séjour
Je m'en vais de nuit et de jour
30 Au lieu d'où plus on ne retourne. »

Si est-ce que[6] je ne voudrois
Avoir été ni roc ni bois,
Antre, ni onde, pour défendre
Mon corps contre l'âge emplumé[7],
35 Car ainsi dur je n'eusse aimé
Toi qui m'as fait vieillir, Cassandre.

IV, 10.

LECTURE MÉTHODIQUE

■ Observez le jeu des guillemets et celui des apostrophes. À qui le poète s'adresse-t-il successivement ? Montrez que ces **variations** structurent le poème, et définissent le plan général.

■ Observez les **articulations logiques** à l'intérieur des quatre strophes centrales : à quoi servent-elles ?

■ En quoi le vocabulaire utilisé (noms, verbes, adverbes) contribue-t-il à souligner la **structure de chaque strophe ?**

■ Quelles images et quelles figures Ronsard utilise-t-il pour illustrer le thème dominant du texte ? Quelle est la fonction de ces images ? À partir de cette étude, définissez le **sentiment** du poète et la **tonalité** du poème.

guides p. 39-78-330

1. le mot compte ici trois syllabes. 2. poursuit. 3. une deuxième fois. 4. chevelure. 5. maintenant. 6. et pourtant je ne voudrais pas. 7. évocation de la représentation du temps ailé.

Piero di Cosimo (1462-1521), *La Mort de Procris* (détail), 1486/1500-1510 (tempera et huile sur toile, 65 × 183 cm ; Londres, The National Gallery).

Les Amours - 1552

« Comme un Chevreuil... »

Publié en 1552, le recueil des Amours *évoque Cassandre Salviati, jeune Italienne croisée à Blois sept ans auparavant.*

Comme un Chevreuil, quand le printemps détruit
L'oiseux cristal de la morne gelée,
Pour mieux brouter l'herbette emmiellée[1]
Hors de son bois avec l'Aube s'enfuit,

5 Et seul, et sûr, loin des chiens et de bruit,
Or[2] sur un mont, or[2] dans une vallée,
Or[2] près d'une onde à l'écart recelée,
Libre folâtre où son pied le conduit ;

De rets[3] ni d'arc sa liberté n'a crainte,
10 Sinon alors que sa vie est atteinte,
D'un trait meurtrier[4] empourpré de son sang :

Ainsi j'allais sans espoir[5] de dommage,
Le jour qu'un œil sur l'avril de mon âge
Tira d'un coup mille traits dans mon flanc.

Sonnet XLIX.

1. douce comme le miel.
2. tantôt.
3. filets.
4. le mot compte ici deux syllabes.
5. attente.

LECTURE MÉTHODIQUE

■ Analysez la **structure** de la phrase unique qui constitue le sonnet et repérez la figure de style utilisée ; quelle composante de cette figure est la plus développée ? À quelle **intention** cela correspond-il ?

■ Relevez et classez tous les termes se rapportant au chevreuil ; quelle **image** est donnée de lui ?

■ D'après cette image, quelle **conception** le poète a-t-il de lui-même ?

■ **Comparez** ce sonnet avec celui de Louise Labé ▷▷▷ *p. 61 ;* quels éléments peuvent être rapprochés ? En quoi les deux textes sont-ils pourtant différents ? Étudiez pour répondre à cette question le thème des sonnets, le vocabulaire, la mise en place des images.

guides p. 39-78

Continuation des Amours - 1555

« Je vous envoie un bouquet... »

Les recueils Continuation des Amours *(1555) et* Nouvelle Continuation des Amours *(1556) se caractérisent par une plus grande simplicité, liée sans doute à une inspiratrice, Marie, une paysanne. Mais on peut aussi penser que cette nouvelle orientation correspond à l'évolution de l'inspiration littéraire de Ronsard.*

Jan Bruegel de Velours (1568-1625), *Fleurs* (Strasbourg, Musée des Beaux-Arts).

J e vous envoie un bouquet que ma main
    Vient de trier de ces fleurs épanies[1] ;
Qui ne les eût à ce vêpre cueillies[2],
Chutes à terre elles fussent demain.

5 Cela vous soit un exemple certain
    Que vos beautés, bien qu'elles soient fleuries,
En peu de temps cherront[3] toutes flétries,
Et, comme fleurs, périront tout soudain.

Le temps s'en va, le temps s'en va, ma dame ;
10 Las ! le temps, non, mais nous nous en allons,
Et tôt serons étendus sous la lame[4] ;

Et des amours desquelles nous parlons,
Quand serons morts, n'en sera plus nouvelle.
Pour c'[5]aimez-moi cependant qu'êtes belle.

XXXV.

1. épanouies. 2. si on ne les avait cueillies ce soir. 3. tomberont.
4. pierre tombale. 5. pour cela.

LECTURE MÉTHODIQUE

■ Étudiez le vocabulaire relatif à la **beauté** et à l'image de la **fleur.** Montrez comment ces deux notions se confondent.

■ Relevez et classez les termes (vocabulaire, temps verbaux) évoquant le **temps qui passe** et la **mort.** Quelle est leur place à l'intérieur des vers et à l'intérieur du poème ?

■ Quelle **évolution** observez-vous dans les tercets ?

■ Étudiez le jeu des pronoms personnels dans le premier et le dernier vers en particulier. Quelle est **l'intention du poète ?** En quoi la chute relève-t-elle de **l'inspiration épicurienne ?**

PARCOURS CULTUREL

■ Que signifie l'expression *Carpe diem* ? De quel mouvement est-elle en quelque sorte la **devise ?** Cherchez les caractéristiques de ce mouvement et montrez en quoi la poésie du XVIᵉ siècle s'en inspire.

guides p. 39-99

Sonnets pour Hélène - 1578

« Quand vous serez bien vieille... »

Ce recueil écrit pour une suivante de la reine, Hélène de Surgères, qui vient de perdre son fiancé, est marqué par l'évocation de la vieillesse et de la mort, mais Ronsard y affirme aussi l'urgence de vivre.

uand vous serez bien vieille, au soir, à la chandelle,
　Assise auprès du feu, dévidant et filant,
Direz, chantant mes vers, en vous émerveillant :
« Ronsard me célébrait du temps que j'étais belle ! »

5　Lors, vous n'aurez servante oyant[1] telle nouvelle,
Déjà sous le labeur à demi sommeillant,
Qui au bruit de Ronsard ne s'aille réveillant,
Bénissant votre nom de louange immortelle.

　Je serai sous la terre, et, fantôme sans os,
10　Par les ombres[2] myrteux[3] je prendrai mon repos :
Vous serez au foyer une vieille accroupie,

　Regrettant mon amour et votre fier[4] dédain.
Vivez, si m'en croyez, n'attendez à demain :
Cueillez dès aujourd'hui les roses de la vie.

II, 43.

1. entendant.
2. *ombre* est masculin.
3. des myrtes.
4. cruel.

Anonyme, France, XVIᵉ siècle, *L'invitation à l'Amour* (médaillon ; Lyon, Musée des Beaux-Arts).

LECTURE MÉTHODIQUE

■ Par l'observation des modes verbaux, montrez que le sonnet est construit en **deux mouvements très inégaux.** Quel est leur lien logique ? Est-il exprimé ?

■ Par l'étude précise des champs lexicaux, faites apparaître les **thèmes dominants** du premier mouvement. De quelle façon précisent-ils l'intention du poète ?

■ Quel est le sens du **dernier vers ?** À quelle devise latine fait-il référence ?

VERS LE COMMENTAIRE LITTÉRAIRE

■ À partir des repérages de la lecture méthodique, construisez et rédigez deux axes de commentaire littéraire. Étudiez dans une première partie la signification de l'opposition des temps et des modes. Dans une seconde, analysez l'**importance de la vie** par rapport à la vieillesse et à la mort, ainsi que la **valeur de la poésie.**

guides p. 39-330-418

Élégies - 1584

« Écoute, bûcheron... »

Le sentiment de la nature domine dans cette Élégie écrite à l'occasion de la destruction d'une partie de la forêt de Gastine. Il s'accompagne de références à l'Antiquité soulignant l'origine de l'inspiration du poète.

Piero di Cosimo (1462-1521), *Scène de chasse* (détail), 1485/1490 (tempera et huile sur bois, 70,5 × 169,5 cm ; New York, The Metropolitan Museum of Art).

É coute, bûcheron, arrête un peu le bras !
  Ce ne sont pas des bois que tu jettes à bas ;
Ne vois-tu pas le sang, lequel dégoutte à force,
Des nymphes qui vivaient dessous la dure écorce ?
5 Sacrilège meurtrier[1], si on pend un voleur
Pour piller un butin de bien peu de valeur,
Combien de feux, de fers, de morts, et de détresses,
Mérites-tu, méchant, pour tuer nos déesses ?

Forêt, haute maison des oiseaux bocagers,
10 Plus le cerf solitaire et les chevreuils légers
Ne paîtront sous ton ombre[2], et ta verte crinière
Plus du soleil d'été ne rompra la lumière.
Plus l'amoureux pasteur, sur un tronc adossé,
Enflant[3] son flageolet à quatre trous percé,
15 Son mâtin à ses pieds, à son flanc la houlette,
Ne dira plus l'ardeur de sa belle Jeannette.
Tout deviendra muet, Écho[4] sera sans voix,
Tu deviendras campagne, et, en lieu de tes bois
Dont l'ombrage incertain lentement se remue,
20 Tu sentiras le soc, le coutre[5] et la charrue ;
Tu perdras ton silence, et haletants d'effroi,
Ni Satyres ni Pans[6] ne viendront plus chez toi.

v. 19 à 40.

1. le mot compte ici deux syllabes. 2. le cerf... et les chevreuils... ne paîtront plus...
3. soufflant dans. 4. la nymphe (voir Du Bellay, « France, mère des arts... », *p.* 66).
5. le couteau de la charrue. 6. divinités de la forêt dans les mythologies grecque et latine.

LECTURE MÉTHODIQUE

■ À qui s'adresse le poète dans chacune des deux strophes ? Par l'étude de la ponctuation, des modes verbaux et des champs lexicaux, étudiez la tonalité de la première. À quels **sentiments** du poète cette tonalité correspond-elle ?

■ Observez les temps verbaux dominants dans la deuxième strophe ; que marquent-ils ? Étudiez dans cette même strophe le jeu des affirmations et des négations ; à partir de cette étude, précisez quelle **menace** pèse sur la forêt.

■ À quelle **croyance mythologique** cet appel de Ronsard fait-il référence ? Trouvez dans le texte les termes qui évoquent l'Antiquité. Recherchez leur signification dans un dictionnaire de la mythologie.

■ Par quoi les deux strophes sont-elles liées ? Classez les différents types de **liens**.

■ En quoi peut-on dire que ce texte est **argumentatif** ?

PARCOURS CULTUREL

■ Dans la mythologie latine et grecque, la nature sous toutes ses formes était, pensait-on, habitée par des divinités : comment appelait-on celles des eaux, des bois ? À quelles **légendes** sont associées le **narcisse**, le **laurier**, la **pomme** ?

guides p. 39-386-418

Derniers vers - 1586

« Je n'ai plus que les os... »

Publiés après la mort de Ronsard, en 1586, les Derniers vers *présentent l'image d'un homme aux portes de la mort.*

Je n'ai plus que les os, un squelette je semble,
  Décharné, dénervé, démusclé, dépoulpé[1],
Que le trait de la mort sans pardon a frappé ;
Je n'ose voir mes bras que de peur je ne tremble.

5 Apollon et son fils[2], deux grands maîtres ensemble,
  Ne me sauraient guérir, leur métier m'a trompé ;
Adieu, plaisant soleil ! Mon œil est étoupé[3],
Mon corps s'en va descendre où tout se désassemble.

Quel ami, me voyant en ce point dépouillé,
10 Ne remporte au logis un œil triste et mouillé,
Me consolant au lit et me baisant la face,

En essuyant mes yeux par la mort endormis ?
Adieu, chers compagnons ! Adieu, mes chers amis !
Je m'en vais le premier vous préparer la place.

1. sans pulpe ou « qui a perdu le pouls ».
2. Esculape, dieu de la médecine.
3. bouché comme avec de l'étoupe.

LECTURE MÉTHODIQUE

■ De nombreux termes du texte insistent sur l'idée de **privation, de séparation.** Quels sont-ils ? Qu'ont-ils en commun de plus que leur appartenance à un même champ lexical ? Quels effets créent-ils ?

■ La **mort** revêt ici un caractère inéluctable ; quelles formulations soulignent sa fatalité ?

■ À quoi sert la référence aux **amis ?** Qu'a d'inattendu la chute du sonnet (v. 14) ? Quelle vous semble être la **tonalité** du dernier vers ?

PARCOURS CULTUREL

■ L'art, profane ou sacré, offre de nombreuses représentations de la **mort.** En connaissez-vous ? Quelles apparences prend-elle ? Voyez-vous des rapprochements entre ces représentations et la description que fait ici Ronsard ?

■ Quelles vous semblent être les fonctions des **allégories de la mort ?**

■ Recherchez les liens qui rattachent Apollon, Esculape et la **médecine.**

guides p. 39-128

Pieter Bruegel l'Ancien (1530-1569), *Le Triomphe de la Mort* (détail), 1562-1563 (huile sur panneau, 117 X 162 cm ; Madrid, Musée du Prado).

Quelques figures de style

La figure de style est un procédé d'écriture par lequel l'écrivain vise à obtenir un effet particulier. L'identification des figures de style et l'étude des effets recherchés sont des points clés de la compréhension d'un texte.

Les figures de style peuvent être classées selon qu'elles servent à :

- établir des **analogies** entre des réalités appartenant à des domaines différents ou substituer un terme à un autre, créant un effet de surprise ;
- **insister** sur une idée, sur une réalité, ou au contraire **l'atténuer** ;
- **opposer** deux idées, deux réalités.

▚ Les figures d'analogie et de substitution

▪ La comparaison

La comparaison rapproche, à l'aide d'un outil de comparaison *(comme, tel...)*, deux termes appartenant à des domaines différents, mais ayant un point commun ; ce point commun peut être exprimé ou pas. Ainsi, dans le poème de Nerval ▷▷▷ *p. 264* :

... la jeune fille,
Vive et preste comme un oiseau

les différents éléments de la comparaison sont présents :

la jeune fille est ce qui est comparé : le **comparé,**
un oiseau le mot qui fait image : le **comparant,**
comme : **l'outil de comparaison,**
vive et preste : **le point commun.**

Et dans le sonnet de Du Bellay ▷▷▷ *p. 63,*
la comparaison :

... comme une étoile vive...
... je vis sortir... une Nymphe en rient
est constituée des éléments suivants :

une Nymphe	comme	une étoile vive
comparé	outil de comparaison	comparant

Le point commun n'est pas exprimé, il est à déduire du comparant : c'est la **clarté.**

▪ La métaphore

La métaphore est une **comparaison incomplète** ; tous les éléments ne sont pas donnés :

• Très souvent, il manque l'outil de comparaison : *La vie est un éclair* ▷▷▷ Pierre Mathieu, *p. 106, vie* est le comparé, *éclair* le comparant.

• Parfois, le comparé ou, plus souvent, le comparant, n'est pas exprimé explicitement : le mot qui l'évoque,

grammaticalement lié à l'autre terme de la métaphore, appartient à un domaine inattendu. Dans le sonnet de Du Bellay ▷▷▷ *p. 63* :

Déjà la nuit en son parc amassait
Un grand troupeau d'étoiles vagabondes

le comparé est la *nuit.* Le comparant n'est pas explicite, mais le lecteur peut le retrouver par analogie : l'image du *troupeau* assimile la nuit à une bergère et les étoiles à des moutons, ce qui est mis en relief par le choix du mot *parc.*

La comparaison se met en place **sans** outil de comparaison et donne plus de force à l'image.

▪ L'emploi de ces deux figures

Ces deux figures créent des images et rendent ainsi un énoncé plus concret, **plus accessible** et donc plus facile à comprendre : c'est le cas pour Bossuet ▷▷▷ *p. 150 : La vie humaine est semblable à un chemin dont l'issue est un précipice affreux :*
la comparaison suivie de la métaphore exprime la fatalité du temps et de la mort chez l'homme.

Elles servent aussi à **mettre en relief une qualité** particulière du comparé :
Baudelaire dans « l'Ennemi » ▷▷▷ *p. 302 :*
Ma jeunesse ne fut qu'un ténébreux orage,
insiste sur l'instabilité et sur la violence de son passé.

Mais on peut observer que la comparaison, toujours signalée par l'outil de comparaison, donc plus explicite mais moins immédiate, sollicite, moins que la métaphore, l'intuition et la sensibilité du lecteur : la surprise et l'émotion sont ainsi plus grandes dans le vers d'Apollinaire ▷▷▷ *p. 355 : Bergère ô tour Eiffel le troupeau des ponts bêle ce matin*
que chez Ponge ▷▷▷ *p. 402 :*
Les feuilles ont l'air de grandes plumes.

▪ La métaphore filée

Les termes d'une métaphore peuvent se retrouver tout au long d'un texte : c'est le cas chez Bossuet ▷▷▷ *p. 150 :* la première métaphore, qui présente *l'issue (de la vie comme) un précipice affreux,* se retrouve à plusieurs reprises : *avancer vers le précipice... Encore si je pouvais éviter ce précipice affreux... tu approches du gouffre affreux... l'approche du gouffre fatal... il faut aller sur le bord... tout est tombé.*

La métaphore est alors dite « filée » ; elle **développe la métaphore initiale** sur laquelle elle insiste. Il est important de la repérer pour comprendre l'unité qu'elle donne au texte par les reprises.

■ L'allégorie

La statue de la Liberté représente, de façon concrète, sous forme de personnification, une abstraction : c'est une allégorie. En littérature, l'allégorie permet de rendre **concrètes des données abstraites :** c'est le cas dans la représentation que d'Aubigné donne des protestants et des catholiques, *jumeaux déchirant leur mère* ▷▷▷ *p. 80* :
l'allégorie de la France fait ressortir la violence de la guerre.

■ Métonymie et synecdoque

Le Cid ▷▷▷ *v. 318, p. 136,* désigne son épée par le mot *fer :* la figure utilisée, appelée **métonymie,** consiste à désigner un élément par un autre élément ayant avec le premier une relation logique.
Dans le cas particulier de la **synecdoque,** cette relation est une relation d'inclusion : on désigne le tout par la partie : ainsi, dans le vers de Ronsard :
Je vous envoie un bouquet que ma main
Vient de trier...
le nom *main* représente en fait le poète lui-même.
Métonymie et synecdoque permettent de **raccourcir un énoncé,** et de donner de la réalité une vision étrange, fragmentaire, plus frappante.

Les figures d'atténuation

■ L'euphémisme

... nous nous en allons,
Et tôt serons étendus sous la lame ▷▷▷ Ronsard, *p. 74.*
La brutalité de la mort est atténuée par l'emploi du verbe *s'en aller.* L'euphémisme emploie **des termes adoucis pour désigner une réalité cruelle ;** on le trouve souvent dans les textes ayant comme sujet la maladie et la mort.

■ La litote

Dans *Le Cid,* Chimène dit à Rodrigue : *Va, je ne te hais point* pour exprimer qu'elle l'aime passionnément. La litote consiste **à dire moins pour faire entendre plus.** Elle convient notamment aux dialogues classiques du XVIIe siècle, où la bienséance* interdit l'expression directe de la passion.

Figures d'insistance

■ L'anaphore

Dans les tercets du sonnet de Du Bellay ▷▷▷ *p. 67,* on observe que quatre vers commencent de la même façon : *Plus...* C'est une anaphore.
Cette figure se caractérise par la **répétition insistante** du ou des mêmes termes, au début d'un vers, d'une phrase ou d'un fragment de phrase. Cette répétition lancinante crée un effet d'écho, d'obsession ou de persuasion.

■ Le parallélisme

Je meurs si je vous perds ; mais je meurs si j'attends.
Les deux propositions qui constituent cet alexandrin* ▷▷▷ *Andromaque,* III, 7, *p. 153,* sont construites de la même façon : cette analogie de construction constitue un parallélisme. La régularité du rythme crée un balancement, un équilibre, qui met en valeur l'idée contenue dans ces propositions.

■ La gradation et l'hyperbole

Montaigne, dans les *Essais* ▷▷▷ *p. 95,* évoque les massacres :
tant de villes rasées, tant de nations exterminées, tant de millions de peuples passés au fil de l'épée...
La succession de termes d'intensité croissante :
villes, nations, millions de peuples,
constitue une gradation.
Elle aboutit parfois à l'emploi d'un terme excessif : l'emploi du mot *millions,* exagéré, constitue une hyperbole.
Ces amplifications visent à **faire ressentir la grandeur,** l'importance d'un énoncé ; on les trouve tout particulièrement dans l'**épopée** ▷▷▷ *p. 87.*

Les figures d'opposition

Leur repérage permet de dégager des éléments de conflit, des contradictions, des antinomies*.

■ L'antithèse

... le feu vous gèlera ▷▷▷ D'Aubigné *p. 86.*
Les termes *feu* et *gèlera* expriment des réalités contraires. L'antithèse, très fréquente, oppose deux termes ; elle exprime le **caractère conflictuel,** paradoxal, voire monstrueux d'une situation.

■ L'oxymore

Cette obscure clarté qui tombe des étoiles ▷▷▷ *Le Cid,* IV, 3, *p. 136.*
L'oxymore associe deux termes de sens contraires dans le même groupe de mots et crée une **réalité inattendue,** différente de la réalité existante, qui attire l'attention et frappe la sensibilité.

■ Le chiasme

Plaisir n'ai plus
mais vis en déconfort ▷▷▷ Marot *p. 32.*
Le schéma syntaxique du vers considéré est analogue mais inversé : nom-verbe/verbe-nom.
Le chiasme insiste à la fois sur un **parallélisme,** une inversion et une **opposition.**

3. La poésie engagée

Ronsard

D'Aubigné

Antoine Caron (1521-1599), *Le Massacre des Triumvirs* (détail), v. 1562 (huile sur toile, 142 x 177 cm ; Beauvais, Musée départemental de l'Oise).

"Je veux peindre la France une mère affligée,
Qui est, entre ses bras, de deux enfants chargée.
Le plus fort, orgueilleux, empoigne les deux bouts
Des tétins nourriciers ; puis, à force de coups
5 *D'ongles, de poings, de pieds, il brise le partage[1]*
Dont nature donnait à son besson[2] l'usage ;
Ce voleur acharné, cet Esaü malheureux[3],
Fait dégât du doux lait qui doit nourrir les deux,
Si que[4], pour arracher à son frère la vie,
10 *Il méprise la sienne et n'en a plus d'envie.*
Mais son Jacob, pressé [5] d'avoir jeûné meshui[6],
Ayant dompté longtemps en son cœur son ennui[7],
À la fin se défend, et sa juste colère
Rend à l'autre un combat dont le champ est la mère."

D'Aubigné, *Les Tragiques*, « Misères », v. 97 à 110.

1. lot. 2. frère jumeau. 3. dans la *Bible,* Jacob, élu de Dieu, est vainqueur de son frère, le brutal Esaü, qui lui vend son droit d'aînesse contre un plat de lentilles. 4. si bien que. 5. accablé. 6. ce jour-là. 7. douleur.

Les conflits religieux qui ensanglantent le XVIᵉ siècle sont liés à la Réforme. Ils déterminent les écrivains appartenant aux deux partis en présence à s'engager et à faire de leur plume une arme.

La Réforme

La **Réforme** est un mouvement religieux qui, au cours du XVIᵉ siècle, cherche à **réformer** l'Église catholique en revenant à l'esprit des Évangiles. Ce que l'on appelle le **protestantisme** prend plusieurs formes : Évangélisme en France, luthéranisme, mouvement de Luther, en Allemagne, et calvinisme, mouvement du moine Calvin, au sud-est de la France et en Suisse. La Réforme a pour origine les abus de l'Église ▷▷▷ *p. 26,* sur le plan moral ou financier : les hautes autorités ecclésiastiques abusent de leur pouvoir politique et de leur puissance financière ; des laïcs cumulent des revenus ecclésiastiques. Ces abus suscitent des mouvements de protestation.

En France, l'Évangélisme ne s'attaque pas directement aux aspects fondamentaux du catholicisme ; il se contente de préconiser une réforme des mœurs du clergé et du fonctionnement de l'Église. Mais, en Allemagne, Luther considère que l'unique salut est la foi ; si l'homme fait le bien, c'est parce qu'il y est contraint par les mérites du Christ et non par ses propres efforts. Le Français Calvin développe ensuite en France une doctrine qui en est le prolongement, celle de la **prédestination** : Dieu a choisi d'avance les hommes qui seraient sauvés et ceux qui seraient damnés. Ces doctrines s'opposent à l'idée appartenant au catholicisme selon laquelle l'homme est responsable de son salut.

Ces attaques religieuses, dans un pays où le roi est catholique, menacent aussi le pouvoir royal. Alors que la rupture se passe sans guerres civiles en Europe, en France, des conflits différents se superposent à la question religieuse.

Le déchaînement des passions

Les adeptes des nouveaux mouvements religieux sont poursuivis par le pouvoir politique. Le roi est en effet inquiet pour son autorité dès 1534 ▷▷▷ *p. 26.* Pourtant le mouvement réformé s'étend, touchant progressivement toutes les classes de la population, et notamment de grands seigneurs, comme le prince de Condé, l'amiral de Coligny.

Combats et persécutions contre les protestants se perpétuent à partir de 1562, pendant les huit guerres qui suivent, dont le massacre de la Saint-Barthélemy en 1572 ▷▷▷ *p. 27,* constitue le point culminant.

Les conflits strictement religieux se doublent de conflits politiques et sociaux : l'autorité royale s'affaiblit après Henri II, et certains seigneurs cherchent à prendre le pouvoir. Parfois, les conflits religieux recouvrent des luttes entre des catégories de population. Dans d'autres cas, les exactions n'ont pas de causes définies : elles sont le fait de bandes armées.

Des écrivains engagés

L'évolution vers la poésie engagée

À ses débuts, l'humanisme est essentiellement pacifiste ; Rabelais ▷▷▷ *p. 47,* admet la guerre défensive mais critique toute guerre offensive. Marot, lui, aux prises avec les problèmes religieux, écrit une œuvre polémique, *L'Enfer,* mais ne donne pas l'autorisation de publication. Ce n'est que dans la seconde moitié du siècle que les écrivains prennent officiellement parti dans les luttes du temps avec, comme le dit Ronsard, *une plume de fer.*

Les textes et les auteurs

La forme et le genre des textes se renouvellent dans cette perspective : à la violence du contexte répond la violence de l'écriture. Des genres différents se développent, comme la chronique*, ou le traité politique. Mais la poésie reste un des genres majeurs : les formes fixes disparaissent au profit de textes plus longs, comme les *Discours* de Ronsard, ou *Les Tragiques* de D'Aubigné (plus de 9 000 vers).

La littérature manifeste l'engagement personnel de l'écrivain et en même temps elle constitue un témoignage sur la réalité de la France de l'époque. Les écrivains s'engagent pour l'un ou l'autre parti en fonction de leur position sociale, de leur expérience personnelle et de leurs croyances : Ronsard, poète officiel, poète de Cour, prend vigoureusemen parti aux côtés des Catholiques, avec les *Discours des misères de ce temps* (1562), *Continuation du Discours des misères* (1562), *Réponses aux injures et calomnies* (1563) ▷▷▷ *p. 83.*

Du côté des Réformés, une littérature spécifiquement protestante apparaît au moment de la Réforme : d'abord essentiellement théorique, pour préciser les idées du protestantisme (Calvin, *Traité des Reliques,* 1543), elle va s'adresser au public de façon plus accessible, par exemple à travers le théâtre, comme chez Théodore de Bèze, ou la poésie : le poète Agrippa d'Aubigné, bouleversé très jeune par les massacres des protestants, élabore avec *Les Tragiques* une œuvre placée sous le signe de la violence, qui constitue une sorte de tableau de la France, de réquisitoire contre les hommes et les institutions responsables de son état, et de vision mystique d'une vengeance à venir.

Ronsard

BIOGRAPHIE P. 70

Continuation du Discours des Misères de ce temps - 1562

« Je veux de siècle en siècle au monde publier... »

Ronsard s'adresse ici à la régente, Catherine de Médicis : il évoque le déchirement de la France prise entre les factions rivales.

Madame, je serais ou du plomb ou du bois,
Si moi que la nature a fait naître François[1],
Aux races à venir je ne contais la peine
Et l'extrême malheur dont notre France est pleine.
5 Je veux de siècle en siècle au monde publier
D'une plume de fer sur un papier d'acier
Que ses propres enfants l'ont prise et dévêtue,
Et jusques à la mort vilainement battue.
Elle semble[2] au marchand, accueilli de malheur,
10 Lequel au coin d'un bois rencontre le voleur,
Qui contre l'estomac[3] lui tend la main armée,
Tant il a l'âme au corps d'avarice affamée.
Il n'est pas seulement content de lui piller
La bourse et le cheval : il le fait dépouiller,
15 Le bat et le tourmente[4], et d'une dague essaie
De lui chasser du corps l'âme par une plaie ;
Puis en le voyant mort se sourit de ses coups,
Et le laisse manger aux mâtins[5] et aux loups.
Si est-ce que de Dieu la juste intelligence[6]
20 Court après le meurtrier[7] et en prend la vengeance ;
Et dessus une roue, après mille travaux[8],
Sert[9] aux hommes d'exemple et de proie aux corbeaux.
Mais ces nouveaux Chrétiens[10] qui la France ont pillée,
Volée, assassinée, à force[11] dépouillée,
25 Et de cent mille coups tout l'estomac battu,
Comme si brigandage était une vertu,
Vivent sans châtiment, et à les ouïr dire,
C'est Dieu qui les conduit, et ne s'en font que rire[12].

v. 1-28.

1. Français.
2. ressemble.
3. poitrine.
4. torture.
5. gros chiens.
6. et pourtant la juste intelligence de Dieu.
7. le mot compte ici deux syllabes.
8. tortures.
9. il (sert).
10. il s'agit des protestants.
11. par la force.
12. ils ne font que rire de leurs actes criminels.

LECTURE MÉTHODIQUE

■ Par l'observation des pronoms personnels, du choix des verbes et de leurs temps, dites quel **rôle** jouent les huit premiers vers du texte.
Que contiennent-ils précisément ?

■ Que constitue la suite du texte par rapport aux huit premiers vers et surtout aux vers 7 et 8 ? Par l'analyse des verbes, des indications de lieux, des « personnages », déterminez à **quel type** (descriptif, narratif, argumentatif) appartient ce passage.

■ Sur quelle **figure de style** repose-t-il ? Étudiez son fonctionnement à partir de l'identification de ses trois éléments. Quelle est sa force ?

■ Quelle est l'importance du *Mais* au vers 23 ? Sur quel constat met-il l'accent ? Que dénonce le dernier vers et en particulier le **dernier mot** du texte ?

ÉCRITURE

■ Ronsard parle d'une *plume de fer* et Sartre dira, plus tard : *Longtemps j'ai pris ma plume pour une épée...* (*Les Mots*). Vous expliquerez de manière argumentée et illustrée d'exemples littéraires de quelles « **armes** » dispose un écrivain.

guides p. 78-237-418

Réponse aux injures et calomnies - 1563

« Hélas ! j'en ai pitié ! »

Ronsard attaque ici les calvinistes, particulièrement son ancien ami Théodore de Bèze, qu'il feint de prendre pour un loup-garou, créature diabolique, et qu'il exorcise, c'est-à-dire dont il chasse le démon.

Ainsi ce loup-garou son venin v̶
Quand de son estomac le diable s'enfuira.
Ha Dieu qu'il est vilain ! il rend déjà sa gorge
Large comme un soufflet, le poumon d'une forge,
5 Qu'un boiteux maréchal[1] anime quand il faut
Frapper à tour de bras sur l'enclume un fer chaud.
Voyez combien d'humeurs[2] différentes lui sortent,
Qui de son naturel les qualités rapportent !
La rouge que voilà le fit présomptueux,
10 Cette verte le fit mutin tumultueux,
Et cette humeur noirâtre et triste de nature
Est celle qui pipait les hommes d'imposture[3] ;
La rousse que voilà le faisait impudent,
Bouffon, injurieux, brocardeur et mordant,
15 Et l'autre que voici, visqueuse, épaisse et noire,
Le rendait par sur tous taquin au consistoire[4].
Je me fâche de voir ce méchant animal
Vomir tant de venins, tout le cœur m'en fait mal.
Faites venir quelqu'homme expert en médecine
20 Pour l'abreuver du jus d'une forte racine :
Si son mal doit guérir, l'hellébore[5] sans plus
Guérira son cerveau lunatique[6] et perclus[7].
Je pense, à voir son front, qu'il n'a point de cervelle,
Je m'en vais lui sonder le nez d'une éprouvelle[8] ;
25 Certes il n'en a point, le fer est bien avant,
Et au lieu de cerveau son chef[9] est plein de vent.
Hélas ! j'en ai pitié !...

v. 161-187.

1. maréchal-ferrant ; allusion à Héphaïstos, dieu grec des forgerons, qui était boiteux.
2. liquides ; on pensait alors que divers liquides, correspondant à des traits de caractère ou à des maladies, circulaient dans le corps.
3. trompait.
4. assemblée de religieux.
5. plante à fleurs hivernales, réputée pour ses vertus thérapeutiques et magiques.
6. d'humeur bizarre.
7. qui a des difficultés à se mouvoir.
8. sonde.
9. sa tête.

LECTURE MÉTHODIQUE

■ Étudiez en quoi l'extrait reprend les deux premiers vers en développant les deux termes **venin** et **vomira**. Quelles sont les **étapes de ce développement ?**

■ Quels sont les éléments du **portrait critique** du loup-garou ? Étudiez, pour répondre à cette question, les adjectifs et leurs connotations.

■ Par l'étude des pronoms personnels, dites si le narrateur est présent. Quelle est la **double tonalité** de ses prises de position ? Utilisez pour répondre à cette question les interjections d'une part, les connotations d'autre part.

PARCOURS CULTUREL

■ L'extrait fait référence à un **dieu de la mythologie.** Cherchez sa légende et dites à quel type de phénomènes il est associé.

Agrippa D'Aubigné

1552-1630

Né en 1552 dans une noble famille calviniste, il est marqué dès son enfance par la guerre. Après de solides études classiques, il se consacre à une lutte armée dans les troupes protestantes. Une rencontre amoureuse le détermine à écrire un recueil poétique (1572), mais il retourne rapidement au combat. Blessé en 1577 aux côtés d'Henri de Navarre, il conçoit puis ébauche *Les Tragiques*. Déçu par l'abjuration du futur Henri IV, il se retire de la vie publique, achève et publie *Les Tragiques* en 1616. Ses tentatives pour poursuivre son combat contre les Catholiques échouent ; réfugié à Genève, il meurt en 1630.

Portrait : *Portrait d'Agrippa D'Aubigné* (détail), 1622 (Genève, Bibliothèque publique et universitaire).

Les Tragiques - 1616

« L'homme est en proie à l'homme… »

Dans les sept livres des Tragiques, *D'Aubigné expose les misères du pays (I, ▷▷▷ p. 84) et dénonce les responsables, Princes et Juges (II et III), avant d'évoquer le martyre des Protestants (IV et V). Puis il annonce les vengeances contre les persécuteurs (VI). Enfin, il nous fait assister à la vision du Jugement dernier (VII, ▷▷▷ p. 85 et p. 86), qui verra le supplice éternel des bourreaux et le bonheur éternel des martyrs.*

L'homme est en proie à l'homme, un loup à son pareil ;
Le père étrangle au lit le fils, et le cercueil
Préparé par le fils sollicite le père ;
Le frère avant le temps hérite de son frère.
5 On trouve des moyens, des crimes tous nouveaux,
Des poisons inconnus ; ou les sanglants couteaux
Travaillent au midi[1], et le furieux[2] vice
Et le meurtre public ont le nom de justice.
Les bélîtres[3] armés ont le gouvernement[4],
10 Le sac de nos cités : comme anciennement
Une croix bourguignonne épouvantait nos pères,
Le blanc les fait trembler, et les tremblantes mères
Croulent[5] à l'estomac leurs poupons éperdus
Quand les grondants tambours sont battants entendus.
15 Les places de repos sont places étrangères,
Les villes du milieu sont villes frontières[6] ;
Le village se garde, et nos propres maisons
Nous sont le plus souvent garnisons et prisons.

Antoine Caron (1521-1599), *Les Massacres du Triumvirat* (détail), 1566 (huile sur toile, 116 x 195 cm ; Paris, Musée du Louvre).

1. en plein jour. 2. brutal et fou. 3. coquins. 4. le gouvernement, c'est-à-dire le sac.
5. remuer, secouer. 6. le mot compte trois syllabes.

L'honorable bourgeois, l'exemple de sa ville
20 Souffre devant ses yeux violer⁶ femme et fille
Et tomber⁷ sans merci dans l'insolente main
Qui s'entendait naguère à mendier du pain.
Le sage justicier est traîné au supplice,
Le malfaiteur lui fait son procès ; l'injustice
25 Est principe de droit ; comme au monde à l'envers
Le vieil⁸ père est fouetté de son enfant pervers.

« Misères », v. 211-236.

7. comprendre : « que femmes et filles soient violées... et qu'elles tombent... ».
8. vieux.

LECTURE MÉTHODIQUE

■ Par le repérage, la classification et l'analyse des champs lexicaux, précisez quel est le **thème dominant** de cet extrait.

■ Les vers 7 et 8 mettent en relief une situation paradoxale. Laquelle ? Repérez dans le texte toutes les expressions qui vont dans le même sens. Sur quelles figures de style reposent-elles ? Que soulignent ces **situations paradoxales** en ce qui concerne l'état de la France ?

■ Observez le temps des verbes, les articles. Que pouvez-vous en déduire concernant les faits évoqués ? Quels termes font comprendre qu'il s'agit d'une **guerre civile** ? Ce texte pourrait-il être toujours d'actualité ?

guides p. 39-306-418

« C'est fait : Dieu vient régner... »

*Dans ce passage inspiré de l'*Apocalypse, *qui décrit la fin des temps, D'Aubigné évoque la résurrection des morts.*

Mais quoi ! c'est trop chanté, il faut tourner les yeux
Éblouis de rayons, dans le chemin des cieux.
C'est fait, Dieu vient régner ; de toute prophétie
Se voit la période¹ à ce point² accomplie.
5 La terre ouvre son sein, du ventre des tombeaux
Naissent des enterrés les visages nouveaux :
Du pré, du bois, du champ, presque de toutes places
Sortent les corps nouveaux et les nouvelles faces.
Ici, les fondements des châteaux rehaussés³
10 Par les ressuscitants promptement sont percés ;
Ici un arbre sent des bras de sa racine
Grouiller un chef⁴ vivant, sortir une poitrine ;
Là, l'eau trouble bouillonne, et puis s'éparpillant
Sent en soi des cheveux et un chef s'éveillant.
15 Comme un nageur venant du profond de son plonge⁵,
Tous sortent de la mort comme l'on sort d'un songe.
Les corps par les tyrans autrefois déchirés
Se sont en un moment en leurs corps asserrés⁶,
Bien qu'un bras ait vogué par la mer écumeuse
20 De l'Afrique brûlée en Thulé froiduleuse⁷.
Les cendres des brûlés volent de toutes parts ;
Les brins⁸ plus tôt unis qu'ils ne furent épars,
Viennent à leur poteau, en cette heureuse place⁹,
Riant au ciel riant, d'une agréable audace.

« Jugement », v. 661-684.

LECTURE MÉTHODIQUE

■ Par le repérage des verbes et des adjectifs, étudiez comment s'exprime dans le texte l'idée de **résurrection.** À quels domaines et à quels éléments s'applique-t-elle ?

■ Observez la nature et la fréquence de la ponctuation ; quels sont les **effets** produits ?

■ Quelle est la **tonalité** de cet extrait ? Étudiez, pour répondre à cette question, l'utilisation du pluriel, les énumérations, les images. Quelle est sa **signification symbolique** ?

■ Quel est le sens des termes « **Apocalypse** », « **Jugement dernier** » ?

PARCOURS CULTUREL

■ Le mouvement littéraire et artistique qui privilégie le mouvement et le foisonnement est le baroque ; à partir de la fiche ▷ ▷ ▷ *p. 118,* montrez quels éléments de ce texte correspondent à **l'esthétique baroque.**

guides p. 78-87

1. l'espace de temps. 2. le moment. 3. élevés. 4. tête. 5. plongée. 6. rassemblés.
7. *Thulé* : nom que les Anciens donnaient à une île au nord de l'Europe ; *froiduleuse* : glacée.
8. éléments. 9. le poteau du bûcher, *heureuse place*, puisque le martyre conduit au ciel.

« Point n'éclaire aux enfers l'aube de l'espérance »

Après le Jugement dernier, au cours duquel Dieu sépare les bien-heureux destinés au paradis des damnés envoyés en enfer, le poète s'adresse à ces derniers.

Mais n'espérez-vous point fin à votre souffrance ?
Point n'éclaire aux enfers l'aube de l'espérance.
Dieu aurait-il sans fin éloigné sa merci[1] ?
Qui a péché sans fin souffre sans fin aussi ;
5   La clémence de Dieu fait au ciel son office,
Il déploie aux enfers son ire[2] et sa justice.
Mais le feu ensoufré, si grand, si violent[3],
Ne détruira-t-il pas les corps en les brûlant ?
Non : Dieu les gardera entiers à sa vengeance,
10   Conservant à[4] cela et l'étoffe et l'essence[5] ;
Et le feu qui sera si puissant d'opérer[6]
N'aura de faculté d'éteindre et d'altérer[7],
Et servira par loi à l'éternelle peine.
L'air corrupteur n'a plus sa corrompante haleine,
15   Et ne fait aux enfers office d'élément ;
Celui qui le mouvait, qui est le firmament,
Ayant quitté son branle et motives cadences[8]
Sera sans mouvement, et de là sans muances[9].
Transis, désespérés, il n'y a plus de mort
20   Qui soit pour votre mer des orages le port.
Que si vos yeux de feu jettent l'ardente vue
À l'espoir du poignard, le poignard plus ne tue.
Que la mort, direz-vous, était un doux plaisir !
La mort morte ne peut vous tuer, vous saisir.
25   Voulez-vous du poison ? en vain cet artifice.
Vous vous précipitez ? en vain le précipice.
Courez au feu brûler : le feu vous gèlera ;
Noyez-vous : l'eau est feu, l'eau vous embrasera.
La peste n'aura plus de vous miséricorde.
30   Étranglez-vous : en vain vous tordez une corde.
Criez après l'enfer : de l'enfer il ne sort
Que l'éternelle soif de l'impossible mort.

« Jugement », v. 991-1022.

Lucas van Leyden (1494-1533), *Le Jugement dernier* (détail), 1523/1526 (huile sur bois, 264 x 76 cm ; Leyde, Stedelijk Museum *De Lakennhal*).

1. pitié. 2. sa colère. 3. le mot compte ici trois syllabes. 4. pour. 5. la matière et la substance, constituant le fond de l'être. 6. pour opérer. 7. n'aura pas le pouvoir de consumer, ni d'endommager. 8. le mouvement et les cadences génératrices de mouvements. 9. changements.

LECTURE MÉTHODIQUE

■ Ce passage appartient au livre qui porte le titre « **Jugement** ». Retrouvez tous les termes qui font référence à cette notion et trouvez-leur une classification.

■ Comment s'exprime dans le texte l'idée de « **l'impossible mort** » ? Comment s'explique-t-elle dans ce contexte de l'enfer ?

■ Par l'étude des pronoms personnels, de la ponctuation et des modes de certains verbes, définissez la **situation du poète** par rapport à ses interlocuteurs et la nature de son message. Précisez la **tonalité** du texte.

PARCOURS CULTUREL

■ Les **Enfers** existent dans la mythologie antique. Faites une recherche pour déterminer le sens du mot dans ce contexte, la nature et les fonctions de ce lieu. Qu'y a-t-il de commun, de différent, par rapport à l'enfer de la religion chrétienne ?

guides p. 39-87-386

La tonalité épique

L'écriture épique caractérise des récits d'actions extraordinaires, démesurées, accomplies par des héros surhumains. Ces actions prennent souvent la forme d'un combat et expriment la lutte entre le bien et le mal. Les thèmes, les personnages et les procédés d'écriture des récits épiques ont des particularités communes.

■ *Les personnages et les thèmes*

■ Le récit épique peut mettre en scène une collectivité ou des héros individuels. On trouve souvent dans le récit épique un grand nombre de personnages formant une foule, et figurant un peuple, un **groupe** : ainsi les Hébreux, dans les *Châtiments*, ▷ ▷ ▷ *p. 270.* Un **personnage** anonyme pris isolément représente la collectivité ou possède une valeur symbolique : le père, le fils, le frère, chez D'Aubigné ▷ ▷ ▷ *p. 84.*

■ Le personnage central du texte épique est le **héros** au sens étymologique, mi-homme, mi-dieu, souvent représentatif du bien ; il est exempt de défauts et de faiblesse. Doué de forces démesurées, il accomplit des exploits surhumains, dans des situations exceptionnelles. Ainsi chez Victor Hugo ▷ ▷ ▷ *p. 274,* Roland déracine un chêne, combat nuit et jour sans interruption.

■ Le thème est le plus souvent un combat armé ou une guerre, faisant intervenir le surnaturel (dans les *Châtiments* ▷ ▷ ▷ *p. 270,* le clairon fait tomber les murailles), et dont les caractéristiques sont grossies. Ces **effets d'agrandissement** se retrouvent dans l'écriture.

■ *Les procédés d'écriture*

La tonalité épique se trouve essentiellement dans des **textes narratifs.** Les récits retracent les aventures du héros ; les descriptions mettent en place les circonstances et précisent les lieux de l'action ; les discours les préparent ou les rappellent et permettent aux héros d'exprimer leurs intentions, de provoquer leurs adversaires, de vanter leurs propres qualités.
Cette écriture est dominée par deux caractéristiques indissociables : le **grossissement** et l'**amplification,** dont les procédés sont diversifiés.

■ Ainsi l'**emploi du pluriel** ou **du singulier** à valeur symbolique et souvent collective permet de généraliser et de traduire l'idée de foule ou de nombre : D'Aubigné évoque dans « Jugement » ▷ ▷ ▷ *p. 85,*

les enterrés, les visages, puis le pré, le bois, le champ.

■ L'abondance des **adjectifs** et des **verbes d'action** accroît l'impression de mouvement, d'activité : ainsi l'agitation de la résurrection ▷ ▷ ▷ *p. 85.*

■ Les **images,** nombreuses, se réfèrent à l'idée de grandeur ; dans les couleurs, franches, prédominent celles qui renvoient aux éléments naturels : *l'eau, la terre, le feu,* ▷ ▷ ▷ *p. 86* (D'Aubigné).

■ Les **répétitions** fréquentes créent un effet d'insistance : ainsi *trembler,* ▷ ▷ ▷ *p. 84* (« Misères »).

■ Il faut aussi citer l'emploi récurrent de l'**anaphore** et de l'**hyperbole.** La première met en relief, en les répétant, les mots essentiels. La seconde participe au phénomène d'agrandissement ou de démultiplication. Elle passe par les **superlatifs** et les termes fortement connotés : *magnifique, extraordinaire, merveilleux, sublime.*

■ Enfin, l'ampleur du **rythme,** grâce notamment aux enjambements*, et la longueur des textes, accentuent encore l'amplification.

■ *Les enjeux de l'épopée*

■ Littérature de la grandeur et de l'héroïsme, l'épopée narre essentiellement des **guerres** et des **exploits guerriers ;** elle décrit les luttes et les conquêtes des peuples : c'est ce qui explique sa **permanence au cours de l'Histoire,** dès la haute Antiquité, avec les épopées de *L'Iliade* et *L'Odyssée.*
Elle permet ainsi à un groupe d'exalter les valeurs qui le fondent : l'idée de la confiance dans la justice divine est sensible chez d'Aubigné.
Les systèmes de généralisation, d'amplification simplifient les contenus du récit et en donnent une vision sans nuances : le lecteur retient des images, des tableaux, et n'a pas à exercer son esprit critique : l'auteur impose **sa vision de la réalité.**

■ Le texte épique est donc souvent aussi une **arme** au service de la cause embrassée par l'écrivain : cette fonction se trouve chez d'Aubigné et Ronsard, autant que chez Hugo dans les *Châtiments.* Le récit épique ou épopée constitue une forme de **littérature engagée** ▷ ▷ ▷ *p. 407.*

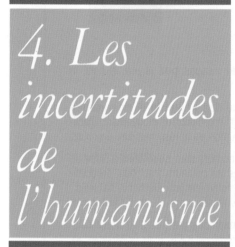

4. Les incertitudes de l'humanisme

Montaigne

Vittore Carpaccio (1455-1526), *La Vision de saint Augustin* (détail), portrait présumé du cardinal Bessarion (huile sur toile, 144 × 208 cm ; Venise, église San Giorgio degli Schiavoni).

■ Retrouvez dans le tableau certains éléments en relation avec le titre : comment se trouve représentée l'idée de *« vision »* ? Quelles sont les *connotations religieuses* ?

■ En quoi ce tableau évoque-t-il les préoccupations de *l'Humanisme* ? Peut-on le situer historiquement ?

> "J'ai voulu voyager, à la fin le voyage
> M'a fait en ma maison mal content retirer.
> En mon étude seul j'ai voulu demeurer.
> Enfin la solitude a causé mon dommage.
>
> 5 J'ai voulu naviguer, enfin le navigage
> Entre vie et trépas m'a fait désespérer.
> J'ai voulu pour plaisir la terre labourer.
> Enfin j'ai méprisé l'état du labourage.
>
> J'ai voulu pratiquer la science et les arts.
> 10 Enfin je n'ai rien su : j'ai couru le hasard
> Des combats carnassiers ; la guerre ore m'offense :
>
> Ô imbécillité de l'esprit curieux
> Qui mécontent de tout de tout est désireux.
> Et douteux n'a de rien parfaite connaissance."

J.-B. Chassignet,
Le Mépris de la Vie et Consolation contre la Mort, 1594.

Dans la seconde moitié du XVIᵉ siècle, l'élan suscité par les innovations de la Renaissance retombe : la réflexion intellectuelle prend le pas sur la soif de découvertes de la période précédente, et, avec les guerres civiles, engendre une mise en cause de tous les modèles antérieurs : de nouvelles questions se posent alors.

La destruction des modèles anciens

La seconde moitié du XVIᵉ siècle assimile la pensée des Anciens, accueillie dans la ferveur à la génération précédente ; cette assimilation va de pair avec une réflexion critique sur les modèles de l'Antiquité : on n'y trouve pas toujours la sagesse et la vérité que l'on attendait : dans le domaine scientifique notamment, les conceptions antiques se révèlent inexactes. De plus, on prend nettement conscience de la diversité des pensées, des philosophies, ainsi que l'indique Montaigne qui fait allusion au stoïcisme et à l'épicurisme ▷▷▷ *p. 92.* L'Antiquité n'apparaît plus comme une période infaillible, mais ses ignorances et ses contradictions sont nettement perçues. À cela s'ajoute que, grâce aux grandes découvertes et aux contacts avec de nouvelles civilisations, l'homme européen voit chanceler son importance. Les modèles anciens ne donnent plus de certitudes : tout le système de références qui les privilégiait n'apparaît plus aussi solide.

De l'héritage médiéval déjà si largement rejeté, les premiers humanistes avaient gardé cependant pour la plupart la religion, l'obéissance à l'Église de Rome. Mais les conflits liés à la Réforme*, la violence religieuse, aboutissent à une désagrégation* du pouvoir spirituel de l'Église : les religions, les Églises se multiplient ; là encore, les certitudes s'effondrent.

Cette défiance s'exerce donc dans le domaine de la raison, de la connaissance et de la religion ; le mot de Montaigne, « Que sais-je ? » en est le symbole ; elle provoque des interrogations nouvelles, concernant la société comme l'homme.

De nouvelles questions

La violence des guerres civiles, mais aussi l'opposition entre ces brutalités et le raffinement de la Cour, surtout celle de Henri III, conduisent l'homme de la fin du XVIᵉ siècle à des questions portant sur la morale politique et religieuse : elles concernent aussi bien l'organisation du pouvoir politique que l'organisation religieuse, la force des lois ou la puissance des civilisations, dont Montaigne ▷▷▷ *p. 95,* dénonce les erreurs ou la fragilité.

L'homme en tant qu'individu n'apparaît plus comme le produit d'une continuité, et les intellectuels se demandent avec Montaigne ce qu'est l'être humain et ce qu'il vaut : la conscience de son caractère éphémère - les *Essais* sont marqués par l'obsession de la mort, à la suite de celle de La Boétie et du père de Montaigne - celle de sa diversité, dont Montaigne fait d'ailleurs l'éloge ▷▷▷ *p. 94,* conduisent à insister sur le caractère individuel de chaque être humain, ce qui fonde le projet des *Essais.* Mais c'est aussi la fragilité humaine qui est soulignée, et la confiance initiale dans les qualités humaines s'effrite.

Sur le plan social comme sur le plan individuel, le XVIᵉ siècle finissant met en cause l'optimisme conquérant de ses débuts : aux incertitudes politiques et religieuses correspondent les incertitudes intellectuelles : le doute, le scepticisme sont les réponses que l'époque avec Montaigne donne à des questions qui restent posées. Mais l'homme reste au centre des préoccupations d'une civilisation qui est toujours profondément humaniste.

Palma Giovane (1544-1628), *Le Massacre des Innocents* (pierre noire, plume et encre brune, lavis brun, 31,6 X 26,4 cm ; Vienne, Musée de l'Albertina). ▶

1533-1592

Portrait : École Française,
XVIᵉ siècle,
Michel Eyquem de Montaigne
(Chantilly, Musée Condé).

Montaigne

La formation

Fils d'un riche négociant bordelais intéressé par les idées nouvelles, Michel Eyquem - il héritera plus tard du nom de Montaigne - reçoit une éducation inspirée des réflexions humanistes, celle-là même que Montaigne conseillera plus tard ▷▷▷ *p. 92*. Il devient ensuite magistrat, et est nommé au parlement de Bordeaux en 1557. Une grande amitié le lie alors à Étienne de La Boétie, qui le forme au stoïcisme*, et dont la mort en 1563 l'affecte profondément.

La vie publique

Parallèlement, il mène une carrière politique et militaire, défendant les catholiques et le roi pour lequel il joue souvent un rôle d'intermédiaire. Ces fonctions, ainsi que la rencontre avec des Indiens d'Amérique, le conduiront à s'interroger sur la notion de civilisation ▷▷▷ *p. 96*. Même si, après son mariage en 1565 et la mort de son père, il renonce à la magistrature en 1570, pour se retirer dans son château et commencer les *Essais,* il garde une importante activité politique presque jusqu'à sa mort.

Les voyages

Après la première édition de l'œuvre en 1580, il voyage à l'étranger pour soigner des coliques néphrétiques, et amorce une réflexion sur le problème posé par la diversité des coutumes ▷▷▷ *p. 94*. À partir de là, il se partage entre la vie publique et la rédaction des *Essais,* dont la seconde édition date de 1588. Jusqu'à sa mort en 1592, il travaille à la troisième édition, qui sera posthume (1595).

Les Essais

Les 107 chapitres répartis en trois livres des *Essais* se veulent tout d'abord une autobiographie, comme l'affirment les premières pages - *Je suis moi-même la matière de mon livre* -, mais Montaigne y affirme que *Tout homme porte la forme entière de l'humaine condition* : il évoque donc l'homme en général.

S'il garde de la Renaissance l'amour de la vie, son œuvre montre une évolution sensible : elle est marquée par le scepticisme à une époque où l'on prend conscience de la fragilité des connaissances ; cependant Montaigne ne s'enferme pas dans le doute et invite à mettre en pratique un certain art de vivre fondé sur la réflexion, la tolérance et l'acceptation de l'adversité.

Ainsi l'importance de la réflexion est nette en pédagogie ▷▷▷ *p. 93*, où elle est privilégiée par rapport à l'acquisition de connaissances. La tolérance est sensible dans tous les textes évoquant d'autres civilisations ▷▷▷ *p. 95*.

L'originalité de l'œuvre est liée également à sa composition, qui suit le cheminement de la pensée. Elle procède par notations successives, qui embrassent toutes les préoccupations humaines.

Armoiries de Montaigne, XVIᵉ siècle
(Paris, Bibliothèque de l'Arsenal).

Essais

« Car c'est moi que je peins »

C'est ici un livre de bonne foi, lecteur. Il t'avertit dès l'entrée que je ne m'y suis proposé aucune fin, que[1] domestique et privée. Je n'y ai eu nulle considération de ton service, ni de ma gloire. Mes forces ne sont pas capables d'un tel dessein. Je l'ai voué à la commodité[2] particulière
5 de mes parents et amis : à ce que[3] m'ayant perdu (ce qu'ils ont à faire bientôt) ils y puissent retrouver aucuns[4] traits de mes conditions et humeurs[5], et que par ce moyen ils nourrissent plus entière et plus vive la connaissance qu'ils ont eue de moi. Si c'eût été pour rechercher la faveur du monde, je me fusse mieux paré et me présenterais en une marche étu-
10 diée. Je veux qu'on m'y voie en ma façon simple, naturelle et ordinaire, sans contention[6] et artifice : car c'est moi que je peins. Mes défauts s'y liront au vif, et ma forme naïve, autant que la révérence publique[7] me l'a permis. Que si j'eusse été entre ces nations qu'on dit vivre encore sous la douce liberté des premières lois de nature, je t'assure que je m'y fusse
15 très volontiers peint tout entier, et tout nu. Ainsi, lecteur, je suis moi-même la matière de mon livre : ce n'est pas raison[8] que tu emploies ton loisir en un sujet si frivole et si vain ; à Dieu donc.

De Montaigne, ce premier de mars mille cinq cent quatre-vingts.

Éd. Livre de Poche.

1. sinon.
2. intérêt.
3. pour que.
4. certains.
5. caractères et goûts.
6. effort.
7. ma spontanéité autant que le respect du public.
8. il n'est pas raisonnable.

Albrecht Dürer (1471-1528), *Portrait de l'Artiste par lui-même* (parchemin sur toile, 56 x 44 cm ; Paris, Musée du Louvre).

LECTURE MÉTHODIQUE

■ Par l'observation des pronoms personnels du texte, précisez qui parle, à qui s'adresse celui qui parle, de qui il est question dans l'ensemble de l'œuvre. Qu'en déduisez-vous en ce qui concerne le **genre littéraire** auquel appartiennent les *Essais* ?

■ Quelles sont les **raisons d'écrire** exposées ici par Montaigne ?

■ Retrouvez dans le texte des termes qui rappellent l'**affirmation** de la première phrase. Quel problème pose-t-elle ?

■ Qu'y a-t-il de **paradoxal** dans cette ouverture adressée au lecteur ?

VERS LE COMMENTAIRE LITTÉRAIRE

■ Utilisez les repérages de lecture méthodique pour construire et rédiger un ou deux axes de commentaire littéraire montrant d'une part le **portrait** contenu dans ce **prologue** et d'autre part la définition d'un **projet original** avec ses justifications.

LIRE LA PEINTURE

■ Observez l'opposition de la lumière et de l'ombre. Où est la source lumineuse ? Quel est **l'effet produit ?**

■ Vers **qui** est tourné le regard de Dürer ?

■ Quelle **impression d'ensemble** fait naître ce portrait en ce qui concerne le personnage, son état d'esprit, son caractère ?

────── *guides* p. 257-369-386 ──────

« Il n'y a que les fols certains et résolus »

L'interrogation constante de Montaigne sur l'homme se double d'un intérêt pour la formation de l'enfant. La naissance de l'enfant de la comtesse Diane de Foix, en 1579, lui donne l'occasion de développer sa conception de la pédagogie.

Antonello de Messine (1430-1479),
L'Élève des Humanistes (Vienne, Musée de l'Albertina).

A. le précepteur.
B. l'élève.
1. déjà.
2. jugeant de ses progrès selon les méthodes pédagogiques de Platon.
3. état d'un estomac qui n'a pas digéré.
4. rendre la nourriture.
5. morceau d'étoffe servant de filtre.
6. en faisant confiance à autrui.
7. que les principes d'Aristote ne lui soient pas...
8. *Et non moins qu'à savoir je me plais à douter.*
Dante, *Enfer*, XI, 93.
9. raisonnement.
10. même.
11. *Nous ne sommes pas sous un roi ; que chacun se gouverne soi-même.* Sénèque, *Lettres à Lucilius,* XXXIII.
12. qu'il s'imprègne de leurs goûts.
13. pillent.

Qu'il[A] ne lui[B] demande pas seulement compte des mots de sa leçon, mais du sens et de la substance, et qu'il juge du profit qu'il aura fait, non par le témoignage de sa mémoire, mais de sa vie. Que ce qu'il viendra d'apprendre, il le lui fasse mettre en cent visages et accommoder

5 à autant de divers sujets, pour voir s'il l'a encore[1] bien pris et bien fait sien, prenant l'instruction de son progrès des pédagogismes de Platon[2].

C'est témoignage de crudité[3] et indigestion que de regorger la viande[4], comme on l'a avalée. L'estomac n'a pas fait son opération, s'il n'a fait changer la façon et la forme à ce qu'on lui avait donné à cuire. [...]

10 Qu'il lui fasse tout passer par l'étamine[5] et ne loge rien en sa tête par simple autorité et à crédit[6] ; les principes d'Aristote ne lui soient[7] principes, non plus que ceux des stoïciens ou épicuriens. Qu'on lui propose cette diversité de jugements : il choisira s'il peut, sinon il en demeurera en doute. Il n'y a que les fols certains et résolus.

15 *Che non men che saper dubbiar m'aggrada*[8].

Car s'il embrasse les opinions de Xénophon et de Platon par son propre discours[9], ce ne seront plus les leurs, ce seront les siennes. Qui suit un autre, il ne suit rien. Il ne trouve rien, voire[10] il ne cherche rien. *Non sumus sub rege ; sibi quisque se vindicet*[11]. Qu'il sache qu'il sait, au moins. Il faut

20 qu'il emboive leurs humeurs[12], non qu'il apprenne leurs préceptes. Et qu'il oublie hardiment, s'il veut, d'où il les tient, mais qu'il se les sache approprier. La vérité et la raison sont communes à un chacun, et ne sont non plus à qui les a dites premièrement, qu'à qui les dit après. Ce n'est non plus selon Platon que selon moi, puisque lui et moi l'entendons et voyons de

25 même. Les abeilles pillotent[13] deçà delà les fleurs, mais elles en font après le miel, qui est tout leur ; ce n'est plus thym ni marjolaine : ainsi les pièces empruntées d'autrui, il les transformera et confondra, pour en faire un ouvrage tout sien, à savoir son jugement. Son institution, son travail et étude ne vise qu'à le former.

I, 26, « De l'institution des enfants »,
Éd. Livre de Poche.

LECTURE MÉTHODIQUE

■ Observez le mode verbal de la première phrase, puis repérez sa fréquence d'emploi. Que signifie cet emploi répété ? Déduisez-en les **intentions de Montaigne** dans cet extrait.

■ À partir de l'étude du vocabulaire et des jeux d'opposition, dites quels sont les **processus d'acquisition des connaissances** prônés par Montaigne. Quels sont ceux qu'il récuse ?

■ Cherchez les **images** du texte. Précisez les domaines auxquels elles appartiennent et quelle est leur fonction.

■ Quelles sont les **références à l'Antiquité ?** À quoi servent-elles ?

guides p. 39-78-418

« Je ne veux pas qu'on emprisonne ce garçon »

Dans le passage qui précède immédiatement cet extrait, Montaigne insiste sur le fait qu'un enfant est capable d'appliquer son esprit et sa sensibilité à des domaines très différents et qu'il faut donc lui laisser une diversité de choix.

Pour tout ceci, je ne veux pas qu'on emprisonne ce garçon. Je ne veux pas qu'on l'abandonne à l'humeur mélancolique[1] d'un furieux[2] maître d'école. Je ne veux pas corrompre son esprit à le tenir à la géhenne[3] et au travail, à la mode des autres, quatorze ou quinze heures par jour, comme un portefaix. Ni ne trouverais bon, quand par quelque complexion solitaire et mélancolique on le verrait adonné d'une application trop indiscrète[4] à l'étude des livres, qu'on la lui nourrît[5] ; cela les rend ineptes à la conversation civile[6] et les détourne de meilleures occupations. Et combien ai-je vu de mon temps d'hommes abêtis par téméraire[7] avidité de science ? Carnéade[8] s'en trouva si affolé[9] qu'il n'eut plus de loisir de se faire le poil et les ongles[10]. Ni ne veux gâter ses mœurs généreuses par l'incivilité et barbarie d'autrui. La sagesse française a été anciennement en proverbe, pour une sagesse qui prenait de bonne heure, et n'avait guère de tenue[11]. À la vérité, nous voyons encore qu'il n'est rien si gentil[12] que les petits enfants en France ; mais ordinairement ils trompent l'espérance qu'on en a conçue, et, hommes faits, on n'y voit aucune excellence. J'ai ouï tenir à gens d'entendement que ces collèges où on les envoie, de quoi ils[13] ont foison, les abrutissent ainsi.

Au nôtre, un cabinet, un jardin, la table et le lit, la solitude, la compagnie, le matin et le vêpre, toutes les heures lui seront unes, toutes places lui seront étude : car la philosophie, qui, comme formatrice des jugements et des mœurs, sera sa principale leçon, a ce privilège de se mêler partout. [...]

Les jeux mêmes et les exercices seront une bonne partie de l'étude : la course, la lutte, la musique, la danse, la chasse, le maniement des chevaux et des armes. Je veux que la bienséance extérieure, et l'entregent[14], et la disposition de la personne, se façonne quant et quant[15] à l'âme. Ce n'est pas une âme, ce n'est pas un corps qu'on dresse, c'est un homme ; il n'en faut pas faire à deux[16]. Et, comme dit Platon, il ne faut pas les dresser l'un sans l'autre, mais les conduire également, comme un couple de chevaux attelés à même timon.

I, 26, « De l'institution des enfants »,
Éd. Livre de Poche.

1. sombre.
2. dément.
3. torture.
4. excessive.
5. développât.
6. contact des autres.
7. exagérée.
8. philosophe grec
(IIe siècle av. J.-C.).
9. rendu fou.
10. on raconte qu'il consacrait tellement de temps aux études qu'il n'avait même plus de temps pour sa toilette.
11. durée.
12. noble.
13. il y a.
14. qualités sociales.
15. en même temps que.
16. il ne faut pas les séparer.

LECTURE MÉTHODIQUE

■ Examinez précisément les verbes (mode, temps, sens), ainsi que la forme des phrases (affirmatives ou négatives) ; déterminez à partir de cette analyse la **structure du passage**. Quel intérêt présente-t-elle pour définir les **choix pédagogiques** de Montaigne ?

■ À partir de l'étude de vocabulaire, montrez les **dangers** que Montaigne voit dans l'enseignement qu'il rejette.

■ Le XVIe siècle prône une **éducation** de l'homme qui ne laisse de côté aucune de ses qualités. Comment cette conception de l'éducation apparaît-elle ici ? Classez les différents domaines abordés.

ÉCRITURE

■ Expliquez de manière argumentée quelle forme peut prendre la **liberté dans l'éducation** et en quoi elle est nécessaire, pas seulement dans les loisirs.

■ Le **jeu** est-il totalement opposé à l'**étude** ? En prenant appui sur le texte de Montaigne, répondez de manière argumentée à cette question.

guides p. 39-139-418

« Un honnête homme, c'est un homme mêlé »

Tout le XVIᵉ siècle est marqué par les bouleversements nés de la découverte de contrées inconnues. Ouvert à tout ce qui est étranger, l'humaniste qu'est Montaigne élabore une large réflexion sur ce qu'est le voyage, et sur ce qu'il apporte.

J'ai la complexion du corps libre[1] et le goût commun[2] autant qu'homme du monde. La diversité des façons d'une nation à autre ne me touche que par le plaisir de la variété. Chaque usage a sa raison. Soient des assiettes d'étain, de bois, de terre, bouilli ou rôti, beurre ou huile de noix ou d'olive,
5 chaud ou froid, tout m'est un[3] et si un que, vieillissant, j'accuse[4] cette généreuse faculté, et aurais besoin que la délicatesse et le choix arrêtât l'indiscrétion[5] de mon appétit et parfois soulageât mon estomac. Quand j'ai été ailleurs qu'en France et que, pour me faire courtoisie, on m'a demandé si je voulais être servi à la française, je m'en suis moqué et me
10 suis toujours jeté aux tables les plus épaisses d'étrangers[6].

J'ai honte de voir nos hommes[7] enivrés de cette sorte d'humeur de s'effaroucher des formes contraires aux leurs : il leur semble être hors de leur élément quand ils sont hors de leur village. Où qu'ils aillent, ils se tiennent à leurs façons et abominent les étrangères. Retrouvent-ils un com-
15 patriote en Hongrie, ils festoient cette aventure : les voilà à se rallier et à se recoudre ensemble, à condamner tant de mœurs barbares qu'ils voient. Pourquoi non barbares, puisqu'elles ne sont françaises ? Encore sont-ce les plus habiles qui les ont reconnues, pour en médire. La plupart ne prennent l'aller que pour le venir[8]. Ils voyagent couverts et res-
20 serrés d'une prudence taciturne et incommunicable, se défendant de la contagion d'un air inconnu.

Ce que je dis de ceux-là me ramentait[9], en chose semblable, ce que j'ai parfois aperçu en aucuns[10] de nos jeunes courtisans. Ils ne tiennent qu'aux hommes de leur sorte, nous regardent comme gens de l'autre monde, avec
25 dédain ou pitié. Ôtez-leur les entretiens des mystères de la cour, ils sont hors de leur gibier, aussi neufs pour nous et malhabiles comme nous sommes à eux. On dit bien vrai qu'un honnête homme, c'est un homme mêlé.

Au rebours, je pérégrine[11] très saoul[12] de nos façons, non pour chercher des Gascons en Sicile (j'en ai assez laissé au logis) ; je cherche des
30 Grecs plutôt, et des Persans ; j'accointe[13] ceux-là, je les considère ; c'est là où je me prête et où je m'emploie. Et qui plus est, il me semble que je n'ai rencontré guère de manières qui ne vaillent les nôtres. Je couche de peu[14], car à peine ai-je perdu mes girouettes de vue.

III, 9, « De la vanité », Éd. Livre de Poche.

Jérôme Bosch (1450-1516), *Le Chemin de la Vie* (détail), 1500/1502, volets refermés du *Char de foin* (huile sur panneau, 135 x 90 cm ; Madrid, Musée du Prado).

1. je m'adapte naturellement à tout.
2. large.
3. tout m'est indifférent.
4. je me plains.
5. l'importance.
6. où les étrangers étaient les plus nombreux.
7. nos compatriotes.
8. ne partent que pour revenir.
9. rappelle.
10. certains.
11. je voyage.
12. très saturé.
13. fréquente.
14. je m'avance peu.

LECTURE MÉTHODIQUE

■ Repérez et observez les pronoms personnels sujets et compléments : que remarquez-vous quant à la **présence du narrateur** et à son rôle, par rapport à lui-même, par rapport aux autres ?

■ Par l'étude des champs lexicaux et des connotations, précisez ce que Montaigne **reproche** aux autres voyageurs. Peut-on définir, à partir du texte, un « **art de voyager** » ? Sur quelles **qualités** repose-t-il ? Quelles qualités développe-t-il ?

■ Comment comprenez-vous les phrases : *pourquoi non barbares, puisqu'elles ne sont françaises* et *un honnête homme, c'est un homme mêlé* ?

ÉCRITURE

■ Montaigne évoque les découvertes nées du **voyage**. Notre époque voit le développement des voyages organisés. Ce dernier type de voyage peut-il permettre, à votre avis, de connaître un pays et ses habitants ? Vous répondrez à cette question sous une forme argumentée.

guides p. 39-369-386

« Notre monde vient d'en trouver un autre… »

Ce passage fait référence à la découverte de l'Amérique et témoigne des réflexions suscitées par la confrontation des civilisations.

Notre monde vient d'en trouver un autre[1] (et qui nous répond si c'est le dernier de ses frères, puisque les Démons, les Sibylles et nous, avons ignoré celui-ci jusqu'asteure[2] ?) non moins grand, plein et membru que lui, toutefois si nouveau et si enfant qu'on lui apprend encore
5 son a, b, c ; il n'y a pas cinquante ans qu'il ne savait ni lettres, ni poids, ni mesure, ni vêtements, ni blés, ni vignes. Il était encore tout nu au giron, et ne vivait que des moyens de sa mère nourrice. Si nous concluons bien de notre fin, et ce poète de la jeunesse de son siècle, cet autre monde ne fera qu'entrer en lumière quand le nôtre en sortira. L'univers tombera en
10 paralysie ; l'un membre sera perclus[3], l'autre en vigueur.

Bien crains-je que nous aurons bien fort hâté sa déclinaison[4] et sa ruine par notre contagion, et que nous lui aurons bien cher vendu nos opinions et nos arts. C'était un monde enfant ; si[5] ne l'avons-nous pas fouetté et soumis à notre discipline par l'avantage de notre valeur et forces natu-
15 relles, ni ne l'avons pratiqué par notre justice et bonté, ni subjugué par notre magnanimité[6]. La plupart de leurs réponses et des négociations faites avec eux témoignent qu'ils ne nous devaient rien en clarté d'esprit naturelle et en pertinence. L'épouvantable[7] magnificence des villes de Cusco et de Mexico, et, entre plusieurs choses pareilles, le jardin de ce roi, où
20 tous les arbres, les fruits et toutes les herbes, selon l'ordre et grandeur qu'ils ont en un jardin, étaient excellemment formés en or ; comme, en son cabinet, tous les animaux qui naissaient en son État et en ses mers ; et la beauté de leurs ouvrages en pierrerie, en plume, en coton, en la peinture, montrent qu'ils ne nous cédaient non plus en l'industrie. Mais, quant
25 à la dévotion, observance des lois, bonté, libéralité, loyauté, franchise, il nous a bien servi de n'en avoir pas tant qu'eux ; ils se sont perdus par cet avantage, et vendus et trahis eux-mêmes. […]

Au rebours, nous nous sommes servis de leur ignorance et inexpérience à les plier plus facilement vers la trahison, luxure, avarice[8] et vers toute
30 sorte d'inhumanité et de cruauté, à l'exemple et patron de nos mœurs. Qui mit jamais à tel prix le service de la mercandance[9] et du trafic ? Tant de villes rasées, tant de nations exterminées, tant de millions de peuples passés au fil de l'épée, et la plus riche et belle partie du monde bouleversée pour la négociation des perles et du poivre ! mécaniques victoires.
35 Jamais l'ambition, jamais les inimitiés publiques ne poussèrent les hommes les uns contre les autres à si horribles hostilités et calamités si misérables.

III, 6, « Des Coches », Éd. Livre de Poche.

1. l'Amérique.
2. jusqu'à cette heure.
3. qui a des difficultés à se mouvoir.
4. son déclin.
5. et pourtant.
6. grandeur d'âme.
7. impressionnante.
8. cupidité.
9. le commerce.

LECTURE MÉTHODIQUE

■ Il est question dans ce texte du « **Nouveau monde** » : trouvez et classez tous les termes qui insistent sur cette caractéristique. Étudiez aussi comment s'exprime la **relation** entre ce monde et l'ancien.

■ Repérez les passages dans lesquels Montaigne évoque les **civilisations précolombiennes**. Par l'observation du lexique et des connotations, dites quelle est la tonalité utilisée et les caractéristiques mises en évidence.

■ Quelles **responsabilités** des Européens Montaigne met-il en cause ? Par quels procédés stylistiques traduit-il son **indignation ?**

guides p. 39-78-151

Carte portugaise de l'océan Atlantique, v. 1519, tirée de l'*Atlas Miller* (parchemin enluminé, 61 × 118 cm ; Paris, Bibliothèque Nationale de France).

« Chacun appelle barbarie
ce qui n'est pas de son usage »

La découverte de l'Amérique conduit les penseurs occidentaux à s'interroger sur la définition de certains termes pour répondre à la double question : qu'est-ce que la barbarie ? Qu'est-ce que la civilisation ?

Or je trouve, pour revenir à mon propos, qu'il n'y a rien de barbare et de sauvage en cette nation[1], à ce qu'on m'en a rapporté, sinon que chacun appelle barbarie ce qui n'est pas de son usage ; comme de vrai, il semble que nous n'avons autre mire[2] de la vérité et de la raison
5 que l'exemple et idée des opinions et usances[3] du pays où nous sommes. Là est toujours la parfaite religion, la parfaite police[4], parfait et accompli usage de toutes choses. Ils sont sauvages, de même que nous appelons sauvages les fruits que nature, de soi et de son progrès ordinaire, a produits : là où, à la vérité, ce sont ceux que nous avons altérés par notre
10 artifice et détournés de l'ordre commun, que nous devrions appeler plutôt sauvages. En ceux-là sont vives et vigoureuses les vraies et plus utiles et naturelles vertus et propriétés, lesquelles nous avons abâtardies en ceux-ci, et les avons seulement accommodées au plaisir de notre goût corrompu.

1. les indigènes des Antilles et de l'Amérique du Sud.
2. critère.
3. usages.
4. régime politique.

96

Et si pourtant[5], la saveur même et délicatesse se trouve à notre goût excel-
15 lente, à l'envi des nôtres, en divers fruits de ces contrées-là sans culture.
Ce n'est pas raison que l'art[6] gagne le point d'honneur sur notre grande
et puissante mère Nature. Nous avons tant rechargé la beauté et richesse
de ses ouvrages par nos inventions que nous l'avons du tout étouffée. [...]

Ces nations me semblent donc ainsi barbares, pour avoir reçu fort peu
20 de leçon de l'esprit humain, et être encore fort voisines, de leur naïveté
originelle. Les lois naturelles leur commandent encore, fort peu abâtardies par les nôtres ; mais c'est en telle pureté, qu'il me prend quelquefois
déplaisir de quoi[7] la connaissance n'en soit venue plus tôt, du temps qu'il
y avait des hommes qui en eussent su mieux juger que nous.

I, 31, « Des cannibales », Éd. Livre de Poche.

5. et pourtant.
6. l'artifice.
7. de ce que.

LECTURE MÉTHODIQUE

■ En observant la récurrence de certains termes dans le premier paragraphe, précisez quel est l'**objectif** de Montaigne et comment il s'y prend pour l'atteindre.

■ Par l'observation des articulations logiques, faites apparaître le **lien** entre la première phrase du premier paragraphe, la suite de ce paragraphe et le second.

■ Présentez, de manière résumée, la **démonstration** faite ici. En quoi est-elle importante à l'époque de Montaigne ? à notre époque ?

■ Déduisez des questions précédentes à **quel type** de texte appartient cet extrait.

PARCOURS CULTUREL

■ Cherchez le sens du mot « **ethnocentrisme** » dans un dictionnaire et étudiez en quoi il se trouve mis en jeu dans cet extrait et dans celui de la page 95.

■ En quoi peut-on dire que les deux extraits consacrés à la découverte du Nouveau Monde illustrent les « **incertitudes de l'Humanisme** » ?

VERS LE RÉSUMÉ

■ Utilisez la lecture méthodique du texte pour le résumer environ au 1/4 de sa longueur en respectant les règles traditionnelles du résumé : même énonciation, même ordre des idées, même tonalité.

guides p. 39-151

« C'est un outil inventé pour manier
et agiter une tourbe... »

*L'étude de l'Histoire ancienne, comme le regard qu'il porte sur la situation poli-
tique de son époque, conduit Montaigne à aborder la question de l'art oratoire.
Le chapitre s'ouvre par une évocation des sociétés de l'Antiquité qui se sont méfiées
des orateurs.*

C'est un outil[1] inventé pour manier et agiter une tourbe et une commune[2] déréglée, et est outil[3] qui ne s'emploie qu'aux États malades,
comme la médecine ; en ceux où le vulgaire[4], où les ignorants, où tous
ont tout pu, comme celui d'Athènes, de Rhodes et de Rome, et où les
5 choses ont été en perpétuelle tempête, là ont afflué les orateurs. Et, à la
vérité, il se voit peu de personnages, en ces républiques-là, qui se soient
poussés en grand crédit sans le secours de l'éloquence ; Pompée, César,
Crassus, Lucullus, Lentulus, Metellus[5] ont pris de là leur grand appui à
se monter à cette grandeur d'autorité où ils sont enfin arrivés, et s'en sont
10 aidés plus que des armes, contre l'opinion des meilleurs temps. Car
L. Volumnius, parlant en public en faveur de l'élection au consulat faite
des personnes de Q. Fabius et P. Decius : « Ce sont gens nés à la guerre,
grands aux effets[6], au combat du babil, rudes[7] : esprits vraiment consu-
laires[8] ; les subtils, éloquents et savants sont bons pour la ville, préteurs
15 à faire justice », dit-il.

1. il s'agit des paroles.
2. communauté.
3. c'est un outil...
4. la foule.
5. hommes politiques romains.
6. dans les actes.
7. grossiers.
8. aptes à être consuls ;
les consuls dirigeaient Rome.

Hans Vredeman de Vries (1527-1606), personnages élégants dans une architecture de palais (détail), 1596 (huile sur toile, 137 x 174 cm ; Vienne, Kunsthistorisches Museum, Gemäldegalerie).

L'éloquence a fleuri le plus à Rome lorsque les affaires ont été en plus mauvais état, et que l'orage des guerres civiles les agitait : comme un champ libre et indompté porte les herbes plus gaillardes. Il semble par là que les polices[9] qui dépendent d'un monarque en ont moins de besoin
20 que les autres ; car la bêtise et facilité qui se trouve en la commune[2], et qui la rend sujette à être maniée et contournée par les oreilles au doux son de cette harmonie, sans venir à peser et connaître la vérité des choses par la force de la raison, cette facilité, dis-je, ne se trouve pas si aisément en un seul ; et est plus aisé de le garantir par bonne institution et bon
25 conseil de l'impression de ce poison. On n'a pas vu sortir de Macédoine, ni de Perse, aucun orateur de renom. [...]

Je ne sais s'il en advient aux autres comme à moi ; mais je ne me puis garder, quand j'ouïs nos architectes s'enfler de ces gros mots de pilastres, architraves, corniches, d'ouvrage corinthien et dorique[10], et semblables
30 de leur jargon, que mon imagination ne se saisisse, incontinent, du palais d'Apolidon[11] ; et, par effet[12], je trouve que ce sont les chétives pièces de la porte de ma cuisine.

Oyez dire métonymie, métaphore, allégorie[13] et autres tels noms de la grammaire, semble-t-il pas qu'on signifie quelque forme de langage rare
35 et pellegrin[14] ? Ce sont titres qui touchent le babil de votre chambrière[15].

I, 51, « De la vanité des paroles », Éd. Livre de Poche.

9. gouvernements.
10. termes d'architecture.
11. palais merveilleux dans un roman à succès du XVIᵉ siècle, *Amadis de Gaule.*
12. en fait.
13. figures de style.
14. étranger.
15. femme de chambre.

LECTURE MÉTHODIQUE

■ Par l'observation des champs lexicaux et des articulations logiques, dégagez le thème et l'évolution de la **démonstration** (la thèse défendue par Montaigne) en précisant les éléments mis en cause.

■ Observez les **exemples** du texte : à quel domaine sont-ils empruntés ? Quelle est leur fréquence ? À quoi servent-ils ?

■ Quels sont, d'après Montaigne, les **dangers de la parole ?**

ÉCRITURE

■ Le fabuliste Ésope parlait de la langue en disant qu'elle est « la meilleure et la pire des choses ». Sous forme d'exposé argumenté, vous vous attacherez à défendre l'un ou l'autre de ces deux points de vue.

guides p. 39-139-151

L'Humanisme

Les sonnets* de la Pléiade, les récits rabelaisiens ou les réflexions de Montaigne ont en commun des caractéristiques qui permettent de définir le courant culturel auxquels ils appartiennent et qu'ils illustrent : l'**Humanisme.** On appelle Humanisme le mouvement intellectuel caractérisé par le retour à l'Antiquité classique pour étudier l'homme et ses œuvres.

◼ *Origines et définition*

◼ Le retour à l'Antiquité

L'Humanisme s'explique par un contexte politique et social dont les éléments ont été précisés ▷▷▷ *p. 24* : l'influence de l'Italie et des érudits qui s'y sont réfugiés après la chute de Constantinople avec des manuscrits anciens, les facilités de diffusion des écrits grâce à l'imprimerie, l'inadaptation de l'enseignement qui pousse à rechercher de nouveaux contenus et de nouvelles méthodes.

Le mot lui-même témoigne du souci constant des **valeurs de l'Antiquité :** le latin *humanitas* désigne la culture ; ce terme correspond à la volonté des humanistes d'acquérir, d'approfondir, de développer la culture, par l'étude des Anciens, Grecs et Latins en particulier ; en effet, ces modèles, récemment découverts, paraissent proposer une sagesse nouvelle (Rabelais ▷▷▷ *p. 49*). Beaucoup d'humanistes, sans être nécessairement des universitaires, sont d'ailleurs des linguistes, qui éditent et traduisent les textes anciens : Lefèvre d'Étaples, traducteur de la Bible, Guillaume Budé, et par la suite Amyot, dont la traduction du Grec Plutarque fait encore autorité aujourd'hui. De plus, le terme italien *umanista* désigne le professeur de grammaire et de rhétorique.

◼ Une philosophie au service de l'homme

On remarque que les termes - latin, français, italien - sont tous formés sur le mot « homme » : pour l'Humanisme, l'acquisition de la culture antique est une étape essentielle pour la formation d'ensemble qui vise un **accomplissement de l'homme** par la sagesse et la raison dans tous les domaines de l'existence. Ce souci constant de l'être humain en tant que valeur en soi transparaît dans différents domaines : la pédagogie (Rabelais ▷▷▷ *p. 49* et Montaigne ▷▷▷ *p. 93*), la politique, la religion, l'art.

◼ *Une attitude nouvelle*

◼ L'importance de la pédagogie

Pour l'Humanisme, la formation humaine doit commencer par la formation de l'enfant. Et toute la réflexion pédagogique se fait en fonction d'un objectif : l'accomplissement de l'homme à travers **l'acquisition d'une culture :**

- sur le plan des **apprentissages,** la mémorisation n'est pas abandonnée, mais elle est utilisée comme soutien : l'acquisition des connaissances doit être réfléchie et elle doit conduire à une véritable compréhension des contenus ainsi qu'à l'élaboration d'un esprit critique (Rabelais ▷▷▷ *p. 44*) ;

- sur le plan des **contenus,** on privilégie la lecture directe des textes anciens, où l'on voit les sources de la sagesse. La fondation du **Collège des Lecteurs royaux,** où l'on enseigne le latin, le grec, l'hébreu, favorise cette lecture. On ne néglige pas les disciplines sportives et physiques non plus que **l'hygiène,** qui n'avaient aucune place au Moyen Âge. On n'oublie pas l'enseignement des sciences ni celui des règles sociales (Rabelais ▷▷▷ *p. 46* et Montaigne ▷▷▷ *p. 92*) ;

- sur le plan des **méthodes,** les penseurs privilégient un enseignement individualisé, une éducation par la douceur et une progression de l'élève. De tels principes ne peuvent s'appliquer que dans le cadre d'un préceptorat : d'ailleurs, Gargantua comme Pantagruel se préparent à être princes, et les *Essais* s'adressent dans ce domaine à la femme d'un seigneur. Ce caractère socialement élitiste constitue une limite à une réflexion de Rabelais et de Montaigne.

◼ Humanisme et politique

À la base de l'attitude des humanistes, il y a toujours **la confiance dans le progrès,** et dans l'importance de l'homme. Leur réflexion se développe essentiellement dans trois directions.

En ce qui concerne l'organisation sociale, l'idée d'une **société idéale** est au centre des préoccupations humanistes ; plusieurs auteurs définissent les conditions de son existence, mais elle reste de l'ordre de l'imaginaire ; le titre du livre de Thomas More, *Utopia*, où l'auteur imagine une structure parfaite, est à l'origine de notre mot « utopie* ». La société qu'imagine Rabelais avec le « mythe » de Thélème ▷▷▷ *p. 46,* suppose chez ses membres de hautes vertus et ne prévoit pas de faille : les humanistes comptent donc sur les qualités humaines pour améliorer la société ; cela manifeste bien leur confiance en l'homme et indique aussi que leur dessein constitue une réforme, et non une rupture par rapport à la société contemporaine. Enfin ce modèle, avec ses dames et ses chevaliers, est résolument **aristocratique :** Thélème est calquée sur une société féodale idéale : le projet humaniste n'est donc pas applicable à tout un peuple et présente par conséquent les mêmes limites que le projet pédagogique. En ce qui concerne **la guerre,** les humanistes refusent toute guerre offensive et toute attitude agressive : la condamnation de Picrochole est très nette chez Rabelais. Ils n'en sont pas pour autant naïfs : ils admettent la guerre défensive, pourvu qu'elle se déroule loyalement (Rabelais ▷▷▷ *p. 47 et 48*).

Le développement des **voyages** ouvre d'autres horizons : pour l'humanisme, cette ouverture constitue une richesse, parce que la diversité enrichit l'homme ; ainsi Montaigne ▷▷▷ *p. 95,* condamne la violence destructrice des conquistadores* en Amérique et souligne tous les apports des autres civilisations. Sa réflexion sur la barbarie ouvre sur les réflexions à venir concernant l'ethnocentrisme* et prépare l'esprit du XVIIIᵉ siècle.

■ Humanisme et religion

Les humanistes sont fondamentalement chrétiens, comme le souligne Gargantua dans sa lettre à Pantagruel ▷▷▷ *p. 49,* mais ils ont une attitude critique vis-à-vis de l'Église officielle ; ils prônent le **retour aux sources** pour les textes profanes aussi bien que pour les textes sacrés : ils refusent en effet le contrôle qu'exerce l'Église sur ces derniers à travers les commentaires qu'elle en donne, et veulent découvrir directement la Bible et les Évangiles. L'Église est très méfiante face à ce comportement qui lui paraît sacrilège, et qui, de fait, entraîne la critique de nombre de dogmes* et de pratiques évoqués par Rabelais ▷▷▷ *p. 42.*

De plus, pour les humanistes, contrairement à l'idée de l'Église, l'homme n'a pas à s'humilier devant Dieu : bien au contraire, ils ont confiance dans la créature humaine ; à leurs yeux, l'homme peut progresser dans la raison comme dans la connaissance, et par ses qualités proprement humaines, il peut vaincre l'adversité et son destin ; par cet **optimisme fondamental,** ils se heurtent à une Église qui voit dans l'homme un être soumis à Dieu.

Les différentes tentatives de réforme prennent en partie racine dans l'effort fait par les humanistes pour concilier la religion avec cette nouvelle philosophie de l'homme : mais la radicalisation de l'attitude de l'Église fera échouer cette tentative de conciliation ; deux tendances naissent alors : l'une reste fidèle à l'Église de Rome ; l'autre fait sécession, et rejoint le Protestantisme.

■ Humanisme et art

L'Italie influence toute l'Europe, et particulièrement la France, en matière artistique ; les mêmes caractères se retrouvent dans tous les pays.

L'art, en particulier l'art plastique et la peinture, comme la poésie, est marqué par deux tendances fondamentales liées à l'intérêt de l'humanisme pour l'homme et pour l'Antiquité.

L'intérêt pour le **corps humain,** tel qu'il est, et non idéalisé, est particulièrement sensible en sculpture chez Léonard de Vinci : l'artiste italien étudie l'anatomie, comme en témoignent les planches de ses *Cahiers,* ce qui lui permet de représenter le corps de façon plus réaliste. De façon générale, cette prédilection pour la réalité se retrouve en peinture, par exemple chez l'Allemand Albrecht Dürer, ou chez l'Italien Michel-Ange, pour lequel le tableau est d'autant plus réussi qu'il se rapproche davantage de la statuaire. En poésie, le sonnet « Je n'ai plus que les os... » ▷▷▷ *p. 77,* propose également une vision réaliste.

Cette orientation, selon laquelle l'homme est au centre de l'art, est sensible dans **le choix des thèmes :** les sujets religieux existent toujours, mais les portraits et les **sujets profanes** deviennent beaucoup plus fréquents qu'au Moyen Âge. Pour ces derniers, l'intérêt pour l'Antiquité se fait nettement sentir : en attestent Jean Goujon, pour *Les Nymphes* de la Fontaine des Innocents, Germain Pilon pour *Les Trois Grâces,* en ce qui concerne la sculpture, et, en peinture, Botticelli avec *La Naissance de Vénus.* Des thèmes analogues existent chez Du Bellay et chez Ronsard ▷▷▷ *p. 67-73.*

■ Les incertitudes du baroque

L'originalité de l'Humanisme réside dans l'enthousiasme, la curiosité intellectuelle et dans la confiance faite au genre humain ; mais cet optimisme se heurte à la réalité d'une époque troublée, marquée par les violences et les guerres civiles, en contradiction avec les constructions utopiques liées à l'espoir du début du siècle. Ces troubles font naître des inquiétudes, des interrogations, déjà perceptibles chez Montaigne. Ces mouvements aboutiront aux **incertitudes du baroque***.

XVIIᵉ s.

historiques et culturels

V. de Delft, *La Liseuse à la fenêtre*

■ Étudiez la composition du tableau : lignes, lumière, situation du personnage, double système d'ouverture. Quels éléments concourent à créer *l'impression de rigueur et d'ordre* ?

■ Quelle est la *situation du spectateur* par rapport au personnage, et la *situation du personnage* par rapport à l'extérieur ?

■ À quel *genre littéraire* et à quel auteur du XVIIᵉ siècle ce tableau pourrait-il servir d'illustration ?

« Grand siècle », « Siècle de Louis XIV », « Siècle classique », le XVIIᵉ siècle bénéficie de qualificatifs élogieux qui traduisent l'idée de magnificence. Mais ceux-ci ne s'appliquent qu'aux années qui s'étendent de 1661 à 1685. Si on fait commencer le siècle à la date de 1598 (**Édit de Nantes**), pour le faire se terminer en 1715 (mort de Louis XIV), on met en évidence une durée riche en diversité et en contradictions. 1661, qui marque le début du règne du Roi-Soleil, permet de diviser l'histoire du siècle en deux grandes étapes.

Jusqu'en 1661, le premier versant du siècle

Ce premier versant du siècle est caractérisé par une instabilité à la fois religieuse et politique.

■ *Les tensions religieuses*

Après le déchaînement des guerres civiles, l'Édit de Nantes (1598) devait permettre la paix entre Catholiques et Protestants. L'assassinat d'Henri IV en 1610 montre que l'hostilité de certains Catholiques reste très vivace. Les rivalités n'ont pas disparu et les conflits se multiplient pendant la régence de Marie de Médicis (1610-1617) : d'Aubigné s'oppose aux armées royales. Des com-

Illustration de la p. 101 :
Jan Vermeer de Delft (1632-1675), *La Liseuse à la fenêtre*, 1659 (huile sur toile, 83 × 64,5 cm ; Dresde, Staatliche Kunstsammlungen Alte Meister).

Médaille en argent XVIIᵉ siècle, avec devise latine de Louis XIV : *Nec Pluribus impar* (Paris, Bibliothèque Nationale de France). ▲

bats reprennent dans les régions tenues par les Protestants, à Montauban (1621), à La Rochelle, assiégée par les troupes du roi (1626-27). Si la paix est officielle, il semble bien que, dans la réalité, le pouvoir refuse l'application d'un édit qui reconnaît aux Protestants une autonomie jugée dangereuse. Leur statut est donc précaire et la guerre sans cesse prête à se rallumer.

■ *Les tensions politiques*

Le premier versant du siècle regroupe la fin du règne d'Henri IV (jusqu'en 1610), celui de Louis XIII (de 1617 à 1643), et deux régences, celle de Marie de Médicis (1610-1617), celle d'Anne d'Autriche (1643-1661). Cette particularité se révèle comme un facteur d'instabilité par l'existence de rivalités autour du pouvoir. Certes le règne d'Henri IV est marqué par un retour à la paix intérieure. Aidé par son ministre Sully, le roi agrandit le territoire national (Auvergne, Limousin, Bresse, Bugey), développe l'agriculture, le commerce, multiplie la construction de voies de communication. Mais avec son assassinat et **la Régence,** s'ouvre une période de troubles : rivalités politiques qui aboutissent à des exécutions ordonnées par le jeune Louis XIII, celle du comte de Chalais (1626), celle de Concini (1617), favori de Marie de Médicis. Richelieu, arrivé au pouvoir en 1624, s'efforce de remettre de l'ordre dans les affaires du royaume et de consolider la monarchie. Sa disparition, en 1642, et une seconde régence correspondent à une nouvelle période de troubles sérieux. Il s'agit en effet de ***la Fronde*** (1648-1652), révolte de l'aristocratie d'épée contre le pouvoir royal. La rébellion est combattue par Mazarin, à qui Louis XIV, trop jeune pour gouverner, confie le pouvoir. À la mort de son ministre, en 1661, le roi trouve une monarchie restaurée : la voie est libre vers la centralisation et l'absolutisme.

Après 1661, le deuxième versant du siècle

Cette période, qui correspond au règne personnel de Louis XIV, offre l'image rayonnante qu'impose le **Roi-Soleil,** par l'accroissement de l'autorité, le prestige de la monarchie et la magnificence de la vie de cour. Mais cette lumière cache bien des ombres. Le règne, très long, connaît des périodes d'éclat et d'autres beaucoup plus sombres.

■ *Les aspects lumineux du règne*

Ils correspondent à une politique de développement et d'enrichissement menée par le ministre Colbert et relayée par le système des intendants, représentants du pouvoir central dans les provinces. Les manufactures se multiplient, on cherche à développer le commerce extérieur, en relation avec les colonies, le tout sous la haute protection du pouvoir central : peu de place est laissée aux initiatives individuelles. L'économie, comme le pouvoir, émane du roi et de son environnement proche.

Le **rayonnement de la France** se manifeste aussi par une volonté d'expansion territoriale. Conquérant victorieux, comme le montrent ses représentations picturales, Louis XIV annexe la Flandre, la Franche-Comté, Strasbourg. Il mène de nombreuses guerres contre ses voisins européens (Prusse, Pays-Bas, Angleterre, Espagne...), guerres par lesquelles il pense accroître son prestige, mais dont les conséquences, meurtrières sur le plan humain, aggravent plutôt une image progressivement ternie par les difficultés intérieures. La guerre dite de la Ligue d'Augsbourg (1686-1697) puis celle de la succession d'Espagne (1701-1713) contribuent à accentuer le caractère sombre du régime. On observe là une contradiction entre une volonté affichée de victoires et de conquêtes et une réalité bien différente.

■ *Les ombres du règne*

Elles viennent d'abord de ce climat constant de violence et de **guerres**. L'image du conquérant victorieux est remplacée par celle d'un monarque à la fois intransigeant et **velléitaire**, qui choisit mal ses généraux, favorise des courtisans incapables et renvoie les **hommes de guerre** susceptibles d'estomper sa grandeur. Dans les *Lettres persanes* ▷▷▷ *p. 214.* Montesquieu dénonce ces incohérences du pouvoir vieillissant. Le pays est lassé d'un état de guerres continuelles qui use les forces économiques sans rehausser l'image nationale.

Jean Bérain (1640-1711), *La Poupe de la Victoire* (dessin ; Stockholm, Sjöhistoriska Museet).

Le siècle est aussi assombri par la **persistance des conflits religieux :** la volonté d'imposer une unité religieuse conduit le roi à dénoncer progressivement les clauses de l'Édit de Nantes. La monarchie cherche à briser les foyers de Protestantisme, notamment dans les régions au sud de la Loire (Cévennes, Languedoc). En 1685, la Révocation de l'Édit de Nantes, inspirée par les factions les plus intolérantes de l'entourage du roi, oblige les Protestants à se soumettre ou à s'exiler. Beaucoup d'entre eux, qui jouaient un rôle important dans l'industrie, quittent la France pour l'Angleterre ou l'Allemagne, affaiblissant, comme le rappelle Saint-Simon, les forces vives de l'économie.

Ceux qui restent ne désarment pas : une révolte des « camisards » entre 1702 et 1705 se termine par une répression qui fait 12 000 morts. Marqué à ses débuts par une volonté de paix, le XVIIe siècle rayonnant cache mal, à la fin du règne du Roi-Soleil, ses misères et les excès d'une intolérance liée à un rigorisme exagéré. L'austérité de la Cour ne tolère plus aucune forme d'indépendance religieuse : les Jansénistes ▷▷▷ p. 168 sont dispersés et leur lieu de rassemblement est détruit (en 1713) ; les Libertins ▷▷▷ *p. 168,* qui affichent un athéisme* considéré comme coupable, sont persécutés. Aucune « déviation » en matière de religion n'est plus acceptée.

Jean Bérain (1640-1711), *Étude de caparaçon pour le carrousel de 1686* (sanguine, Paris, Bibliothèque Nationale de France).

Jean Bérain (1640-1711),
Projet de décor d'opéra
(Stockholm, Drottningholm
Theater Museum).

Les paradoxes du siècle

À l'éclat de la Cour, illustré par la somptuosité de Versailles, à l'importance de la vie culturelle et artistique, s'opposent la misère et les inégalités. La coexistence du rayonnement et des ombres se retrouve dans bien des aspects de la vie sociale.

■ Une vie culturelle brillante

D'abord concentrée à Paris, cette vie se développe dans les salons où se réunissent des aristocrates cultivés et des bourgeois instruits. À l'époque de la Préciosité*, on y parle littérature, on écrit, on exalte les nobles sentiments dans un langage subtil qui contraste avec la grossièreté des mœurs du « commun ». On y complote aussi, et l'action politique, pendant la Fronde notamment, semble indissociable d'idéaux célébrés par certaines œuvres littéraires (les tragi-comédies, par exemple). Cette **vie mondaine** est peut-être aussi une manière de se rassurer face aux incertitudes de l'époque, troubles religieux mais aussi interrogations sur l'univers. Les découvertes de **Galilée** et de **Copernic** ouvrent un champ d'investigation immense et déstabilisateur (les montagnes de la lune, les satellites de Jupiter, les anneaux de Saturne, les taches du soleil) : les certitudes perdent de leur solidité.

Peu à peu la vie intellectuelle se déplace vers l'environnement royal. **Versailles,** dont l'architecture fait des envieux dans toutes les Cours d'Europe, est conçu comme la représentation du nouvel ordre monarchique : régularité, symétrie, organisation, harmonie, refus affirmé du désordre et de la confusion. Cette esthétique se retrouve dans les codifications de la doctrine classique : bienséance comparable à l'étiquette de cour, règles précises, conventions à respecter pour être dans les « normes ». Cette vie se double de fêtes somptueuses auxquelles collaborent les artistes. Premier mécène du royaume, le roi distribue des pensions et son avis fait le succès ou l'échec d'une œuvre. La consécration vient lorsqu'un écrivain reçoit une mission officielle, comme c'est le cas pour Boileau et Racine, nommés l'un et l'autre historiographes* du roi. Le monarque donne le ton, la Cour suit ; la province, touchée à son tour, mais avec un décalage, se conforme au modèle de pensée qui vient du sommet. À la centralisation politique correspond un schéma équivalent sur le plan intellectuel. Il laisse cependant dans l'ombre tous ceux, innombrables, qui n'y ont pas accès.

■ Misères et inégalités

Centrer l'image du XVIIᵉ siècle sur la vie de Cour pendant le règne du Roi-Soleil, c'est masquer tout un pan de la vie sociale, infiniment moins brillant. Les artistes, les intellectuels ne représentent qu'une infime partie de la nation. La part la plus importante est constituée par une population inculte, qui vit dans la misère et qui se trouve la première victime des **mauvaises conditions de vie** et **des famines.** La Bruyère évoque le sort des paysans en les comparant à des animaux. Soumis à de lourds impôts (ils en paient à l'État et à l'Église), ils sont les premiers atteints par les mauvaises récoltes, par les épidémies, innombrables, et par les intempéries. Le règne connaît ainsi plusieurs grandes crises, la famine de 1693-94, l'épouvantable hiver de 1709, dont les conséquences firent diminuer la population de plus

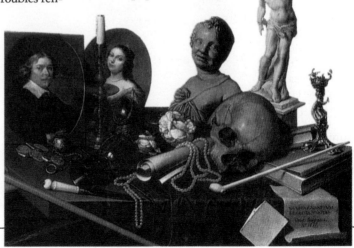

Jean Bailly (1584-1657), *Vanité* (détail), (huile sur bois, 90 X 122 cm ; Leyde, Stedelijk Museum De Lakenhal).

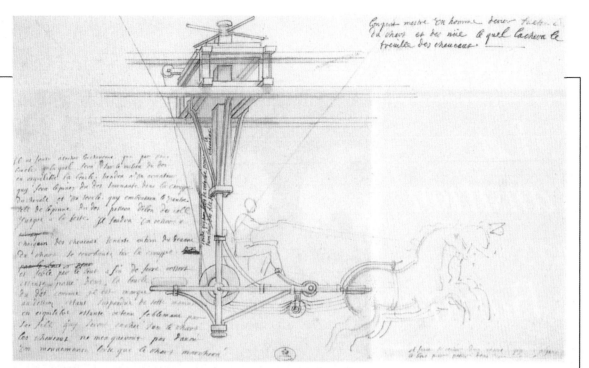

Jean Bérain (1640-1711), *Char du Soleil avec annotations de Bérain pour le final de Phaéton* (Paris, Archives Nationales).

d'un million de personnes. Dans la société très hiérarchisée de cette époque, cette partie importante du Tiers État constitue un groupe social sans espoir réel d'évolution, tandis que dans les classes intermédiaires, les fermiers collecteurs de redevances commencent à créer une bourgeoisie d'argent qui triomphera avec arrogance au siècle suivant.

■ *Les éléments contestataires*

La juxtaposition de telles disparités, la volonté royale d'imposer un ordre jusque dans les consciences engendrent des contestations. On peut citer tout d'abord les Libertins. Ils affirment une volonté de libération par rapport à la pensée religieuse. Le matérialisme affiché par Don Juan est associé à un rationalisme qui rejette la soumission aux dogmes* de la religion. C'est une manière de refuser le poids des traditions que perçoivent certains penseurs comme un véritable frein. **La querelle des Anciens et des Modernes** (▷▷▷ *p. 211*), qui a pour objet l'imitation des œuvres du passé, illustre bien le conflit entre la tradition et le progrès : à vouloir toujours imiter ce qui s'est fait, on risque de tuer toute initiative et toute création nouvelle. La pesanteur contraignante du régime fait naître d'autres formes d'opposition moins avouées : les **Jansénistes** se démarquent de la doctrine traditionnelle de l'Église et constituent un groupe de pensée bientôt considéré comme un dangereux groupe de pression par le pouvoir royal.

Si l'on observe l'idéal du siècle, **l'honnête homme**, incarné par certains personnages de Molière, on perçoit qu'il est un être doté du sens de la mesure, mais aussi de lucidité. Ni courtisan obséquieux, ni misanthrope asocial, il prépare, par l'importance qu'il accorde à son environnement humain et aux qualités de l'esprit, le philosophe du siècle suivant. Les écrivains qui l'ont créé ont été confrontés au difficile problème des relations avec le pouvoir.

S'ils ont, pour certains, participé largement à la gloire du Roi-Soleil, d'autres se sont donné un rôle plus ambigu, détournant habilement la soumission pour la transformer en **observation critique**. C'est en particulier le cas des moralistes ou de La Fontaine, qui eut le courage de rester fidèle à Fouquet, le surintendant des Finances, dont le roi jalousa la richesse et le prestige au point de le faire emprisonner en 1661. Comblé d'éloges et de récompenses, l'écrivain reconnu pouvait aussi tout perdre sur une décision royale.

Bien des créations artistiques du XVIIe siècle sont à l'image de cette situation ambiguë : l'hésitation entre la reconnaissance officielle et la volonté d'indépendance.

Jean Bérain (1640-1711), *La Furie Erinnis* (Stockholm, Nationalmuseum).

105

1. La transition vers le Baroque

Du Bartas

De Viau

L'Hermite

Saint-Amant

Cyrano de Bergerac

Claude Deruet (v. 1588-1660), *L'Eau* (détail : vaisseau triomphal portant la famille royale) (Orléans, Musée des Beaux-Arts).

« La vie est un éclair »

VII

"La vie est un éclair, une fable, un mensonge,
Le souffle d'un enfant, une peinture à l'eau,
Le songe d'un qui veille, et l'ombre encor d'un songe,
Qui de vaines vapeurs lui brouille le cerveau.

VIII

5 *Cette vie aux échecs proprement se rapporte,*
Autant de place y tient le Pion que le Roi :
L'un scrute, l'autre court, l'un surprend, l'autre emporte.
Les noms sont distingués, et tout n'est que du bois.

XIII

10 *La vie est une table, où pour jouer ensemble*
On voit quatre joueurs : le Temps tient le haut bout,
Et dit passe, l'Amour fait de son reste et tremble.
L'Homme fait bonne mine et la Mort tire tout."

Pierre Mathieu (1562-1621), *Tablettes de la vie et de la mort.*

La transition vers le Baroque

Le XVIIᵉ siècle commence comme s'achève le XVIᵉ : dans l'inquiétude. Le pays est déstabilisé, politiquement, socialement, religieusement. Sur le plan intellectuel, les connaissances nouvelles suscitent des interrogations et des doutes. Dans cette instabilité, s'inscrit une littérature qui privilégie l'incertitude, et à laquelle on donnera bien plus tard, ainsi qu'au courant artistique dans lequel elle se situe, le nom de **Baroque***.

L'instabilité politique

À la fin du XVIᵉ siècle comme au début du XVIIᵉ alternent des périodes de calme politique et religieux, et des périodes de conflits : Henri IV rétablit la paix, intègre au territoire diverses provinces, comme l'Auvergne, et encourage l'essor de l'économie. Mais son assassinat en 1610 ruine les espoirs de stabilité.

La régence de Marie de Médicis et le début du règne de Louis XIII, jusqu'en 1624, sont marqués par l'affaiblissement du pouvoir. Les fortunes se font et se défont sans politique cohérente : un simple gentilhomme, Luynes, devient connétable ; le favori de la reine, Concini, est assassiné.

Avec Richelieu (1624-1642), la noblesse conteste vigoureusement le pouvoir (Gaston d'Orléans, le frère du roi, se révolte contre Richelieu) ; mais la répression est dure et l'autorité royale s'affirme.

Sensibles sur le plan politique, les oppositions et l'instabilité existent aussi sur le plan social : les inégalités sont criantes entre les classes favorisées et les paysans. Privilégiée, la noblesse garde un rôle essentiel, mais la bourgeoisie va prendre de plus en plus de pouvoir.

Aucune position n'est donc assise et ces bouleversements qui suscitent l'inquiétude se traduisent par une littérature sans unité ni ordre, où dominent la diversité et les thèmes du changement, du chaos, du monde inversé.

L'instabilité religieuse

Sur le plan religieux, la situation reste très incertaine :

• La pluralité des croyances existe sur le papier avec l'Édit de Nantes (1598), mais elle n'est pas acceptée par tous : les luttes armées entre Catholiques et Protestants, comme à La Rochelle en 1627-28, sont le signe d'une agitation latente.

• D'autre part, être croyant est de règle, mais parallèlement il se développe une crise d'incrédulité sous l'influence de deux penseurs italiens, Bruno et Vanini, selon qui Dieu n'existe pas et une force aveugle dirige l'univers. Ce courant, le **libertinage,** est sévèrement combattu : les deux Italiens meurent sur le bûcher (en 1600 et en 1629), et l'on poursuit les Libertins comme Viau ▷▷▷ *p. 110*. Ces attaques déséquilibrent la religion, sur laquelle est fondée la pensée occidentale ; et la répression qui touche les milieux intellectuels trouble profondément : la conscience n'est en fait pas plus libre qu'auparavant.

• Face au Protestantisme, et sans doute aussi au libertinage, l'Église cherche alors à réaffirmer sa puissance : cette volonté se traduit en particulier en matière architecturale où elle s'oppose à l'austérité protestante, en privilégiant un art destiné à impressionner, excessif dans ses proportions et dans sa décoration, comme dans le baldaquin de Saint-Pierre de Rome, œuvre du Bernin, dominée par une gloire gigantesque surchargée d'ornements dorés. Ces choix se retrouvent sur le plan littéraire, dans le Baroque et plus tard dans la Préciosité, dont l'écriture est souvent lyrique et foisonnante ▷▷▷ *p. 118-120.*

Les interrogations du savoir

Les découvertes, les voyages, l'héliocentrisme[1] qui détruisent les certitudes antérieures, ne suscitent plus l'enthousiasme comme auparavant, mais les interrogations ; le sentiment antérieur de solidité fait place à celui de l'instabilité, du mouvant, de la diversité. Ces incertitudes du savoir ouvrent le champ à l'imagination, qui s'exprime dans le recours à l'irrationnel, dans le goût pour l'occultisme. Ce goût se traduit en littérature par l'intérêt pour le fantastique, par exemple, chez Théophile de Viau ▷▷▷ *p. 112.* Cette conscience de l'inconstance et de la diversité se manifeste dans l'art italien, dont l'influence est importante : en sculpture, elle s'exprime chez le Bernin par la prédilection pour les lignes courbes, la variété des formes contournées ▷▷▷ *p. 118.*

Émanation d'une société inquiète et confuse, l'expression artistique ne s'affirme pas dans un cadre strict : on retient de cette période l'inconstance et la fantaisie, l'individualisme et la profusion, l'excès, en un mot la pluralité.

---

1. vision de l'univers ayant pour centre le soleil, autour duquel gravitent d'autres planètes, dont la Terre.

Guillaume du Bartas

1544-1590

Poète protestant, du Bartas[1] est l'auteur de *La Semaine,* ouvrage paru vers 1580 ; cette œuvre d'inspiration biblique est une vision de la création du monde. L'évocation initiale présente, avec le chaos, un monde tourmenté.

Portrait : *Guillaume du Bartas,* XVIIe siècle (gravure ; Paris, Bibliothèque Nationale de France).

« Un chaos de chaos »

Ce premier monde était une forme sans forme,
Une pile confuse, un mélange difforme,
D'abîmes un abîme, un corps mal compassé,
Un chaos de chaos, un tas mal entassé
5 Où tous les éléments se logeaient pêle-mêle,
Où le liquide avait avec le sec querelle,
Le rond avec l'aigu, le froid avec le chaud,
Le dur avec le mol, le bas avec le haut,
L'amer avec le doux ; bref, durant cette guerre
10 La terre était au ciel, et le ciel en la terre.
La terre, l'air, le feu se tenaient dans la mer ;
La mer, le feu, la terre étaient logés dans l'air ;
L'air, la mer, et le feu dans la terre ; et la terre
Chez l'air, le feu, la mer. Car l'Archer du tonnerre,
15 Grand Maréchal du camp[2], n'avait encor donné
Quartier[3] à chacun d'eux. Le ciel n'[4]était orné
De grand's touffes de feu ; les plaines émaillées
N'épandaient leurs odeurs ; les bandes écaillées
N'entrefendaient les flots ; des oiseaux les soupirs
20 N'étaient encor portés sur l'aile des zéphyrs.
Tout était sans beauté, sans règlement, sans flamme ;
Tout était sans façon, sans mouvement, sans âme.
Le feu n'était point feu, la mer n'était point mer,
La terre n'était terre, et l'air n'était point air.

« Première Semaine, premier jour », v. 223-246
(orthographe modernisée).

1. l'inspiration de Du Bartas, si représentative du mouvement baroque, explique qu'on le rapproche des poètes du début du XVIIe siècle, même si ses dates le situent au XVIe siècle.
2. Dieu.
3. sa place.
4. ne = ne... pas.

Michel-Ange (1475-1564), *La Genèse* (détail de la voûte de la Chapelle Sixtine), 1508/1511 (fresque ; Rome, Palais du Vatican).

■ TEXTES ÉCHOS

1 Lorsque Dieu commença la création du ciel et de la terre, la terre était déserte et vide, et la ténèbre à la surface de l'abîme ; le souffle de Dieu planait à la surface des eaux.

La Bible, *La Genèse.*

Un temps fut où ne se voyaient encore ici-bas ni le char du soleil dans son vol sublime, haute source de lumière, ni les astres du vaste monde, ni la mer, ni le ciel, ni même la terre, ni l'air, rien enfin de pareil aux spectacles d'aujourd'hui, mais une sorte d'assemblage tumultueux d'élé-
5 ments confondus. Puis commencèrent à se dégager quelques parties, les semblables s'associèrent aux semblables, l'univers prit ses contours et forma ses membres, de vastes ensembles s'ordonnèrent. Jusque-là, en effet, la discorde des éléments avait tout mêlé : distances, directions, liens, pesanteurs, forces de choc, rencontres et mouvements ; ce n'était entre eux qu'une
10 mêlée générale, à cause de la dissemblance de leurs formes et de la variété de leurs figures ; car s'ils se joignaient, tous ne pouvaient rester unis ou bien accomplir ensemble les mouvements convenables. Mais alors de la terre se distingua la voûte du ciel ; à part, la mer s'étendit dans son lit ; à part aussi brillèrent les feux purs de l'éther.

Lucrèce, *De Natura Rerum*, V, Éd. G. Budé.

LECTURE MÉTHODIQUE

■ Cherchez le sens et l'étymologie du mot **chaos :** à quels domaines matériel et culturel fait-il référence ?

■ En tenant compte de la réponse à la première question, repérez dans le texte de Du Bartas les termes précis qui expriment le **désordre** et la **confusion**. Retrouvez ensuite toutes les formulations qui illustrent l'idée de désordre. Qu'ont-elles en commun ? Trouvez-leur un principe de classification.

■ À quel moment du texte observez-vous un **changement ?** Quel mot de liaison le souligne ? Qu'y a-t-il alors de différent ?

■ Peut-on, à partir de ce texte, se représenter un **monde « en ordre » ?** Quelles conclusions pouvez-vous tirer du texte en ce qui concerne son interprétation philosophique, religieuse ?

PARCOURS CULTUREL

■ Retrouvez dans l'extrait de la Bible et dans le texte du poète latin Lucrèce des analogies avec le texte de Du Bartas.

■ Cherchez qui était **Lucrèce** et à quelle école philosophique de l'Antiquité il appartient.

guides p. 39-118

Théophile de Viau

1590-1626

Protestant converti au catholicisme, poète officiel, Théophile de Viau est ensuite soupçonné de libertinage, donc d'impiété, et emprisonné plus d'un an avant d'être condamné au bannissement. De sa prison, il envoie à son frère une lettre en vers dont voici un extrait.

Portrait : *Théophile de Viau*, XVIIe siècle (gravure ; Paris, Bibliothèque Nationale de France).

Lettre à son frère - 1624

« Je reverrai fleurir nos prés »

S'il plaît à la bonté des cieux,
Encore une fois à ma vie
Je paîtrai[1] ma dent et mes yeux
Du rouge éclat de la pavie[2] ;
5 Encore ce brugnon muscat[3],
Dont le pourpre est plus délicat
Que le teint uni de Caliste[4],
Me fera, d'un œil ménager,
Étudier dessus la piste
10 Qui me l'est venu ravager.

Je cueillerai ces abricots,
Les fraises à couleur de flammes,
Dont nos bergers font des écots[5]
Qui seraient ici bons aux dames,
15 Et ces figues et ces melons
Dont la bouche des aquilons
N'a jamais su baiser l'écorce,
Et ces jaunes muscats si chers,
Que jamais la grêle ne force
20 Dans l'asile de nos rochers.

1. nourrirai.
2. variété de pêche.
3. qui a le goût du raisin muscat.
4. nymphe.
5. repas.

110

Le Caravage (1571-1610), *Jeune garçon portant une corbeille de fruits,* 1593 (huile sur toile, 70 × 67 cm ; Rome, Galerie Borghèse).

Je verrai sur nos grenadiers
Leurs rouges pommes entr'ouvertes,
Où le Ciel, comme à ses lauriers,
Garde toujours des feuilles vertes.
25 Je verrai ce touffu jasmin
Qui fait ombre à tout le chemin
D'une assez spacieuse allée,
Et la parfume d'une fleur
Qui conserve dans la gelée⁶
30 Son odorat et sa couleur.

Je reverrai fleurir nos prés ;
Je leur verrai couper les herbes ;
Je verrai quelque temps après
Le paysan⁷ couché sur les gerbes ;
35 Et, comme ce climat divin
Nous est très libéral de vin,
Après avoir rempli la grange,
Je verrai du matin au soir
Comme les flots de la vendange
40 Écumeront dans le pressoir.

v. 201-240.

6. les gelées
au jasmin
étaient
des confiseries.
7. le mot
compte ici
deux syllabes.

LECTURE MÉTHODIQUE

■ Relevez le **champ lexical dominant.** Quelles remarques pouvez-vous faire sur sa densité et sur les précisions apportées par l'auteur aux éléments qui le composent ?

■ Déterminez par ailleurs les connotations qui accompagnent ces éléments ; de quel **état d'esprit** témoignent-elles de la part de l'auteur ?

■ Observez les verbes à la première personne : où figurent-ils ? À quel temps sont-ils ? Quelle **relation** se trouve établie, grâce à eux, entre le **poète** et la **réalité ?**

■ De quel **art** pourrait-on rapprocher ce passage ?

ÉTUDE COMPARÉE

■ **Rapprochez** ce poème de celui de Ronsard ▷▷▷ *p. 71.* Quelles différences, quelles ressemblances existent entre les deux textes ? Tentez de les classer selon un ordre que vous déterminerez.

guides p. 39-418

Ode - 1621

« Le soleil est devenu noir »

Au goût pour l'imaginaire est liée dans le baroque l'inspiration fantastique.

Un corbeau devant moi croasse,
    Une ombre offusque[1] mes regards ;
Deux belettes et deux renards
Traversent l'endroit où je passe ;
5 Les pieds faillent[2] à mon cheval,
    Mon laquais tombe du haut mal[3] ;
J'entends craqueter le tonnerre ;
Un esprit se présente à moi ;
J'ois[4] Charon[5] qui m'appelle à soi,
10 Je vois le centre de la terre.

Ce ruisseau remonte en sa source ;
Un bœuf gravit sur un clocher ;
Le sang coule de ce rocher ;
Un aspic[6] s'accouple d'une ourse ;
15 Sur le haut d'une vieille tour
Un serpent déchire un vautour ;
Le feu brûle dedans la glace ;
Le soleil est devenu noir ;
Je vois la lune qui va choir ;
20 Cet arbre est sorti de sa place.

1. arrête. 2. manquent. 3. l'épilepsie, considérée autrefois comme maladie diabolique. 4. j'entends. 5. le passeur qui conduit les âmes aux enfers dans la mythologie grecque. 6. serpent venimeux.

Monsu Desiderio (né vers 1593), *Les Enfers* (détail), 1622 (Besançon, Musée des Beaux-Arts).

LECTURE MÉTHODIQUE

■ Observez la ponctuation du texte, son rythme et la manière dont s'enchaînent les phrases. Quels sont les **effets** produits ?

■ Par l'étude des pronoms personnels de la première personne (nombre, place), déterminez le **rôle de celui qui parle** par rapport aux situations évoquées.

■ Comparez les **évocations** des deux strophes : qu'est-ce qui les différencie ? En quoi y a-t-il cependant une logique entre elles ? Comment s'opère la transition ? Quelle est la **tonalité** de la deuxième strophe ?

guides p. 118-342

Tristan L'Hermite

Au service de Gaston d'Orléans, puis du duc de Guise, Tristan L'Hermite mène parallèlement une importante carrière littéraire. Dans son œuvre poétique, caractéristique du baroque, le thème de la métamorphose est omniprésent.

1601-1655

Portrait : *Tristan L'Hermite*, XVIIe siècle (gravure).

La Lyre - 1641

Le Navire

Je fus, Plante superbe, en Vaisseau transformée.
Si je crus sur un Mont, je cours dessus les eaux :
Et porte de Soldats une nombreuse armée,
Après avoir logé des Escadrons d'Oiseaux.

5 En rames, mes rameaux se trouvent convertis ;
Et mes feuillages verts, en orgueilleuses voiles :
J'ornai jadis Cybèle[1], et j'honore Thétis[2]
Portant toujours le front jusqu'auprès des Étoiles.

Mais l'aveugle Fortune a de bizarres lois :
10 Je suis comme un jouet en ses volages doigts,
Et les quatre Éléments me font toujours la guerre.

Souvent l'Air orageux traverse mon dessein,
L'Onde s'enfle à tous coups pour me crever le sein ;
Je dois craindre le Feu, mais beaucoup plus la Terre.

1. divinité de la Terre. 2. divinité marine.

LECTURE MÉTHODIQUE

■ Par l'observation du sens des verbes, précisez quel est le **thème** du sonnet. Ce thème se développe-t-il sur l'ensemble du texte ? Utilisez pour répondre à cette question les champs lexicaux et les articulations logiques.

■ L'idée de la transformation suppose deux états. Sont-ils exprimés dans le texte ? Comment ? À quels domaines font-ils référence ? Étudiez les rythmes du texte : que remarquez-vous ? En quoi ces **rythmes** sont-ils représentatifs du thème traité ?

■ Quelle **philosophie de la vie** se dégage des tercets ?

PARCOURS CULTUREL

■ Recherchez qui étaient **Cybèle** et **Thétis** et à quelles légendes elles se trouvent associées.

guides p. 39-69-78

Giuseppe Arcimboldo (1527-1593), *L'Eau,* 1566 (huile sur bois, 66,5 x 50,5 cm ; Vienne, Kunsthistorisches Museum).

113

Saint-Amant

1594-1661

Amateur de voyages, protégé par le duc de Retz puis par d'autres hauts personnages, soldat aussi, Saint-Amant mène une carrière littéraire importante qui le conduira à l'Académie française. Dans le début de son œuvre très diversifiée se marque une sensibilité aux plaisirs des sens. Le tabac, importé des Indes, est alors à la mode.

Louis (ou Antoine) Le Nain (vers 1600/1610-1648), *La Tabagie* ou *Le Corps de garde* (détail), 1643 (huile sur toile, 117 X 137 cm ; Paris, Musée du Louvre).

Poésies - 1629

Le Fumeur

Assis sur un fagot, une pipe à la main,
Tristement accoudé contre une cheminée,
Les yeux figés vers terre, et l'âme mutinée[1],
Je songe aux cruautés de mon sort inhumain.

5 L'espoir qui me remet[2] du jour au lendemain,
Essaie à[3] gagner temps sur ma peine obstinée,
Et, me venant promettre une autre destinée,
Me fait monter plus haut qu'un empereur romain.

Mais à peine cette herbe[4] est-elle mise en cendre,
10 Qu'en mon premier état il me convient descendre
Et passer mes ennuis à redire souvent :

Non, je ne trouve point beaucoup de différence
De prendre du tabac à vivre d'espérance,
Car l'un n'est que fumée, et l'autre n'est que vent.

1. révoltée. 2. renvoie. 3. essaie de. 4. le tabac.

LECTURE MÉTHODIQUE

■ Par l'observation des verbes, précisez quelle est l'évolution de la méditation. À quelle évocation est-elle parallèle ? Où se trouve la « clé » du parallélisme ?

■ Par le repérage du champ lexical dominant, dites quel état d'âme est analysé dans ce texte.

■ En quoi la structure du sonnet est-elle adaptée au thème traité ? Étudiez particulièrement le dernier tercet et la chute.

guides p. 39-69-418

Savinien
de Cyrano de Bergerac

Après une jeunesse tumultueuse et une brève mais intrépide carrière militaire, Cyrano de Bergerac suit les leçons du philosophe libertin Gassendi ; opportuniste en politique, athée et libertin, il se fait de nombreux ennemis et ne parvient pas à faire publier ses deux romans d'anticipation, *Les États et Empires de la Lune,* **et** *Les États et Empires du Soleil.* **Il meurt en 1655 dans un accident qui est probablement un attentat.**

1619-1655

Portrait : *Cyrano de Bergerac,* XVIIᵉ siècle (gravure ; Paris, Musée Carnavalet).

Les États et Empires
de la Lune - 1657

« Écouter tout un livre... »

Dans ce roman d'anticipation, l'auteur présente une invention extraordinaire : c'est le démon qui l'a offerte au narrateur...

Mais il fut à peine sorti, que je me mis à considérer attentivement mes livres, et leurs boîtes, c'est-à-dire leurs couvertures, qui me semblaient admirables pour leurs richesses ; l'une était taillée d'un seul diamant, sans comparaison plus brillant que les nôtres ; la seconde ne
5 paraissait qu'une monstrueuse perle fendue de ce monde-là ; mais parce que je n'en ai point de leur imprimerie, je m'en vais expliquer la façon¹ de ces deux volumes.

À l'ouverture de la boîte, je trouvai dedans un je ne sais quoi de métal presque semblable à nos horloges, plein de je ne sais quelques petits
10 ressorts et de machines imperceptibles. C'est un livre à la vérité, mais c'est un livre miraculeux qui n'a ni feuilles ni caractères ; enfin c'est un livre où pour apprendre, les yeux sont inutiles ; on n'a besoin que des oreilles. Quand quelqu'un donc souhaite lire, il bande² avec grande quantité de toutes sortes de petits nerfs³ cette machine, puis il tourne l'aiguille
15 sur le chapitre qu'il désire écouter, et au même temps il en sort comme de la bouche d'un homme, ou d'un instrument de musique, tous les sons distincts et différents qui servent, entre les grands lunaires⁴, à l'expression du langage.

115

Adam Elsheimer (1579-1610), *La Fuite en Égypte* (détail), 1609 (huile sur cuivre, 31 x 41 cm ; Munich, Alte Pinakothek).

1. comment sont faits. 2. tend. 3. liens. 4. les habitants de la lune. 5. en même temps que. 6. écouter. 7. il s'agit des volumes.

20 Lorsque j'ai depuis réfléchi sur cette miraculeuse invention de faire des livres, je ne m'étonne plus de voir que les jeunes hommes de ce pays-là possédaient plus de connaissances, à seize et à dix-huit ans, que les barbes grises du nôtre ; car, sachant lire aussitôt que⁵ parler, ils ne sont jamais
25 sans lecture ; à la chambre, à la promenade, en ville, en voyage, ils peuvent avoir dans la poche, ou pendus à la ceinture, une trentaine de ces livres dont ils n'ont qu'à bander un ressort pour en ouïr⁶ un chapitre seulement, ou bien plu-
30 sieurs, s'ils sont en humeur d'écouter tout un livre : ainsi vous avez éternellement autour de vous tous les grands hommes, et morts et vivants, qui vous entretiennent de vive voix. Ce présent m'occupe plus d'une heure ; enfin, me les⁷ étant
35 attachés en forme de pendants d'oreilles, je sortis pour me promener.

LECTURE MÉTHODIQUE

■ Par l'observation du contenu de chaque paragraphe, dites à quoi correspond ce découpage et quelles **étapes** il révèle dans la **relation** entre le narrateur et ses livres.

■ Étudiez la présentation qui est faite dans le deuxième paragraphe : par quels moyens stylistiques le narrateur fait-il apparaître le **caractère insolite** de l'objet ? Ce caractère apparaît-il ailleurs ?

■ Que pensez-vous du terme « **lecture** » employé à la ligne 25 ? Quelle est l'utilisation de l'objet décrit et quelles sont ses capacités ?

■ Quelles **inventions modernes** préfigure-t-il ? Sous quelles formes différentes pouvons-nous le rencontrer à notre époque ? Tenez compte des indications du dernier paragraphe pour répondre à cette question.

PARCOURS CULTUREL

■ Cherchez dans un dictionnaire qui était **Charles Cros**. Quelle relation cet auteur du XIXᵉ siècle a-t-il avec l'objet décrit ici par Cyrano de Bergerac ?

■ Recherchez les différents sens du mot « **anticipation** ». Quels auteurs de romans d'anticipation connaissez-vous ?

guide p. 39

Les États et Empires du Soleil - 1662

« Trois grands Fleuves… »

L'auteur évoque ici un paysage étrange, celui du Soleil.

Trois grands Fleuves arrosent les campagnes brillantes de ce monde embrasé. Le premier et le plus large se nomme la Mémoire ; le second, plus étroit, mais plus creux, l'Imagination ; le troisième, plus petit que les autres, s'appelle Jugement.
5 Sur les rives de la Mémoire, on entend jour et nuit un ramage importun de geais, de perroquets, de pies, d'étourneaux, de linottes, de pinsons et de toutes les espèces qui gazouillent ce qu'elles ont appris. La nuit, ils ne disent mot, car ils sont pour lors occupés à s'abreuver de la vapeur épaisse qu'exhalent ces lieux aquatiques. Mais leur estomac cacochyme¹

116

10 la digère si mal qu'au matin, quand ils pensent l'avoir convertie en leur substance, on la voit tomber de leur bec aussi pure qu'elle était dans la rivière. L'eau de ce Fleuve paraît gluante et roule avec beaucoup de bruit ; les échos qui se forment dans ses cavernes répètent la parole jusqu'à plus de mille fois ; elle engendre de certains monstres, dont le visage approche
15 du visage de femme. Il s'y en voit d'autres plus furieux qui ont la tête cornue et carrée et à peu près semblable à celle de nos pédants. Ceux-là ne s'occupent qu'à crier et ne disent pourtant que ce qu'ils se sont entendus dire les uns aux autres.

Le Fleuve de l'Imagination coule plus doucement ; sa liqueur, légère
20 et brillante, étincelle de tous côtés. Il semble, à regarder cette eau d'un torrent de bluettes humides, qu'elles n'observent en voltigeant aucun ordre certain. Après l'avoir considérée plus attentivement, je pris garde que l'humeur qu'elle roulait dans sa couche était de pur or potable, et son écume de l'huile de talc. Le poisson qu'elle nourrit, ce sont des remores[2],
25 des sirènes et des salamandres ; on y trouve, au lieu de gravier, de ces cailloux dont parle Pline, avec lesquels on devient pesant, quand on les touche par l'envers, et léger, quand on se les applique par l'endroit. J'y en remarquai de ces autres encore, dont Gigès[3] avait un anneau, qui rendent invisibles ; mais surtout un grand nombre de pierres philosophales
30 éclatent parmi son sable. Il y avait sur les rivages force arbres fruitiers, principalement de ceux que trouva Mahomet en Paradis ; les branches fourmillaient de phénix, et j'y remarquai des sauvageons[4] de ce fruitier[5] où la Discorde cueillit la pomme qu'elle jeta aux pieds des trois Déesses[6] : on avait tenté dessus des greffes du jardin des Hespérides[7]. Chacun de
35 ces deux larges Fleuves se divise en une infinité de bras qui s'entrelacent ; et j'observai que, quand un grand ruisseau de la Mémoire en approchait un plus petit de l'Imagination, il éteignait aussitôt celui-là ; mais qu'au contraire si le ruisseau de l'Imagination était plus vaste, il tarissait celui de la Mémoire. Or, comme ces trois Fleuves, soit dans leur canal, soit
40 dans leurs bras, coulent toujours à côté l'un de l'autre, partout où la Mémoire est forte, l'Imagination diminue ; et celle-ci grossit, à mesure que l'autre s'abaisse.

Proche de là coule d'une lenteur incroyable la Rivière du Jugement ; son canal est profond, son humeur[8] semble froide ; et, lorsqu'on en répand
45 sur quelque chose, elle sèche, au lieu de mouiller. Il croît, parmi la vase de son lit, des plantes d'ellébore dont la racine, qui s'étend en longs filaments, nettoie l'eau de sa bouche. Elle nourrit des serpents, et, dessus l'herbe molle qui tapisse ses rivages, un million d'éléphants se reposent. Elle se distribue, comme ses deux germaines[9], en une infinité de petits
50 rameaux ; elle grossit en coulant ; et, quoiqu'elle gagne toujours pays, elle va et revient éternellement sur elle-même.

De l'humeur de ces trois Rivières, tout le Soleil est arrosé ; elle sert à détremper les atomes brûlants de ceux qui meurent dans ce grand Monde.

1. en mauvaise santé.
2. poisson marin qui se colle aux navires à l'aide d'une ventouse et qui avait la réputation de les arrêter.
3. roi de Lydie ; il possédait, dit-on, un anneau qui le rendait invisible.
4. jeune arbre poussé sans avoir été cultivé.
5. arbre fruitier.
6. Athéna, Héra, Aphrodite. La pomme d'or devait appartenir à la plus belle des trois ; Pâris, qui jugeait, la remit à Aphrodite qui lui avait promis l'amour d'Hélène de Sparte, s'il votait pour elle.
7. divinités chargées de veiller sur le jardin des dieux.
8. eau.
9. ses deux parents, les deux autres cours d'eau.

LECTURE MÉTHODIQUE

■ Par l'observation des paragraphes du texte et des reprises de termes, précisez la structure de ce texte. Quelle est la **figure de style dominante ?** L'importance accordée à chaque faculté correspond-elle à ce qui est dit dans la présentation des trois fleuves ?

■ Étudiez précisément, par le repérage des champs lexicaux, comment chaque paragraphe développe la **relation fleuve / faculté.** Les tonalités et les connotations sont-elles les mêmes d'un paragraphe à l'autre ? Y a-t-il une relation entre la **tonalité** et la faculté évoquée ?

■ Repérez et répertoriez dans le texte les **emprunts au fantastique,** à la **mythologie,** aux **croyances religieuses,** à la **vie sociale** contemporaine.

guides p. 39-78-118

Le Baroque

Le mot « Baroque » vient de l'italien *barroco,* qui désigne une pierre précieuse irrégulièrement taillée. Ce mouvement, qui caractérise une période couvrant la fin du XVIᵉ et le début du XVIIᵉ siècle, correspond à ces moments troublés et incertains de l'Histoire, dont il traduit le caractère mouvant, où vrai et faux se distinguent mal. À cette thématique correspondent certains caractères stylistiques.

■ *Les thèmes baroques*

L'instabilité et le mouvement

Ce qui caractérise la littérature baroque est la conscience de **l'instabilité** du monde et de l'homme.

■ **Les éléments** ne sont pas immobiles. On trouve de nombreuses figures du liquide, de l'envol, du mouvant ; le baroque privilégie les images de l'eau, de l'air, du feu ▷▷▷ *p. 108, 113, 116.*

■ **La fragilité de la vie** est un thème essentiel ; il s'y rattache le thème fréquent de la mort avec l'idée que *la vie est un éclair,* Mathieu ▷▷▷ *p. 106.*

■ **Les métamorphoses** caractérisent la vie de l'homme, marquée par la fluidité de l'esprit et du cœur, l'instabilité, le passage d'une situation à une autre ; mais le Baroque ressent particulièrement les oppositions entre la grandeur et la petitesse, l'orgueil et l'humilité : « Le Navire », ▷▷▷ *p. 113.*

■ **La diversité** domine. Diversité des formes en architecture, où toutes sortes de lignes courbes sont privilégiées, diversité des actions en littérature, comme celle des aventures des héros de *L'Astrée.*

■ **Le goût pour la nature changeante** est lié aux éléments précédents ; les transformations des saisons touchent le goût de l'homme baroque pour le provisoire, et pour les métamorphoses ; Viau évoque les productions naturelles ▷▷▷ *p. 110.*

L'apparence et l'illusion

Dans cet univers incertain et divers, la réalité n'est pas éloignée du rêve, le vrai du faux : c'est le triomphe de l'imaginaire et de l'illusion qui rejoignent le thème du rêve : la vie est *songe* et *mensonge* ▷▷▷ *p. 106.*

■ **Le fantastique,** création de l'imaginaire, se développe également dans la poésie et dans la prose fantastique : dans un monde imaginaire, un univers inversé se crée chez Viau ▷▷▷ *p. 112,* et rien n'apparaît impossible : Cyrano de Bergerac « invente » le phonographe ▷▷▷ *p. 115.*

■ **Le trompe-l'œil,** en art, relève aussi de cette tendance à confondre réel et illusion.

Ce goût pour le décor témoigne d'une autre tendance du baroque : celle de **l'ostentation.** Le personnage baroque, comme le précieux, se veut souvent autre et plus grand qu'il n'est ; ce qui domine chez Mascarille ▷▷▷ *p. 125* est le souci du paraître, de la représentation. Cette tendance s'accompagne du goût pour la démesure : longueur considérable des romans, excès des caractères, notamment au théâtre (chez Corneille), manque de nuances des descriptions : Du Bartas, ▷▷▷ *p. 108.*

■ *L'écriture baroque*

■ Sur le plan des structures, le Baroque se caractérise par **la variété et la liberté des constructions** : l'écrivain baroque **refuse les règles et l'unité** dans l'œuvre : même les sonnets peuvent abandonner les contraintes. Tristan L'Hermite ▷▷▷ *p. 113,* ne suit pas les règles de versification. Le théâtre n'a pas d'unité : lieu, action, temps sont éclatés chez Corneille ; *L'Illusion comique* met en scène un théâtre dans le théâtre.
D'autre part, le foisonnement baroque se traduit par l'absence d'articulation logique, ▷▷▷ *p. 112,* et par des systèmes d'accumulation, ▷▷▷ *p. 110.*

■ **Les figures de style** servent la diversité, le changement, l'ostentation ; parmi celles-ci, dominent les images, caractéristiques d'une pensée où des registres différents interfèrent.

■ **La métaphore*** est une figure essentielle : elle permet une superposition d'univers distincts, et la multiplication des images, comme celles de la vie chez Mathieu ▷▷▷ *p. 106,* donne l'impression d'un mouvement continuel des perspectives.

■ **La personnification*** est également présente : « Le Navire », ▷▷▷ *p. 113.*

■ Ainsi que la **périphrase** qui crée une sorte de décor : *les flots de la vendange* chez Viau ▷▷▷ *p. 111.*

■ **Les jeux d'opposition,** qui brouillent et multiplient la vision, rendent le caractère mouvant et instable du monde, ▷▷▷ *p. 108.*

■ **L'hyperbole et les accumulations** traduisent la démesure comme dans les textes précieux : *Les Précieuses ridicules,* ▷▷▷ *p. 125.*

■ Le Baroque, art de la transformation, connaît lui-même des métamorphoses : la **Préciosité,** qui use considérablement de certains traits spécifiques comme de la métaphore*, en constitue la pointe extrême. Et, s'il est supplanté par le **Classicisme,** il reste une référence, puisque l'on appelle Baroque un style caractérisé par la liberté, le mouvement, le foisonnement.

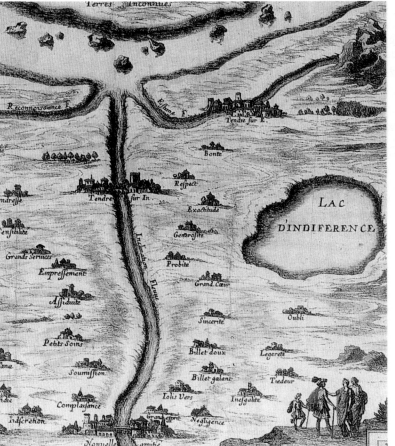

2. La Préciosité

D'Urfé

Voiture

Molière

La Carte du Tendre, gravure anonyme publiée dans la *Clélie* de Madeleine de Scudéry en 1654 (Paris, Bibliothèque Nationale de France).

"*Après cela, vous voyez qu'il faut passer à Grands Services, et que, pour marquer qu'il y a peu de gens qui en rendent de tels, ce village est plus petit que les autres. Ensuite il faut passer à Sensibilité, pour faire connaître qu'il faut sentir jusqu'aux plus*
5 *petites douleurs de ceux qu'on aime. Après, il faut, pour arriver à Tendre, passer par Tendresse, car l'amitié attire l'amitié. Ensuite, il faut aller à Obéissance, n'y ayant presque rien qui engage plus le cœur de ceux à qui on obéit, que de le faire aveuglément ; et pour arriver enfin où l'on veut aller, il faut passer*
10 *à Constante Amitié, qui est sans doute le chemin le plus sûr, pour arriver à Tendre sur Reconnaissance.*"

Madeleine de Scudéry, *Clélie*, Ire partie, Livre I.

À l'intérieur du courant baroque se développe un courant qui en est la « pointe extrême » : la Préciosité. S'ils ont en commun le goût pour la recherche de style, la Préciosité se démarque du Baroque proprement dit. Elle est aussi, et d'abord, un phénomène social.

L'importance des salons

Henri IV ne marquait pas pour la vie culturelle et la vie mondaine le goût de ses prédécesseurs : sous son règne, certains nobles, amateurs de culture, prennent l'habitude de se réunir dans les salons de l'aristocratie. Ces salons sont le centre d'une vie sociale qui mêle réflexions et jeux.

Cette habitude persiste et se développe surtout à partir de 1620 : les salons deviennent un lieu essentiel de la vie culturelle. Notamment la marquise de Rambouillet accueille dans son hôtel particulier tous les grands écrivains de la première moitié du siècle, comme Voiture, Corneille... Le salon de Mademoiselle de Scudéry connaît un peu plus tard un grand rayonnement, et d'autres salons s'épanouissent à la même époque, comme celui de Ninon de Lenclos, qui reçut surtout les Libertins*.

La vie des salons est très animée ; les divertissements y occupent une grande place : on donne des bals, on fait des plaisanteries de tous ordres - par exemple, on rétrécit pendant son sommeil les vêtements du comte de Guiche avant de lui assurer qu'il a grossi, empoisonné par des champignons ! On joue beaucoup à des jeux de société, comme celui du corbillon : il consiste à répondre à la question « que met-on dans mon corbillon ? » en nommant par un mot terminé par *-on* une caractéristique d'une personne dont les assistants doivent deviner le nom... Mais les activités et les conversations tournent surtout autour de questions psychologiques et littéraires.

La littérature

Les activités intellectuelles à proprement parler occupent largement les salons ; certains thèmes sont privilégiés, exprimés dans des genres littéraires spécifiques, et dans une langue très travaillée. La littérature précieuse a les mêmes caractéristiques.

Thèmes et genres

Le thème de prédilection est l'amour : il est au cœur des conversations comme de la littérature, par exemple dans des romans comme *L'Astrée*

▷▷▷ *p. 121.* L'amour tel que le considère la Préciosité a des règles, des codes particuliers.

L'amour précieux est d'abord dégagé de tout ce qui est physique : si la femme aimée provoque un éblouissement par son éclat - c'est le thème de « La Belle Matineuse » ▷▷▷ *p. 122* -, c'est surtout un amour purement spirituel. De fait, plutôt que de ressentir l'amour, on préfère analyser l'idée de l'amour ; on en étudie les nuances, les démarches, les détours, sur la « Carte du Tendre », parue dans un roman de Mademoiselle de Scudéry ▷▷▷ *p. 119* : les précieux sont déjà des psychologues.

L'amour précieux privilégie la femme, conçue comme un objet inaccessible et parfait, ainsi que le faisait déjà l'amour courtois. Cette conception est peut-être liée au désir des femmes de se dérober à des mœurs qui les asservissaient aux hommes dans le mariage : de cette idée de libération naît alors une forme de féminisme, qui refuse le mariage et réclame l'accès des filles à la culture. *Les Femmes savantes* de Molière en constituent un écho.

Cet amour s'exprime dans des genres différents. La fiction romanesque y a une grande place. La poésie y est abondamment représentée, dans des textes brefs - sonnets*, rondeaux*, madrigaux légers et galants, faciles à lire dans un salon. C'est dans cette littérature, comme dans les salons, que se manifestent les recherches sur la langue.

La langue

Le précieux veut se démarquer du vulgaire, dans son langage comme dans ses manières ; il cherche à se distinguer par le vocabulaire comme par le style de vie ; ce goût de l'affectation se développe également en raison de diverses influences étrangères, anglaise, espagnole, italienne ; ainsi, le gongorisme[1] espagnol privilégie les métaphores*.

Le goût du vocabulaire recherché conduit à rejeter des mots jugés vulgaires comme *vomir* et à en créer d'autres, par exemple *incontestable*, ainsi qu'à s'exprimer en termes très précis. Les figures de style sont abondantes : la Préciosité, qui aime les images, utilise beaucoup les périphrases*, métaphores et comparaisons. Le goût pour l'originalité se traduit par l'alliance de termes concrets et abstraits ; il conduit parfois à l'exagération et utilise alors l'hyperbole*.

Si la Préciosité est souvent mal jugée par les contemporains, en raison de ses excès, ▷▷▷ *p. 125,* il n'en est pas moins vrai qu'elle est révélatrice d'une recherche de raffinement, de culture, de précision.

1. terme créé à partir d'un poète espagnol, Gongora (1561-1627), dont le style est très complexe et très maniéré.

Honoré d'Urfé

Né dans le Forez, H. d'Urfé s'engage aux côtés des Catholiques pendant les guerres de Religion puis mène une vie aventureuse. Parallèlement, il fait publier à partir de 1607 un roman-fleuve de plus de 5 000 pages, *L'Astrée,* dont la parution ne cessera qu'en 1627.

1567-1625

Portrait : Antoine van Dyck (1599-1641), *Honoré d'Urfé,* XVIIe siècle (gravure ; Château de la Bastie d'Urfé).

L'Astrée - 1607-1627

« Savez-vous bien que c'est qu'aimer ? »

Le passage qui suit rapporte une discussion sur l'amour entre Hylas, qui vante l'inconstance, et le sage Silvandre : c'est ce dernier qui parle.

O Hylas, que vous savez peu en amour ! Ces effets qu'une extrémité d'amour produit, et que vous nommez importunités[1], sont bien tels peut-être envers ceux, qui, comme vous, ne savent aimer, et qui n'ont jamais approché de ce dieu qu'à perte
5 de vue ; mais ceux qui sont vraiment touchés, ceux qui à bon escient aiment, et qui savent quels sont les devoirs et quels les sacrifices qui se font aux autels d'Amour, tant s'en faut qu'à semblables effets ils donnent le nom d'importunités, qu'ils les appellent félicités et parfaits contentements. Savez-vous bien que c'est[3] qu'aimer ? C'est
10 mourir en soi pour revivre en autrui, c'est ne se point aimer que d'autant[2] que l'on est agréable à la chose aimée, et bref c'est une volonté de se transformer, s'il se peut, entièrement en elle. Et pouvez-vous imaginer qu'une personne qui aime de cette sorte, puisse être quelquefois importunée de la présence de ce qu'elle aime, et
15 que la connaissance qu'elle reçoit d'être vraiment aimée, ne lui soit pas une chose si agréable, que toutes les autres au prix de celle-là ne peuvent seulement être goûtées ? Et puis si vous aviez quelquefois éprouvé que c'est[3] qu'aimer comme je dis, vous ne penseriez pas que celui qui a aimé de telle sorte, puisse rien faire qui
20 déplaise, quand ce ne serait que pour cela seulement, que tout ce qui est marqué de ce beau caractère de l'amour, ne peut être désagréable, encore avoueriez-vous qu'il est tellement désireux de plaire, que s'il y fait quelque faute, telle erreur même plaît, voyant[4] à quelle intention elle est faite, ou que le désir d'être aimable[5] donne
25 tant de force à un vrai amant, que s'il ne se rend tel à tout le monde, il n'y manque guère envers celle qu'il aime. De là vient que plusieurs qui ne sont pas jugés plus aimables en général que d'autres, seront plus aimés et estimés d'une personne particulière.

Ire partie (orthographe modernisée).

1. pour Hylas, un amour excessif et exclusif est importun. 2. dans la mesure où. 3. ce que c'est. 4. quand on voit. 5. de pouvoir être aimé.

LECTURE MÉTHODIQUE

■ Déterminez le champ lexical dominant du texte. Quels sont ses mots clés ? Quels autres termes s'y rattachent ? À partir de ce repérage, classez ce qui est mis en cause dans la **relation amoureuse,** selon Hylas, selon Silvandre.

■ Par l'étude des pronoms personnels, analysez la **situation de communication** mise en jeu ici. De quoi la ponctuation est-elle révélatrice ?

■ Ce texte est-il **argumentatif ? narratif ?** Justifiez précisément votre réponse.

ÉCRITURE

■ Dans quelle mesure la formule *aimer, c'est mourir en soi pour revivre en autrui* peut-elle s'appliquer à **l'amitié ?** Vous construirez une thèse argumentée pour répondre à cette question.

■ Présentez sous forme d'**aphorismes** plusieurs définitions commençant par « Aimer, c'est... » pour dire ce que sont, à votre avis, l'affection, l'amitié, l'amour.

guides p. 39-151-386

Vincent Voiture

1597-1648

Fils de commerçant, Vincent Voiture, un roturier, parvient à être introduit à l'Hôtel de Rambouillet, dont il est un des animateurs. Après deux années d'exil (1632-34) dues à ses liens avec Gaston d'Orléans qui avait comploté contre le roi, il revient à Paris et, membre de l'Académie française, protégé par Richelieu, il poursuit une activité littéraire. Ses œuvres, lettres et poésies, ne seront publiées qu'après sa mort.

Portrait : Philippe de Champaigne (1602-1674), *Vincent Voiture*. 1643-1644 (huile sur toile ; Clermont-Ferrand, Musée Bargoin).

Poésies

« La Belle Matineuse¹ » (vers 1645)

L'éblouissement provoqué par la femme aimée est un thème traditionnel de la littérature précieuse.

Des portes du matin l'amante de Céphale²
Ses roses épandait dans le milieu des airs,
Et jetait sur les cieux nouvellement ouverts
Ces traits d'or et d'azur qu'en naissant elle étale,

5 Quand la Nymphe divine, à mon repos fatale³,
Apparut, et brilla de tant d'attraits divers
Qu'il semblait qu'elle seule éclairait l'univers
Et remplissait de feux la rive orientale⁴.

Le soleil se hâtant pour la gloire des Cieux
10 Vint opposer sa flamme à l'éclat de ses yeux
Et prit tous les rayons dont l'Olympe se dore.

L'onde, la terre et l'air s'allumaient à l'entour,
Mais auprès de Philis⁵ on le prit pour l'Aurore,
Et l'on crut que Philis était l'astre du Jour.

1. celle qui se lève tôt. 2. l'aurore. 3. fatale à mon repos : la femme aimée.
4. la lumière apparaît à l'Est. 5. nom de la femme aimée.

Simon Vouet (1590-1649), *Étude pour une Figure d'Aurore* (pierre noire avec rehauts de blanc sur papier gris ; Amsterdam, Rijksprententkabinet).

LECTURE MÉTHODIQUE

■ Observez les sujets des verbes, les temps verbaux et les articulations temporelles. À partir de ces éléments, déterminez la **structure** du texte. Correspond-elle au découpage en strophes ? Pourquoi **l'expression du temps** est-elle si importante dans le texte ?

■ À partir de l'étude du lexique, dites quelle **perception** est mise en cause et pourquoi. Classez les termes qui composent le champ lexical dominant.

■ Répertoriez les **figures de style du texte** : en quoi sont-elles représentatives de l'écriture précieuse ? À partir de cette observation, interrogez-vous sur la sincérité des sentiments exprimés.

ÉTUDE COMPARÉE

■ Faites une **étude comparée** de ce sonnet et de celui de Du Bellay ▷▷▷ *p. 63* : mettez en évidence, de manière organisée, ce qu'ils ont de commun et de différent.

guides p. 39-78-418

Nicolas Poussin (1594-1665), *Concert d'Amours* (huile sur toile, 57 X 51 cm ; Paris, Musée du Louvre).

Les sonnets rivaux

Les querelles portant sur des questions littéraires étaient fréquentes dans les salons ▷▷▷ p. 120 ; celle-ci est l'une des plus célèbres. Le poète Benserade (1613-1690) avait publié en 1648 un sonnet sur Job. Lorsque l'on publie en 1649 les œuvres de Voiture, on y trouve le sonnet d'Uranie. Deux partis, « Uranins » et « Jobelins », se forment alors dans les salons, et disputent, souvent en vers, des mérites des deux textes. Le prince de Conti et Corneille donnent leur jugement.

Il faut finir mes jours en l'amour d'Uranie !
L'absence ni le temps ne m'en sauraient guérir,
Et je ne vois plus rien qui me pût[1] secourir,
Ni qui sût[2] rappeler ma liberté bannie.

5 Dès longtemps[3] je connais sa rigueur infinie !
Mais, pensant aux beautés pour qui[4] je dois périr,
Je bénis mon martyre et, content de mourir,
Je n'ose murmurer contre sa tyrannie.

Quelquefois ma raison, par de faibles discours[5],
10 M'invite à la révolte et me promet secours.
Mais, lorsqu'à mon besoin[6] je me veux servir d'elle,

Après beaucoup de peine et d'efforts impuissants,
Elle dit qu'Uranie est seule aimable et belle,
Et m'y rengage[7] plus que ne font tous mes sens.

Voiture.

1. puisse.
2. sache.
3. depuis longtemps.
4. pour lesquelles.
5. raisonnements.
6. selon mon besoin.
7. et m'engage de nouveau
à la servir.

*J*ob[1] de mille tourments atteint
　Vous rendra sa douleur connue,
Et raisonnablement il craint
Que vous n'en soyez point émue.

5 Vous verrez sa misère nue :
Il s'est lui-même ici dépeint.
Accoutumez-vous à la vue
D'un homme qui souffre et se plaint.

Bien qu'il eût d'extrêmes souffrances,
10 On voit aller des patiences
Plus loin que la sienne n'alla.

S'il souffrit des maux incroyables,
Il s'en plaignit, il en parla ;
J'en connais de plus misérables.

Benserade.

1. personnage biblique qui, malgré sa misère et ses maladies, ne désespéra jamais de Dieu.

Abraham-Jansz Begeyn (1637-1697), *Vue du port de Marseille* (détail) (huile sur toile ; Rennes, Musée des Beaux-Arts).

LECTURE MÉTHODIQUE

■ Par l'observation des champs lexicaux, définissez la **double thématique** commune aux deux sonnets. Qu'y a-t-il de commun, de différent, dans le traitement des deux thèmes ?

■ Le **système de l'énonciation** est-il le même dans les deux textes ? Répondez à cette question par une analyse précise des pronoms personnels.

■ **L'association des deux thèmes** vous semble-t-elle logique ? paradoxale ?

ÉTUDE COMPARÉE

■ Faites une étude comparée des deux points de vue critiques et donnez votre avis sur la manière de procéder des deux auteurs.

——————— *guides* p. 39-69-369 ———————

Deux jugements

*C*es deux sonnets n'ont rien de comparable ;
　Pour en parler bien nettement,
Le grand est le plus admirable,
Le petit est le plus galant.

Monsieur le Prince de Conti.

*D*eux sonnets partagent la Ville,
　Deux sonnets partagent la Cour,
Et semblent vouloir à leur tour
Rallumer la guerre civile.

5 Le plus sot et le plus habile
En mettent leur avis au jour,
Et ce qu'on a pour eux d'amour
À plus d'un échauffe la bile.

Chacun en parle hautement
10 Suivant son petit jugement,
Et s'il y faut mêler le nôtre,

L'un est sans doute mieux rêvé,
Mieux conduit et mieux achevé,
Mais je voudrais avoir fait l'autre.

Corneille.

Molière

BIOGRAPHIE P. 158

Les Précieuses Ridicules
1659

« Je trouve ce *oh, oh* admirable »

Molière ▷ ▷ ▷ p. 158, avait déjà joué des farces de sa composition pendant son séjour en province. Mais dès son retour à Paris en 1659, Les Précieuses ridicules, *véritable comédie de mœurs, connaît un succès considérable et consacre son auteur. Molière y caricature les travers de la Préciosité. Les deux prétendants éconduits de Cathos et Magdelon, deux sœurs qui se piquent de distinction et de bel esprit, leur envoient pour se venger leurs valets, Mascarille et Jodelet ; Mascarille, arrivé le premier, se présente comme le marquis de Mascarille, et vante ses relations et ses talents littéraires.*

MASCARILLE

Sans doute. Mais à propos, il faut que je vous die[1] un impromptu[2] que je fis hier chez une duchesse de mes amies que je fus visiter ; car je suis diablement fort sur les impromptus.

CATHOS

L'impromptu est justement la pierre de touche de l'esprit.

MASCARILLE

5 Écoutez donc.

MAGDELON

Nous y sommes de toutes nos oreilles.

MASCARILLE

Oh, oh ! je n'y prenais pas garde :
Tandis que, sans songer à mal, je vous regarde,
Votre œil en tapinois[3] me dérobe mon cœur,
10 *Au voleur, au voleur, au voleur, au voleur !*

CATHOS

Ah ! mon Dieu ! voilà qui est poussé[4] dans le dernier galant.

MASCARILLE

Tout ce que je fais a l'air cavalier[5] ; cela ne sent point le pédant.

MAGDELON

Il[6] en est éloigné de plus de deux mille lieues.

MASCARILLE

Avez-vous remarqué ce commencement : *Oh, oh ?* Voilà qui est extraor-
15 dinaire : *oh, oh !* Comme un homme qui s'avise tout d'un coup : *oh, oh !* La surprise : *oh, oh !*

MAGDELON

Oui, je trouve ce *oh, oh !* admirable.

MASCARILLE

Il semble que cela ne soit rien.

CATHOS

Ah ! mon Dieu, que dites-vous ? Ce sont là de ces sortes de choses qui
20 ne se peuvent payer.

1. dise.
2. pièce brève en vers.
3. comme un animal qui guette sa proie.
4. exprimé.
5. facile.
6. cela.

MAGDELON

Sans doute ; et j'aimerais mieux avoir fait ce *oh, oh !* qu'un poème épique.

MASCARILLE

Tudieu[7] ! vous avez le goût bon.

MAGDELON

Eh ! je ne l'ai pas tout à fait mauvais.

MASCARILLE

Mais n'admirez-vous pas aussi *je n'y prenais pas garde ? Je n'y prenais pas*
25 *garde,* je ne m'aperçois pas de cela : façon de parler naturelle, *je n'y prenais pas garde. Tandis que sans songer à mal,* tandis qu'innocemment, sans
malice, comme un pauvre mouton ; *je vous regarde,* c'est-à-dire, je m'amuse
à vous considérer, je vous observe, je vous contemple ; *Votre œil en tapinois...* Que vous semble de ce mot *tapinois ?* n'est-il pas bien choisi ?

CATHOS

Tout à fait bien.

Anonyme, XVIIᵉ siècle, *Madeleine Béjart dans le rôle de Magdelon* (peinture sur marbre ; Paris, Bibliothèque Nationale de France).

MASCARILLE

Tapinois, en cachette : il semble que ce soit un chat qui vienne de prendre
une souris : *tapinois.*

MAGDELON

Il ne se peut rien de mieux.

MASCARILLE

Me dérobe mon cœur, me l'emporte, me le ravit. *Au voleur, au voleur, au voleur,*
35 *au voleur !* Ne diriez-vous pas que c'est un homme qui crie et court après
un voleur pour le faire arrêter ? *Au voleur, au voleur, au voleur, au voleur !*

MAGDELON

Il faut avouer que cela a un tour spirituel et galant.

MASCARILLE

Je veux vous dire l'air que j'ai fait dessus.

CATHOS

Vous avez appris la musique ?

MASCARILLE

40 Moi ? Point du tout.

CATHOS

Et comment donc cela se peut-il ?

MASCARILLE

Les gens de qualité savent tout sans avoir jamais rien appris.

MAGDELON

Assurément, ma chère.

MASCARILLE

Écoutez si vous trouverez l'air à votre goût. *Hem, hem. Là, la, la, la, la.*
45 La brutalité de la saison a furieusement outragé la délicatesse de ma voix ;
mais il n'importe, c'est à la cavalière[8].

(Il chante) :

Oh, oh ! je n'y prenais pas...

7. juron.
8. sans appliquer les règles d'usage.

CATHOS

Ah ! que voilà un air qui est passionné ! Est-ce qu'on n'en meurt point ?

9. la gamme chromatique procède par demi-tons. Magdelon ignore le sens du mot qu'elle emploie.

MAGDELON

Il y a de la chromatique[9] là-dedans.

MASCARILLE

50 Ne trouvez-vous pas la pensée bien exprimée dans le chant ? *Au voleur !...* Et puis, comme si l'on criait bien fort : *au, au, au, au, au, au voleur !* Et tout d'un coup, comme une personne essoufflée : *au voleur !*

MAGDELON

C'est là savoir le fin des choses, le grand fin, le fin du fin. Tout est merveilleux, je vous assure ; je suis enthousiasmée de l'air et des paroles.

CATHOS

55 Je n'ai encore rien vu de cette force-là.

MASCARILLE

Tout ce que je fais me vient naturellement, c'est sans étude.

MAGDELON

La nature vous a traité en vraie mère passionnée, et vous en êtes l'enfant gâté.

Scène IX.

◄ Anonyme, XVIIᵉ siècle, *Molière dans le rôle de Mascarille* (peinture sur marbre ; Paris, Bibliothèque Nationale de France).

LECTURE MÉTHODIQUE

■ Retrouvez dans les paroles de Mascarille tout ce qui semble prouver son talent pour les **impromptus**.

■ Par l'observation et l'analyse de la situation présentée, du langage, de l'action, dites en quoi la scène est une **illustration de la vie des salons.**

■ En quoi cette illustration est-elle en relation avec le **titre** de la pièce ? Tenez compte, pour répondre à cette question, de la nature des personnages et du contenu de leurs interventions.

■ À partir des réponses données aux deux premières questions, répertoriez les « cibles » de Molière : que **dénonce-t-il ?** À qui s'attaque-t-il ?

PARCOURS CULTUREL

■ Il existe à notre époque des **déviations du langage** aussi ridicules que les excès de la préciosité. Cherchez-en des exemples dans la langue parlée et écrite de nos contemporains. D'où viennent les ridicules ?

ÉCRITURE

■ **Composez,** sur un thème de votre choix, un impromptu de même structure que celui de Mascarille et faites-en une analyse excessivement **élogieuse** ou **sévère.**

guides p. 174-175

Langue et création

De nombreux courants littéraires ont cherché à jouer avec les mots : les Grands Rhétoriqueurs et leurs successeurs ▷▷▷ p. 34, les recherches de la Pléiade et celles de la Préciosité sur le vocabulaire, l'inventivité littéraire du xxe siècle témoignent de la fantaisie et de l'imagination verbales.

Ces inventions peuvent porter sur la graphie, sur le mot lui-même, ou sur l'agencement des mots dans les textes.

La graphie

Chez Apollinaire, les mots dessinent le jet d'eau évoqué dans le poème : il s'agit d'un **calligramme** ▷▷▷ p. 357.

Mais on trouvait déjà cette forme de jeu chez Rabelais : dans le *Cinquième Livre*, un texte est disposé en forme de bouteille ; un poème précieux est agencé en forme de luth.

Les calligrammes provoquent une **double émotion esthétique :** celles du dessin et du texte.

Les créations

Enrichir et préciser la langue

■ **En adoptant** des mots **ou en fixant le sens :** la poésie du xvie siècle, en particulier la Pléiade, adopte des mots existants, mais inusités : *assénée* ▷▷▷ p. 61.

Elle modifie le sens de certains termes : *viande*, qui signifie *aliment*, au Moyen Âge, s'entend désormais au sens de *chair*, ▷▷▷ Ronsard, p. 71.

La Préciosité a le même souci : le sens de *galant* est fixé : ▷▷▷ p. 125 ; d'Urfé distingue *goûter* (une situation) et *aimer* (une femme) ▷▷▷ p. 121.

■ **En créant** des mots par préfixation et par suffixation : *perlette* ▷▷▷ Du Bellay, p. 63 ; *démusclé*, chez Ronsard ; *furieusement* au xviie siècle ▷▷▷ p. 125.

Ces recherches conduisent à un **enrichissement du vocabulaire,** et, par là, permettent d'exprimer davantage.

Jouer avec les mots, inventer un lexique

■ Dans la « Petite Épître au Roi », l'invention (les mots *rimaille, rimasser, s'enrimer...* sont des mots fabriqués) s'inscrit dans une **recherche sur la rime équivoquée*** ▷▷▷ p. 34.

■ Au xxe siècle, Michaux **recrée des termes ;** le sens de ceux-ci passe par leurs seules sonorités, ce qui est particulièrement évocateur : ainsi *écorcobalisse* évoque brutalement *écorche* ▷▷▷ p. 375.

■ Tardieu, lui, **remplace un mot** par un autre ; les sonorités permettent au message de passer : *je radoube dans une minette* signifie *je reviens dans une minute* ; la préfixation du verbe est la même (**ra**/**re**), mais un son est modifié dans le substantif (**ette**/**ute**) ▷▷▷ p. 426.

■ Ces procédés différents ont la même fonction : en montrant, par ce décalque de la langue courante, que les mots ne sont pas irremplaçables, l'écrivain fait sourire, mais il fait aussi **réfléchir sur le sens de la langue.**

■ Enfin, relèvent aussi de l'invention verbale certaines **contraintes** auxquelles s'obligent les écrivains. Dans les *Exercices de style*, Queneau s'impose d'écrire la même histoire de 99 façons.

Les jeux avec les mots

La reprise des sonorités

Elle produit une musique qui permet des **effets divers.**

■ **L'assonance** est la reprise des sons vocaliques : ainsi, dans les vers : *Le temps s'en va, le temps s'en va, ma dame,* la répétition des sons **en** et **a** donne l'impression d'un éloignement et traduit la fuite du temps ▷▷▷ p. 74.

■ **L'allitération,** reprise de consonnes, appartient au même type de jeu. Dans le vers : *Quand les **g**ron**d**ants **t**ambours sont **b**attants en**t**en**d**us,* la reprise des sonorités en **q** et **g**, **t** et **d**, **b** imite la frappe des baguettes. Le vers comprend aussi une double assonance en **en** et **on** : l'ensemble des sonorités évoque le son de l'instrument.

■ D'autre part, **l'anaphore** produit une insistance : le même terme se répète en tête de vers ou de proposition : *Rome* ▷▷▷ p. 138.

Les associations de termes

Appartenant à des registres ou des domaines différents, elles génèrent des **images ;** elles sont le fruit de toutes les époques de création. Ce sont des métaphores comme :
les portes du matin, ▷▷▷ p. 122 ; *le troupeau des ponts* ▷▷▷ p. 355.

Le jeu sur la langue et les inventions, qui s'épanouissent essentiellement dans les périodes qui rejettent les règles existantes, ont un triple intérêt : **enrichir** la langue ; en faire un **objet de jeu** et la libérer du carcan des règles ; lui donner des formes variées, créant ainsi pour le lecteur des **émotions nouvelles.**

Claude Deruet (1588-1662), *La Terre* (détail) (Orléans, Musée des Beaux-Arts).

3. Vers la doctrine classique

Corneille

En 1660, dans trois *Discours,* Corneille répond à ceux qui critiquent son théâtre : c'est pour lui l'occasion de préciser des impératifs qui seront repris dans les règles de la tragédie.

"Le poème dramatique est une imitation, ou pour en mieux parler, un portrait des actions des hommes ; et il est hors de doute que les portraits sont d'autant plus excellents qu'ils ressemblent mieux à l'original. La représentation dure deux heures, et res-
5 *semblerait parfaitement, si l'action qu'elle représente n'en deman-dait pas davantage pour sa réalité. Ainsi ne nous arrêtons point ni aux douze, ni aux vingt-quatre heures ; mais resserrons l'action du poème dans la moindre durée qu'il nous sera possible, afin que sa représentation ressemble mieux et soit plus parfaite.*
10 *Ne donnons, s'il se peut, à l'une que les deux heures que l'autre remplit. Je ne crois pas que* Rodogune *en demande guère davan-tage, et peut-être qu'elles suffiraient pour* Cinna. *Si nous ne pou-vons la renfermer dans ces deux heures, prenons-en quatre, six, dix, mais ne passons pas de beaucoup les vingt-quatre, de peur*
15 *de tomber dans le dérèglement, et de réduire tellement le portrait en petit, qu'il n'ait plus ses dimensions proportionnées, et ne soit qu'imperfection."*

Corneille, *Troisième Discours.*

La fin du règne de Louis XIII, la période de la Fronde (1648-1652) sont marquées par l'instabilité et la contestation. Dans le domaine des arts, le Baroque se caractérise par les influences étrangères, la diversité des goûts, le mélange des genres, les thèmes du mouvement et du changement. C'est le contraste qui domine. Mais le désir d'ordre et d'unité demeure, et même s'accroît au milieu du siècle. Il va finir par s'imposer. L'autorité royale se renforce. Dans les arts, par besoin de rigueur, ou par réaction contre le Baroque, s'élaborent des règles, des théories esthétiques*, des réflexions qui expriment le goût de l'ordre. Elles forment progressivement ce qu'on appellera la doctrine classique.

L'installation de normes

La reprise en main opérée par Richelieu de 1624 à 1642 puis par Mazarin de 1643 à 1661, au milieu des troubles politiques, indique la recherche d'un difficile équilibre et la nécessité d'un État fort et stable. Pendant la Fronde, les Parisiens lassés des révoltes de la noblesse supplient le jeune roi Louis XIV et Mazarin de mettre fin aux troubles. La bourgeoisie, pour étendre ses activités économiques, réclame aussi l'ordre dans l'État. L'autorité monarchique en tire parti pour se renforcer. Dans le domaine de l'esprit, le dirigisme s'installe progressivement. Pour justifier sa politique, Richelieu assure lui-même sa propagande en créant en 1631 le premier journal, *La Gazette,* dont il écrit les articles. En 1635, le même Richelieu fonde l'Académie française en lui donnant pour mission « d'épurer la langue et d'en fixer le bon usage ». On voit déjà qu'une réglementation se met en place : on codifie la langue, le *Dictionnaire* détermine ce qui est admis et ce qui ne l'est pas. L'Académie française joue aussi un grand rôle dans la création littéraire du temps en jugeant ou même en condamnant les œuvres. En 1638, dans les *Sentiments de l'Académie sur Le Cid,* elle déclare que Corneille n'a respecté ni les règles* ni les bienséances*. L'obéissance aux règles détermine ses verdicts.

Les règles

Les lettrés et les érudits des années 1640 redécouvrent les textes que l'Antiquité avait consacrés à l'art. Ils y puisent des enseignements qui les amènent à fixer les règles nécessaires à respecter dans chaque genre. Les préceptes contenus dans la *Poétique* d'Aristote sont l'objet de discussions et d'interprétations et aboutissent par exemple à la mise en place de la règle des trois unités au théâtre ▷▷▷ *p. 157.* Ces règles qui répondent au souci d'idéal, et

de modèles, deviennent de véritables contraintes. Corneille garde ses distances vis-à-vis d'elles (« les opinions des plus savants ne sont pas des lois pour nous »).

Néanmoins les règles sont intégrées progressivement et fondent en partie la doctrine classique.

C'est dans les mêmes années 1640 que s'exprime la pensée rigoureuse de Descartes, à la recherche de certitudes et, dans *Le Discours de la méthode* (1637), il indique comment il a découvert, dans la « conduite méthodique » de la pensée, le vrai moyen d'accès à la connaissance. La pensée de Descartes n'exercera toute son influence que plus tard ; mais cette volonté de cohérence, la primauté donnée à la raison, correspondent bien au besoin qui se faisait jour. Les goûts intellectuels et mondains y participent également.

Les doctes et les salons

En voulant diriger les Lettres, Richelieu s'était entouré, pour fonder l'Académie, de connaisseurs, d'érudits, de grammairiens, qui jouent un rôle essentiel dans la formation du goût. On les appelle les « doctes », c'est-à-dire les savants. À cette époque, la critique littéraire n'avait pas de journaux à sa disposition ; les opinions s'expriment dans des Lettres, des Observations ou des Remarques. Les doctes fournissent une abondante production théorique sur les questions littéraires (*Lettre sur la règle des vingt-quatre heures* de Chapelain, 1630 ; *Remarques sur la langue française* de Vaugelas, 1646), qui contribue à fixer les codes de la littérature et de la langue.

Ce sont eux qui interviennent aussi dans les querelles littéraires et qui côtoient les lettrés et les mondains dans les « salons ». Ces assemblées brillantes qui se réunissent autour d'une femme, comme la marquise de Rambouillet par exemple ▷▷▷ *p. 120,* ont une place essentielle dans la diffusion du goût nouveau. On peut même dire qu'elles jouent le rôle d'arbitre. Les écrivains présentent leurs œuvres aux jugements des salons qui relaient les idées des doctes auprès du public mondain. Ainsi, la doctrine classique devient progressivement le goût classique fondant ce que l'on appellera plus tard le **Classicisme** ▷▷▷ *p. 149.*

1606-1684

Pierre Corneille

Né à Rouen, Pierre Corneille reçoit chez les Jésuites une formation classique et s'oriente vers le droit. Son père lui achète un office d'avocat du roi qu'il gardera jusqu'en 1650, mais il ne plaidera pas : il se consacre à une carrière d'auteur dramatique.

Vers le succès

Après sa première pièce, *Mélite,* une comédie, il attire l'attention de Richelieu, qui lui donne une pension. Dans les années suivantes, Corneille écrit essentiellement six comédies, dont *L'Illusion comique ;* ces pièces sont originales en ce qu'il cherche à y éviter la grossièreté et la lourdeur alors de mise dans les comédies.

Les controverses

En 1637, le triomphe du *Cid,* une tragi-comédie, vaut à Corneille à la fois la gloire et des adversaires acharnés, qui lui reprochent d'avoir plagié son modèle espagnol et négligé les règles du théâtre classique alors à son début ▷▷▷ *p. 157.* L'Académie française appelée à donner son avis se montre elle-même réservée et Corneille garde le silence avant de s'orienter vers la tragédie, qui domine ensuite son œuvre.

À partir d'*Horace* (1640) et pendant les dix années suivantes, il compose ses pièces les plus appréciées, dont *Cinna* (1641) et *Polyeucte* (1642). L'échec de *Pertharite* en 1651 est suivi d'un nouveau silence ; Corneille ne retourne au théâtre qu'en 1659 - il écrira jusqu'en 1674 -, mais le public lui préfère désormais le jeune Racine, et sa pièce *Tite et Bérénice* est moins applaudie que la *Bérénice* de son rival.

La fin

À partir de 1674, il ne compose plus que des vers de circonstance ; la reprise de ses pièces est néanmoins un succès, et sa réputation a atteint l'Europe lorsqu'il meurt en octobre 1684.

Portrait : Pierre Corneille, XVIIe siècle (Paris, Musée Carnavalet).

Présentation de Corneille au Grand Condé, XVIIe siècle (dessin ; Rouen, Musée Pierre Corneille).

L'Illusion comique - 1636

« Insolente, est-ce ainsi que l'on se justifie ? »

Sans nouvelles de son fils Clindor, qui a quitté depuis dix ans la maison pater-nelle, Pridamant demande de l'aide au magicien Alcandre ; celui-ci assure Pri-damant que son fils est vivant, et lui propose de lui montrer par la magie plu-sieurs scènes de son existence. Un véritable spectacle commence alors devant Pridamant ; il voit Clindor vivre des aventures romanesques et conquérir l'amour de la jeune Isabelle. À l'acte III, celle-ci est sommée par son père Géronte de renoncer à Clin-dor pour épouser Adraste, un gentilhomme amoureux d'elle. Mais elle se défend...

GÉRONTE

Apaisez vos soupirs et tarissez vos larmes ;
Contre ma volonté ce sont de faibles armes :
Mon cœur, quoique sensible à toutes vos douleurs,
Écoute la raison, et néglige vos pleurs.
5 Je sais ce qu'il vous faut beaucoup mieux que vous-même.
Vous dédaignez Adraste à cause que je l'aime ;
Et parce qu'il me plaît d'en faire votre époux,
Votre orgueil n'y voit rien qui soit digne de vous.
Quoi ! manque-t-il de bien, de cœur ou de noblesse ?
10 En est-ce le visage ou l'esprit qui vous blesse ?
Il vous fait trop d'honneur.

ISABELLE

　　　　　Je sais qu'il est parfait,
Et que je réponds mal à l'honneur qu'il me fait ;
Mais si votre bonté me permet en ma cause,
Pour me justifier, de dire quelque chose,
15 Par un secret instinct, que je ne puis nommer,
J'en fais beaucoup d'état[1], et ne le puis aimer.
Souvent je ne sais quoi que le Ciel nous inspire
Soulève tout le cœur contre ce qu'on désire,
Et ne nous laisse pas en état d'obéir
20 Quand on choisit pour nous ce qu'il nous fait haïr.
Il attache ici-bas avec des sympathies
Les âmes que son ordre a là-haut assorties :
On n'en saurait unir sans ses avis secrets ;
Et cette chaîne manque où manquent ses décrets.
25 Aller contre les lois de cette providence,
C'est le prendre à partie, et blâmer sa prudence,
L'attaquer en rebelle, et s'exposer aux coups
Des plus âpres malheurs qui suivent son courroux.

GÉRONTE

Insolente, est-ce ainsi que l'on se justifie ?
30 Quel maître vous apprend cette philosophie ?
Vous en savez beaucoup ; mais tout votre savoir
Ne m'empêchera pas d'user de mon pouvoir.
Si le Ciel pour mon choix vous donne tant de haine,
Vous a-t-il mise en feu pour ce grand capitaine ?
35 Ce guerrier valeureux vous tient-il dans ses fers ?

1. j'en fais grand cas.

Troupe de comédiens italiens, peinture anonyme, XVIe siècle (Paris, Musée Carnavalet).

Et vous a-t-il domptée avec tout l'univers ?
Ce fanfaron doit-il relever ma famille ?

ISABELLE

Eh ! de grâce, monsieur, traitez mieux votre fille !

GÉRONTE

Quel sujet donc vous porte à me désobéir ?

ISABELLE

40 Mon heur[2] et mon repos, que je ne puis trahir.
Ce que vous appelez un heureux hyménée
N'est pour moi qu'un enfer si j'y suis condamnée.

GÉRONTE

Ah ! qu'il en est encor de mieux faites que vous
Qui se voudraient bien voir dans un enfer si doux.
45 Après tout, je le veux ; cédez à ma puissance.

ISABELLE

Faites un autre essai de mon obéissance.

GÉRONTE

2. bonheur.
3. discuté.

Ne me répliquez plus quand j'ai dit : *Je le veux.*
Rentrez ; c'est désormais trop contesté[3] nous deux.

III, 1 (scène entière), v. 625-672.

LECTURE MÉTHODIQUE

■ Par l'observation des modes verbaux, des pronoms personnels, adjectifs possessifs et des champs lexicaux, précisez le **thème** du débat et les **positions** des deux protagonistes. Comment pourrait-on qualifier l'attitude de Géronte ?

■ À quelles **questions explicites** et à quels **ordres implicites** répond l'argumentation d'Isabelle ? Quel est le point de vue défendu ? Reprenez chacun de ses **arguments** et précisez à quel domaine il fait référence.

■ Quelle est l'**habileté** d'Isabelle dans le développement de son argumentation ?

■ L'**argumentation** s'achève-t-elle à la fin de la tirade ? Que signifie l'échange rapide de répliques qui suit la longue réponse de Géronte (v. 38-48) ?

ÉCRITURE

■ Remplacez les **arguments** d'Isabelle par d'autres mettant en cause un système d'éducation trop sévère et revendiquant pour une fille la liberté de choisir son mari.

■ Trouvez d'autres **arguments** pour soutenir le refus d'Isabelle en vous référant à certaines pièces de Molière, *L'École des femmes* et *Tartuffe,* par exemple.

guides p. 139-151-386

« ... À présent le théâtre
est en un point si haut que chacun l'idolâtre. »

Après toutes sortes de péripéties, dont l'abandon d'Isabelle par Clindor, et l'assassinat de ce dernier, on revient à la première intrigue. Pridamant, qui croyait son fils mort, le voit réapparaître, entouré de personnages déjà vus. Ils sont occupés à compter de l'argent qu'ils se partagent.

PRIDAMANT

Que vois-je ? chez les morts compte-t-on de l'argent ?

ALCANDRE
Voyez si pas un d'entre eux s'y montre négligent.

PRIDAMANT
Je vois Clindor ! ah Dieux ! quelle étrange surprise !
Je vois ses assassins, je vois sa femme et Lyse[1] !
5 Quel charme[2] en un moment étouffe leurs discords[3],
Pour assembler ainsi les vivants et les morts ?

ALCANDRE
Ainsi tous les acteurs d'une troupe comique,
Leur poème[4] récité, partagent leur pratique[5] :
L'un tue, et l'autre meurt, l'autre vous fait pitié ;
10 Mais la scène préside à leur inimitié.
Leurs vers font leurs combats, leur mort suit leurs paroles,
Et, sans prendre intérêt en[6] pas un de leurs rôles,
Le traître et le trahi, le mort et le vivant,
Se trouvent à la fin amis comme devant[7].
15 Votre fils et son train[8] ont bien su, par leur fuite,
D'un père et d'un prévôt éviter la poursuite ;
Mais tombant dans les mains de la nécessité,
Ils ont pris le théâtre[9] en cette extrémité.

PRIDAMANT
Mon fils comédien !

ALCANDRE
D'un art si difficile
20 Tous les quatre, au besoin[10], ont fait un doux asile ;
Et, depuis sa prison, ce que vous avez vu,
Son adultère amour, son trépas imprévu,
N'est que la triste fin d'une pièce tragique
Qu'il expose aujourd'hui sur la scène publique,
25 Par où ses compagnons en ce noble métier
Ravissent à Paris un peuple tout entier.
Le gain leur en demeure, et ce grand équipage,
Dont je vous ai fait voir le superbe étalage,
Est bien à votre fils, mais non pour s'en parer
30 Qu'alors que[11] sur la scène il se fait admirer.

PRIDAMANT
J'ai pris sa mort pour vraie, et ce n'était que feinte ;
Mais je trouve partout même sujet de plainte.

1. personnages qui entouraient Clindor.
2. effet magique.
3. discordes.
4. le mot compte ici deux syllabes.
5. recette.
6. se passionner.
7. comme auparavant.
8. sa suite.
9. se sont engagés dans la carrière théâtrale.
10. dans le besoin.
11. sinon lorsque.

La Sérénade du Pantalon, peinture anonyme, fin XVIe siècle (Stockholm, Drottningholms Teatermuseum).

Est-ce là cette gloire, et ce haut rang d'honneur
Où le devait monter l'excès de son bonheur ?

ALCANDRE

35 Cessez de vous en plaindre. À présent le théâtre
Est en un point si haut que chacun l'idolâtre ;
Et ce que votre temps voyait avec mépris
Est aujourd'hui l'amour de tous les bons esprits,
L'entretien de Paris, le souhait des provinces,
40 Le divertissement le plus doux de nos princes,
Les délices du peuple, et le plaisir des grands ;
Il tient le premier rang parmi leurs passe-temps :
Et ceux dont nous voyons la sagesse profonde
Par ses illustres soins conserver tout le monde,
45 Trouvent dans les douceurs d'un spectacle si beau
De quoi se délasser d'un si pesant fardeau.

Acte V, 5, v. 1613-1656.

LECTURE MÉTHODIQUE

■ Observez l'alternance des **répliques** et leur longueur : comment s'articulent-elles ? À quoi servent celles de Pridamant ? Le **thème dominant** est-il la disparition de Clindor et sa réapparition ?

■ Par l'étude des champs lexicaux, dites de quel **genre littéraire** il est question ici.
Trouvez un principe de classification pour ordonner les différents aspects envisagés.

■ Les connotations et le choix de certains termes permettent de déterminer la **tonalité** des répliques d'Alcandre. Définissez-la et justifiez-la. Quelles intentions pouvez-vous en déduire chez Corneille ?

ÉTUDE COMPARÉE

■ En quoi peut-on rapprocher ce texte de l'extrait de *L'Échange,* ▷ ▷ ▷ *p. 361* ? Mettez en évidence toutes les similitudes en les classant.

guides p. 39-174-175

Le Greco (1541-1614), *Portrait
d'un Gentilhomme*, 1585/1590
(huile sur toile, 46 X 43 cm ;
Madrid, Musée du Prado).

Le Cid - 1637

« Ô Dieu, l'étrange peine ! »

*À la Cour du roi de Castille… Chimène, fille du Comte, aime Rodrigue, fils de
don Diègue ; ce dernier doit demander au Comte la main de la jeune fille. C'est
alors qu'au Conseil du roi, don Diègue est nommé gouverneur du prince de Castille, alors qu'on s'attendait à la nomination du Comte. Blessé et furieux, celui-
ci vante sa propre valeur, dénigre celle de son rival. La dispute dégénère, et le Comte
soufflette don Diègue. Trop vieux pour se battre, le père de Rodrigue demande à son
fils de le venger ; celui-ci est déchiré entre l'honneur de son père et l'amour de Chimène.*

Percé jusques au fond du cœur
D'une atteinte imprévue aussi bien que mortelle,
Misérable vengeur d'une juste querelle,
Et malheureux objet d'une injuste rigueur,
5 Je demeure immobile, et mon âme abattue
    Cède au coup qui me tue.
    Si près de voir mon feu[1] récompensé,
        Ô Dieu, l'étrange peine !
    En cet affront mon père est l'offensé,
10   Et l'offenseur le père de Chimène !
        Que je sens de rudes combats !
Contre mon propre honneur mon amour s'intéresse[2].
Il faut venger un père, et perdre une maîtresse[3].
L'un m'anime le cœur, l'autre retient mon bras.

15 Réduit au triste choix ou de trahir ma flamme,
        Ou de vivre en infâme,
    Des deux côtés mon mal est infini.
        Ô Dieu, l'étrange peine !
    Faut-il laisser un affront impuni ?
20   Faut-il punir le père de Chimène ?

1. le feu de l'amour (image
précieuse).
2. prend parti.
3. au XVIIᵉ siècle, femme que
l'on aime et dont on est aimé.

Père, maîtresse, honneur, amour,
Noble et dure contrainte, aimable tyrannie,
Tous mes plaisirs sont morts, ou ma gloire ternie.
L'un me rend malheureux, l'autre indigne du jour.
25 Cher et cruel espoir[4] d'une âme généreuse[5],
Mais ensemble[6] amoureuse,
Digne ennemi de mon plus grand bonheur,
Fer qui causes ma peine,
M'es-tu donné pour venger mon honneur ?
30 M'es-tu donné pour perdre ma Chimène ?

Il vaut mieux courir au trépas.
Je dois[7] à ma maîtresse aussi bien qu'à mon père :
J'attire en me vengeant sa haine et sa colère ;
J'attire ses mépris en ne me vengeant pas.
35 À mon plus doux espoir l'un me rend infidèle,
Et l'autre indigne d'elle.
Mon mal augmente à le vouloir guérir ;
Tout redouble ma peine.
Allons, mon âme ; et puisqu'il faut mourir,
40 Mourons du moins sans offenser Chimène.

Mourir sans tirer ma raison[8] !
Rechercher un trépas si mortel à ma gloire !
Endurer que l'Espagne impute à ma mémoire
D'avoir mal soutenu l'honneur de ma maison !
45 Respecter un amour dont mon âme égarée
Voit la perte assurée !
N'écoutons plus ce penser surborneur[9],
Qui ne sert qu'à ma peine.
Allons, mon bras, sauvons du moins l'honneur,
50 Puisqu'après tout il faut perdre Chimène.

Oui, mon esprit s'était déçu[10].
Je dois tout à mon père avant qu'à ma maîtresse :
Que je meure au combat, ou meure de tristesse,
Je rendrai mon sang pur comme je l'ai reçu.
55 Je m'accuse déjà de trop de négligence :
Courons à la vengeance ;
Et tout honteux d'avoir tant balancé[11],
Ne soyons plus en peine,
Puisqu'aujourd'hui mon père est l'offensé,
60 Si l'offenseur est père de Chimène.

Acte I, 6, v. 291-350.

4. il s'adresse à son épée.
5. noble.
6. en même temps.
7. j'ai des obligations envers.
8. sans demander réparation.
9. cette pensée qui détourne du devoir.
10. trompé.
11. hésité.

LECTURE MÉTHODIQUE

■ En prenant appui sur les **répétitions** du texte, et sur les questions, dites quelles sont les deux orientations du **dilemme** auquel est confronté Rodrigue. Observez comment se répartissent les mots « **honneur** », « **amour** », « **mort** ». Quelles conclusions peut-on tirer de leur répartition ?

■ Retrouvez dans le texte les différents **arguments** avancés par Rodrigue pour étayer l'un et l'autre choix. Précisez à quel domaine appartiennent ces arguments. À quelles **valeurs** renvoient-ils ?

■ À quoi le lecteur peut-il percevoir que le choix est **difficile** et **douloureux** ? À quelle solution Rodrigue s'arrête-t-il finalement ?

■ Pourquoi peut-on dire que le dilemme auquel est confronté Rodrigue est de tonalité **tragique** ?

guides p. 151-157-276

Claude Deruet (1588-1660), *Le Feu* (détail), v. 1640 (Orléans, Musée des Beaux-Arts).

Horace -1640

« Rome, l'unique objet de mon ressentiment ! »

Rome et Albe en guerre ont désigné chacune trois guerriers ; leur combat déci-dera de la victoire d'une des deux cités. Mais les Horace - les Romains - et les Curiace - les Albains - ont des liens de famille : Sabine, femme d'Horace, est la sœur de Curiace, et Camille, sœur d'Horace, aime Curiace. Après la victoire d'Horace, seul survivant du combat, Camille reçoit son frère...

CAMILLE

Rome, l'unique objet de mon ressentiment !
Rome, à qui vient ton bras d'immoler mon amant[1] !
Rome qui t'a vu naître, et que ton cœur adore !
Rome enfin que je hais parce qu'elle t'honore !
5 Puissent tous ses voisins ensemble conjurés
Saper ses fondements encor mal assurés !
Et si ce n'est assez de toute l'Italie,
Que l'Orient contre elle à l'Occident s'allie ;
Que cent peuples unis des bouts de l'univers
10 Passent pour la détruire et les monts et les mers !
Qu'elle-même sur soi[2] renverse ses murailles,
Et de ses propres mains déchire ses entrailles !
Que le courroux du Ciel allumé par mes vœux
Fasse pleuvoir sur elle un déluge de feux !
15 Puissé-je de mes yeux y voir tomber ce foudre[3],
Voir ses maisons en cendre, et tes lauriers en poudre,
Voir le dernier Romain à son dernier soupir,
Moi seule en être cause et mourir de plaisir !

Acte IV, 6, v. 1301-1318.

1. construction confuse ; comprendre : dont le bras, c'est-à-dire Horace, champion de Rome, vient d'égorger…
2. sur elle-même.
3. le mot est aujourd'hui féminin.

LECTURE MÉTHODIQUE

■ Par l'observation de la ponctuation, des structures de phrases et des anaphores, définissez **l'état psy-chologique** de Camille. La versification contribue-t-elle à la même impression ?

■ Analysez le **champ lexical dominant ;** où se trouve-t-il surtout et comment évolue-t-il ? En quoi permet-il aussi de déterminer l'état d'esprit du personnage ?

■ Par l'analyse des images, du lexique, des rythmes, précisez la **tonalité** du passage.

guides p. 39-87-276

La communication. Les fonctions du langage

L'écriture, la parole, mais aussi le geste, l'attitude, l'expression, sont des moyens de s'adresser à autrui, de communiquer avec lui. La communication met en jeu certains éléments ; les connaître, connaître leur agencement, comprendre l'intention qu'a celui qui s'adresse à autrui permet de mieux appréhender les enjeux des textes.

▪ La communication

Lorsque Ronsard s'adresse à Hélène, ▷ ▷ ▷ *p. 75,* lorsque Silvandre s'adresse à Hylas, ▷ ▷ ▷ *p. 121,* ils cherchent à **communiquer** avec autrui, à lui adresser un **message**. De même, à un autre niveau, tout texte est une forme de message adressé par l'auteur à un lecteur potentiel. Le schéma de la communication fonctionne donc constamment sur le même modèle :

l'émetteur	⟶	le récepteur
(ou destinateur)		(ou destinataire)
celui qui s'adresse à autrui	envoie un message à	celui auquel il s'adresse

Pour que le message passe, il faut au moins **trois conditions :**

▪ Qu'il y ait une voie de communication, que l'on appelle **canal.** Ce canal est essentiellement la voix, les ondes sonores, dans la communication orale, l'écriture, le papier, dans la communication écrite : ainsi un aveugle ne peut recevoir un message écrit, car le canal - la vue - lui fait défaut.

▪ Que le message puisse être compris, c'est-à-dire que l'émetteur et le récepteur utilisent un même système de signes, une même langue, ce que l'on appelle un **code.** À l'inverse, deux personnes qui ne parlent pas la même langue ne peuvent communiquer verbalement.

▪ Qu'un **contact** s'établisse entre l'émetteur et le récepteur.
La communication porte sur un ou plusieurs éléments de la réalité, sur une situation ; ce dont on parle s'appelle le **référent.**
On peut alors établir le **schéma de la communication** sur le modèle suivant, proposé par le linguiste Jakobson :

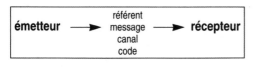

émetteur	⟶	référent message canal code	⟶	récepteur

▪ Les fonctions du langage

À chaque élément de la communication correspond une **fonction** du langage.

▪ L'émetteur parle de lui, le message est centré sur lui : c'est la **fonction expressive.** La plupart des textes lyriques la privilégient ▷ ▷ *p. 77 :*
Je n'ai plus que les os, un squelette je semble...

▪ L'émetteur cherche à produire une impression sur le récepteur. La **fonction impressive** (ou conative) se trouve dans les textes exprimant un ordre, visant à convaincre :
Je t'admoneste qu'emploies ta jeunesse à bien profiter en étude et en vertus ▷ ▷ ▷ *p. 49.*

▪ Le message peut avoir pour centre le référent lui-même : le texte est alors essentiellement informatif. Certaines descriptions répondent à cette **fonction référentielle.** Ainsi, dans le texte « Trois grands fleuves », le message est centré sur l'évocation du paysage ▷ ▷ ▷ *p. 116.*

▪ Le message peut servir à établir et à conserver la communication : c'est **la fonction de contact** (ou phatique). Ainsi, dans la lettre de Madame de Sévigné, les termes *devinez-la...* (l. 14), *devinez...* (l. 16) ont pour fonction de maintenir le contact entre l'émetteur et le destinataire ▷ ▷ ▷ *p. 186.*

▪ Certains éléments du code utilisé par l'émetteur peuvent être ignorés du récepteur. Lorsque le message a pour objet d'éclairer le sens de ce que l'on dit, il est centré sur le code : on parle de **fonction métalinguistique ;** ainsi, dire dans une note que chez Rabelais **es** signifie **« en les »,** c'est utiliser la fonction métalinguistique du langage.

▪ Lorsqu'il y a jeu sur le message, re-création de son contenu, le message est centré sur lui-même : on parle de **fonction poétique** du langage. Appartiennent à cette catégorie tous les textes qui jouent sur les mots et / ou sur leur association. Le poème de Marot, « Petite Épître au Roi » en fait partie ▷ ▷ ▷ *p. 34.*

La plupart des textes littéraires mettent en jeu plusieurs fonctions, même si l'une d'elles domine. Dans le sonnet de Ronsard ▷ ▷ ▷ *p. 77,* la fonction est essentiellement expressive, mais on décèle aussi une fonction poétique dans les échos du vers 2 : *décharné, dénervé, démusclé, dépoulpé.* Le repérage des différentes fonctions du langage permet de comprendre les différentes orientations d'un texte.

4. Le Classicisme

Nicolas Poussin (1594-1665), *L'Inspiration du Poète*, 1635/1638 (huile sur toile, 132 X 213 cm ; Paris, Musée du Louvre).

Dans son *Art poétique*, Boileau définit les règles pour bien écrire et plaire à un public lettré.

> "Tout doit tendre au bon sens : mais pour y parvenir
> Le chemin est glissant et pénible à tenir ;
> Pour peu qu'on s'en écarte, aussitôt on se noie.
> La raison pour marcher n'a souvent qu'une voie.
> 5 Un auteur quelquefois trop plein de son objet
> Jamais sans l'épuiser n'abandonne un sujet.
> S'il rencontre un palais, il m'en dépeint la face[1],
> Il me promène après de terrasse en terrasse ;
> Ici s'offre un perron ; là règne un corridor ;
> 10 Là ce balcon s'enferme en un balustre[2] d'or.
> Il compte des plafonds les ronds et les ovales ;
> « Ce ne sont que festons, ce ne sont qu'astragales[3]. »
> Je saute vingt feuillets pour en trouver la fin,
> Et je me sauve à peine au travers du jardin.
> 15 Fuyez de ces auteurs l'abondance stérile,
> Et ne vous chargez point d'un détail inutile.
> Tout ce qu'on dit de trop est fade et rebutant ;
> L'esprit rassasié le rejette à l'instant.
> Qui ne sait se borner ne sut jamais écrire.
> 20 Souvent la peur d'un mal nous conduit dans un pire :
> Un vers était trop faible, et vous le rendez dur ;
> J'évite d'être long, et je deviens obscur ;
> L'un n'est point trop fardé[4], mais sa muse est trop nue ;
> L'autre a peur de ramper, il se perd dans la nue."

Boileau, *Art poétique*, chant 1er (vers 45 à 68).

1. façade.
2. pilier façonné avec un renflement au centre.
3. moulures au sommet et à la base des colonnes. Le vers appartient au poète Scudéry.
4. chargé d'ornements.

Le règne personnel de Louis XIV ne commence qu'en 1661. L'absolutisme* et la centralisation qui se mettent en place s'exercent aussi sur la vie de l'esprit. Le roi dirige et contrôle le rayonnement artistique de la France.

La mainmise sur la Cour

Dès son arrivée au pouvoir, le jeune roi entreprend de ranger la noblesse sous son autorité. Il attire auprès de lui les nobles et les retient par l'espoir de recevoir une faveur ou simplement d'être remarqués. Le duc de Saint-Simon, dans ses *Mémoires,* décrit cette stratégie : « Les fêtes fréquentes, les promenades particulières à Versailles, les voyages furent des moyens que le Roi saisit pour distinguer et pour mortifier. »

Louis XIV organise la vie à la Cour de façon minutieuse. Ce qu'on appelle l'étiquette*, c'est-à-dire les détails qui règlent l'emploi du temps et le cérémonial de la vie du roi, doit être observée avec dévotion. Les membres de la plus haute noblesse sont admis à remplir les charges considérées comme très honorifiques : présenter au roi à son lever une pièce de son habillement ou se tenir debout derrière lui pendant son dîner. L'ambition de la noblesse se limite souvent à jouer un rôle dans ce protocole.

Le monopole royal des arts

Louis XIV désire donner de la monarchie l'image la plus prestigieuse. Les arts et les productions de l'esprit lui servent à réaliser ce projet.

Le mécénat

Le roi assure lui-même la protection des artistes. Dès le début de son règne, il a revendiqué le monopole du mécénat*. Auparavant, un « particulier » comme Fouquet, surintendant des Finances, pouvait réunir autour de lui une assemblée d'artistes dont faisait partie par exemple La Fontaine. Dès 1661 - l'arrestation de Fouquet est à cet égard significative - la vie artistique est dirigée par le roi. Les artistes reçoivent de lui des pensions, des gratifications. La carrière des écrivains dépend de cette protection : de nombreuses œuvres de Molière sont des œuvres de commande écrites pour les fêtes de la Cour. Racine et Boileau sont nommés historiographes* du roi en 1677, ce qui leur garantit l'aisance matérielle.

◄ ▪ Quelles *relations* peut-on établir entre ce tableau et son titre ? Retrouvez tous les symboles de l'inspiration et de la création poétique.

▪ En quoi ce tableau traduit-il *l'admiration de l'Antiquité* ?

Les Académies

La monarchie, à travers le ministre Colbert, met en place un réseau d'institutions destinées à promouvoir mais aussi à contrôler les arts et la pensée. L'Académie des sciences est fondée en 1666. Aux Académies de peinture et de sculpture, s'ajoutent celles d'architecture et de musique. On impose là des codes et des modèles, au point que le mot « académique » finira par qualifier de façon péjorative un style conforme aux règles mais sans originalité.

Les artistes officiels

Louis XIV s'entoure également d'artistes officiels qui orientent les productions de l'époque. Le Brun, « premier peintre du roi », exerce son influence déterminante sur la peinture en dirigeant la décoration de Versailles ; Lully règne sur la musique, Le Nôtre sur l'art des jardins. Tous les artistes, tous les artisans travaillent pour Versailles et suivent le modèle donné par Versailles : majesté, équilibre, thèmes mythologiques et antiques.

La création littéraire

La création littéraire subit les conséquences de l'unité centralisatrice de la monarchie. Tous les artistes cherchent à entrer dans les faveurs du roi et savent bien qu'être lu ou joué à la Cour est la vraie consécration. L'ambition de plaire à la Cour peut être cependant à l'origine de chefs-d'œuvre comme les tragédies de Racine. Elle donne aussi des motifs d'amertume et de rancœur à ceux qui sont exclus, mais, dans le cas de La Fontaine ou de La Rochefoucauld, ces sentiments s'épanchent dans l'expression artistique. La Cour, qui constitue un petit monde très fermé, avec ses rites, ses ambitions, ses jalousies, offre un riche terrain d'observation aux moralistes du temps. Ils y puisent les réflexions qui nourrissent leur analyse de l'homme.

Ce dirigisme, qui tend à imposer dans l'art des règles et des modèles, place les écrivains dans une situation de contrainte. Ils se trouvent dans la nécessité de s'expliquer ou de se défendre. Chez Molière, chez Racine, les pièces sont précédées d'une ou de plusieurs préfaces où l'on dédie son ouvrage à une personne influente ; on prouve que l'œuvre est bien conforme à ce qu'on peut en attendre ; on prend soin de se défendre contre les attaques éventuelles ou effectives. Avec le recul, ces déclarations d'intention nous permettent de dégager les lignes de force de ce que l'on appellera le Classicisme.

1623-1662

Blaise Pascal

Un savant précoce

Blaise Pascal, né en 1623 à Clermont-Ferrand, fut très jeune un brillant mathématicien. À 12 ans, il rédige un traité sur la propagation des sons ; à 17 ans, un traité sur les coniques. Il met au point une machine de son invention : la machine arithmétique pour aider dans ses calculs son père nommé intendant pour l'impôt à Rouen. Passionné de physique, il reprend les travaux de Torricelli et démontre l'existence du vide et la pesanteur de l'air en 1648.

Vie mondaine et révélation de la foi

Le jeune homme fréquente les milieux mondains et les Libertins ▷▷▷ *p. 168*. Parallèlement sa famille et lui-même sont convertis au Jansénisme* ▷▷▷ *p. 168*. C'est alors que la foi de Pascal va être exaltée par un événement capital : il est victime d'un accident et voit de très près la mort. Dans la nuit qui suit ce drame, le 23 novembre 1654, il connaît la révélation de la présence de Dieu, dans une extase mystique qu'il appellera sa « nuit de feu ». La religion prend alors la première place dans sa vie. Tout en continuant ses recherches scientifiques, il se retire de plus en plus souvent à l'abbaye de Port-Royal, le foyer du Jansénisme.

L'écrivain militant

Avec *Les Provinciales* (1656-1657), Pascal prend la défense des Jansénistes contre les Jésuites dans une série de lettres ironiques. Puis, malgré une santé très fragile et des souffrances de plus en plus vives, il entreprend le vaste projet d'une *Apologie de la religion chrétienne* (à la fois éloge et défense) destinée à ramener à Dieu les Libertins qui s'étaient détournés de la religion. Il mourra à 39 ans avant d'avoir achevé son ouvrage, mais son intention apparaissait dans le plan qu'il avait établi : montrer dans une première partie la *misère de l'homme sans Dieu*, et dans une seconde partie la *félicité de l'homme avec Dieu*. Les importants fragments qu'il laissait ont été réunis sous le titre *Pensées*.

Machine à calculer de Blaise Pascal
(Paris, Musée des Arts et Métiers).

Pensées - 1670

« Plaisante raison qu'un vent manie
et à tout sens »

Pour mieux convaincre son lecteur de la « misère de l'homme sans Dieu », Pascal peint d'abord les « contrariétés » de l'homme, c'est-à-dire ses contradictions. Celui-ci y est montré dans sa faiblesse, jouet des « puissances trompeuses », parmi lesquelles l'imagination.

Qui dispense la réputation, qui donne le respect et la vénération aux personnes, aux ouvrages, aux lois, aux grands, sinon cette faculté imaginante ? Combien toutes les richesses de la terre insuffisantes sans son consentement. Ne diriez-vous pas que ce magistrat dont la vieillesse
5 vénérable impose le respect à tout un peuple se gouverne par une raison pure et sublime[1], et qu'il juge des choses dans leur nature sans s'arrêter à ces vaines circonstances qui ne blessent que l'imagination des faibles ? Voyez-le entrer dans un sermon où il apporte un zèle tout dévot, renforçant la solidité de sa raison par l'ardeur de sa charité ; le voilà prêt à
10 l'ouïr avec un respect exemplaire. Que le prédicateur vienne à paraître, si la nature lui a donné une voix enrouée et un tour de visage bizarre, que son barbier l'ait mal rasé, si le hasard l'a encore barbouillé de surcroît, quelques grandes vérités qu'il annonce, je parie la perte de la gravité de notre sénateur.
15 Le plus grand philosophe du monde sur une planche plus large qu'il ne faut, s'il y a au-dessous un précipice, quoique sa raison le convainque de sa sûreté, son imagination prévaudra. Plusieurs n'en sauraient soutenir la pensée sans pâlir et suer.
Je ne veux pas rapporter tous ses effets. Qui ne sait que la vue des chats,
20 des rats, l'écrasement d'un charbon, etc., emportent la raison hors des gonds ? Le ton de voix impose aux plus sages et change un discours et un poème de force. L'affection ou la haine changent la justice de face et combien un avocat bien payé par avance trouve-t-il plus juste la cause qu'il plaide ! Combien son geste hardi la fait-il paraître meilleure aux
25 juges dupés par cette apparence ! Plaisante raison qu'un vent manie et à tout sens.

1. très élevée.

LECTURE MÉTHODIQUE

■ Cet extrait appartient à un groupe de textes consacrés à la **faculté imaginante.** Cherchez dans un dictionnaire le champ sémantique d'**imagination,** puis, à partir du contexte, dites quel sens Pascal donne à ce mot.

■ Par le repérage du système de l'énonciation, étudiez la manière dont Pascal établit une **relation** avec son lecteur. Que cherche-t-il aussi ?

■ Quelle est la **thèse** soutenue par Pascal ? Précisez

quel rôle jouent les différents **exemples** cités. N'ont-ils qu'une valeur illustrative ?

■ La démonstration vous semble-t-elle convaincante ? D'où vient son **efficacité ?**

ÉCRITURE

■ **À la manière de Pascal,** trouvez et exposez, en faisant intervenir votre lecteur, différentes situations dans lesquelles la raison se trouve mise en difficulté par l'imagination ou par les superstitions.

guides p. 151-224-369-386

Cornélis de Vos (1585-1651), *La Passion du jeu* (huile sur toile, 134 x 184 cm ; Amiens, Musée de Picardie).

« ... avec le divertissement, point de tristesse »

Malgré sa misère, l'homme ne vise qu'un seul but : être heureux ; pour oublier ses malheurs, il s'en détourne, il se divertit. C'est, selon Pascal, une fausse solution, une illusion.

D'où vient que cet homme, qui a perdu depuis peu de mois son fils unique, et qui, accablé de procès et de querelles, était ce matin si troublé, n'y pense plus maintenant ? Ne vous en étonnez point : il est tout occupé à voir par où passera ce sanglier que les chiens poursuivent
5 avec tant d'ardeur depuis six heures. Il n'en faut pas davantage. L'homme, quelque plein de tristesse qu'il soit[1], si on peut gagner sur lui de le faire entrer en quelque divertissement, le voilà heureux pendant ce temps-là ; et l'homme, quelque heureux qu'il soit, s'il n'est diverti et occupé par quelque passion ou quelque amusement qui empêche l'ennui de se
10 répandre, sera bientôt chagrin et malheureux. Sans divertissement il n'y a point de joie, avec le divertissement il n'y a point de tristesse. Et c'est aussi ce qui forme le bonheur des personnes de grande condition, qu'ils ont un nombre de personnes qui les divertissent, et qu'ils ont le pouvoir de se maintenir en cet état.

15 Prenez-y garde. Qu'est-ce autre chose d'être surintendant[2], chancelier[3], premier président[4], sinon d'être en une condition où l'on a dès le matin un grand nombre de gens qui viennent de tous côtés pour ne leur laisser pas une heure en la journée où ils puissent penser à eux-mêmes ? Et quand ils sont dans la disgrâce et qu'on les renvoie à leurs maisons des
20 champs[5], où ils ne manquent ni de biens, ni de domestiques pour les assister dans leur besoin, ils ne laissent pas d'être misérables et abandonnés, parce que personne ne les empêche de songer à eux.

1. si plein de tristesse qu'il soit.
2. ministre des Finances.
3. ministre de la Justice.
4. du parlement.
5. dans leurs propriétés, loin de la Cour.

LECTURE MÉTHODIQUE

■ Cherchez dans un dictionnaire l'étymologie, puis le champ sémantique du mot « **divertissement** ». Puis précisez quel sens Pascal donne à ce terme.

■ Par le repérage et l'analyse du système de l'énonciation, dites quelle **relation** Pascal établit avec son lecteur. Quel est le **but** visé ?

■ Différenciez dans le texte les exemples et les arguments. Repérez le passage du général au particulier et l'inverse. Grâce à ces observations et à celles de la deuxième question, précisez à quel **type de texte** appartient cet extrait.

■ Le texte comporte une **critique** : qui vise-t-elle ? Quels moyens utilise-t-elle ?

guides p. 151-369

« Qu'est-ce qu'un homme dans l'infini ? »

La situation de l'être humain dans l'univers fait apparaître sa faiblesse. Pris entre l'infini de grandeur et l'infini de petitesse, il n'est qu'un point dans l'immensité de la nature. Pascal, décrivant de façon dramatique cette position inconfortable, installe son lecteur dans l'inquiétude. En même temps, il s'adresse à sa raison, utilisant des connaissances scientifiques sans défaut. Son espoir dans cette entreprise ? « Que la dernière démarche de la raison soit de reconnaître qu'il y a une infinité de choses qui la surpassent. »

Que l'homme contemple donc la nature entière dans sa haute et pleine majesté, qu'il éloigne sa vue des objets bas qui l'environnent. Qu'il regarde cette éclatante lumière, mise comme une lampe éternelle pour éclairer l'univers, que la terre lui paraisse comme un point au prix[1]
5 du vaste tour que cet astre décrit et qu'il s'étonne[2] de ce que ce vaste tour lui-même n'est qu'une pointe très délicate à l'égard de celui que les astres qui roulent dans le firmament embrassent. Mais si notre vue s'arrête là, que l'imagination passe outre ; elle se lassera plutôt de
10 concevoir, que la nature de fournir. Tout ce monde visible n'est qu'un trait imperceptible dans l'ample sein de la nature. Nulle idée n'en approche. Nous avons beau enfler nos conceptions, au-delà des espaces ima-
15 ginables, nous n'enfantons que des atomes, au prix de la réalité des choses. C'est une sphère infinie dont le centre est partout, la circonférence nulle part. Enfin c'est le plus grand caractère sensible de la toute-puis-
20 sance de Dieu, que notre imagination se perde dans cette pensée.

Que l'homme, étant revenu à soi, consi-
dère ce qu'il est au prix de ce qui est ; qu'il se regarde comme égaré dans ce canton
25 détourné de la nature ; et que de ce petit cachot où il se trouve logé, j'entends l'uni-
vers, il apprenne à estimer la terre, les royaumes, les villes et soi-même son juste prix. Qu'est-ce qu'un homme dans l'infini ?
30 Mais pour lui présenter un autre prodige aussi étonnant, qu'il recherche dans ce qu'il connaît les choses les plus délicates. Qu'un ciron[3] lui offre dans la petitesse de son corps des parties incomparablement plus
35 petites, des jambes avec des jointures, des veines dans ces jambes, du sang dans ces veines, des humeurs dans ce sang, des gouttes dans ces humeurs, des vapeurs dans ces gouttes ; que, divisant encore ces dernières
40 choses, il épuise ses forces en ces conceptions, et que le dernier objet où il peut arriver soit maintenant celui de notre discours ; il pen-
sera peut-être que c'est là l'extrême petitesse

Rembrandt van Rijn (1606-1669), *Portrait d'un Jeune Homme*, 1663 (huile sur toile, 78,6 X 64,2 cm ; Londres, Dulwich Picture Gallery).

de la nature. Je veux lui faire voir là-dedans un abîme nouveau. Je veux
45 lui peindre non seulement l'univers visible, mais l'immensité qu'on peut
concevoir de la nature, dans l'enceinte de ce raccourci d'atome. Qu'il y
voie une infinité d'univers, dont chacun a son firmament, ses planètes,
sa terre, en la même proportion que le monde visible ; dans cette terre,
des animaux, et enfin des cirons, dans lesquels il retrouvera ce que les
50 premiers ont donné ; et trouvant encore dans les autres la même chose
sans fin et sans repos, qu'il se perde dans ces merveilles, aussi étonnantes
dans leur petitesse que les autres par leur étendue ; car qui n'admirera[4]
que notre corps, qui tantôt n'était pas perceptible dans l'univers, imperceptible lui-même dans le sein du tout, soit à présent un colosse, un monde,
55 ou plutôt un tout, à l'égard du néant où l'on ne peut arriver.

Qui se considérera de la sorte, s'effraiera de soi-même, et, se considérant soutenu dans la masse que la nature lui a donnée, entre ces deux abîmes
de l'infini et du néant, il tremblera dans la vue de ces merveilles ; et je
crois que sa curiosité se changeant en admiration, il sera plus disposé à
60 les contempler en silence qu'à les rechercher avec présomption[5].

1. en comparaison de.
2. qu'il soit stupéfié (sens fort).
3. animal minuscule, le plus petit visible à l'œil nu.
4. ne s'étonnera.
5. prétention, orgueil.

LECTURE MÉTHODIQUE

■ Par l'observation des articulations logiques (d'un §
à l'autre et à l'intérieur des §), de la structure des
phrases et des indicateurs de lieux, mettez en évidence
la **composition du texte** (dans son ensemble, dans
chacun de ses mouvements).

■ Par l'étude précise du champ lexical, dégagez les
effets de **parallélisme** entre les « deux infinis ». Quel
rôle ces effets ont-ils dans l'argumentation ?

■ À qui l'auteur s'adresse-t-il ? Répondez à cette
question en observant le système de l'énonciation et
précisez quelle est la situation de Pascal lui-même.
Quels sont les **effets** produits ?

■ Dans quelle **situation** physique, psychologique et intellectuelle Pascal cherche-t-il à mettre son lecteur ?
Répondez à cette question en prenant appui sur les
réponses précédentes et sur le vocabulaire choisi.

ÉCRITURE

■ Pensez-vous que la **science** rassure ou qu'au
contraire elle a de quoi inquiéter ? Répondez de

manière argumentée en construisant un ou deux
développements illustrés d'exemples.

■ La **science** vous semble-t-elle opposée à la
poésie ? Répondez à cette question de manière
argumentée.

PARCOURS CULTUREL

■ **Science et poésie** s'excluent-elles ? Recherchez les
écrivains qui se sont intéressés à la science et en ont
parlé poétiquement dans certaines de leurs œuvres.
Connaissez-vous des savants qui usent d'une écriture
imagée et poétique pour exposer les découvertes de
la science ?

LIRE LA PEINTURE

■ Pourquoi, d'après vous, a-t-on rapproché ce tableau
et le texte de Pascal ? Quelles **relations** peut-on
trouver entre les deux ?

■ Que **reflète** le visage du « jeune homme » ? Comment est rendue, dans le tableau, la **technique du
« clair-obscur »** ?

guides p. 151-369-386

François Adam van der Meulen (1632-1690), *Promenade de Louis XIV à Vincennes* (Versailles, Musée National du Château).

Discours sur la condition des grands - 1660

« Les grandeurs d'établissement et les grandeurs naturelles »

Les trois Discours sur la condition des grands, *écrits par Pascal à la fin de sa vie, étaient destinés à un jeune homme de famille aristocratique. Ces discours visent à enseigner à la Noblesse la juste conscience de sa nature, de ses droits et de ses devoirs, de son rôle, en invitant à la modestie et à la charité.*

Il y a dans le monde deux sortes de grandeurs ; car il y a des grandeurs d'établissement[1] et des grandeurs naturelles. Les grandeurs d'établissement dépendent de la volonté des hommes, qui ont cru avec raison devoir honorer certains états[2] et y attacher certains respects. Les
5 dignités et la noblesse sont de ce genre. En un pays on honore les nobles, en l'autre les roturiers ; en celui-ci les aînés, en cet autre les cadets. Pourquoi cela ? Parce qu'il a plu aux hommes. La chose était indifférente avant l'établissement : après l'établissement elle devient juste, parce qu'il est injuste de la troubler.
10 Les grandeurs naturelles sont celles qui sont indépendantes de la fantaisie des hommes, parce qu'elles consistent dans des qualités réelles et effectives de l'âme ou du corps, qui rendent l'une ou l'autre plus estimable, comme les sciences, la lumière de l'esprit, la vertu, la santé, la force.

1. qui ont été établies par les hommes.
2. conditions sociales.

147

15　Nous devons quelque chose à l'une et à l'autre de ces grandeurs ; mais comme elles sont d'une nature différente, nous leur devons aussi différents respects.

Aux grandeurs d'établissement, nous leur devons des respects d'établissement, c'est-à-dire certaines cérémonies extérieures qui doivent être
20　néanmoins accompagnées, selon la raison, d'une reconnaissance intérieure de la justice de cet ordre, mais qui ne nous font pas concevoir quelque qualité réelle en ceux que nous honorons de cette sorte. Il faut parler aux rois à genoux ; il faut se tenir debout dans la chambre des princes. C'est une sottise et une bassesse d'esprit que de leur refuser ces devoirs.
25　Mais pour les respects naturels qui consistent dans l'estime, nous ne les devons qu'aux grandeurs naturelles ; et nous devons au contraire le mépris et l'aversion aux qualités contraires à ces grandeurs naturelles. Il n'est pas nécessaire, parce que vous êtes duc, que je vous estime ; mais il est nécessaire que je vous salue. Si vous êtes duc et honnête homme, je
30　rendrai ce que je dois à l'une et à l'autre de ces qualités. Je ne vous refuserai point les cérémonies que mérite votre qualité de duc, ni l'estime que mérite celle d'honnête homme. Mais si vous étiez duc sans être honnête homme, je vous ferais encore justice ; car en vous rendant les devoirs extérieurs que l'ordre des hommes a attachés à votre naissance, je ne man-
35　querais pas d'avoir pour vous le mépris intérieur que mériterait la bassesse de votre esprit.

Second Discours sur la condition des grands.

LECTURE MÉTHODIQUE

■ Par l'observation précise des paragraphes, des articulations logiques et de la reprise de certains termes ou expressions, mettez en évidence **l'évolution de la démonstration** à partir de l'exposé de la thèse.

■ En prenant appui sur le travail précédent, repérez ce qui relève de la **définition** et ce qui appartient à **l'analyse** des comportements. Utilisez pour cela les champs lexicaux et les verbes.

■ Plusieurs figures sont utilisées dans cet extrait. Identifiez-les et dites en quoi elles concourent à la **rigueur** d'un texte dont vous préciserez le **type**.

ÉCRITURE

■ Les règles de la politesse ne sont-elles que des conventions sociales ? Développez sur le sujet une ou deux thèses argumentées.

PARCOURS CULTUREL

■ Recherchez le champ **sémantique** du mot « **cérémonies** », puis trouvez plusieurs synonymes du terme au sens où il est employé dans le texte. Citez quelques formes de ces « cérémonies » qui avaient lieu autrefois et dont certaines subsistent. Recherchez aussi des **expressions toutes faites** faisant intervenir ce terme.

guides p. 39-78-151

1627-1704

J.-B. Bossuet

Le grand prédicateur

Issu d'une famille de magistrats de Dijon, Jacques-Bénigne Bossuet s'est fait prêtre par vocation. Dès le début de sa carrière ecclésiastique, il se signale par ses dons d'orateur. À l'occasion des grandes fêtes religieuses comme Pâques, il prononce de nombreux sermons, dont certains devant la Cour. Il est également chargé des oraisons funèbres des plus grands personnages de l'entourage du roi. Son éloquence est majestueuse et énergique mais l'enseignement délivré est simple, soutenu par une foi et des certitudes religieuses inébranlables.

Le pédagogue

À partir de 1670, Bossuet, à la demande de Louis XIV, devient précepteur du grand Dauphin. En préparant son élève au métier de roi, il l'instruit aussi de ses devoirs envers Dieu. De cet enseignement, l'œuvre la plus importante est le *Discours sur l'histoire universelle* (1681) : Bossuet y développe l'idée que c'est la Providence, c'est-à-dire le projet de Dieu, qui règle la destinée des hommes et s'inscrit dans l'histoire.

Le chef de l'Église de France

Nommé évêque de Meaux en 1681, Bossuet s'impose comme le défenseur de la foi et de l'Église et le plus sûr soutien de la monarchie de droit divin. Les dernières années de sa vie sont consacrées à lutter contre le Protestantisme, le Quiétisme et la montée de l'esprit critique, ▷▷▷ *p. 168.*

Portrait : Hyacinthe Rigaud (1659-1743), *Portrait de Bossuet en pied* (détail), (Paris, Musée du Louvre).

Sermons

« Toujours entraîné, tu approches du gouffre affreux »

Simon Renard de Saint-André (1613-1677), *Vanité* (France, Collection particulière).

Pour ses sermons, Bossuet ne prenait que quelques notes préparatoires. Les textes étaient donc des « brouillons » qui pouvaient être modifiés suivant l'inspiration et l'effet à produire sur l'auditoire. À l'aide d'images simples mais d'une grande qualité expressive, Bossuet s'adresse ici à la sensibilité de ceux qui l'écoutent.

La vie humaine est semblable à un chemin dont l'issue est un précipice affreux. On nous en avertit dès le premier pas ; mais la loi est portée[1], il faut avancer toujours. Je voudrais retourner en arrière.

5 Marche ! marche ! Un poids invincible, une force irrésistible nous entraîne. Il faut sans cesse avancer vers le précipice. Mille traverses, mille peines nous fatiguent et nous inquiètent dans la route. Encore si je pouvais éviter ce précipice affreux ! Non, non, il faut marcher, il faut courir : telle est la rapidité des années. On se console pourtant parce que de temps en 10 temps on rencontre des objets qui nous divertissent, des eaux courantes, des fleurs qui passent. On voudrait s'arrêter : Marche, marche ! Et cependant on voit tomber derrière soi tout ce qu'on avait passé ; fracas effroyable ! inévitable ruine ! On se console, parce qu'on emporte quelques fleurs cueillies en passant, qu'on voit se faner entre ses mains du matin au soir 15 et quelques fruits qu'on perd en les goûtant : enchantement ! illusion ! Toujours entraîné, tu approches du gouffre affreux : déjà tout commence à s'effacer ; les jardins moins fleuris, les fleurs moins brillantes, leurs couleurs moins vives, les prairies moins riantes, les eaux moins claires : tout se ternit, tout s'efface. L'ombre de la mort se présente ; on commence à 20 sentir l'approche du gouffre fatal. Mais il faut aller sur le bord. Encore un pas : déjà l'horreur trouble les sens, la tête tourne, les yeux s'égarent. Il faut marcher ; on voudrait retourner en arrière ; plus de moyens : tout est tombé, tout est évanoui, tout est échappé.

Sermon pour le jour de Pâques.

1. c'est la loi.

---

guides p. 78-276-369

Le texte argumentatif

Argumenter, c'est **défendre** une ou des positions en les étayant par des preuves, par un raisonnement, par des illustrations. L'argumentation est une démarche qui met en jeu des moyens destinés à **convaincre.** Connaître ses caractéristiques permet à la fois d'**identifier** le texte argumentatif et de l'**analyser.**

Identification

Le texte argumentatif appartient au **discours.** Il **expose** ou **confronte** un ou plusieurs points de vue, appelés **thèses,** par exemple l'utilité des métiers manuels, ▷▷▷ *p. 223,* la nécessité d'être bienveillant avec les enfants ▷▷▷ *p. 242.*

■ La **thèse défendue** s'oppose en général à une thèse qui se trouve alors **réfutée,** explicitement ou implicitement. La volonté de convaincre conduit le locuteur à étayer sa thèse à l'aide d'arguments, à l'illustrer par des exemples et à utiliser des procédés rhétoriques.

■ La structure de l'argumentation est matérialisée par des **paragraphes** et soulignée par des **liens logiques :**

succession	cause	conséquence	opposition ou objection	concession
et aussi également en outre d'autre part	car parce que étant donné	alors donc c'est pourquoi	mais en revanche au contraire pourtant néanmoins or	certes bien que il est vrai

Analyse

L'analyse du texte argumentatif a pour objectif de mettre en évidence la ou les **thèses** en présence, leurs **articulations,** et les **moyens** utilisés pour convaincre. L'étude du texte argumentatif englobe donc :

■ **Le système énonciatif :** *qui parle ? à qui ? qui prend le discours à son compte ?* On repère le système énonciatif en observant les pronoms personnels du discours, les verbes d'affirmation et d'opinion *(penser, croire),* les modalisateurs qui insistent sur la subjectivité *(peut-être, hélas, sans doute, assurément…).* Dans le texte *p. 242,* Rousseau donne lui-même la parole à ses adversaires : *C'est, me direz-vous…* Il est essentiel de savoir à qui appartient l'objection énoncée.

■ **Les réseaux lexicaux :** leur présence et leur évolution donne le sens du texte, le contenu des thèses, la nature des arguments. Les identifier permet de répondre aux questions : *de quoi s'agit-il ? quel est le thème de l'argumentation ?* Ainsi, *p. 164,* on détermine par les repérages lexicaux que le thème est celui des relations du théâtre et de la religion.

■ **Les articulations logiques :** explicites (mots de liaison) ou implicites, elles permettent de saisir le raisonnement mis en jeu. La relation concessive *(certes, bien que)* est très importante car elle permet de voir que le locuteur s'engage dans le sens de ce que dit la thèse opposée, parfois pour mieux la réfuter.

■ **Les appels à l'interlocuteur :** ils font partie des **moyens rhétoriques** de la persuasion. L'emploi de la seconde personne, de *nous (supposons que* ▷▷▷ *p. 244,* de *on,* de *qui* ▷▷▷ *p. 145, qui se considérera de la sorte…)* permet de jouer sur la sensibilité, l'imagination, les sentiments. C'est à partir de ces moyens que l'on peut évaluer, apprécier la force d'une argumentation.

Fonctions

■ Présent dans **tous les genres** (roman, théâtre, poésie, essais), le texte argumentatif a plusieurs fonctions :

■ **Convaincre et persuader :** la première démarche consiste à **faire reconnaître** la validité d'une thèse grâce à des arguments considérés comme acceptables. La seconde vise à modifier le point de vue de l'interlocuteur en le touchant **affectivement.** La première démarche repose sur le **raisonnement,** la seconde sur la **séduction.** Mais il arrive souvent que les deux soient liés, dans les textes de Pascal, notamment ▷▷▷ *p. 143.* Il est important alors de déterminer ce qui correspond à l'un et à l'autre. Les **stratégies argumentatives** s'expliquent en fonction des enjeux du **débat.**

■ **S'opposer, réfuter :** dans le premier cas, on exprime une opinion qui va dans le sens opposé à celui de la thèse. La **réfutation** consiste, elle, à faire apparaître la **faiblesse** ou la **fausseté** des arguments de la thèse adverse. C'est ce que fait Montaigne, ▷▷▷ *p. 93,* en soulignant l'inefficacité des méthodes d'éducation traditionnelles. La réfutation utilise souvent l'**ironie** pour souligner le peu de solidité de la thèse adverse.

Jean Racine

1639-1699

Jean Racine, la plus grande voix tragique du XVIIe siècle avec Corneille, est un écrivain des plus complexes. En effet, si l'on considère sa vie et sa carrière, elles semblent uniformément marquées par la réussite, et, sur l'homme, il y aurait peu de chose à dire. En revanche, son théâtre offre un monde rempli de passion, d'égoïsme, de refoulement et de cruauté, et il ouvre à l'analyse et à l'interprétation des profondeurs qu'on ne semble pas avoir encore fini d'explorer.

L'éducation de Port-Royal

Orphelin très jeune et laissé sans fortune, Jean Racine est élevé dans les « Petites-Écoles » de l'abbaye de Port-Royal ▷▷▷ *p. 168.* Là, formé par l'enseignement austère du Jansénisme*, il acquiert une grande culture, une très bonne connaissance du grec en particulier.

La réussite par le théâtre

Cherchant à se pousser dans le monde, Racine commence par composer des poèmes pour être présenté à la Cour. Puis en 1664, à 25 ans, il se consacre au théâtre. Voyant là un excellent moyen de réussir, il n'hésite pas à attaquer ses anciens maîtres de Port-Royal qui réprouvaient le théâtre pour son esprit mondain et son immoralité.

En 1667, avec la tragédie *Andromaque,* il connaît la gloire qui ne le quittera plus jusqu'en 1677 avec *Phèdre.* Pendant ces dix années, les huit pièces qu'il écrit sont des succès. Plusieurs sont représentées à la Cour. Il rivalise avec Corneille sur le sujet de *Bérénice* (1670) et l'emporte finalement dans la faveur du public. *Iphigénie* en 1674 est un triomphe. L'auteur à succès vit des liaisons mouvementées avec les grandes interprètes de ses tragédies. L'homme de théâtre est comblé. Mais en 1677, à 38 ans, Racine cesse d'écrire pour la scène.

Un courtisan comblé d'honneurs

Est-ce le relatif insuccès de *Phèdre* qui pousse Racine à interrompre sa carrière de théâtre ? Ce sont plutôt les honneurs qui l'accaparent : il est nommé historiographe* du roi, chargé donc de transmettre à la postérité les hauts faits du règne de Louis XIV. Très richement pensionné*, marié en 1677 (il sera père de sept enfants), il s'installe dans une situation matérielle et sociale fort enviable.

Madame de Maintenon, nouvelle épouse du roi, commande à Racine, pour la maison d'éducation de Saint-Cyr qu'elle a fondée, des pièces inspirées de la Bible : il écrit *Esther* (1689) et *Athalie* (1691) puis se retire définitivement. La fin de sa vie est marquée par un retour à la religion et au Jansénisme. Il demande à être enterré à Port-Royal des Champs.

Portrait : Pierre Mignard (1612-1695), *Portrait de Jean Racine* (détail), (Versailles, Musée National du Château).

Andromaque - 1667

« On peut vous rendre encor ce fils que vous pleurez »

*L'action d'*Andromaque *est inspirée des récits de la guerre de Troie.*
Après la chute de Troie, le Grec Pyrrhus a emmené comme captive Andromaque, la
veuve du chef troyen Hector que son père, Achille, a tué au combat. Bien qu'il soit
fiancé avec Hermione, une princesse grecque, Pyrrhus aime Andromaque et voudrait
se faire aimer d'elle. Mais la fidélité d'Andromaque au souvenir de son mari, et les
ressentiments d'un peuple vaincu envers son oppresseur les séparent : Andromaque
repousse Pyrrhus. Celui-ci se fait alors de plus en plus menaçant : si Andromaque
refuse de l'épouser, il livrera à la vengeance des Grecs le fils qui lui reste d'Hector,
le petit Astyanax.

Pyrrhus - Andromaque

PYRRHUS *continue.*

Madame, demeurez.
On peut vous rendre encor ce fils que vous pleurez.
Oui, je sens à regret qu'en excitant vos larmes
Je ne fais contre moi que vous donner des armes.
5 Je croyais apporter plus de haine en ces lieux.
Mais, Madame, du moins tournez vers moi les yeux :
Voyez si mes regards sont d'un juge sévère,
S'ils sont d'un ennemi qui cherche à vous déplaire.
Pourquoi me forcez-vous vous-même à vous trahir ?
10 Au nom de votre fils, cessons de nous haïr.
À le sauver enfin c'est moi qui vous convie.
Faut-il que mes soupirs vous demandent sa vie ?
Faut-il qu'en sa faveur j'embrasse vos genoux ?
Pour la dernière fois, sauvez-le, sauvez-nous.
15 Je sais de quels serments je romps pour vous les chaînes[1],
Combien je vais sur moi faire éclater de haines.
Je renvoie Hermione, et je mets sur son front,
Au lieu de ma couronne, un éternel affront.
Je vous conduis au temple où son hymen[2] s'apprête ;
20 Je vous ceins du bandeau préparé pour sa tête.
Mais ce n'est plus, Madame, une offre à dédaigner :
Je vous le dis, il faut ou périr ou régner.
Mon cœur, désespéré d'un an d'ingratitude,
Ne peut plus de son sort souffrir l'incertitude.
25 C'est craindre, menacer, et gémir trop longtemps.
Je meurs si je vous perds ; mais je meurs si j'attends.
Songez-y : je vous laisse, et je viendrai vous prendre
Pour vous mener au temple où ce[3] fils doit m'attendre ;
Et là vous me verrez, soumis ou furieux,
30 Vous couronner, Madame, ou le perdre à vos yeux.

Acte III, scène 7, v. 947-976.

Jean Le Maire (1598-1659), *Vue d'un Palais imaginaire*
(huile sur toile, 134 × 194 cm ; Paris, Musée du Louvre).

LECTURE MÉTHODIQUE

■ Observez la fréquence d'emploi des pronoms personnels de la première personne du singulier et de la seconde du pluriel. Que peut-on déduire de ce repérage concernant les **relations** entre les deux personnages présents ? Que révèle l'emploi de la première personne du pluriel ?

■ Retrouvez dans la tirade tous les **indices lexicaux** et **syntaxiques** qui traduisent la volonté de Pyrrhus de retenir Andromaque, immédiatement d'abord, puis de manière définitive.

■ Par quels **moyens** s'efforce-t-il d'obtenir sa décision ? Comment cette insistance se traduit-elle dans le texte ? Récapitulez ses différents **arguments**. Précisez à quoi ils se rattachent et quelle est leur tonalité.

1. les liens, les engagements. 2. son mariage. 3. Astyanax.

guides p. 78-139-151-157-306

Bérénice - 1670

« Pour jamais ! Ah ! Seigneur... »

On trouve l'origine de Bérénice *dans ces quelques lignes de l'écrivain romain Sué-*
tone : « Titus, qui aimait passionnément Bérénice [...], la renvoya de Rome,
malgré lui et malgré elle, dès le premier jour de son Empire. » *Bérénice*
en effet est reine de Palestine et le Sénat romain ne tolère pas qu'un empereur s'unisse
à une souveraine étrangère. Dans la scène 5 de l'acte IV, Titus, cédant à la Loi
de Rome, annonce à Bérénice qu'ils doivent se séparer : « Je sens bien que sans
vous je ne saurais plus vivre. [...] Mais il ne s'agit plus de vivre, il faut
régner. »

BÉRÉNICE

Hé bien ! régnez, cruel ; contentez votre gloire :
Je ne dispute¹ plus. J'attendais, pour vous croire,
Que cette même bouche, après mille serments
D'un amour qui devait unir tous nos moments,
5 Cette bouche, à mes yeux s'avouant infidèle,
M'ordonnât elle-même une absence éternelle.
Moi-même, j'ai voulu vous entendre en ce lieu.
Je n'écoute plus rien, et pour jamais adieu.
Pour jamais ! Ah ! Seigneur, songez-vous en vous-même
10 Combien ce mot cruel est affreux quand on aime ?
Dans un mois, dans un an, comment souffrirons-nous,
Seigneur, que tant de mers me séparent de vous ?
Que le jour recommence et que le jour finisse
Sans que jamais Titus puisse voir Bérénice,
15 Sans que de tout le jour je puisse voir Titus ?
Mais quelle est mon erreur, et que de soins perdus !
L'ingrat, de mon départ consolé par avance,
Daignera-t-il compter les jours de mon absence ?
Ces jours, si longs pour moi, lui sembleront trop courts.

TITUS

20 Je n'aurai pas, Madame, à compter tant de jours.
J'espère que bientôt la triste renommée
Vous fera confesser que vous étiez aimée.
Vous verrez que Titus n'a pu, sans expirer...

BÉRÉNICE

Ah ! Seigneur, s'il est vrai, pourquoi nous séparer ?
25 Je ne vous parle point d'un heureux hyménée².
Rome à ne vous plus voir m'a-t-elle condamnée ?
Pourquoi m'enviez³-vous l'air que vous respirez ?

TITUS

Hélas ! vous pouvez tout, Madame. Demeurez :
Je n'y résiste point. Mais je sens ma faiblesse.
30 Il faudra vous combattre et vous craindre sans cesse,
Et sans cesse veiller à retenir mes pas,
Que vers vous à toute heure entraînent vos appas.
Que dis-je ? En ce moment mon cœur, hors de lui-même,
S'oublie, et se souvient seulement qu'il vous aime.

1. discute.
2. mariage.
3. me refusez-vous.
4. me font payer cher.

Claude Gellée dit Le Lorrain (1600-1682), *L'Embarquement de la Reine de Saba*, 1648 (huile sur toile, 148,6 X 193,7 cm ; Londres, The National Gallery).

BÉRÉNICE

35 Hé bien, Seigneur, hé bien, qu'en peut-il arriver ?
Voyez-vous les Romains prêts à se soulever ?

TITUS

Et qui sait de quel œil ils prendront cette injure ?
S'ils parlent, si les cris succèdent au mumure,
Faudra-t-il par le sang justifier mon choix ?
40 S'ils se taisent, Madame, et me vendent[4] leurs lois,
À quoi m'exposez-vous ? Par quelle complaisance
Faudra-t-il quelque jour payer leur patience ?
Que n'oseront-ils point alors me demander ?
Maintiendrai-je des lois que je ne puis garder ?

BÉRÉNICE

45 Vous ne comptez pour rien les pleurs de Bérénice.

TITUS

Je les compte pour rien ! Ah ! ciel ! quelle injustice !

BÉRÉNICE

Quoi ? pour d'injustes lois que vous pouvez changer,
En d'éternels chagrins vous-même vous plonger ?
Rome a ses droits, Seigneur : n'avez-vous pas les vôtres ?
50 Ses intérêts sont-ils plus sacrés que les nôtres ?
Dites, parlez.

TITUS

Hélas ! Que vous me déchirez !

BÉRÉNICE

Vous êtes empereur, Seigneur, et vous pleurez !

Acte IV, scène 5, v. 1103-1154.

LECTURE MÉTHODIQUE

■ Par l'observation de la ponctuation (interrogation et exclamation surtout), des modes de certains verbes, des pronoms personnels, analysez le **déroulement de ce face à face** et dites qui mène le **débat**.

■ Quels sont les éléments du **conflit** qui déchire ici Titus et Bérénice ? Répondez à cette question par une analyse précise du double champ lexical de **l'amour** d'une part, du **devoir** et de la **politique** d'autre part.

■ Distinguez les différents **tons** qui caractérisent **l'argumentation** de Bérénice. Pour vous aider, en voici quelques-uns : l'agressivité, l'ironie, l'élégie, la tendresse.

PARCOURS CULTUREL

■ Après cette scène, quel **avenir** peut-on imaginer pour ces deux personnages ? Quel dénouement vous paraît possible, de façon générale d'une part, pour une tragédie classique en particulier d'autre part ? Vérifiez quel a été le choix de Racine pour *Bérénice*.

■ À partir de l'extrait d'*Andromaque* ▷ ▷ ▷ *p. 153* et de ce passage de *Bérénice*, précisez quelles sont les caractéristiques du **conflit tragique** : enjeux, personnages mis en cause, sentiments provoqués, tonalité.

guides p. 39-157-224-276

155

Jean Bérain (1640-1711), *Le Prince Thésée*
(dessin ; Paris, Musée du Louvre).

1. allusion à la fatalité qui pèse
sur la famille de Phèdre.
2. Phèdre venait demander à Hippolyte
d'aider le jeune fils que lui laissait Thésée.
3. me refuse.

LECTURE MÉTHODIQUE

■ Par l'observation des changements de temps et de modes verbaux, des pronoms personnels, de l'énonciation et de la ponctuation, faites apparaître les **étapes de l'aveu.** Par quoi se termine-t-il ?

■ En vous appuyant sur le repérage et l'analyse des pronoms, des impératifs et des adjectifs possessifs, dites si cet extrait est un **monologue** ou une **tirade** adressée à un interlocuteur. L'absence de réponse est-elle perceptible ? A-t-elle une influence sur les paroles de Phèdre ?

■ Comment s'exprime la **violence** (gestuelle, verbale) ? Répondez à cette question en repérant certaines figures de style et en observant le rythme et la fin de la tirade.

■ En prenant appui sur les champs lexicaux, étudiez comment se mêlent dans cet extrait les notions de **fatalité** et de **culpabilité**. Dites à partir de là comment peut se définir un héros tragique.

guides p. 39-78-157-369-418

Phèdre - 1677

« Venge-toi, punis-moi d'un odieux amour »

Phèdre, l'épouse de Thésée, est amoureuse du jeune Hippolyte, le fils que Thésée a eu d'un premier mariage. Elle s'efforce de cacher cet amour interdit. Mais, à l'annonce de la mort de Thésée, elle se laisse aller au plaisir de dire à Hippolyte l'amour qu'elle a pour lui...

PHÈDRE

Ah ! cruel, tu m'as trop entendue.
Je t'en ai dit assez pour te tirer d'erreur.
Hé bien ! connais donc Phèdre et toute sa fureur.
J'aime. Ne pense pas qu'au moment que je t'aime,
5 Innocente à mes yeux je m'approuve moi-même,
Ni que du fol amour qui trouble ma raison
Ma lâche complaisance ait nourri le poison.
Objet infortuné des vengeances célestes,
Je m'abhorre encor plus que tu ne me détestes.
10 Les Dieux m'en sont témoins, ces Dieux qui dans mon flanc
Ont allumé le feu fatal à tout mon sang[1] ;
Ces Dieux qui se sont fait une gloire cruelle
De séduire le cœur d'une faible mortelle.
Toi-même en ton esprit rappelle le passé.
15 C'est peu de t'avoir fui, cruel, je t'ai chassé.
J'ai voulu te paraître odieuse, inhumaine ;
Pour mieux te résister, j'ai recherché ta haine.
De quoi m'ont profité mes inutiles soins ?
Tu me haïssais plus, je ne t'aimais pas moins.
20 Tes malheurs te prêtaient encor de nouveaux charmes.
J'ai langui, j'ai séché dans les feux, dans les larmes.
Il suffit de tes yeux pour t'en persuader,
Si tes yeux un moment pouvaient me regarder.
Que dis-je ? Cet aveu que je te viens de faire,
25 Cet aveu si honteux, le crois-tu volontaire ?
Tremblante pour un fils[2] que je n'osais trahir,
Je te venais prier de ne le point haïr.
Faibles projets d'un cœur trop plein de ce qu'il aime !
Hélas ! Je ne t'ai pu parler que de toi-même.
30 Venge-toi, punis-moi d'un odieux amour.
Digne fils du héros qui t'a donné le jour,
Délivre l'univers d'un monstre qui t'irrite.
La veuve de Thésée ose aimer Hippolyte !
Crois-moi, ce monstre affreux ne doit point t'échapper.
35 Voilà mon cœur. C'est là que ta main doit frapper.
Impatient déjà d'expier son offense,
Au-devant de ton bras, je le sens qui s'avance.
Frappe. Ou si tu le crois indigne de tes coups,
Si ta haine m'envie[3] un supplice si doux,
40 Ou si d'un sang trop vil ta main serait trempée,
Au défaut de ton bras, prête-moi ton épée.
Donne !

Acte II, scène 5.

La tragédie

▦ *La tragédie antique*

Dans l'Antiquité, les tragédies étaient liées au culte du dieu **Dionysos.** À l'origine, un chœur célébrait le dieu en évoluant autour de son autel. Puis la présence d'acteurs permit les dialogues. Le premier à les introduire fut Eschyle[1] ; Sophocle, puis Euripide augmentèrent leur importance, diversifiant les sujets, et faisant de l'homme un héros. Les représentations tragiques sont de véritables cérémonies religieuses : le théâtre en demi-cercle, à ciel ouvert, contient jusqu'à 20 000 places ; les acteurs déclament ; leur lourd costume, les masques, les chaussures qui les grandissent, leur donnent un jeu solennel et saisissant.

Les thèmes sont pris dans les légendes de la Grèce. Ils montrent l'Homme aux prises avec des forces qui le dépassent : la nature, les dieux, les autres hommes ou l'hérédité. Des héros comme Œdipe ou Oreste incarnent les problèmes de la responsabilité de l'Homme face à la fatalité, de sa révolte ou de sa soumission à la volonté des dieux. *Antigone* de Sophocle montre le combat pour la justice.

▦ *La tragédie classique*

▪ **L'imitation des Anciens :** par admiration pour l'Antiquité ▷▷▷ *p. 203,* le XVIIᵉ siècle s'inspire de la tragédie antique et emprunte la plupart de ses sujets tragiques à l'histoire grecque ou romaine (Corneille ▷▷▷ *p. 138 ;* Racine : ▷▷▷ *p. 153*). Il renoue également avec les grands thèmes tragiques de la révolte *(Horace),* de l'opposition à des forces adverses *(Andromaque, Bérénice* ▷▷▷ *p. 154),* de la fatalité *(Phèdre*▷▷▷ *p. 156).* Il conserve aussi, de l'Antiquité, le caractère cérémonial : une action simple et noble, une langue poétique et majestueuse.

▪ **Les traits caractéristiques :** genre noble par excellence, la tragédie est strictement codifiée par les Doctes* à la suite de la querelle du *Cid* ▷▷▷ *p. 131.* Elle doit répondre à plusieurs impératifs : être écrite en vers, en langue soutenue ; comporter cinq actes (l'Acte I est celui de **l'exposition,** les trois suivants font progresser **l'action dramatique** jusqu'à la catastrophe, le dernier contient le **dénouement**). Elle doit se terminer par un dénouement malheureux, la mort. Les personnages doivent être illustres ou d'un statut social élevé (héros légendaires, rois, princes) ; l'action doit se situer à une époque passée (la mythologie, l'Antiquité, l'histoire biblique). Elle obéit strictement à la **règle des trois unités :**

• **l'unité de temps :** l'action est concentrée sur une durée de 24 heures au plus ;

• **l'unité de lieu :** l'intrigue se déroule d'un bout à l'autre dans le même lieu (un palais, une antichambre) ;

• **l'unité d'action :** l'action est composée d'une intrigue unique.

Ces unités donnent à la tragédie classique une grande intensité dramatique. Mais cette intensité passe par les ressources du dialogue essentiellement : en effet, la violence ne doit pas être montrée sur le théâtre. Les scènes de combats ou de meurtres font l'objet de récits.

▪ **Les fonctions de la tragédie :** selon le philosophe grec Aristote (IVᵉ siècle avant J.-C.) la tragédie doit inspirer la **terreur** et la **pitié.** Son but est la *catharsis,* c'est-à-dire la purgation des passions. Le spectacle des malheurs du héros conduit le spectateur, par la terreur et la pitié, à se libérer de ses propres passions. C'est là une fonction initiatique et purificatrice.

À ces sentiments de terreur et de pitié, Corneille ajoute *l'admiration.* Le héros cornélien, en effet, a une fonction de modèle. Avec Racine, la tragédie exprime une vision plus pessimiste de la condition humaine, où le personnage est victime de lui-même, de ses propres pulsions, autant que du destin ▷▷▷ *p. 156.* La différence avec Corneille se révèle particulièrement au cours du conflit tragique. Ce moment de crise est l'occasion pour le héros cornélien d'affronter le destin dans un face à face héroïque. Le personnage racinien au contraire assiste à la défaite de sa volonté ▷▷▷ *p. 155.* La fonction primordiale de la tragédie devient alors l'émotion.

▦ *Évolution historique*

Au XVIIIᵉ siècle, Voltaire, par admiration pour Racine, écrit encore de nombreuse tragédies. Au XIXᵉ siècle les Romantiques rejettent les règles classiques comme contraires à la vraisemblance. Victor Hugo les ridiculise dans la célèbre préface de *Cromwell*▷▷▷ *p. 277.*

La tragédie n'existe plus au XXᵉ siècle, mais le tragique demeure et le théâtre reste son mode d'expression privilégié. Les thèmes développés rattachent ce tragique moderne aux tragédies antiques : la liberté, ▷▷▷ *p. 410,* la révolte, la solitude humaine (Beckett, ▷▷▷ *p. 422*). Certains écrivains s'inspirent directement des mythes* antiques et donnent une interprétation moderne des tragédies grecques : ▷▷▷ *p. 408* et *410.*

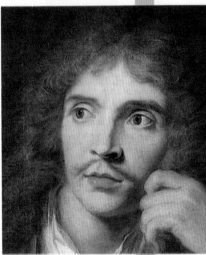

Molière

1622-1673

Le plus célèbre écrivain comique du théâtre français était un artiste complet : homme de spectacle, directeur de troupe, metteur en scène, acteur et auteur. Sa vie fut remplie d'activités et riche de contrastes.

L'irrésistible attrait des planches

Né à Paris dans le milieu de la bourgeoisie aisée, Jean-Baptiste Poquelin est fils d'un honorable « tapissier ordinaire de la maison du Roi » à qui il devrait normalement succéder. Mais à 21 ans, en 1643, le jeune homme renonce à tout pour le théâtre.
Il a rencontré les Béjart, une troupe d'acteurs et, fasciné, il se laisse entraîner à leur suite. Prenant le nom de Molière, il fonde alors avec Madeleine Béjart l'*Illustre-Théâtre*. Mais la vie d'une compagnie est difficile, la concurrence est rude à Paris. La troupe ira se produire en province, menant l'existence itinérante de comédiens ambulants, pendant douze ans.

Le génial farceur

Molière met au point son personnage comique et la rencontre d'autres compagnies, comme celle des Italiens qui jouent la *Commedia dell'Arte*, enrichit son sens du théâtre. Surtout, il se met à écrire lui-même des farces et bientôt des comédies qui sont vite de très grands succès. En 1658, à 36 ans, il revient à Paris et sa troupe qui se produit devant le roi reçoit le titre de « Troupe de Monsieur » (« Monsieur » est le frère du roi). *Les Précieuses ridicules* qui tourne en dérision les outrances de la préciosité ▷ ▷ ▷ *p. 125* remporte un triomphe. Désormais, on connaît bien Molière et Louis XIV le protège.

Un auteur puissamment protégé mais attaqué

Malgré la bienveillance du roi, la vie et la carrière de Molière vont devenir un combat permanent. Il produit des pièces plus profondes, plus fines, et à trois reprises, il lui faut lutter contre les attaques et les cabales. Celle de *L'École des femmes* (1662) : la pièce est un très grand succès, le roi « pensionne » Molière mais la pièce est accusée d'être immorale, et l'auteur d'y ridiculiser le mariage.
Celle du *Tartuffe* (1664-1669) : cette satire de la fausse dévotion dresse contre elle les milieux religieux. Représentée lors des grandes fêtes de Versailles, goûtée par le roi, la pièce est interdite deux fois par le clan des dévots.
Celle de *Dom Juan* (1665) : avec ce personnage de séducteur débauché et impie, Molière déchaîne contre lui la censure. Bien que sa troupe soit devenue la Troupe du Roi, l'auteur voit *Dom Juan* interdit après quinze représentations.

Directeur de la « Troupe du Roi »

Au milieu de ces conflits continuels, Molière n'arrête pas de jouer et d'écrire. Sa production est alors d'une grande variété : des pièces graves comme *Le Misanthrope* (1666), les grandes comédies de mœurs et de caractères comme *L'Avare, Les Femmes savantes* (1672), alternent avec des « spectacles à machines » *(Amphitryon)*, des farces *(Les Fourberies de Scapin)* ou des comédies-ballets *(Le Bourgeois gentilhomme)*.
À la fin de la quatrième représentation du *Malade imaginaire,* en 1673, Molière est pris d'un grave malaise. Transporté chez lui, il meurt peu après. Comme l'Église refusait l'inhumation religieuse aux comédiens, il fallut l'intervention du roi pour qu'il soit enterré dignement, mais très simplement et de nuit, entre le 21 et le 22 février 1673.

Molière dans le rôle de Sganarelle dans « l'École des Maris » (gravure XVIIᵉ s., Paris, Bibliothèque des Arts décoratifs).

Portrait : Charles-Antoine Coypel (1694-1752), *Portrait de Molière à sa table de travail* (détail), (huile sur toile, 71,5 × 56,5 cm ; Paris, Musée de la Comédie-Française).

L'École des femmes - 1662

« C'est Agnès qu'on l'appelle »

L'ignorance où l'on tient la femme, sa soumission à son futur mari, sont les grands thèmes de L'École des femmes. *Mais Molière traite ces sujets graves en auteur comique, à travers une intrigue aux nombreux rebondissements.*

Arnolphe, pour s'assurer une femme soumise, s'est efforcé de rendre sa future épouse, la jeune Agnès, idiote autant qu'il se pourrait. Pour éviter à Agnès toute fréquentation, il la tient dans une maison écartée où on le connaît lui-même sous le nom de Monsieur de La Souche. La pièce montre comment Arnolphe se fera prendre au piège de ses propres machinations.

Dans l'extrait suivant, nous sommes au début de la pièce. Arnolphe, très satisfait de l'innocence et de l'obéissance d'Agnès, rencontre par hasard le jeune Horace, fils d'un de ses anciens amis. Une conversation amicale s'engage. Horace emprunte même de l'argent à Arnolphe, et le dialogue se poursuit...

ARNOLPHE

Eh bien ! comment encor trouvez-vous cette ville ?

HORACE

Nombreuse en citoyens, superbe en bâtiments,
Et j'en crois merveilleux les divertissements.

ARNOLPHE

Chacun a ses plaisirs, qu'il se fait à sa guise ;
5 Mais, pour ceux que du nom de galants on baptise,
Ils ont en ce pays de quoi se contenter,
Car les femmes y sont faites à coqueter[1].
On trouve d'humeur douce et la brune et la blonde,
Et les maris aussi les plus bénins[2] du monde :
10 C'est un plaisir de prince, et des tours que je voi
Je me donne souvent la comédie à moi.
Peut-être en avez-vous déjà féru[3] quelqu'une.
Vous est-il point encore arrivé de fortune[4] ?
Les gens faits comme vous font plus que les écus,
15 Et vous êtes de taille à faire des cocus.

HORACE

À ne vous rien cacher de la vérité pure,
J'ai d'amour en ces lieux eu certaine aventure,
Et l'amitié m'oblige à vous en faire part.

ARNOLPHE

Bon ! voici de nouveau quelque conte gaillard,
20 Et ce sera de quoi mettre sur mes tablettes.

HORACE

Mais, de grâce, qu'au moins ces choses soient secrètes.

ARNOLPHE

Oh !

1. se montrent coquettes.
2. bienveillants.
3. frappé.
4. ici : aventure amoureuse.

HORACE

Vous n'ignorez pas qu'en ces occasions
Un secret éventé[5] rompt nos précautions.
Je vous avouerai donc avec pleine franchise
25 Qu'ici d'une beauté mon âme s'est éprise.
Mes petits soins d'abord ont eu tant de succès
Que je me suis chez elle ouvert un doux accès ;
Et, sans trop me vanter, ni lui faire une injure,
Mes affaires y sont en fort bonne posture.

ARNOLPHE, *riant.*

Et c'est ?

HORACE, *lui montrant le logis d'Agnès.*
30 Un jeune objet[6] qui loge en ce logis
Dont vous voyez d'ici que les murs sont rougis :
Simple, à la vérité, par l'erreur sans seconde
D'un homme qui la cache au commerce du monde,
Mais qui, dans l'ignorance où l'on veut l'asservir,
35 Fait briller des attraits capables de ravir ;
Un air tout engageant, je ne sais quoi de tendre
Dont il n'est point de cœur qui se puisse défendre.
Mais peut-être il n'est pas que vous n'ayez bien vu
Ce jeune astre d'amour de tant d'attraits pourvu :
C'est Agnès qu'on l'appelle.

ARNOLPHE, *à part.*
Ah ! je crève !

HORACE
40 Pour l'homme,
C'est, je crois, de la Zousse, ou Source, qu'on le nomme ;
Je ne me suis pas fort arrêté sur le nom ;
Riche, à ce qu'on m'a dit, mais des plus sensés, non,
Et l'on m'en a parlé comme d'un ridicule.
Le connaissez-vous point ?

ARNOLPHE, *à part.*
45 La fâcheuse pilule !

HORACE

Eh ! vous ne dites mot ?

ARNOLPHE
Eh ! oui, je le connoi.

HORACE

C'est un fou, n'est-ce pas ?

ARNOLPHE
Eh !...

HORACE
Qu'en dites-vous ? quoi ?
Eh ! c'est-à-dire oui. Jaloux à faire rire ?
Sot ? je vois qu'il en est ce que l'on m'a pu dire.
50 Enfin l'aimable Agnès a su m'assujettir[7].
C'est un joli bijou, pour ne vous point mentir,
Et ce serait péché qu'une beauté si rare
Fût laissée au pouvoir de cet homme bizarre.

5. découvert.
6. objet de son admiration (langage précieux).
7. me rendre son esclave, me subjuguer.

Pieter de Hooch (1629-1684), *L'Armoire à linge*, 1663 (huile sur toile, 73 X 77 cm ; Amsterdam, Rijks-museum).

Pour moi, tous mes efforts, tous mes vœux les plus doux,
55 Vont à m'en rendre maître en dépit du jaloux,
Et l'argent que de vous j'emprunte avec franchise
N'est que pour mettre à bout[8] cette juste entreprise.
Vous savez mieux que moi, quels que soient nos efforts,
Que l'argent est la clef de tous les grands ressorts,
60 Et que ce doux métal, qui frappe tant de têtes,
En amour, comme en guerre, avance les conquêtes.
Vous me semblez chagrin ; serait-ce qu'en effet
Vous désapprouveriez le dessein que j'ai fait ?

ARNOLPHE
Non, c'est que je songeais…

HORACE
Cet entretien vous lasse.
65 Adieu, j'irai chez vous tantôt vous rendre grâce.

Acte I, scène 4 (extrait).

8. mener à bien.

LECTURE MÉTHODIQUE

■ La scène est construite sur un **quiproquo**. Où se trouve-t-il ? Comment est-il préparé ? En quoi est-il comique ? Pour répondre à ces questions, analysez l'alternance des répliques, la ponctuation, le portrait qu'Horace trace d'Arnolphe-Monsieur de La Souche. En quoi les didascalies participent-elles à ce **comique ?**

■ Par l'étude du vocabulaire et des connotations, dites comment chacun des deux personnages parle de l'amour. Définissez, à partir de là, ce qui, en plus du comique, fait **l'intérêt de cet extrait.**

VERS LA DISSERTATION

■ Selon les théoriciens de l'Antiquité, auxquels se réfère Molière, la comédie a pour **vocation** de *corriger les vices des hommes*. Vous analyserez cette **fonction** à partir d'une ou plusieurs comédies étudiées.

PARCOURS CULTUREL

■ À partir du sens étymologique du mot **quiproquo**, cherchez, exemples à l'appui (empruntés au théâtre, au cinéma), à partir de quelles confusions peut se construire un quiproquo comique.

guides p. 39-174-386

« Tenez, tous vos discours ne me touchent point l'âme »

À l'acte V, voyant Agnès lui échapper pour rejoindre Horace, Arnolphe tente de la garder auprès de lui et de s'en faire aimer, en utilisant tous les moyens de persuasion : aveu de ses propres sentiments, attendrissement, supplications, contrainte…

ARNOLPHE

Hé bien ! faisons la paix ; va, petite traîtresse,
Je te pardonne tout, et te rends ma tendresse.
Considère par là l'amour que j'ai pour toi,
Et, me voyant si bon, en revanche aime-moi.

AGNÈS

5 Du meilleur de mon cœur je voudrais vous complaire.
Que me coûterait-il, si je le pouvais faire ?

ARNOLPHE

Mon pauvre petit bec¹, tu le peux, si tu veux.
    (Il fait un soupir.)
Écoute seulement ce soupir amoureux ;
Vois ce regard mourant, contemple ma personne,
10 Et quitte ce morveux et l'amour qu'il te donne.
C'est quelque sort qu'il faut qu'il ait jeté sur toi,
Et tu seras cent fois plus heureuse avec moi.
Ta forte passion est d'être brave² et leste³ :
Tu le seras toujours, va, je te le proteste.
15 Sans cesse nuit et jour je te caresserai,
Je te bouchonnerai⁴, baiserai, mangerai.
Tout comme tu voudras tu pourras te conduire
Je ne m'explique point, et cela c'est tout dire.
    (À part.)
Jusqu'où la passion peut-elle faire aller ?
    (Haut.)
20 Enfin, à mon amour rien ne peut s'égaler.
Quelle preuve veux-tu que je t'en donne, ingrate ?
Me veux-tu voir pleurer ? veux-tu que je me batte ?
Veux-tu que je m'arrache un côté de cheveux ?
Veux-tu que je me tue ? Oui, dis si tu le veux.
25 Je suis tout prêt, cruelle, à te prouver ma flamme.

AGNÈS

Tenez, tous vos discours ne me touchent point l'âme.
Horace avec deux mots en ferait plus que vous.

ARNOLPHE

Ah ! c'est trop me braver, trop pousser mon courroux.
Je suivrai mon dessein, bête trop indocile,
30 Et vous dénicherez⁵ à l'instant de la ville.
Vous rebutez mes vœux, et me mettez à bout.
Mais un cul de couvent⁶ me vengera de tout.

Acte V, scène 4, v. 1580-1611.

1. petit minois, petite tête.
2. bien vêtue (sens du XVIIᵉ siècle).
3. élégante.
4. cajolerai.
5. quitterez le logis.
6. le lieu le plus gardé et le plus retranché du couvent.

LECTURE MÉTHODIQUE

■ Récapitulez les différents **arguments** qu'utilise Arnolphe pour tenter de détourner Agnès d'Horace. **Distinguez** ceux qui touchent à lui-même, ceux qui concernent Horace, ceux qui concernent Agnès. En quoi certains d'entre eux se révèlent-ils contradictoires ?

■ Faites apparaître une **gradation** dans l'argumentation. Est-elle efficace ? À quoi le lecteur peut-il le voir ?

■ Quels **jugements** le lecteur (ou le spectateur) peut-il porter sur Arnolphe dans cette scène ? Quels **sentiments** peut-il éprouver face à ce comportement ?

guides p. 139-151

162

Le Misanthrope - 1666

« … et je hais tous les hommes »

On appelle « misanthrope » celui qui déteste les hommes, ses semblables. Dans la pièce de Molière, Alceste est ce personnage coléreux que l'hypocrisie des hommes rend positivement malade. Il est possédé par l'obsession de la vérité, de la franchise. À toute occasion, il entre en lutte contre le genre humain auquel il reproche sa bassesse, son mensonge, sa légèreté. À l'opposé, Célimène, une mondaine brillante, se complaît dans la flatterie, la séduction, la coquetterie et toutes les ruses du jeu social. Le paradoxe veut qu'Alceste, si hostile à la vie mondaine, soit amoureux de Célimène. Entre ces deux extrêmes, se place Philinte, le modéré, indulgent aux « vices du temps ». La pièce commence au beau milieu d'une dispute entre les deux amis, Alceste et Philinte.

1. injure : ce gueux.
2. démasque.
3. intrigue.
4. juron.
5. un lieu isolé, écarté.

LECTURE MÉTHODIQUE

■ À partir des vers 6-9 et de leur **structure syntaxique**, déterminez les **objectifs** de son discours. À quel **type** de texte appartient-il ?

■ Quelle **idée** se trouve développée à partir du vers 11 ?

■ À quel domaine appartient l'**exemple** développé par Alceste ? Tenez compte des pronoms personnels et adjectifs possessifs pour répondre à cette question.

■ Quel est le **défaut** analysé et dénoncé à travers l'exemple ? Par quels **procédés d'écriture** ? En quoi cet exemple reprend-il les deux raisons annoncées par Alceste pour expliquer sa haine des hommes ?

ÉCRITURE

■ Sous forme d'une ou deux thèses argumentées et illustrées d'exemples, répondez à l'une ou aux deux questions :
- Faut-il toujours être sincère ?
- Peut-on toujours être sincère ?

■ Fuir sur une **île déserte** délivre de la présence du genre humain. Cette situation n'a-t-elle, comme le suggère Alceste, que des **agréments ?** Vous exposerez ce qui pourrait **manquer** au héros de Molière dans son désert.

PARCOURS CULTUREL

■ Donnez cinq mots formés à partir des même racines que le mot « **misanthrope** ».

■ À partir de certains textes donnés dans cet ouvrage, constituez vous-même un groupement de textes autour du thème : **la critique de l'hypocrisie.**

guides p. 139-151-386

PHILINTE

Vous voulez un grand mal à la nature humaine !

ALCESTE

Oui, j'ai conçu pour elle une effroyable haine.

PHILINTE

Tous les pauvres mortels, sans nulle exception,
Seront enveloppés dans cette aversion ?
5 Encore en est-il bien, dans le siècle où nous sommes…

ALCESTE

Non, elle est générale, et je hais tous les hommes :
Les uns parce qu'ils sont méchants et malfaisants,
Et les autres pour être aux méchants complaisants,
Et n'avoir pas pour eux ces haines vigoureuses
10 Que doit donner le vice aux âmes vertueuses.
De cette complaisance on voit l'injuste excès
Pour le franc scélérat avec qui j'ai procès ;
Au travers de son masque on voit à plein le traître ;
Partout il est connu pour tout ce qu'il peut être,
15 Et ses roulements d'yeux et son ton radouci
N'imposent qu'à des gens qui ne sont point d'ici.
On sait que ce pied plat¹, digne qu'on le confonde²,
Par de sales emplois s'est poussé dans le monde,
Et que par eux son sort, de splendeur revêtu,
20 Fait gronder le mérite et rougir la vertu.
Quelques titres honteux qu'en tous lieux on lui donne,
Son misérable honneur ne voit pour lui personne ;
Nommez-le fourbe, infâme, et scélérat maudit,
Tout le monde en convient et nul n'y contredit.
25 Cependant sa grimace est partout bien venue ;
On l'accueille, on lui rit, partout il s'insinue,
Et, s'il est, par la brigue³, un rang à disputer,
Sur le plus honnête homme on le voit l'emporter.
Têtebleu⁴ ! ce me sont de mortelles blessures
30 De voir qu'avec le vice on garde des mesures ;
Et parfois il me prend des mouvements soudains
De fuir dans un désert⁵ l'approche des humains.

Acte I, scène 1.

Préface de *Tartuffe* - 1669

« …mes intentions y sont partout innocentes »

Le parti des dévots avait obtenu que Tartuffe *soit interdit. Cinq ans après, le roi lève l'interdiction. Molière profite de la première édition de l'œuvre en 1669 pour composer une préface dans laquelle il se défend.*

S i l'on prend la peine d'examiner de bonne foi ma comédie, on verra sans doute que mes intentions y sont partout innocentes, et qu'elle ne tend nullement à jouer les choses que l'on doit révérer, que je l'ai traitée avec toutes les précautions que demandait la délicatesse de la matière,
5 et que j'ai mis tout l'art et tous les soins qu'il m'a été possible pour bien distinguer le personnage de l'hypocrite d'avec celui du vrai dévot. J'ai employé pour cela deux actes entiers à préparer la venue de mon scélérat. Il ne tient pas un seul moment l'auditeur en balance ; on le connaît d'abord aux marques que je lui donne ; et d'un bout à l'autre il ne dit
10 pas un mot, il ne fait pas une action qui ne peigne aux spectateurs le caractère d'un méchant homme, et ne fasse éclater celui du véritable homme de bien que je lui oppose[1].

Je sais bien que pour réponse ces messieurs tâchent d'insinuer que ce n'est point au théâtre à parler de ces matières ; mais je leur demande, avec leur
15 permission, sur quoi ils fondent cette belle maxime. C'est une proposition qu'ils ne font que supposer[2] et qu'ils ne prouvent en aucune façon ; et sans doute il ne serait pas difficile de leur faire voir que la comédie[3], chez les Anciens, a pris son origine de la religion, et faisait partie de leurs mystères ; que les Espagnols, nos voisins, ne célèbrent guère de fête où
20 la comédie ne soit mêlée ; et que, même parmi nous, elle doit sa naissance aux soins d'une confrérie[4] à qui appartient encore aujourd'hui l'Hôtel de Bourgogne, que c'est un lieu qui fut donné pour y représenter les plus importants mystères de notre foi ; qu'on en voit encore des comédies imprimées en lettres gothiques, sous le nom d'un docteur de Sorbonne ; et,
25 sans aller chercher si loin, que l'on a joué de notre temps des pièces saintes de M. de Corneille[5], qui ont été l'admiration de toute la France.

Si l'emploi de la comédie est de corriger les vices des hommes, je ne vois pas pour quelle raison il y aura des privilégiés. Celui-ci est, dans l'État, d'une conséquence bien plus dangereuse que tous les autres ; et nous avons
30 vu que le théâtre a une grande vertu pour la correction. Les plus beaux traits d'une sérieuse morale sont moins puissants, le plus souvent, que ceux de la satire ; et rien ne reprend mieux la plupart des hommes que la peinture de leurs défauts. C'est une grande atteinte aux vices que de les exposer à la risée de tout le monde.

1. Cléante.
2. poser en hypothèse, sans justification.
3. le théâtre.
4. les « Confrères de la Passion », troupe fondée en 1402 pour représenter des « mystères », ou pièces religieuses.
5. allusion aux pièces religieuses de Corneille, *Polyeucte* (1642) et *Théodore* (1645).

LECTURE MÉTHODIQUE

■ Retrouvez et reformulez la thèse de Molière et celle de ses adversaires, en prenant appui notamment sur les champs lexicaux de la phrase qui les met en présence.

■ Quelle est l'**argumentation** de Molière dans le premier paragraphe ? En quoi cette argumentation est-elle liée à la structure de la pièce ?

■ Quelle **objection** Molière souligne-t-il en affectant de donner la parole à ses adversaires ? Comment y répond-il lui-même ? Quels sont ses **arguments ?**

■ Que définit le dernier paragraphe du texte en ce qui concerne la **comédie ?**

ÉCRITURE

■ **Justifiez** et **illustrez** par des exemples précis tirés de la pièce ce que Molière dit de l'arrivée et de l'hypocrisie évidente de son *scélérat.*

guides p. 151-369

Tartuffe - 1669

« Le pauvre homme ! »

Tartuffe est l'histoire d'un escroc qui, se faisant hypocritement passer pour pieux et dévot, s'introduit dans une famille en jouant le rôle de « directeur de conscience ».Dans l'extrait qui suit, Orgon, rentre chez lui après deux jours d'absence.

Lorenzo Lippi (1606-1665), *Allégorie de la Simulation,* env. 1650 (huile sur toile, 71 X 57,5 cm ; Angers, Musée des Beaux-Arts).

ORGON

Ah ! mon frère, bonjour.

CLÉANTE[1]

Je sortais, et j'ai joie à vous voir de retour.
La campagne à présent n'est pas beaucoup fleurie.

ORGON, *à Cléante.*

Dorine[2]… Mon beau-frère, attendez, je vous prie :
5   Vous voulez bien souffrir, pour m'ôter de souci,
Que je m'informe un peu des nouvelles d'ici.

(À Dorine.)

Tout s'est-il, ces deux jours, passé de bonne sorte ?
Qu'est-ce qu'on fait céans[3] ? comme[4] est-ce qu'on s'y porte ?

DORINE

Madame eut avant-hier la fièvre jusqu'au soir,
10   Avec un mal de tête étrange à concevoir.

ORGON

Et Tartuffe ?

DORINE

Tartuffe ? Il se porte à merveille,
Gros et gras, le teint frais, et la bouche vermeille.

ORGON

Le pauvre homme !

DORINE

Le soir elle eut un grand dégoût,
Et ne put, au souper, toucher à rien du tout,
15   Tant sa douleur de tête était encor cruelle !

ORGON

Et Tartuffe ?

DORINE

Il soupa, lui tout seul, devant elle ;
Et fort dévotement il mangea deux perdrix,
Avec une moitié de gigot en hachis.

ORGON

Le pauvre homme !

1. beau-frère d'Orgon.
2. servante de la famille d'Orgon.
3. ici.
4. comment.

DORINE

La nuit se passa tout entière
20 Sans qu'elle pût fermer un moment la paupière ;
Des chaleurs l'empêchaient de pouvoir sommeiller,
Et jusqu'au jour, près d'elle, il nous fallut veiller.

ORGON

Et Tartuffe ?

DORINE

Pressé d'un sommeil agréable,
Il passa dans sa chambre au sortir de la table ;
25 Et dans son lit bien chaud il se mit tout soudain,
Où, sans trouble, il dormit jusques au lendemain.

ORGON

Le pauvre homme !

DORINE

À la fin, par nos raisons gagnée,
Elle se résolut à souffrir la saignée ;
Et le soulagement suivit tout aussitôt.

ORGON

Et Tartuffe ?

DORINE

30 Il reprit courage comme il faut ;
Et, contre tous les maux fortifiant son âme,
Pour réparer le sang qu'avait perdu madame,
But, à son déjeuner, quatre grands coups de vin.

ORGON

Le pauvre homme !

DORINE

Tous deux se portent bien enfin ;
35 Et je vais à madame annoncer par avance
La part que vous prenez à sa convalescence. *(Elle sort.)*

Acte I, scène 4.

LECTURE MÉTHODIQUE

■ Qu'observez-vous de particulier à la lecture de cet extrait ? Faites une analyse précise du jeu des pronoms personnels, des oppositions, des répétitions, des rapprochements inattendus. D'où vient le **comique ?**

■ Que révèle, chez Orgon, la **reprise systématique :** *Et Tartuffe ? Le pauvre homme !* La question et l'exclamation sont-elles toujours dites sur le même ton ?

■ Quelle est la **tonalité** des répliques de Dorine ? Étudiez, pour répondre à cette question, les effets d'inadaptation des mots aux situations évoquées.

VERS LA DISSERTATION

■ En prenant appui sur différents extraits de pièces de théâtre ▷ ▷ ▷ *p. 125, 159, 171, 230, 359, 426*, récapitulez les différentes origines du comique. Répondez ensuite à la question : « Le comique a-t-il pour unique fonction de faire rire ? »

PARCOURS CULTUREL

■ Relevez des extraits théâtraux mettant en scène des **valets.** Établissez une typologie en prenant le rôle de ces personnages pour principe de classification.

guides p. 78-175-224

« De vous dépend ma peine ou ma béatitude… »

Espérant empêcher le mariage prévu par Orgon entre Tartuffe et Marianne, Elmire tente de convaincre Tartuffe d'y renoncer.

ELMIRE

[…] On tient que mon mari veut dégager sa foi
Et vous donner sa fille. Est-il vrai, dites-moi ?

TARTUFFE

Il m'en a dit deux mots ; mais, madame, à vrai dire,
Ce n'est pas le bonheur après quoi je soupire ;
5 Et je vois autre part les merveilleux attraits
De la félicité qui fait tous mes souhaits.

ELMIRE

C'est que vous n'aimez rien des choses de la terre.

TARTUFFE

Mon sein n'enferme pas un cœur qui soit de pierre.

ELMIRE

Pour moi, je crois qu'au Ciel tendent tous vos soupirs,
10 Et que rien ici-bas n'arrête vos désirs.

TARTUFFE

L'amour qui nous attache aux beautés éternelles
N'étouffe pas en nous l'amour des temporelles ;
Nos sens facilement peuvent être charmés[1]
Des ouvrages parfaits que le Ciel a formés.
15 Ses attraits réfléchis brillent dans vos pareilles ;
Mais il étale en vous ses plus rares merveilles :
Il a sur votre face épanché des beautés
Dont les yeux sont surpris, et les cœurs transportés,
Et je n'ai pu vous voir, parfaite créature,
20 Sans admirer en vous l'auteur de la nature,
Et d'une ardente amour sentir mon cœur atteint,
Au[2] plus beau des portraits où lui-même il s'est peint.
D'abord j'appréhendai que cette ardeur secrète
Ne fût du noir esprit une surprise adroite ;
25 Et même à fuir vos yeux mon cœur se résolut,
Vous croyant un obstacle à faire mon salut.
Mais enfin je connus, ô beauté toute aimable,
Que cette passion peut n'être point coupable,
Que je puis l'ajuster avecque la pudeur,
30 Et c'est ce qui m'y fait abandonner mon cœur.
Ce m'est, je le confesse, une audace bien grande
Que d'oser de ce cœur vous adresser l'offrande ;
Mais j'attends en mes vœux tout de votre bonté,
Et rien des vains efforts de mon infirmité[3],
35 En vous est mon espoir, mon bien, ma quiétude,
De vous dépend ma peine ou ma béatitude[4]
Et je vais être enfin, par votre seul arrêt,
Heureux, si vous voulez, malheureux, s'il vous plaît.

Acte III, scène 3, v. 923-960.

1. envoûtés, enchantés.
2. devant.
3. faiblesse.
4. bonheur total et éternel.
Le mot a une forte connotation religieuse.

LECTURE MÉTHODIQUE

■ Si l'on observe le **thème** de l'échange, que peut-on remarquer dans les cinq premières répliques ?

■ À partir des champs lexicaux dominants, déterminez le **thème** de la tirade et le **double lexique** utilisé. Comment celui-ci peut-il s'expliquer ? Que révèle-t-il ?

■ De quoi Tartuffe cherche-t-il à **persuader** Elmire ? Mettez en évidence les différentes **étapes** de sa démonstration en faisant apparaître la **variété** des arguments et leur appartenance à différents domaines.

■ Comment peut-on interpréter l'emploi fréquent de la **seconde personne** du pluriel ? Quels « rôles » Tartuffe fait-il jouer à Elmire dans son discours ?

guides p. 151-386

Les questions religieuses au XVIIᵉ siècle

Dans un pays où le Catholicisme est **religion d'État,** et le roi monarque de **droit divin,** les différents problèmes religieux prennent une ampleur particulière. Le XVIIᵉ siècle est confronté à la **Réforme,** au **Jansénisme** et aux excès d'un renouveau de piété.

■ *Le renouveau du sentiment religieux et ses excès*

Le Catholicisme connaît un élan nouveau en réaction aux progrès de la **Réforme.** Il se « réforme » lui-même de l'intérieur. La croyance est plus profonde. Elle s'extériorise dans des attitudes de piété, dans la fréquentation des lieux de culte. Le sens de la charité se traduit par le développement d'œuvres humanitaires, comme celle de **saint Vincent de Paul.** La spiritualité s'exprime dans l'éloquence religieuse des sermons de Bossuet ou de Fénelon.

Mais ce redressement conduit à des excès. **La Compagnie du Saint-Sacrement,** dont les membres n'étaient à l'origine que des « directeurs de conscience » chargés d'œuvres charitables, devient un véritable groupe de pression. Celui-ci, sous couvert d'aider à la dévotion, contrôle sévèrement les mœurs. Ces « dévots » s'attaquent à Molière, l'accusant dans *Tartuffe* et *Dom Juan* d'impiété et de libertinage. De la même manière, tous ceux qui sont accusés d'être **Libertins,** non croyants et matérialistes, peu respectueux des pratiques religieuses, sont pourchassés et condamnés.

■ *Le problème protestant*

Loin d'être réglé par **l'Édit de Nantes (1598),** il reste comme une source de discorde et d'intolérance. Très mal acceptés, les Protestants sont réduits à célébrer leur culte de manière clandestine et risquent de constantes persécutions. À la suite de véritables batailles comme le siège de Montauban (1621) ou celui de La Rochelle, ville à majorité protestante (1626-1627), de nombreux Protestants s'exilent en Allemagne du Nord ou en Angleterre. La **révocation** de l'Édit de Nantes, en 1685, marque l'apogée de l'intolérance religieuse.

Il faut enfin signaler que la fin du règne est caractérisée par une accentuation de l'emprise religieuse : à l'exemple du roi, sous l'influence de Madame de Maintenon, la Cour s'efforce de donner l'image d'une piété du moins apparente.

Ce siècle voit également naître une querelle entre deux idéologies à l'intérieur même du Catholicisme.

■ *Les Jansénistes et les Jésuites*

Les Jésuites constituent un ordre fondé en 1540 par l'Espagnol Ignace de Loyola et fonctionnant de manière quasiment militaire. « Combattants de la foi », ils sont bien implantés en France. Les Jansénistes doivent leur nom à l'évêque Jansen, auteur de *l'Augustinus* (1640), où il expose ses théories sur la foi, théories héritées de saint Augustin. Les deux groupes s'opposent sur des questions de dogme∗.

Pour les **Jansénistes,** l'homme, corrompu par le péché originel, n'est pas à même d'assurer seul son salut. Il doit pour cela faire partie de ceux à qui Dieu accorde sa grâce et qui sont « prédestinés ». Pour les **Jésuites,** au contraire, tout croyant peut espérer le salut s'il mène une vie chrétienne, respecte les sacrements et les enseignements de la religion. Dans la société, cette double idéologie se traduit, chez les Jansénistes, par une vie austère et retirée, comme celle de leurs « solitaires », installés à Port-Royal des Champs. Les Jésuites, eux, vivent de façon moins rude. Les Jansénistes leur reprochent de pratiquer la « casuistique » qui consiste à adapter les règles morales et religieuses aux différents « cas » de conscience individuels, sans se soumettre aux impératifs généraux.

Si les Jésuites sont proches du roi, les Jansénistes sont accusés par le pouvoir royal de représenter une force dans l'État : condamnés par le pape en 1653, ils sont d'abord excommuniés puis chassés de Port-Royal des Champs en 1713 par le pouvoir royal. L'abbaye est détruite sur ordre de Louis XIV.

■ *La littérature*

L'influence du Jansénisme se fait sentir dans la deuxième moitié du siècle : elle est au centre des *Pensées* de Pascal, qui montre l'homme victime de sa nature déchue. On la trouve dans l'œuvre de Racine, qui fut élève à Port-Royal. Ses personnages, conscients de leur faiblesse, ressentent un profond sentiment de culpabilité. La vision pessimiste de l'homme selon La Bruyère et La Rochefoucauld doit beaucoup à ce courant janséniste. Par ailleurs, Molière se fait l'écho de l'importance de la religion : son Tartuffe est un faux dévot intéressé et hypocrite. Don Juan, comme les Libertins, proclame son athéisme∗ et sa croyance en une conception rationaliste∗ et matérialiste∗ du monde. L'intolérance à l'égard des Protestants est analysée par Saint-Simon. Mais il faudra attendre le siècle suivant pour que s'exprime une véritable et profonde remise en cause de la religion.

Amphitryon 1668

« Le seigneur Jupiter sait dorer la pilule »

*Molière emprunte le sujet d'*Amphitryon *à l'auteur comique latin Plaute (IIIe siècle avant J.-C.). L'intrigue est un divertissement mythologique : Jupiter cherche à séduire Alcmène, la femme du général Amphitryon. Mais Alcmène aime son mari. Rien de plus facile pour le roi des dieux que de prendre alors l'apparence du mari pour vaincre les scrupules de l'épouse. Parallèlement, le rusé Mercure, messager des dieux, revêt l'apparence de Sosie, le valet d'Amphitryon.*

Cette situation donne lieu à une série de quiproquos, de scènes de farce, de scènes galantes, d'interventions merveilleuses enfin, où la « machinerie » joue un grand rôle. Ainsi, au dernier acte, Jupiter descendant du ciel sur un nuage, vient apaiser Amphitryon.

Anonyme, *Luthiste,* vers 1650 (dessin à la gouache avec des rehauts d'or ; Paris, Bibliothèque Nationale de France).

JUPITER, *dans une nue.*

Regarde, Amphitryon, quel est ton imposteur,
Et sous tes propres traits vois Jupiter paraître :
À ces marques tu peux aisément le connaître ;
Et c'est assez, je crois, pour remettre ton cœur
5   Dans l'état auquel il doit être,
Et rétablir chez toi la paix et la douceur.
Mon nom, qu'incessamment toute la terre adore,
Étouffe ici les bruits[1] qui pouvaient éclater.
       Un partage avec Jupiter
10   N'a rien du tout qui déshonore ;
Et sans doute[2] il ne peut être que glorieux
De se voir le rival du souverain des dieux.
Je n'y vois pour ta flamme aucun lieu[3] de murmure :
       Et c'est moi, dans cette aventure,
15 Qui, tout dieu que je suis, doit être le jaloux.
Alcmène est toute à toi, quelque soin qu'on emploie ;
Et ce doit à tes feux être un objet bien doux
De voir que pour lui plaire il n'est point d'autre voie
       Que de paraître son époux :
20 Que Jupiter, orné de sa gloire immortelle,
Par lui-même n'a pu triompher de sa foi,
       Et que ce qu'il a reçu d'elle
N'a par son cœur ardent été donné qu'à toi.

1. les médisances.
2. sans aucun doute.
3. sujet.

SOSIE

Le seigneur Jupiter sait dorer la pilule.

JUPITER

25 Sors donc des noirs chagrins que ton cœur a soufferts,
Et rends le calme entier à l'ardeur qui te brûle :
Chez toi doit naître un fils qui, sous le nom d'Hercule,
Remplira de ses faits tout le vaste univers.
L'éclat d'une fortune en mille biens féconde
30 Fera connaître à tous que je suis ton support[4],
Et je mettrai tout le monde
Au point d'envier ton sort.
Tu peux hardiment te flatter
De ces espérances données.
35 C'est un crime que d'en douter :
Les paroles de Jupiter
Sont des arrêts des destinées.

(Il se perd dans les nues.)

NAUCRATÈS[5]

Certes, je suis ravi de ces marques brillantes…

SOSIE

Messieurs, voulez-vous bien suivre mon sentiment ?
40 Ne vous embarquez nullement
Dans ces douceurs congratulantes[6] :
C'est un mauvais embarquement,
Et d'une et d'autre part, pour un tel compliment,
Les phrases sont embarrassantes.
45 Le grand dieu Jupiter nous fait beaucoup d'honneur,
Et sa bonté sans doute est pour nous sans seconde ;
Il nous promet l'infaillible bonheur
D'une fortune en mille biens féconde,
Et chez nous il doit naître un fils d'un très grand cœur[7] :
50 Tout cela va le mieux du monde ;
Mais enfin coupons aux discours,
Et que chacun chez soi doucement se retire.
Sur telles affaires, toujours
Le meilleur est de ne rien dire.

4. ton appui.
5. un capitaine thébain.
6. complimenteuses.
7. courage.

Acte III, scène 10 et dernière.

LECTURE MÉTHODIQUE

■ Par une étude précise du vocabulaire et de certaines figures de style, vous analyserez le sentiment de **vanité** chez Jupiter. Quel est le comportement des autres personnages à son égard ?

■ D'où vient le **comique** de l'extrait ? Étudiez, pour répondre à cette question, les effets de décalage entre le registre du discours et son contenu.

■ Ce passage est le **dénouement** de la pièce. À quoi le voit-on ? Quelles sont les répliques les plus significatives ?

■ Comment appelle-t-on le procédé qui fait intervenir, au dénouement, un dieu descendu sur le théâtre au moyen d'une **machine ?**

PARCOURS CULTUREL

■ Comment appelle-t-on les vers qui comportent un nombre irrégulier de syllabes ? Quels sont les différents **mètres** utilisés ici ?

■ Citez un autre écrivain du XVIIe siècle qui procède comme le fait ici Molière.

guides p. 39-78-175-306

Jacques Callot (1592-1635), *Talleto di Stefanio* (Gravure ; Paris, Bibliothèque Nationale de France).

Les fourberies de Scapin - 1671

« L'habile fourbe que voilà »

*Dans cette pièce, Molière renoue avec la tradition de la farce. Scapin en effet est
un des personnages de la* Commedia dell'Arte *introduite en France par les troupes
de « farceurs » italiens.*
*Octave et Léandre sont amoureux d'Hyacinte et de Zerbinette. Octave, en cachette
de son père, a même épousé celle qu'il aime. Mais, revenus de voyage, Argante,
père d'Octave, et Géronte, père de Léandre, ont de tout autres projets de mariage
pour leurs fils. Que faire ? Le rusé Scapin, valet d'Octave, bernant les pères tyranniques, permettra aux amours des jeunes gens de triompher.*
*Dans la scène qui suit, Argante, ayant appris que son fils Octave s'est marié sans
son consentement, décharge sa colère sur le valet Sylvestre. Mais Scapin intervient.*

ARGANTE, *apercevant Sylvestre.*

Ah ! ah ! vous voilà donc, sage gouverneur de famille, beau directeur
de jeunes gens !

SCAPIN

Monsieur, je suis ravi de vous voir de retour.

ARGANTE

Bonjour, Scapin. *(À Sylvestre.)* Vous avez suivi mes ordres vraiment d'une
5 belle manière, et mon fils s'est comporté fort sagement pendant mon
absence !

SCAPIN

Vous vous portez bien, à ce que je vois ?

ARGANTE

Assez bien. *(À Sylvestre.)* Tu ne dis mot, coquin, tu ne dis mot !

SCAPIN

Votre voyage a-t-il été bon ?

ARGANTE

10 Mon Dieu, fort bon. Laissez-moi un peu quereller en repos !

SCAPIN

Vous voulez quereller ?

ARGANTE

Oui, je veux quereller.

SCAPIN

Et qui, Monsieur ?

ARGANTE, *montrant Sylvestre.*

Ce maraud-là.

SCAPIN

15 Pourquoi ?

ARGANTE

Tu n'as pas ouï parler de ce qui s'est passé dans mon absence ?

SCAPIN

J'ai bien ouï parler de quelque petite chose.

ARGANTE

Comment, quelque petite chose ! Une action de cette nature ?

SCAPIN

Vous avez quelque raison…

ARGANTE

20 Une hardiesse pareille à celle-là ?

SCAPIN

Cela est vrai.

ARGANTE

Un fils qui se marie sans le consentement de son père ?

SCAPIN

Oui, il y a quelque chose à dire[1] à cela. Mais je serais d'avis que vous ne
fissiez point de bruit.

ARGANTE

25 Je ne suis pas de cet avis et je veux faire du bruit, tout mon soûl[2]. Quoi !
tu ne trouves pas que j'aie tous les sujets du monde d'être en colère ?

SCAPIN

Si fait ! j'y ai d'abord été, moi, lorsque j'ai su la chose, et je me suis intéressé pour vous[3] jusqu'à quereller votre fils. Demandez-lui un peu quelles
belles réprimandes je lui ai faites, et comme je l'ai chapitré[4] sur le peu
30 de respect qu'il gardait à un père dont il devait baiser les pas. On ne peut
pas lui mieux parler, quand ce serait vous-même. Mais quoi ! je me suis
rendu à la raison et j'ai considéré que, dans le fond, il n'a pas tant de tort
qu'on pourrait croire.

ARGANTE

Que me viens-tu conter ? Il n'a pas tant de tort de s'aller marier de but
35 en blanc avec une inconnue ?

SCAPIN

Que voulez-vous ? Il a été poussé par sa destinée.

1. à redire.
2. autant que je veux.
3. j'ai pris votre parti.
4. sermonné.

ARGANTE

Ah ! ah ! voici une raison la plus belle du monde ! On n'a plus qu'à commettre tous les crimes imaginables, tromper, voler, assassiner, et dire pour excuse qu'on y a été poussé par sa destinée.

SCAPIN

40 Mon Dieu, vous prenez mes paroles trop en philosophe. Je veux dire qu'il s'est trouvé fatalement engagé dans cette affaire.

ARGANTE

Et pourquoi s'y engageait-il ?

SCAPIN

Voulez-vous qu'il soit aussi sage que vous ? Les jeunes gens sont jeunes, et n'ont pas toute la prudence qu'il leur faudrait pour ne rien faire que
45 de raisonnable : témoin notre Léandre, qui, malgré toutes mes leçons, malgré toutes mes remontrances, est allé faire, de son côté, pis encore que votre fils. Je voudrais bien savoir si vous-même n'avez pas été jeune et n'avez pas, dans votre temps, fait des fredaines comme les autres. J'ai ouï dire, moi, que vous avez été autrefois un compagnon parmi les
50 femmes, que vous faisiez le drôle avec les plus galantes de ce temps-là, et que vous n'en approchiez point que vous ne poussassiez à bout.

ARGANTE

Cela est vrai, j'en demeure d'accord ; mais je m'en suis toujours tenu à la galanterie et je n'ai point été jusqu'à faire ce qu'il a fait.

SCAPIN

Que vouliez-vous qu'il fît ? Il voit une jeune personne qui lui veut du
55 bien (car il tient cela de vous, d'être aimé de toutes les femmes). Il la trouve charmante. Il lui rend des visites, lui conte des douceurs, soupire galamment, fait le passionné. Elle se rend à sa poursuite. Il pousse sa fortune[5]. Le voilà surpris avec elle par ses parents, qui, la force à la main, le contraignent de l'épouser.

SYLVESTRE, à part.

60 L'habile fourbe que voilà !

SCAPIN

Eussiez-vous voulu qu'il se fût laissé tuer ? Il vaut mieux encore être marié que mort.

ARGANTE

On ne m'a pas dit que l'affaire se soit ainsi passée.

Acte I, scène 4.

5. il profite de son succès.

La comédie

■ *Historique*

■ **Dans l'Antiquité.** La comédie a pour origine le culte de Dionysos, dieu de l'ivresse, et les festivités au cours desquelles tous les excès étaient permis. Le Grec Aristophane (IVe siècle avant J.-C.) et, à Rome, Plaute et Térence (IIe siècle avant J.-C.) ont utilisé la comédie pour dénoncer la tyrannie, le pouvoir de l'argent, la vantardise.

■ **Au Moyen Âge.** La comédie se rattache à la Fête des Fous pendant laquelle les écoliers se vengeaient de leurs maîtres en les ridiculisant.

■ **Aux XVIIe et XVIIIe siècles.** Elle s'enrichit grâce à Molière et à l'influence de la *Commedia dell'Arte* : cette forme de théâtre, venue d'Italie, présente des personnages très typés par leur costume et leur masque (Arlequin, Scaramouche, Polichinelle, Pierrot), improvisant des bouffonneries et des mots d'esprit. Au XVIIIe siècle, la comédie s'oriente vers l'analyse psychologique avec Marivaux, ▷▷▷ *p. 227,* et Beaumarchais, ▷▷▷ *p. 230.*

■ **Au XIXe siècle.** La fin du siècle voit naître la comédie de boulevard, qui transpose sur le mode comique la vie bourgeoise, et le vaudeville, qui présente des intrigues enchevêtrées tournant autour de l'adultère.

■ **Au XXe siècle.** La comédie fait éclater les structures traditionnelles. Mais elle renoue aussi avec des formes de comique anciennes : la farce chez Beckett, ▷▷▷ *p. 422,* Ionesco, ▷▷▷ *p. 424.*

■ *Caractéristiques et fonctions*

La comédie n'est pas soumise à des règles strictes comme la tragédie classique.

■ **La structure :** La place de l'exposition (Acte I), des péripéties (Actes II à IV), du dénouement (Acte V), est respectée par Molière dans ses grandes comédies, mais bientôt les auteurs prennent des libertés avec ces règles. Au XXe siècle, cette structure tend à disparaître. On a souvent une suite de « tableaux », et l'intrigue même est remise en question.

■ **Le dénouement :** Selon la doctrine classique, il doit être heureux : les bons sont récompensés, les ridicules échouent, les amoureux se marient, une intervention merveilleuse *(Deus ex machina)* vient réconcilier tout le monde, comme dans *Amphitryon* de Molière, ▷▷▷ *p. 169.*

■ **Les personnages :** Ils sont issus de milieux bourgeois comme Arnolphe, ▷▷▷ *p. 159,* ou Orgon, ▷▷▷ *p. 165,* chez Molière. N'étant ni héros, ni rois, ni princes, ils ont des préoccupations banales : santé, argent, vie de famille, qui fournissent les ressorts de l'intrigue.

■ **La langue de la comédie :** Elle se rapproche du langage parlé, bien qu'il y ait des comédies en vers (la plupart des comédies de Molière).

■ **Les fonctions de la comédie :** La première est de divertir. Molière affirmait qu'une comédie était bonne lorsqu'elle faisait rire les honnêtes gens. Mais la comédie fait rire du ridicule d'une société *(Les Précieuses ridicules,* ▷▷▷ *p. 125),* ou des défauts humains (l'idée fixe d'Orgon dans *Tartuffe,* ▷▷▷ *p. 165).* Elle a donc une fonction critique. Elle se donne enfin un rôle pédagogique ou moral qui est, selon les mots de Molière, ▷▷▷ *p. 164,* de *corriger les vices des hommes.* Les ressources du comique servent cet objectif.

■ *Le comique au théâtre*

■ **Le comique des mots :** Il naît de l'utilisation du langage. Le rire est déclenché par les répétitions *(Le pauvre homme !* dans *Tartuffe),* ▷▷▷ *p. 165,* les inventions verbales ▷▷▷ *p. 128,* les jeux ou les substitutions de mots ▷▷▷ *p. 128,* des accumulations, ▷▷▷ *p. 128.*

■ **Le comique de gestes :** Il naît des mimiques, des déplacements, des jeux de scènes (le roi caché dans une armoire, ▷▷▷ *p. 278).*

■ **Le comique de situation :** Il naît des circonstances de l'intrigue. Les rebondissements, les quiproquos provoquent le rire, comme dans *l'École des femmes* où Horace s'adresse sans le savoir à son propre rival, ▷▷▷ *p. 159.*

■ **Le comique de mœurs et de caractère** : Une classe sociale, un milieu ou une mode sont la cible de la critique (l'hypocrisie mondaine dans *Le Misanthrope* de Molière ▷▷▷ *p. 163).* Ou bien le tempérament et le comportement d'un personnage prêtent à rire (la ruse de Scapin et la crédulité d'Argante), ▷▷▷ *p. 171.* La comédie adapte au caractère spécifique du théâtre les procédés comiques analysés, ▷▷▷ *p. 175.*

La tonalité comique

Le comique est ce qui provoque le rire ; il n'est pas toujours de même nature.

Les différents comiques

■ **La satire** est une critique moqueuse d'un vice ou d'un ridicule. Dans la lettre persane 37, Montesquieu fait la satire d'un pouvoir monarchique vieilli, en exagérant ses incohérences, ▷▷▷ *p. 214.*

■ **La parodie** imite, en les exagérant et les ridiculisant, les caractéristiques d'un style ou d'un genre. Jean Tardieu parodie les dialogues creux et stéréotypés des comédies de boulevard, ▷▷▷ *p. 426.*

■ **Le burlesque** pousse une situation jusqu'à l'extravagance (Bérenger, combattant dérisoire, face à ses concitoyens transformés en rhinocéros), ▷▷▷ *p. 424.*

■ **L'absurde** fait ressortir le comique d'une situation étrange ou incompréhensible (le dialogue incohérent entre Vladimir et Estragon), ▷▷▷ *p. 422.*

■ **L'ironie** consiste à se moquer en laissant entendre le contraire de ce que l'on dit ▷▷▷ *p. 224.* Dorine, dans sa dernière réplique, souligne, par ironie, l'indifférence d'Orgon envers sa femme ▷▷▷ *p. 165.*

■ **L'humour** révèle, sans méchanceté, les aspects risibles de situations ou de personnages sérieux. L'évolution des sentiments de la « jeune veuve », d'abord inconsolable puis de nouveau tentée par un nouvel époux, fait sourire, ▷▷▷ *p. 178.*

Les différents procédés

Le comique obéit à des lois, et même, pour employer un terme plus péjoratif, à des recettes. Il a ses mécanismes propres.

■ **L'exagération :** Les traits physiques, les traits de caractère, les situations, sont grossis, outrés par rapport à la réalité. Comme dans une caricature, Rabelais, pour décrire la mauvaise éducation de Gargantua, amplifie les signes de paresse et de sottise, ▷▷▷ *p. 42.* C'est le procédé favori de la satire.

■ **La répétition :** « *Le pauvre homme !* » dans la scène 4 de l'Acte I de *Tartuffe* est une répétition de mots, ▷▷▷ *p. 165.* Dans *L'École des femmes* les rencontres entre Arnolphe et Horace, qui tournent toutes au désavantage d'Arnolphe, sont des répétitions de situations. Attendues, elles surviennent au mauvais moment, d'où l'effet comique qu'elles produisent.

■ **La déformation et les inventions :** Jean Tardieu déforme le sens d'un dialogue en remplaçant un mot par un autre, ▷▷▷ *p. 426.* Michaux déforme et invente des mots dans *Le Grand Combat,* ▷▷▷ *p. 375.* Ces inventions sont risibles car elles constituent un écart par rapport à la norme, à ce que l'on attend.

■ **Les décalages et le mélange de tons :** Lorsque La Bruyère écrit :
Cet homme raisonnable, qui a une âme, qui a un culte et une religion, revient chez soi fatigué, affamé, mais fort content de sa journée : il a vu des tulipes.
Il crée un décalage entre le début solennel et la fin dérisoire, ▷▷▷ *p. 195.*
On peut aussi introduire un détail incongru dans un contexte sérieux : *Cacambo demanda [...] comment il fallait s'y prendre pour saluer Sa Majesté : si on se jetait à genoux ou ventre à terre ; si on mettait les mains sur la tête ou sur le derrière, Candide,* ▷▷▷ *p. 220.* Ces décalages sont caractéristiques de **l'ironie.**

■ **Les sous-entendus et les allusions** permettent d'attaquer une cible de manière oblique. Les mots à double sens sont particulièrement efficaces. Quand Zadig fait l'éloge de ses juges en disant qu'ils ont *beaucoup d'affinité avec l'or,* le mot signifie : ressemblance avec l'or, mais surtout : goût et attirance pour l'or, ▷▷▷ *p. 217.*

Les fonctions du comique

■ **Une capacité de libération :** Le comique se charge de « dégonfler » les prétentions ou les bêtises humaines par le rire. Il libère l'homme de ses préjugés et de ses peurs en les rendant ridicules. Son rôle libérateur se ressent dans le fait qu'il traite de façon irrespectueuse des sujets considérés comme tabous : le sexe, la politique, la maladie… et qu'il démystifie ce qui est réputé noble : le courage, l'amour, le malheur, la mort… Cette fonction du comique est résumée par Figaro : *Je me presse de rire de tout, de peur d'être obligé d'en pleurer,* ▷▷▷ *p. 231.*

■ **Une fonction critique :** Le comique sert souvent d'arme. Faire rire d'une institution, d'un abus les discrédite. Molière a résumé ce pouvoir du comique dans la Préface de *Tartuffe : Les plus beaux traits d'une sérieuse morale sont moins puissants, le plus souvent, que ceux de la satire ; et rien ne reprend mieux la plupart des hommes que la peinture de leurs défauts. C'est une grande atteinte aux vices que de les exposer à la risée de tout le monde* ▷▷▷ *p. 164.*

Jean de La Fontaine

Je suis chose légère, et vole à tout sujet ;
Je vais de fleur en fleur, et d'objet en objet[1].

En se peignant dans ces vers, La Fontaine définissait parfaitement la variété de son talent, et sa propre dispersion. Mais, malgré la diversité de sa production, il reste aux yeux de la postérité l'auteur des *Fables,* indissociablement attachées à son nom.

L'époque des choix et la protection de Fouquet

Né dans la bonne bourgeoisie de province, Jean de La Fontaine succédera à son père comme maître des Eaux et Forêts à Château-Thierry. Ses « tournées » d'inspection lui feront connaître intimement la nature qu'il peindra dans ses *Fables.*

Mais le jeune homme est attiré aussi par les Lettres. Il lit beaucoup, étudie les auteurs grecs et latins et fréquente les cercles littéraires parisiens : il veut écrire.

Dans une situation financière toujours incertaine, La Fontaine comme la plupart des écrivains de l'époque ne peut espérer qu'en la protection des Grands. Son premier mécène est le surintendant des Finances Fouquet. Chargé des divertissements de la cour de Vaux-le-Vicomte, La Fontaine compose des poèmes, des ballades, des chansons. Mais l'arrestation de Fouquet ▷ ▷ ▷ *p. 141,* le prive de tout appui. Le poète ne reniera cependant jamais son protecteur dans sa disgrâce, ce qui le rendra longtemps indésirable aux yeux de Louis XIV.

Le succès des Fables

Désormais, la vie de La Fontaine se partage entre la fréquentation des salons - celui de Mme La Fayette, de Mme de Sévigné - et l'attachement aux personnages illustres qui le prennent sous leur protection. En 1665, la publication des *Contes,* d'inspiration osée, puis un recueil de *Fables* en 1668, le rendent célèbre. Les trois recueils de *Fables* qu'il écrira seront un des plus gros « succès de librairie » du siècle.

Il restait au poète à entrer dans la faveur du roi. La dédicace de son second recueil de *Fables* à Mme de Montespan l'y aide. Il finit par être élu à l'Académie française en 1684.

Les dernières réflexions

Auprès de Mme de La Sablière, une de ses dernières protectrices, une mondaine cultivée chez qui fréquentaient les savants et les Libertins∗, La Fontaine a élargi ses réflexions à des questions philosophiques comme l'intelligence des animaux et des hommes qu'il expose dans le *Discours à Mme de La Sablière* (deuxième recueil de *Fables*).

Ayant vu son amie se convertir au Jansénisme ▷ ▷ ▷ *p. 168,* La Fontaine, âgé, malade, fait lui-même un retour sur sa vie et, après un dernier recueil de *Fables* en 1693, il n'écrit plus que de la poésie religieuse avant de mourir à 74 ans.

1. discours lu par La Fontaine le jour de sa réception à l'Académie française, le 2 mai 1684.

Atelier de Jan Brueghel de Velours (1568-1625),
L'Arche de Noé (détails), (Orléans, Musée des
Beaux-Arts).

1. fleuve des Enfers dans la
mythologie grecque.
2. par conséquent.
3. à la colère du ciel.
4. sacrifices.
5. un pouvoir imaginaire.

Fables

Les animaux malades de la peste

La Fontaine met en œuvre ici le symbolisme animal caractéristique de ses Fables : *la situation décrite est aisément transposable du domaine animal au domaine humain, et chaque animal renvoie habilement à un type social, à un caractère humain.*

Un mal qui répand la terreur,
  Mal que le ciel en sa fureur
Inventa pour punir les crimes de la terre,
La peste (puisqu'il faut l'appeler par son nom),
5 Capable d'enrichir en un jour l'Achéron[1],
  Faisait aux animaux la guerre.
Ils ne mouraient pas tous, mais tous étaient frappés.
  On n'en voyait point d'occupés
À chercher le soutien d'une mourante vie ;
10 Nul mets n'excitait leur envie.
  Ni loups ni renards n'épiaient
  La douce et l'innocente proie.
  Les tourterelles se fuyaient ;
  Plus d'amour, partant[2] plus de joie.

15 Le lion tint conseil, et dit : « Mes chers amis,
  Je crois que le ciel a permis
  Pour nos péchés cette infortune.
  Que le plus coupable de nous
Se sacrifie aux traits du céleste courroux[3] ;
20 Peut-être il obtiendra la guérison commune.
L'histoire nous apprend qu'en de tels accidents
  On fait de pareils dévouements[4].
Ne nous flattons donc point, voyons sans indulgence
  L'état de notre conscience.
25 Pour moi, satisfaisant mes appétits gloutons,
  J'ai dévoré force moutons.
  Que m'avaient-ils fait ? Nulle offense.
Même il m'est arrivé quelquefois de manger
  Le berger.
30 Je me dévouerai donc, s'il le faut ; mais je pense
Qu'il est bon que chacun s'accuse ainsi que moi :
Car on doit souhaiter selon toute justice
  Que le plus coupable périsse.
- Sire, dit le renard, vous êtes trop bon roi ;
35 Vos scrupules font voir trop de délicatesse ;
Eh bien ! manger moutons, canaille, sotte espèce,
Est-ce un péché ? Non, non : vous leur fîtes, Seigneur,
  En les croquant beaucoup d'honneur ;
  Et quant au berger, l'on peut dire
40 Qu'il était digne de tous maux,
Étant de ces gens-là qui sur les animaux
  Se font un chimérique empire[5]. »
Ainsi dit le renard, et flatteurs d'applaudir.

On n'osa trop approfondir
45   Du tigre, ni de l'ours, ni des autres puissances,
    Les moins pardonnables offenses.
Tous les gens querelleurs, jusqu'aux simples mâtins[6],
Au dire de chacun étaient de petits saints.
L'âne vint à son tour et dit : « J'ai souvenance
50   Qu'en un pré de moines passant,
  La faim, l'occasion, l'herbe tendre, et, je pense,
    Quelque diable aussi me poussant,
Je tondis de ce pré la largeur de ma langue.
Je n'en avais nul droit, puisqu'il faut parler net. »
55 À ces mots on cria haro sur le baudet[7].
Un loup quelque peu clerc[8] prouva par sa harangue[9]
Qu'il fallait dévouer[10] ce maudit animal,
Ce pelé, ce galeux, d'où venait tout leur mal.
Sa peccadille fut jugée un cas pendable.
60 Manger l'herbe d'autrui ! quel crime abominable !
    Rien que la mort n'était capable
D'expier son forfait : on le lui fit bien voir.

Selon que vous serez puissant ou misérable,
Les jugements de cour vous rendront blanc ou noir.

VII, 1.

6. chiens de garde, bâtards.
7. on dénonce, en criant, le baudet comme coupable.
8. savant.
9. discours.
10. sacrifier.

LECTURE MÉTHODIQUE

■ Par l'observation du lexique, dites quel est le **thème essentiel** de cette fable. À quelles notions se rattache-t-il ? À quel domaine ces notions appartiennent-elles ?

■ En prenant appui sur l'énonciation, sur les temps verbaux et sur les articulations temporelles, dégagez ce qui appartient au récit et au discours et précisez les **différentes étapes de l'histoire.**

■ Quels sont les **trois intervenants** essentiels ? Étudiez leur ordre d'intervention, le contenu de leur confession, les réactions des autres.

■ La **moralité** donnée par le narrateur rend-elle compte de *toutes* les leçons contenues dans la fable ? Récapitulez les différents enseignements du texte.

PARCOURS CULTUREL

■ La critique politique et sociale se pratique-t-elle aujourd'hui sous des formes que l'on pourrait comparer au **genre de la fable ?** Lesquelles ? Le **symbolisme animal** y joue-t-il son rôle ? Donnez des exemples.

guides p. 39-184-330-369-418

La jeune veuve

L'écrivain latin Pétrone au Ier siècle avait raconté l'histoire de La matrone d'Éphèse, *une jeune veuve « inconsolable » bien prompte à se laisser reprendre aux charmes de l'amour. L'inconstance féminine est un thème comique traditionnel que reprend ici La Fontaine, avec un charme non dénué d'ironie.*

L a perte d'un époux ne va point sans soupirs,
  On fait beaucoup de bruit ; et puis on se console :
Sur les ailes du Temps la tristesse s'envole,
    Le Temps ramène les plaisirs.
5   Entre la veuve d'une année
    Et la veuve d'une journée
La différence est grande ; on ne croirait jamais
    Que ce fût la même personne :

L'une fait fuir les gens, et l'autre a mille attraits.
10 Aux soupirs vrais ou faux celle-là s'abandonne ;
C'est toujours même note et pareil entretien ;
On dit qu'on est inconsolable ;
On le dit, mais il n'en est rien,
Comme on le verra par cette fable,
15 Ou plutôt par la vérité.

L'époux d'une jeune beauté
Partait pour l'autre monde. À ses côtés, sa femme
Lui criait : « Attends-moi, je te suis ; et mon âme,
Aussi bien que la tienne, est prête à s'envoler. »
20 Le mari fait seul le voyage.
La belle avait un père, homme prudent et sage ;
Il laissa le torrent couler.
À la fin, pour la consoler :
« Ma fille, lui dit-il, c'est trop verser de larmes :
25 Qu'a besoin le défunt que vous noyiez vos charmes ?
Puisqu'il est¹ des vivants, ne songez plus aux morts.
Je ne dis pas que tout à l'heure²
Une condition meilleure
Change en des noces ces transports³ ;
30 Mais après certain temps, souffrez⁴ qu'on vous propose
Un époux beau, bien fait, jeune, et tout autre chose
Que le défunt. - Ah ! dit-elle aussitôt,
Un cloître est l'époux qu'il me faut. »
Le père lui laissa digérer sa disgrâce.
35 Un mois de la sorte se passe ;
L'autre mois, on l'emploie à changer tous les jours
Quelque chose à l'habit, au linge, à la coiffure :
Le deuil enfin sert de parure,
En attendant d'autres atours ;
40 Toute la bande des amours
Revient au colombier ; les jeux, les ris⁵, la danse,
Ont aussi leur tour à la fin :
On se plonge soir et matin
Dans la fontaine de Jouvence⁶.
45 Le père ne craint plus ce défunt tant chéri ;
Mais comme il ne parlait de rien à notre belle :
« Où donc est le jeune mari
Que vous m'avez promis ? » dit-elle.

VI, 21.

Georges de La Tour (1593-1652), *La Diseuse de bonne aventure* (détail), 1636/1639 (huile sur toile, 101,9 X 123,5 cm ; New York, The Metropolitan Museum of Art).

1. il y a.
2. à l'instant.
3. vives émotions (ici sentiment de tristesse).
4. permettez.
5. les rires.
6. son eau rajeunissait, selon la légende.

LECTURE MÉTHODIQUE

■ Quel **rôle** jouent les vers 1 à 15 par rapport à l'ensemble ? Justifiez votre réponse par une étude comparée très précise de ce passage et du reste de la fable.

■ Étudiez l'**expression du temps** tout au long du texte. En quoi cet élément est-il particulièrement important ici ?

■ Le pronom **on** est fréquemment utilisé dans le texte. Quelle est sa valeur ? Quelles sont ses connotations ? Quelle tonalité son emploi confère-t-il au texte ? Quelles figures concourent à cette tonalité ?

■ Dans certaines de ses Fables, La Fontaine s'intéresse à la justice, à la morale, ou à la vie de cour… Quel est le **domaine** envisagé ici ? De quelles qualités le fabuliste fait-il preuve ? Comment intervient-il ?

guides p. 184-224-418

179

Le jardinier et son seigneur

La moralité de la fable passe ici par le récit d'une scène de la vie sociale. Il faut rappeler qu'au XVIIᵉ siècle un paysan est encore soumis aux lois féodales qui lui interdisent de chasser.

Un amateur de jardinage,
Demi-bourgeois, demi-manant[1],
Possédait en certain village
Un jardin assez propre, et le clos attenant.
5 Il avait de plant vif fermé cette étendue.
Là croissait[2] à plaisir l'oseille et la laitue,
De quoi faire à Margot pour sa fête un bouquet,
Peu de jasmin d'Espagne[3] et force serpolet.
Cette félicité par un lièvre troublée
10 Fit qu'au Seigneur du bourg notre homme se plaignit.
« Ce maudit animal vient prendre sa goulée[4]
Soir et matin, dit-il, et des pièges se rit ;
Les pierres, les bâtons y perdent leur crédit[5] :
Il est sorcier, je crois. - Sorcier ? je l'en défie,
15 Repartit le Seigneur ; fût-il diable, Miraut[6],
En dépit de ses tours, l'attrapera bientôt.
Je vous en déferai, bonhomme, sur ma vie.
- Et quand ? - Et dès demain, sans tarder plus longtemps. »
La partie[7] ainsi faite, il vient avec ses gens.
20 « Çà, déjeunons, dit-il : vos poulets sont-ils tendres ?
La fille du logis, qu'on vous voie, approchez :
Quand la marierons-nous, quand aurons-nous des gendres ?
Bon homme, c'est ce coup qu'il faut, vous m'entendez,
Qu'il faut fouiller à l'escarcelle[8]. »
25 Disant ces mots, il fait connaissance avec elle,
Auprès de lui la fait asseoir,
Prend une main, un bras, lève un coin du mouchoir ;
Toutes sottises dont la belle
Se défend avec grand respect :
30 Tant qu'au père à la fin cela devient suspect.
Cependant on fricasse, on se rue en cuisine.
« De quand sont vos jambons ? ils ont fort bonne mine.
- Monsieur, ils sont à vous. - Vraiment, dit le Seigneur,
Je les reçois, et de bon cœur. »
35 Il déjeune très bien ; aussi fait sa famille[9],
Chiens, chevaux, et valets, tous gens bien endentés :
Il commande chez l'hôte, y prend des libertés,
Boit son vin, caresse sa fille.
L'embarras[10] des chasseurs succède au déjeuné.
40 Chacun s'anime et se prépare :
Les trompes et les cors font un tel tintamarre
Que le bonhomme est étonné[11].
Le pis fut que l'on mit en piteux équipage[12]
Le pauvre potager : adieu planches, carreaux ;
45 Adieu chicorée et porreaux[13] ;
Adieu de quoi mettre au potage.
Le lièvre était gîté dessous un maître chou.

1. paysan.
2. poussait.
3. plante rare.
4. sa nourriture.
5. leur effet.
6. le chien du « seigneur ».
7. l'affaire, l'entente.
8. qu'il faut débourser.
9. au sens large, ses domestiques, ses gens.
10. l'embarras causé par les chasseurs.
11. assommé, ahuri.
12. état.
13. poireaux.

Balthasar van der Ast (avant 1590-1656), *Corbeille de Fruits,* vers 1632 (huile sur toile, 14,3 × 20 cm ; Berlin, Staatlichen Museen, Stiftung Preussischer Kulturbesitz).

> On le quête ; on le lance[14] ; il s'enfuit par un trou,
> Non pas trou, mais trouée, horrible et large plaie
> 50   Que l'on fit à la pauvre haie
> Par ordre du Seigneur ; car il eût été mal
> Qu'on n'eût pu du jardin sortir tout à cheval.
> Le bonhomme disait : « Ce sont là jeux de prince. »
> Mais on le laissait dire : et les chiens et les gens
> 55 Firent plus de dégâts en une heure de temps
>   Que n'en auraient fait en cent ans
>   Tous les lièvres de la province.
>
> Petits princes, videz vos débats entre vous :
> De recourir aux rois vous seriez de grands fous.
> 60 Il ne les faut jamais engager dans vos guerres,
>   Ni les faire entrer sur vos terres.

IV, 4.

14. on le débusque,
on le poursuit.

LECTURE MÉTHODIQUE

■ Par l'analyse du lexique, montrez la différence entre **l'état initial** et **l'état final** du jardin. Que pouvez-vous en conclure concernant l'« **intervention** » du seigneur ?

■ Par l'observation des pronoms personnels, des verbes d'action et des indicateurs de temps, précisez les **étapes** et la **nature** de cette « intervention ».

■ Repérez et analysez les termes qui désignent les deux personnages par leur **condition sociale**. Que remarquez-vous ? Le narrateur prend-il **parti ?** Justifiez votre réponse par une étude des différentes connotations.

■ Mettez en parallèle la **moralité** et le **contenu** de la fable. S'agit-il du même contexte ? Dans quel domaine La Fontaine transpose-t-il la « leçon » ?

guides p. 39-184-237

Le vieillard et les trois jeunes hommes

La Fontaine met ici en scène des personnages qui n'appartiennent pas au règne animal. Sans formule de morale, cette fable n'en contient pas moins un enseignement pratique.

Un octogénaire plantait.
Passe encor de bâtir ; mais planter à cet âge !
Disaient trois jouvenceaux, enfants du voisinage ;
    Assurément il radotait.
5   Car, au nom des Dieux, je vous prie,
Quel fruit de ce labeur pouvez-vous recueillir ?
Autant qu'un Patriarche il vous faudrait vieillir.
    À quoi bon charger votre vie
Des soins d'un avenir qui n'est pas fait pour vous ?
10 Ne songez désormais qu'à vos erreurs passées :
Quittez le long espoir et les vastes pensées ;
    Tout cela ne convient qu'à nous.
    - Il ne convient pas à vous-mêmes,
Repartit le Vieillard. Tout établissement[1]
15 Vient tard et dure peu. La main des Parques[2] blêmes
De vos jours et des miens se joue également.
Nos termes sont pareils par leur courte durée.
Qui de nous des clartés de la voûte azurée
Doit jouir le dernier ? Est-il aucun moment
20 Qui vous puisse assurer d'un second seulement ?
Mes arrière-neveux me devront cet ombrage :
    Eh bien défendez-vous au Sage
De se donner des soins pour le plaisir d'autrui ?
Cela même est un fruit que je goûte aujourd'hui :
25 J'en puis jouir demain, et quelques jours encore ;
    Je puis enfin compter l'Aurore
    Plus d'une fois sur vos tombeaux.
Le Vieillard eut raison ; l'un des trois jouvenceaux
Se noya dès le port allant à l'Amérique ;
30 L'autre, afin de monter aux grandes dignités,
Dans les emplois de Mars[3] servant la République,
Par un coup imprévu vit ses jours emportés.
    Le troisième tomba d'un arbre
    Que lui-même il voulut enter[4] ;
35 Et pleurés du Vieillard, il grava sur leur marbre
    Ce que je viens de raconter.

XI, 8.

1. installation, réussite.
2. déesses représentant la mort : l'une file le fil de la vie, l'autre le mesure, la troisième le coupe.
3. périphrase désignant la guerre.
4. greffer.

LECTURE MÉTHODIQUE

■ Combien de **points de vue** s'opposent dans cette fable ? À qui appartiennent-ils ? Répondez à cette question en observant les pronoms personnels, les temps des verbes, les différents types de discours.

■ Quels sont les **arguments** confrontés ? Reformulez les **deux thèses** en présence et les différents arguments en « traduisant » les images et les métaphores.

■ Le narrateur utilise la fable comme **argument** pour convaincre son lecteur : quelle idée **défend-il ?** Comment pourrait-on formuler cette morale ?

ÉCRITURE

■ Récrivez au **style direct** l'échange de paroles entre les jeunes gens et le vieillard en intégrant le premier vers. Terminez l'histoire par un bref récit évoquant la mort des trois « héros » et concluez par une morale.

guides p. 151-184

François Chauveau (1613-1673), illustration pour *L'Âne vêtu de la peau du Lion* ; édition de 1668 (gravure ; Paris, Bibliothèque Nationale de France).

L'Ane vêtu de la peau du Lion

À travers deux animaux qui reviennent souvent dans les fables, le moraliste s'en prend ici à un comportement social très répandu.

De la peau du Lion l'Âne s'étant vêtu
　　　Était craint partout à la ronde,
　　　Et bien qu'animal sans vertu[1],
　　　Il faisait trembler tout le monde.
5　Un petit bout d'oreille échappé par malheur
　　　Découvrit la fourbe[2] et l'erreur.
　　　Martin[3] fit alors son office.
　Ceux qui ne savaient pas la ruse et la malice
　　　S'étonnaient de voir que Martin
10　　Chassât les Lions au moulin.

　　　Force gens[4] font du bruit en France,
　Par qui cet Apologue est rendu familier.
　　　Un équipage[5] cavalier[6]
　　　Fait les trois quarts de leur vaillance.

　　　　　　　　　　　　　　　　　　V, 21.

1. courage.
2. la tromperie.
3. ou Martin-bâton : prénom ou nom composé désignant le bâton utilisé pour corriger l'animal.
4. de nombreuses personnes.
5. ce qui est nécessaire au voyage ou au train de vie d'une maison.
6. digne d'un chevalier, d'un jeune noble.

LECTURE MÉTHODIQUE

■ À quoi correspond le **découpage** de la fable et le **blanc** qui figure après le vers 10 ?

■ Par l'observation de la **ponctuation** et du lexique, expliquez comment les dix premiers vers sont eux-mêmes organisés. Observe-t-on des liens logiques ? chronologiques ?

■ **Repérez** les différents modes d'expression de l'**opposition** dans cette première partie. Quels sont les éléments opposés ?

■ Quelles **relations** le lecteur peut-il (et doit-il) établir entre les deux parties de la fable ? Quelle est l'importance du **dernier mot** ?

guides p. 78-184

La fable

Par son étymologie, *fabula* en latin, le mot « fable » possède des sens diversifiés : **récit** oral et plaisant, propos relevant de la **conversation,** apologue* terminé par une **moralité.** Ainsi se révèlent certaines caractéristiques d'un genre qui remonte à l'Antiquité et dont les fonctions englobent **le divertissement, l'enseignement, la réflexion et la critique.**

■ *Son historique*

On considère que la création de la fable remonte à l'écrivain grec Ésope (VIe siècle avant J.-C.). Cet esclave doté d'un esprit acéré avait pris l'habitude de transcrire en petits récits terminés par une réflexion morale les relations qu'il avait avec son maître. Plus tard, Phèdre (Ier siècle avant J.-C.) reprend, en latin, la même inspiration pour construire de petites fables. Au XVIe siècle, l'Italien Abstemius s'inscrit dans la même lignée de fabulistes. Parallèlement, la littérature orientale offre de nombreux exemples de petits récits moralisateurs. Ceux de l'Indien Pilpay sont traduits en français en 1644. La Fontaine dispose donc de **sources différentes.**

■ *Ses caractéristiques*

La fable est un texte souvent en vers, en général bref, de forme **narrative,** mettant en scène des êtres humains ou des animaux.

■ Un texte narratif
La fable est un **récit.** Ce caractère se perçoit à l'existence d'une succession d'actions, de situations ou de faits, à une évolution spatio-temporelle, au passage d'un état initial à un état final. Ainsi, dans « Le jardinier et son seigneur » ▷▷▷ *p. 180,* le récit suit les étapes de la dégradation du jardin par le seigneur. De même, dans « La jeune veuve » ▷▷▷ *p. 178,* l'évolution de la situation est soulignée par des articulations chronologiques : *Après, Un an se passe, Puis…* Les temps verbaux, imparfait, passé simple, sont ceux du récit. Le présent intervient pour **actualise**r la situation ou la **généraliser.**

■ Les personnages humains
Ils appartiennent à des catégories dont ils représentent **l'exemple type :** un jardinier, un seigneur, une veuve, un berger, un sage, deux amis… Facilement reconnaissables, ils sont les porte-parole d'une condition qui entretient avec son environnement humain des relations souvent conflictuelles. Ils sont également représentatifs de l'époque (références à la Cour chez La Fontaine).

■ Les animaux
Ils sont traditionnellement les personnages des fables. Chargés d'une **signification symbolique,** ils permettent un phénomène de transposition des comportements et des caractères : la cruauté est représentée par le loup, la ruse par le renard, la puissance par le lion, l'innocence par l'agneau. La loi naturelle, présentée souvent comme une loi de la jungle, constitue la référence pour décrypter le monde humain. La fable des « Animaux malades de la peste » ▷▷▷ *p. 177,* est tout à fait représentative de ce mode de fonctionnement. La situation évoquée, celle d'une épidémie, fait apparaître les problèmes de la culpabilité et la nécessité d'un « bouc émissaire », en l'occurrence le malheureux âne. Il est facile de transposer la situation à celle d'une communauté atteinte par un malheur collectif.

■ Les thèmes
Ils sont aussi **diversifiés** que ceux de la vie sociale ou de la vie politique. On trouve les rapports de pouvoir, les conflits familiaux, entre voisins, les rivalités petites et grandes. Solitude, vieillesse, relations parents/enfants, différentes manières de prendre la vie, rapports de l'homme avec la nature, tout est bon pour le fabuliste qui tire de cette multiplicité d'anecdotes une morale souvent pessimiste.

■ *Fonctions des fables*

■ Le divertissement
Récit court, interrompu de dialogues au style direct ou indirect libre, la fable tire son charme d'une concision qui en quelques mots crée un monde d'images et des situations concrètes. Le rythme est donné par les vers de longueur différente, par les articulations logiques et chronologiques. Les mésaventures des animaux font rire ou sourire. La **mise à distance** est suffisante pour éloigner les similitudes trop douloureuses. Le lecteur de la fable est le spectateur d'une scène qui le concerne, mais dans laquelle il ne se sent pas réellement impliqué.

■ L'enseignement
Toute fable comporte une **moralité** qui ouvre ou ferme le récit. Les vérités énoncées dressent une sorte de bilan de la nature humaine et des fonctionnements sociaux :
Selon que vous serez puissant ou misérable,
Les jugements de cour vous rendront blanc ou noir ▷▷▷ *p. 178.*
On trouve aussi des préceptes de **sagesse** et des **recommandations** diverses.
On peut considérer enfin que **la fable permet un discours critique à l'abri de la censure.** Elle dénonce à travers la mise en scène les dysfonctionnements sociaux, politiques et les abus.

1626-1696

Madame de Sévigné

Un milieu favorable

Issue de la noblesse par son père, la marquise de Sévigné s'apparente à la grande bourgeoisie parisienne par sa mère. Son mari, qui la laisse veuve à vingt-cinq ans, vient, lui, de la noblesse provinciale. Ces différentes appartenances donnent à Mme de Sévigné un statut assez particulier où peut s'épanouir sa personnalité : sans faire partie de la Cour, elle la côtoie cependant et peut l'admirer tout en portant sur elle un regard critique ; sa naissance et sa culture - elle connaît le latin, l'espagnol et l'italien, admire Corneille et La Fontaine - lui ouvrent les salons. Elle fréquente le cercle précieux de l'Hôtel de Rambouillet ▷▷▷ *p. 120,* a pour amie Madame de La Fayette. C'est une mondaine au meilleur sens du terme : elle sait plaire par son esprit et son talent dans l'art de la conversation.

L'arrachement

En 1671, elle doit se séparer de sa fille, mariée au comte de Grignan qui va résider en Provence où il est nommé gouverneur. Ce départ est un drame pour cette mère passionnée. Comment maintenir une relation vivante et profonde en dépit de la séparation ?

Mme de Sévigné, qui déjà pratiquait l'art de la correspondance, multiplie alors les échanges épistolaires avec sa fille. Sur quelque 1 400 lettres d'elle qui nous sont restées, près de 800 sont adressées à Mme de Grignan.

L'épanouissement par l'écriture

Mme de Sévigné n'avait pas sa fille pour seule destinataire. À de nombreux correspondants, elle adresse des lettres d'inspiration diverse : anecdotes, récits d'événements historiques, véritables « reportages » sur la vie à la Cour. Sans s'en douter (mais pouvait-elle l'ignorer tout à fait ?), elle se montre un écrivain.

Dans les lettres adressées à sa fille, la démarche est plus obscure ; en communiquant avec l'absente, Mme de Sévigné satisfait une double aspiration : se faire plaisir à elle-même, mais surtout plaire à sa fille, la charmer, ou l'émouvoir par des sentiments qu'elle ne dirait pas de vive voix.

Avec la correspondance de Mme de Sévigné, on voit comment l'écriture peut devenir le moyen privilégié de l'expression profonde et complexe de soi-même.

Portrait : Claude Lefèvre (1632-1675), *Madame de Sévigné* (détail), (Paris, Musée Carnavalet).

France, XVIIe s., *Madame de Sévigné* (détail) (Paris, Musée Carnavalet).

Lettre à Coulanges

« Je vous le donne en cent »

Madame de Sévigné ne songeait pas à voir ses lettres publiées. Mais elle savait que ce qu'elle écrivait serait commenté. Le récit est donc savamment « mis en scène ».

À PARIS, LUNDI 15 DÉCEMBRE 1670.

Je m'en vais vous mander la chose la plus étonnante[1], la plus surprenante, la plus merveilleuse, la plus miraculeuse, la plus triomphante, la plus étourdissante, la plus inouïe, la plus singulière, la plus extraordinaire, la plus incroyable, la plus imprévue, la plus grande, la plus petite, la plus rare, la plus commune, la plus éclatante, la plus secrète jusqu'aujourd'hui, la plus brillante, la plus digne d'envie : enfin une chose dont on ne trouve qu'un exemple dans les siècles passés, encore cet exemple n'est-il pas juste ; une chose que l'on ne peut pas croire à Paris (comment la pourrait-on croire à Lyon[2] ?) ; une chose qui fait crier miséricorde à tout le monde ; une chose qui comble de joie Mme de Rohan et Mme d'Hauterive[3] ; une chose enfin qui se fera dimanche, où ceux qui la verront croiront avoir la berlue[4] ; une chose qui se fera dimanche, et qui ne sera peut-être pas faite lundi. Je ne puis me résoudre à la dire ; devinez-la : je vous le donne en trois. Jetez-vous votre langue aux chiens ? Eh bien ! il faut donc vous la dire : M. de Lauzun[5] épouse dimanche au Louvre, devinez qui ? Je vous le donne en quatre, je vous le donne en dix ; je vous le donne en cent. Mme de Coulanges dit : Voilà qui est bien difficile à deviner ; c'est Mme de La Vallière[6]. - Point du tout, madame. - C'est donc Mlle de Retz[7] ? - Point du tout, vous êtes bien provinciale. - Vraiment nous sommes bien bêtes, dites-vous, c'est Mlle Colbert[8] ? - Encore moins. - C'est assurément Mlle de Créquy[9] ? - Vous n'y êtes pas. Il faut donc à la fin vous le dire : il épouse dimanche, au Louvre, avec la permission du Roi, Mademoiselle, Mademoiselle de... Mademoiselle... devinez le nom : il épouse Mademoiselle, ma foi ! par ma foi ! ma foi jurée ! Mademoiselle, la grande Mademoiselle ; Mademoiselle, fille de feu Monsieur[10] ; Mademoiselle, petite-fille de Henri IV ; mademoiselle d'Eu, mademoiselle de Dombes, mademoiselle de Montpensier, mademoiselle d'Orléans ; Mademoiselle, cousine germaine du Roi ; Mademoiselle, destinée au trône ; Mademoiselle, le seul parti de France qui fût digne de Monsieur[11]. Voilà un beau sujet de discourir. Si vous criez, si vous êtes hors de vous-même, si vous dites que nous avons menti, que cela est faux, qu'on se moque de vous, que voilà une belle raillerie, que cela est bien fade à imaginer[12] ; si enfin vous nous dites des injures : nous trouverons que vous avez raison ; nous en avons fait autant que vous.

Adieu ; les lettres qui seront portées par cet ordinaire[13] vous feront voir si nous disons vrai ou non.

Pierre Mignard (1612-1695), *La Duchesse de Montpensier* (détail), (Versailles, Musée National du Château).

1. sens fort : stupéfiante.
2. où se trouve M. de Coulanges, cousin de Mme de Sévigné.
3. dames de grande noblesse qui s'étaient mariées au-dessous de leur condition.
4. avoir des visions.
5. Maréchal de France, le comte de Lauzun n'était pas de grande naissance.
6. favorite du roi.
7. nièce du cardinal de Retz.
8. fille du ministre de Louis XIV.
9. autre nom illustre.
10. on appelait « Mademoiselle » la fille aînée des frères ou des oncles du roi. Celle dont il est question est la fille du frère de Louis XIII, donc cousine germaine du roi Louis XIV.
11. le frère du roi, « Monsieur », était alors veuf.
12. une invention peu spirituelle.
13. le courrier ordinaire.

LECTURE MÉTHODIQUE

■ Quel est l'objectif de cette lettre ? À quoi le voyez-vous ? Quelle information essentielle contient-elle ? Où figure-t-elle ? En combien d'étapes est-elle donnée ? Sur quel effet l'épistolière joue-t-elle ? Par quels moyens ?

■ Repérez et analysez les **différents procédés** qui peuvent laisser penser que l'auteur de la lettre est **en présence** de son destinataire. Appuyez-vous pour cela sur le système de l'énonciation.

■ De qui et de quoi l'auteur de la lettre se moque-t-elle ? Comment s'y prend-elle ?

Lettre à Mme de Grignan

« En un mot, ma fille, je ne vis que pour vous »

Mme de Sévigné écrit à sa fille, quelques heures après l'avoir quittée.

À MONTÉLIMAR, JEUDI 5 OCTOBRE 1673.

Voici un terrible jour, ma chère fille ; je vous avoue que je n'en puis plus. Je vous ai quittée dans un état qui augmente ma douleur. Je songe à tous les pas que vous faites et à tous ceux que je fais, et combien il s'en faut qu'en marchant toujours de cette sorte, nous puissions jamais
5 nous rencontrer. Mon cœur est en repos quand il est auprès de vous : c'est son état naturel, et le seul qui peut lui plaire. Ce qui s'est passé ce matin me donne une douleur sensible[1], et me fait un déchirement dont votre philosophie sait les raisons : je les ai senties et les sentirai longtemps. J'ai le cœur et l'imagination tout remplis de vous ; je n'y puis penser sans
10 pleurer, et j'y pense toujours : de sorte que l'état où je suis n'est pas une chose soutenable[2] ; comme il est extrême, j'espère qu'il ne durera pas dans cette violence. Je vous cherche toujours, et je trouve que tout me manque, parce que vous me manquez. Mes yeux qui vous ont tant rencontrée depuis quatorze mois ne vous trouvent plus. Le temps agréable qui est passé rend
15 celui-ci douloureux, jusqu'à ce que j'y sois un peu accoutumée ; mais ce ne sera jamais assez pour ne pas souhaiter ardemment de vous revoir et de vous embrasser. Je ne dois pas espérer mieux de l'avenir que du passé. Je sais ce que votre absence m'a fait souffrir ; je serai encore plus à plaindre, parce que je me suis fait imprudemment une habitude néces-
20 saire de vous voir. Il me semble que je ne vous ai point assez embrassée en partant : qu'avais-je à ménager ? Je ne vous ai point assez dit combien je suis contente de votre tendresse ; je ne vous ai point assez recommandée à M. de Grignan ; je ne l'ai point assez remercié de toutes ses politesses et de toute l'amitié qu'il a pour moi ; j'en attendrai les effets
25 sur tous les chapitres : il y en a où il a plus d'intérêt que moi, quoique j'en sois plus touchée que lui. Je suis déjà dévorée de curiosité ; je n'espère plus de consolation que de vos lettres, qui me feront encore bien soupi-rer. En un mot, ma fille, je ne vis que pour vous. Dieu me fasse la grâce de l'aimer quelque jour comme je vous aime. Je songe aux *pichons*[3] ; je
30 suis toute pétrie de Grignans ; je tiens partout[4]. Jamais un voyage n'a été si triste que le nôtre ; nous[5] ne disons pas un mot.

Adieu, ma chère enfant, aimez-moi toujours : hélas ! nous revoilà dans les lettres. Assurez Monsieur l'Archevêque[6] de mon respect très tendre, et embrassez le Coadjuteur[7] ; je vous recommande à lui. Nous
35 avons encore dîné à vos dépens. Voilà M. de Saint-Geniez qui vient me consoler. Ma fille, plaignez-moi de vous avoir quittée.

1. que je ressens vivement.
2. supportable.
3. en provençal, les *pitchouns* : les petits enfants.
4. comme la pâte « pétrie » dont les éléments sont bien amalgamés.
5. Mme de Sévigné voyage en compagnie de deux abbés.
6. oncle du comte de Grignan.
7. frère du comte de Grignan.

LECTURE MÉTHODIQUE

■ Observez le système de l'énonciation. Quels sont les pronoms les plus employés ? Repérez les mots qui appartiennent au champ lexical de la **souffrance,** du **sentiment amoureux.** Analysez leur degré d'intensité, leurs connotations. À partir de toutes ces remarques, définissez la **tonalité** du texte.

■ En faisant apparaître ce qui se réfère au passé, au présent, à l'avenir, étudiez comment se mêlent dans la lettre les sentiments de **bonheur** et de **tristesse.**

■ Dans cette lettre, certaines phrases s'apparentent à la langue de la tragédie. Relevez-en au moins deux et analysez leur tonalité tragique.

guides p. 39-157-276-369-418

Fénelon

Appartenant à la vieille noblesse du Périgord, François de Salignac de La Mothe-Fénelon est ordonné prêtre à 24 ans et se consacre principalement à la conversion des Protestants au Catholicisme. Il remplit cette tâche avec souplesse, usant plus de séduction que de violence. Ses succès lui valent d'être remarqué à la Cour. En 1689, Louis XIV fait de lui le précepteur de son petit-fils, le duc de Bourgogne.

1651-1715

Mais deux événements vont briser sa carrière et entraîner sa chute. Profondément croyant, il s'est laissé séduire par la doctrine du Quiétisme* et y a converti jusqu'à l'entourage du roi. Cette doctrine condamnée par l'Église rend Fénelon suspect. Louis XIV lui retire sa charge de précepteur en 1699. L'autre motif de disgrâce est la publication, la même année, - contre la volonté de Fénelon d'ailleurs - de son ouvrage *Les Aventures de Télémaque*. Ce « roman pédagogique » destiné à son élève contient en effet des propos sur les devoirs des souverains, des leçons de morale, une condamnation du luxe, d'une hardiesse insupportable pour l'absolutisme royal. Fénelon ne devra plus reparaître à Versailles.

Il meurt en 1715 après avoir vu mourir son élève, héritier du trône, et s'effacer du même coup toutes ses chances de jouer le moindre rôle dans le gouvernement du royaume.

Portrait : Joseph Vivien (1657-1734), *Portrait de Fénelon* (détail), (Versailles, Musée National du Château).

Traité de l'éducation des filles - 1687

« Montrez-lui toujours l'utilité des choses que vous lui enseignez »

Ses différentes charges ont donné à Fénelon une grande expérience de l'enseignement. Il pratique ce qu'on peut appeler une « pédagogie de la séduction », dont il pose les principes dans ce traité.

E n même temps il faut chercher tous les moyens de rendre agréables à l'enfant les choses que vous exigez de lui ; en avez-vous quelqu'une de fâcheuse[1] à proposer, faites-lui entendre que la peine sera bientôt suivie du plaisir, montrez-lui toujours l'utilité des choses que vous lui ensei-
5 gnez, faites-lui en voir l'usage par rapport au commerce[2] du monde et aux devoirs des conditions[3]. Sans cela l'étude lui paraît un travail abstrait, stérile et épineux ; à quoi sert, disent-ils en eux-mêmes, d'apprendre toutes ces choses dont on ne parle point dans les conversations, et qui n'ont aucun rapport à tout ce qu'on est obligé de faire ? Il faut donc leur

10 rendre raison⁴ de tout ce qu'on leur enseigne : c'est, leur diriez-vous, pour vous mettre en état de bien faire ce que vous ferez un jour, c'est pour vous former le jugement, c'est pour vous accoutumer à bien raisonner sur toutes les affaires de la vie ; il faut toujours leur montrer un but solide et agréable qui les soutienne dans le travail, et ne prétendre jamais les assu-
15 jettir par une autorité sèche et absolue.

À mesure que leur raison augmente, il faut aussi de plus en plus raisonner avec eux sur les besoins de leur éducation, non pour suivre toutes leurs pensées, mais pour en profiter lorsqu'ils feront connaître leur état véritable, pour éprouver leur discernement, et pour leur faire goûter les
20 choses qu'on veut qu'ils fassent.

Ne prenez jamais sans une extrême nécessité un air austère et impérieux, qui fait trembler les enfants ; souvent c'est affectation et pédanterie dans ceux qui gouvernent⁵ : car, pour les enfants, ils ne sont d'ordinaire que trop timides et honteux. Vous leur fermeriez le cœur et leur
25 ôteriez la confiance, sans laquelle il n'y a nul fruit à espérer de l'éducation. Faites-vous aimer d'eux, qu'ils soient libres avec vous, et qu'ils ne craignent point de vous laisser voir leurs défauts. Pour y réussir, soyez indulgent à ceux qui ne se déguisent point⁶ devant vous. Ne paraissez ni étonné ni irrité de leurs mauvaises inclinations ; au contraire, compatis-
30 sez⁷ à leurs faiblesses : quelquefois il en arrivera cet inconvénient, qu'ils seront moins retenus par la crainte ; mais à tout prendre, la confiance et la sincérité leur sont plus utiles que l'autorité rigoureuse.

1. pénible, difficile.
2. relation, fréquentation.
3. conditions sociales.
4. leur donner la raison, leur expliquer.
5. qui instruisent, qui élèvent.
6. ceux qui ne dissimulent pas, qui sont francs.
7. ayez de l'indulgence pour.

Pierre Mignard (1612-1695), *Mademoiselle de Blois* (huile sur toile, 138 × 98 cm ; Paris, Musée du Louvre).

LECTURE MÉTHODIQUE

■ Par l'observation du système de l'énonciation, des modes verbaux et du sens de certains verbes, définissez à quel **type de texte** appartient cet extrait : descriptif, narratif, argumentatif, didactique ?

■ Observez la disposition en paragraphes. Faites apparaître la **structure du texte** en dégageant les trois idées principales qui y sont développées. Appuyez-vous pour cela sur les champs lexicaux et sur les articulations logiques ou chronologiques.

■ Par quels procédés Fénelon cherche-t-il lui-même à rendre son traité **agréable ?** Étudiez en particulier le rôle des discours rapportés.

■ Par l'observation des champs lexicaux, définissez **l'idéal pédagogique** exprimé dans le texte.

ÉCRITURE

■ Résumez le texte au quart de sa longueur environ en respectant l'**énonciation**, l'**organisation** des idées et la **tonalité**.

■ En vous fondant sur ce que dit Fénelon dans cet extrait et en ajoutant votre point de vue, exposez ce qui vous semble être les **cinq qualités** principales d'un bon pédagogue.

■ Explicitez les deux dernières lignes du texte.

guides p. 151-369-418

F. de La Rochefoucauld

1613-1680

Le duc de La Rochefoucauld est un aristocrate très fier de sa noblesse, mais déçu dans ses ambitions. Entré en rébellion dans la Fronde des Princes ▷▷▷ *p. 102,* il en sort ruiné, gravement malade et indésirable à la Cour. Il ne pourra jamais jouer dans l'État le rôle auquel sa naissance le destinait.

Mais la vie mondaine, la fréquentation des salons précieux, l'amitié avec Mme de Sévigné, l'attachement de Mme de La Fayette lui offrent des compensations réconfortantes, et permettent à ce héros sans emploi de briller d'autre façon.

Les *Maximes,* qu'il se met à écrire vers 45 ans, sont nées de cette double influence : l'esprit mondain d'une part, l'amertume liée aux désillusions personnelles de l'autre. Le genre de la « maxime » était fort prisé dans les salons ; mais il est imprégné, chez La Rochefoucauld, d'un terrible pessimisme : commencées en 1658, éditées et augmentées jusqu'en 1678, ses 641 *Maximes,* dans une forme brève et une organisation « éclatée », dénoncent les faiblesses de l'homme manipulé par « l'amour-propre », c'est-à-dire l'amour de soi-même, et victime de toutes les illusions.

Portrait : École française, XVIIᵉ siècle, *François de La Rochefoucauld* (détail), (Versailles, Musée National du Château).

Réflexions diverses

« Du rapport des hommes avec les animaux »

Les Réflexions *ont été publiées cinquante ans après la mort de La Rochefoucauld, en 1731. Beaucoup plus longues que les* Maximes, *elles présentent une image tout aussi pessimiste de l'homme mais proposent aussi une certaine sagesse. Le chapitre « Du rapport des hommes avec les animaux » est cité ici intégralement.*

Il y a autant de diverses espèces d'hommes qu'il y a de diverses espèces d'animaux, et les hommes sont, à l'égard des autres hommes, ce que les différentes espèces d'animaux sont entre elles et à l'égard les unes des autres. Combien y a-t-il d'hommes qui vivent du sang et de la vie des
5 innocents : les uns comme des tigres, toujours farouches et toujours cruels ; d'autres comme des lions, en gardant quelque apparence de générosité ; d'autres comme des ours, grossiers et avides ; d'autres comme des loups, ravissants[1] et impitoyables ; d'autres comme des renards, qui vivent d'industrie[2], et dont le métier est de tromper !
10   Combien y a-t-il d'hommes qui ont du rapport aux chiens ! Ils détruisent leur espèce ; ils chassent pour le plaisir de celui qui les nourrit ; les uns suivent toujours leur maître, les autres gardent sa maison. Il y a des

1. ravisseurs, prédateurs.
2. ruse.

lévriers d'attache[3], qui vivent de leur valeur, qui se destinent à la guerre, et qui ont de la noblesse dans leur courage : il y a des dogues acharnés,
15 qui n'ont de qualités que la fureur ; il y a des chiens, plus ou moins inutiles, qui aboient souvent, et qui mordent quelquefois ; il y a même des chiens de jardinier[4]. Il y a des singes et des guenons qui plaisent par leurs manières, qui ont de l'esprit, et qui font toujours du mal ; il y a des paons qui n'ont que de la beauté, qui déplaisent par leur chant, et qui détrui-
20 sent les lieux qu'ils habitent.

Il y a des oiseaux qui ne sont recommandables que par leur ramage et par leurs couleurs. Combien de perroquets, qui parlent sans cesse, et qui n'entendent[5] jamais ce qu'ils disent ; combien de pies et de corneilles, qui ne s'apprivoisent que pour dérober ; combien d'oiseaux de proie, qui
25 ne vivent que de rapines ; combien d'espèces d'animaux paisibles et tranquilles, qui ne servent qu'à nourrir d'autres animaux !

Il y a des chats, toujours au guet, malicieux et infidèles, et qui font patte de velours ; il y a des vipères, dont la langue est venimeuse, et dont le reste est utile[6] ; il y a des araignées, des mouches, des punaises et des
30 puces, qui sont toujours incommodes et insupportables ; il y a des crapauds, qui font horreur, et qui n'ont que du venin ; il y a des hiboux, qui craignent la lumière. Combien d'animaux qui vivent sous terre pour se conserver ! Combien de chevaux, qu'on emploie à tant d'usages, et qu'on abandonne quand ils ne servent plus ; combien de bœufs, qui travaillent
35 toute leur vie, pour enrichir celui qui leur impose le joug ; de cigales, qui passent leur vie à chanter ; de lièvres, qui ont peur de tout ; de lapins, qui s'épouvantent et se rassurent en un moment ; de pourceaux, qui vivent dans la crapule et dans l'ordure ; de canards privés[7], qui trahissent leurs semblables, et les attirent dans les filets ; de corbeaux et de vautours, qui
40 ne vivent que de pourriture et de corps morts ! Combien d'oiseaux passagers, qui vont si souvent d'un monde à l'autre, et qui s'exposent à tant de périls, pour chercher à vivre ! Combien d'hirondelles, qui suivent toujours le beau temps ; de hannetons, inconsidérés et sans dessein ; de papillons, qui cherchent le feu qui les brûle ! Combien d'abeilles, qui
45 respectent leur chef et qui se maintiennent avec tant de règle et d'industrie[8] ! Combien de frelons, vagabonds et fainéants, qui cherchent à s'établir aux dépens des abeilles ! Combien de fourmis, dont la prévoyance et l'économie soulagent tous leurs besoins ! Combien de crocodiles, qui feignent de se plaindre pour dévorer ceux qui sont touchés de leurs
50 plaintes ! Et combien d'animaux qui sont assujettis[9] parce qu'ils ignorent leur force !

Toutes ces qualités se trouvent dans l'homme, et il exerce, à l'égard des autres hommes, tout ce que les animaux dont on vient de parler exercent sur eux.

3. utilisés pour la chasse à courre.
4. qui n'ont aucun emploi et qui laissent tout faire.
5. ne comprennent jamais.
6. pour la fabrication de remèdes.
7. qui servent d'appeaux.
8. ingéniosité.
9. opprimés, asservis.

LECTURE MÉTHODIQUE

■ Repérez les **deux principales figures de style** dont La Rochefoucauld se sert pour illustrer le rapport des hommes avec les animaux. Où et comment s'opère le passage de l'une à l'autre de ces figures ?

■ Est-il possible de dégager une **organisation** :
1. dans l'ensemble du texte ;
2. dans la succession des exemples ? De quelle façon l'auteur procède-t-il et quel effet produit-il ?

■ Dégagez la **critique sociale** et **politique** du texte en analysant en détail quelques exemples. Quelle vision de la société s'exprime ici ? Diriez-vous de ce texte qu'il appartient au type argumentatif, à la fable, à l'allégorie, au portrait, au récit ? Justifiez votre réponse.

PARCOURS CULTUREL

■ Sur le modèle *bête comme une oie*, trouvez dix locutions figurées dans lesquelles un homme est comparé à un animal (comparaison élogieuse ou péjorative). Certaines peuvent être repérées dans le texte.

guides p. 78-151-184

Jean de La Bruyère

1645-1696

Né à Paris, issu de la bourgeoisie moyenne, La Bruyère, jusqu'à près de 40 ans, vit une existence tranquille dont on sait peu de chose.

En 1684, grâce à la protection de Bossuet, il devient précepteur du duc de Bourbon, petit-fils du Grand Condé, et il restera comme bibliothécaire dans cette famille de la haute noblesse. Déçu par son élève, mêlé à cette cour princière, mais dans un état de dépendance et d'infériorité, La Bruyère observe, avec ironie et amertume, le monde social qui l'entoure.

L'œuvre qui le fera connaître, en 1688, se présente prudemment comme *Les Caractères de Théophraste* (un auteur du IIIᵉ siècle avant J.-C.) *traduits du grec, avec les caractères ou les mœurs de ce siècle*. Mais bien plus qu'une simple traduction, ce que La Bruyère offre, c'est une suite de portraits satiriques, de réflexions morales, de traits ironiques, d'observations impitoyables sur ses contemporains et les hommes en général. À chaque édition nouvelle - le livre a un très grand succès - La Bruyère l'enrichit en accentuant à chaque fois la critique.

Cet homme, qui était pourtant très attaché dans ses goûts à la tradition, grand défenseur des Anciens∗, se révèle, par ses audaces dans la dénonciation sociale, son mépris pour les Grands, son éloge du mérite personnel, un précurseur de l'esprit de contestation du XVIIIᵉ siècle.

Portrait : Nicolas de Largillière (1658 -1746), *Jean de La Bruyère* (détail), (Versailles, Musée National du Château).

Les Caractères - 1688

« Giton et Phédon »

Le chapitre Des biens de fortune, *consacré aux disproportions dans la répartition des richesses, est un des plus audacieux des* Caractères. *La Bruyère y exprime son émotion (*Il y a des misères sur la terre qui saisissent le cœur, VI, 47), *ou bien il laisse éclater son indignation contre les riches,* âmes sales, pétries de boue et d'ordure, éprises du gain et de l'intérêt... (VI, 58). *Les personnages de Giton et de Phédon illustrent cette double orientation.*

Giton a le teint frais, le visage plein et les joues pendantes, l'œil fixe et assuré, les épaules larges, l'estomac[1] haut, la démarche ferme et délibérée[2]. Il parle avec confiance ; il fait répéter celui qui l'entretient, et il ne goûte que médiocrement tout ce qu'il lui dit. Il déploie un ample
5 mouchoir, et se mouche avec grand bruit ; il crache fort loin, et il éternue fort haut. Il dort le jour, il dort la nuit, et profondément ; il ronfle en compagnie. Il occupe à table et à la promenade plus de place qu'un autre. Il tient le milieu en se promenant avec ses égaux ; il s'arrête, et l'on s'arrête ; il continue de marcher, et l'on marche : tous se règlent sur

1. la poitrine.
2. assurée, décidée.

192

Frans Hals (1582-1666), *The
Meagre company* (détail), 1637
(huile sur toile 207,3 X 427,5 cm ;
Amsterdam, Rijksmuseum).

10 lui. Il interrompt, il redresse[3] ceux qui ont la parole : on ne l'interrompt pas ; on l'écoute aussi longtemps qu'il veut parler ; on est de son avis, on croit les nouvelles qu'il débite. S'il s'assied, vous le voyez s'enfoncer dans un fauteuil, croiser les jambes l'une sur l'autre, froncer le sourcil, abaisser son chapeau sur ses yeux
15 pour ne voir personne, ou le relever ensuite, et découvrir son front par fierté et par audace. Il est enjoué, grand rieur, impatient, présomptueux, colère, libertin[4], politique[5], mystérieux sur les affaires du temps ; il se croit des talents et de l'esprit. Il est riche.

20 *Phédon* a les yeux creux, le teint échauffé, le corps sec et le visage maigre ; il dort peu, et d'un sommeil fort léger ; il est abstrait[6], rêveur[7], et il a avec de l'esprit l'air d'un stupide : il oublie de dire ce qu'il sait, ou de parler d'événements qui lui sont connus ; et s'il le fait quelquefois, il s'en tire mal, il croit
25 peser à ceux à qui il parle, il conte brièvement, mais froidement ; il ne sait pas écouter, il ne fait point rire. Il applaudit, il sourit à ce que les autres lui disent, il est de leur avis ; il court, il vole pour leur rendre de petits services. Il est complaisant, flatteur, empressé ; il est mystérieux sur ses affaires, quelquefois men-
30 teur ; il est superstitieux, scrupuleux, timide. Il marche doucement et légèrement, il semble craindre de fouler la terre : il marche les yeux baissés, et il n'ose les lever sur ceux qui passent. Il n'est jamais du nombre de ceux qui forment un cercle pour discourir ; il se met derrière celui qui parle, recueille fur-
35 tivement ce qui se dit, et il se retire si on le regarde. Il n'occupe point de lieu, il ne tient point de place ; il va les épaules serrées, le chapeau abaissé sur ses yeux pour n'être point vu ; il se replie et se renferme dans son manteau ; il n'y a point de rues ni de galeries si embarrassées[8] et si remplies de monde, où il
40 ne trouve moyen de passer sans effort, et de se couler sans être aperçu. Si on le prie de s'asseoir, il se met à peine sur le bord d'un siège ; il parle bas dans la conversation, et il articule mal ; libre néanmoins sur les affaires publiques, chagrin contre le siècle, médiocrement prévenu des ministres et du ministère[9]. Il n'ouvre
45 la bouche que pour répondre ; il tousse, il se mouche sous son chapeau, il crache presque sur soi, et il attend qu'il soit seul pour éternuer, ou si cela arrive, c'est à l'insu de la compagnie : il n'en coûte à personne ni salut ni compliment[10]. Il est pauvre.

VI, « Des biens de fortune ».

3. reprend, corrige.
4. esprit fort, libre penseur
▷▷▷ *p. 168.*
5. habile en matière politique.
6. absorbé dans ses pensées, distrait.
7. méditatif.
8. encombrées.
9. moyennement favorable aux...
10. formule de politesse.

LECTURE MÉTHODIQUE

■ En étant attentif à la composition, à la syntaxe, à l'énonciation et aux champs lexicaux, étudiez les effets de **parallélismes** et d'**oppositions** entre les deux textes. Quel effet La Bruyère obtient-il ?

■ Dans les deux portraits, comment La Bruyère procède-t-il principalement ? par la **description physique** ? l'**analyse morale** ? l'observation des **comportements** ? Prenez appui sur le repérage des verbes d'action et d'état, et sur celui des adjectifs.

■ Quelle est **la position de La Bruyère** par rapport aux personnages présentés ? Prend-il parti ? Est-il extérieur ? Quel est le rôle du « on » dans le texte ?

■ Observez la dernière phrase de chaque texte. Apparaît-elle comme la **cause** ou la **conséquence** de tout ce qui précède ? Que peut-on déduire de cette composition en ce qui concerne les **intentions** de La Bruyère ?

guides p. 39-196-369

« Arrias a tout lu, a tout vu… »

Le chapitre V des Caractères *s'intitule* De la société et de la conversation. *La Bruyère y montre l'homme dans ses relations avec les autres. Le portrait d'Arrias est un des exemples de ce comportement en société.*

A rrias a tout lu, a tout vu, il veut le persuader ainsi ; c'est un homme universel, et il se donne pour tel : il aime mieux mentir que de se taire ou de paraître ignorer quelque chose. On parle à la table d'un grand d'une cour du Nord : il prend la parole, et l'ôte à ceux qui allaient dire
5 ce qu'ils en savent ; il s'oriente dans cette région lointaine comme s'il en était originaire ; il discourt des mœurs de cette cour, des femmes du pays, de ses lois et de ses coutumes ; il récite[1] des historiettes qui y sont arrivées ; il les trouve plaisantes, et il en rit le premier jusqu'à éclater. Quelqu'un se hasarde de le contredire, et lui prouve nettement qu'il dit
10 des choses qui ne sont pas vraies. Arrias ne se trouble point, prend feu au contraire contre l'interrupteur : « Je n'avance rien, lui dit-il, je ne raconte rien que je ne sache d'original[2] : je l'ai appris de *Sethon,* ambassadeur de France dans cette cour, revenu à Paris depuis quelques jours, que je connais familièrement, que j'ai fort interrogé, et qui ne m'a caché aucune
15 circonstance. » Il reprenait le fil de sa narration avec plus de confiance qu'il ne l'avait commencée, lorsque l'un des conviés[3] lui dit : « C'est Sethon à qui vous parlez, lui-même, et qui arrive fraîchement de son ambassade. »

V, « De la société et de la conversation ».

1. il raconte.
2. de source personnelle, directe.
3. l'un des invités.

LECTURE MÉTHODIQUE

■ Par l'observation de certains termes répétés, des verbes et du champ lexical dominant, dites quel **trait de caractère** La Bruyère met ici en relief chez son personnage.

■ L'ensemble du texte est-il un **récit ?** un **portrait ?** les deux ? Justifiez votre réponse en observant la structure du texte, la présentation des circonstances, des personnages.

■ Quel est le temps le plus utilisé ? Expliquez ses différentes valeurs en analysant les **effets produits.**

■ Quel est le **mode de focalisation** utilisé ? Quel effet produit-il ? Qu'attendrait le lecteur à la fin du texte ? Quelle est l'efficacité de **l'épilogue ?**

ÉCRITURE

■ **Transformez** le récit de la conversation (l. 3 à 18) en dialogue théâtral à plusieurs personnages, en respectant le caractère d'Arrias, les différentes prises de paroles. Intégrez le passage au style direct. Aurez-vous besoin d'utiliser des didascalies ?

LIRE LA PEINTURE

■ Que **traduit la pose** du personnage ?

■ Que peut **révéler** l'observation de sa physionomie ? De son costume ?

■ Observez les jeux de contraste dans les couleurs. Que **mettent-ils en valeur ?**

■ Déduisez de ces observations certaines **fonctions du portrait pictural.**

guides p. 39-196-237-238-418

Jacques Linard (vers 1600-1645),
Corbeille de Fleurs
(huile sur toile, 48 X 60 cm ;
Paris. Musée du Louvre).

« Il ne va pas plus loin que l'oignon
de sa tulipe… »

Placé dans le chapitre intitulé De la mode, *cet amateur de fleurs est un de ceux que La Bruyère appelle les « curieux ». L'étude du portrait qui suit permet de mieux comprendre le sens du mot.*

Le fleuriste[1] a un jardin dans un faubourg ; il y court au lever du soleil, et il en revient à son coucher. Vous le voyez planté et qui a pris racine au milieu de ses tulipes et devant la *Solitaire :* il ouvre de grands yeux, il frotte ses mains, il se baisse, il la voit de plus près, il ne l'a jamais vue si
5 belle, il a le cœur épanoui de joie : il la quitte pour l'*Orientale ;* de là, il va à la *Veuve ;* il passe au *Drap d'or ;* de celle-ci à l'*Agathe,* d'où il revient enfin à la *Solitaire*[2], où il se fixe, où il se lasse[3], où il s'assied, où il oublie de dîner : aussi est-elle nuancée, bordée, huilée[4], à pièces emportées[5] ; elle a un beau vase ou un beau calice ; il la contemple, il l'admire ; Dieu
10 et la nature sont en tout cela ce qu'il n'admire point : il ne va pas plus loin que l'oignon de sa tulipe, qu'il ne livrerait pas pour mille écus, et qu'il donnera pour rien quand les tulipes seront négligées et que les œillets auront prévalu. Cet homme raisonnable qui a une âme, qui a un culte et une religion, revient chez soi fatigué, affamé, mais fort content de sa jour-
15 née : il a vu des tulipes.

XIII, « De la mode ».

1. l'amateur de fleurs.
2. noms de différentes variétés
de tulipes.
3. se fatigue.
4. luisante.
5. ses pétales sont bien
découpés.

LECTURE MÉTHODIQUE

■ Observez la ponctuation, les verbes, les pronoms personnels, l'utilisation des noms propres. Quels aspects du **comportement** du « fleuriste » mettent-ils en relief ?

■ Repérez les passages au style indirect libre. Déduisez de cette observation les différents modes de focalisation utilisés. Où et comment s'opèrent ces **changements de points de vue** ? Quel est l'effet produit ?

■ À partir des éléments de ce portrait, et en prenant appui sur les temps verbaux, dites si La Bruyère parle d'un homme en particulier ou de l'homme en géné-ral. Déterminez le **rapport** qui existe entre l'attitude du fleuriste et le titre du chapitre : « De la mode. »

ÉCRITURE

■ **Transposez** l'ensemble du texte en faisant parler le fleuriste à la 1ʳᵉ personne. Que pouvez-vous garder ? Que devez-vous supprimer ? Quelles conclusions pouvez-vous tirer de cette transposition en ce qui concerne :
- le rôle du narrateur ?
- l'importance du point de vue et ses fonctions par rapport au lecteur ?

guides *p. 238-330-418*

Guide

Le portrait

Le portrait est une forme de la description, appliquée à un personnage ▷▷▷ *p. 192*. Il se rencontre dans le **roman,** mais aussi dans le dialogue de **théâtre** ou en **poésie**. Au XVIIe siècle, c'est presque un « genre » à part entière. Un portrait se définit par des caractères spécifiques qui permettent de l'identifier, de l'analyser et de déterminer sa fonction. Il existe plusieurs types de portraits.

▇ *Les différents portraits*

■ Un personnage peut être décrit par son **aspect extérieur,** les traits de son visage, son vêtement. Par exemple, le portrait du vieillard au début de *La Peau de chagrin* présente du personnage ce qui peut être perçu de l'extérieur : la voix, le teint, la silhouette. Dans ces portraits domine le vocabulaire concret : champ lexical de l'anatomie, du vêtement ; champ lexical des sensations ▷▷▷ *p. 290*.

■ Lorsqu'un personnage est décrit par ses traits de caractère, ses qualités ou ses défauts, ses aptitudes, ses goûts, on a un **portrait psychologique** ou **moral.** Le portrait du valet de Gascogne, chez Marot, est de ce type ▷▷▷ *p. 37* :
Gourmand, ivrogne, et assuré menteur,
Pipeur, larron, jureur, blasphémateur.
Dans ces portraits domine le vocabulaire abstrait : lexique moral, champ lexical de la pensée, du sentiment.

■ Mais le physique et le psychologique sont le plus souvent **mêlés** dans le portrait. Les portraits les plus intéressants sont ceux qui, à travers une description physique, parviennent à révéler un trait de caractère. En décrivant Tartuffe :
Gros, gras, le teint frais et la bouche vermeille,
Dorine fait apparaître la gourmandise et la sensualité du personnage ▷▷▷ *p. 165*. La Bruyère fait de même dans sa description de Giton et de Phédon ▷▷▷ *p. 192*.

▇ *Analyser un portrait*

Pour **lire méthodiquement** un portrait, il est utile d'être attentif aux points suivants :

■ L'organisation du portrait

Elle met en évidence, suivant un certain ordre, les caractéristiques du personnage. Le portrait peut se faire du plus apparent au plus précis, ou suivant une autre organisation : *L'extraordinaire petit jeune homme* ▷▷▷ *p. 364* est décrit de haut en bas suivant les pièces de son costume :
Il avait un chapeau haut de forme très cintré qui brillait dans la nuit comme s'il eût été d'argent ; un

habit dont le col lui montait dans les cheveux, un gilet très ouvert, un pantalon à sous-pieds.

Un portrait peut être **statique** (le personnage est immobile) ou **dynamique** (le personnage est en mouvement).

■ Le point de vue (ou focalisation)

La façon dont est décrit un personnage dépend de la perception de celui qui le regarde. Dans le portrait du chanoine *p. 233*, le regard du narrateur joue un rôle essentiel. C'est lui qui saisit les ridicules du personnage et le rend comique. Le portrait met donc en jeu le phénomène de **focalisation** étudié *p. 238*. Ce phénomène agit également sur la tonalité du portrait.

■ La tonalité

Un portrait est **rarement neutre** ou objectif. L'éloge ou la critique, l'admiration ou le mépris sont perceptibles à l'emploi d'un vocabulaire dévalorisant ou laudatif. Dans le portrait du courtisan que fait Alceste, des mots très péjoratifs trahissent sa partialité ▷▷▷ *p. 163*. Le portrait d'Agnès traduit l'émerveillement d'Horace ▷▷▷ *p. 159*. Un portrait renseigne donc à la fois sur celui **qui est décrit** et sur celui **qui voit.**

▇ *Le rôle du portrait*

■ Un des rôles du portrait est **d'informer.** Lorsqu'un lecteur découvre un personnage dans un roman, un portrait lui permet de se le représenter, de le situer par exemple socialement.

■ Le portrait a aussi un rôle de **révélateur.** Il permet de traduire les sentiments ou les pensées cachées d'un personnage, qui « se lisent » sur sa physionomie. Il fait apparaître aussi, selon la tonalité employée, l'appréciation et les sentiments de celui qui voit. Il permet parfois de rendre sensibles des phénomènes d'évolution : effets de l'âge, ascension, ou déchéance sociale.

■ Le portrait enfin peut avoir une fonction **symbolique,** une portée qui dépasse ce qu'il décrit. Par exemple, dans la description du salut des Guermantes, c'est le portrait de toute une classe sociale que fait Proust ▷▷▷ *p. 368*. Les attitudes de Giton et de Phédon sont une représentation de la richesse et de la pauvreté ▷▷▷ *p. 192*. La plupart des portraits de La Bruyère invitent à une réflexion morale, par exemple sur la vanité ▷▷▷ *p. 194*, ou l'absurdité ▷▷▷ *p. 195*, humaines.

Antoine Furetière

Antoine Furetière est un grammairien érudit. Entré à l'Académie française en 1662 pour participer à la rédaction du *Dictionnaire*, il en est exclu en 1685 pour avoir pris de vitesse ses confrères en composant tout seul son propre *Dictionnaire universel*, précurseur des grands dictionnaires « raisonnés » du XVIIIᵉ siècle ▷ ▷ ▷ *p. 223.*

1619-1688

Cet esprit d'indépendance s'exprime avec une grande fantaisie dans son *Roman bourgeois* paru en 1666. S'opposant ironiquement au roman précieux ▷ ▷ ▷ *p. 121,* Furetière bâtit son intrigue autour de sujets prosaïques comme l'argent, le mariage, les procès, et contrairement aux héros idéalisés des romans galants, ses personnages sont issus du milieu bourgeois. Le réalisme fait, avec Furetière, son entrée dans le roman.

En même temps, par ses interventions et ses commentaires moqueurs, l'auteur invite le lecteur à ne pas se laisser duper par l'illusion réaliste et il conduit à une réflexion très moderne sur le genre romanesque.

Finalement, cet écrivain, qui ne fait pas partie des « Classiques » et ne connut pas le succès, aura beaucoup apporté par son anticonformisme.

Portrait : *Antoine Furetière* (gravure, XVIIᵉ siècle ; Paris, Bibliothèque Nationale de France).

Le Roman bourgeois - 1666

« Notre marquis fut amoureux de Lucrèce, etc. »

Prenant prétexte d'une des intrigues sentimentales de son roman (le marquis déclare son amour à la belle Lucrèce), Furetière dénonce ironiquement ici les conventions et les « clichés » de la littérature amoureuse.

Je crois que ce fut en cette visite qu'il lui découvrit sa passion ; on n'en sait pourtant rien au vrai. Il se pourrait faire qu'il n'en aurait parlé que les jours suivants, car tous ces deux amants étaient fort discrets, et ils ne parlaient de leur amour qu'en particulier. Par malheur pour cette
5 histoire, Lucrèce n'avait point de confidente, ni le marquis d'écuyer, à qui ils répétassent en propres termes leurs plus secrètes conversations. C'est une chose qui n'a jamais manqué aux héros et aux héroïnes. Le moyen, sans cela, d'écrire leurs aventures ? Le moyen qu'on pût savoir tous leurs entretiens, leurs plus secrètes pensées ? qu'on pût avoir copie de tous leurs
10 vers et des billets doux qui se sont envoyés, et toutes les autres choses nécessaires pour bâtir une intrigue ? Nos amants n'étaient point de

Frans van Mieris (1635-1691), *Duo*, 1658 (huile sur toile ; Schwerin, Gemäldegalerie).

condition à avoir de tels officiers[1], de sorte que je n'en ai rien pu apprendre que ce qui en a paru en public ; encore ne l'ai-je pas tout su d'une même personne, parce qu'elle n'aurait pas eu assez bonne mémoire pour me répéter mot à mot tous leurs entretiens ; mais j'en ai appris un peu de l'un et un peu de l'autre, et, à n'en point mentir, j'y ai mis aussi un peu du mien. Que si vous êtes[2] si désireux de voir comme on découvre sa passion, je vous en indiquerai plusieurs moyens qui sont dans l'*Amadis*[3], dans l'*Astrée*[4], dans *Cyrus*[5] et dans tous les autres romans, que je n'ai pas le loisir ni le dessein de copier ni de dérober, comme ont fait la plupart des auteurs, qui se sont servis des inventions de ceux qui avaient écrit auparavant eux[6]. Je ne veux pas même prendre la peine de vous en citer les endroits et les pages ; mais vous ne pouvez manquer d'en trouver à l'ouverture de ces livres. Vous verrez seulement que c'est toujours la même chose, et comme on sait assez le refrain d'une chanson quand on en écrit le premier mot avec un etc., c'est assez de vous dire maintenant que notre marquis fut amoureux de Lucrèce, etc. Vous devinerez ou suppléerez aisément ce qu'il lui dit ou ce qu'il lui pouvait dire pour la toucher[7].

Ire partie.

1. domestiques dans une maison noble.
2. Si vous êtes…
3. *Amadis de Gaule*, roman de chevalerie espagnol traduit en français.
4. roman d'Honoré d'Urfé ▷▷▷ *p. 121.*
5. *Le Grand Cyrus*, roman en dix volumes de Mlle de Scudéry.
6. avant eux.
7. l'émouvoir.

LECTURE MÉTHODIQUE

■ Qui est le « **je** » qui apparaît aux lignes 1, 12, 13, 15, 16, 18, 19… ? Que représente le « **vous** » à qui il s'adresse ? À quoi pouvez-vous identifier le « je » ? Dans quelles situations se présente-t-il ? Est-ce « normal », compte tenu de son identité ?

■ En vous appuyant sur la première et sur la dernière phrase, dites ce que le lecteur pouvait attendre dans ce passage. **Quelles informations** a-t-il reçues en réalité ? Appuyez-vous sur les négations et le lexique.

■ À partir de la réponse précédente, récapitulez les conventions romanesques que met en évidence le texte en les dénonçant. Répertoriez aussi les **différents rôles** que l'on peut prêter au **narrateur**, au **lecteur**.

PARCOURS CULTUREL

■ Retrouvez dans ce manuel d'autres extraits de romans dans lesquels le narrateur intervient à la 1re personne pour parler de ses personnages ou de son récit. Repérez également les interpellations adressées au lecteur. Quelles sont les **différentes fonctions de ces interventions** ? Ont-elles toujours le même rôle ?

■ Que peut signifier, dans le domaine du récit de fiction, l'expression « c'est toujours la même chose » ? Trouvez des exemples, dans la littérature (roman, théâtre), au cinéma ou dans la chanson, de **personnages ou de situations conventionnels**. Comment les appelle-t-on ?

guides p. 39-369-386

Madame de La Fayette

1634-1693

Madame de La Fayette, dans sa jeunesse, est fille d'honneur de la reine Anne d'Autriche ; après son mariage, elle devient dame d'honneur d'Henriette d'Angleterre, belle-sœur de Louis XIV. C'est dire qu'elle connaît parfaitement le monde de la Cour.

C'est aussi une femme cultivée, ayant reçu une instruction soignée et vivant entourée de lettrés et de savants dans les salons mondains qu'elle anime de son brillant esprit, comme son amie Mme de Sévigné.

C'est dans ce milieu qu'elle commence à écrire des ouvrages d'Histoire sur la Cour de France, puis des romans, encouragée par La Rochefoucauld, son ami très cher. Alors que les succès de la première moitié du siècle étaient les longs romans remplis d'invraisemblances, Mme de La Fayette compose de courts récits - des nouvelles - autour d'une intrigue beaucoup plus resserrée située dans un cadre historique et social précis qui accentue l'impression de vérité.

Dans *La Princesse de Clèves* (1678), l'analyse psychologique devient l'intérêt principal. Avec cet ouvrage dont elle n'osait pas se dire l'auteur tant le genre romanesque était alors jugé frivole, Mme de La Fayette donne au roman ses lettres de noblesse en choisissant la sobriété, l'efficacité dramatique, la finesse de l'analyse.

Portrait : *Madame de La Fayette* (détail), (gravure, XVIIᵉ siècle ; Paris, Musée Carnavalet).

La Princesse de Clèves - 1678

« Il ne put admirer que Mme de Clèves »

Mariée au prince de Clèves, Mme de Clèves découvre qu'elle aime le duc de Nemours. Elle lutte contre cet amour, se confiant à son mari qui mourra de jalousie. Libre d'épouser Nemours, la princesse renoncera cependant à lui pour diverses raisons dont la plus complexe est la peur de voir la passion s'éteindre avec le temps. La scène qui suit est celle de la première rencontre entre la princesse de Clèves et le duc de Nemours, lors d'un bal à la cour d'Henri II.

Elle avait ouï[1] parler de ce prince à tout le monde comme de ce qu'il y avait de mieux fait et de plus agréable à la Cour ; et surtout Madame la Dauphine le lui avait dépeint d'une sorte et lui en avait parlé tant de fois, qu'elle lui avait donné de la curiosité et même de l'impa-
5 tience de le voir.

Elle passa tout le jour des fiançailles[2] chez elle à se parer, pour se trouver le soir au bal et au festin royal qui se faisait au Louvre. Lorsqu'elle arriva, l'on admira sa beauté et sa parure ; le bal commença et, comme elle dansait avec M. de Guise, il se fit un assez grand bruit vers la porte

1. elle avait entendu parler... par...
2. de la fille du roi Henri II avec le frère du duc de Guise.

¹⁰ de la salle, comme de quelqu'un qui entrait et à qui on faisait place. Mme de Clèves acheva de danser, et pendant qu'elle cherchait des yeux quelqu'un qu'elle avait dessein de prendre, le Roi lui cria de prendre celui qui arrivait. Elle se tourna et vit un homme qu'elle crut d'abord³ ne pouvoir être que M. de Nemours, qui passait par-dessus quelque siège pour arriver ¹⁵ où l'on dansait. Ce prince était fait d'une sorte qu'il était difficile de n'être pas surprise de le voir quand on ne l'avait jamais vu, surtout ce soir-là, où le soin qu'il avait pris de se parer augmentait encore l'air brillant qui était dans sa personne ; mais il était difficile aussi de voir Mme de Clèves pour la première fois sans avoir un grand étonnement⁴.

²⁰ M. de Nemours fut tellement surpris de sa beauté que, lorsqu'il fut proche d'elle, et qu'elle lui fit la révérence, il ne put s'empêcher de donner des marques de son admiration. Quand ils commencèrent à danser, il s'éleva dans la salle un murmure de louanges. Le Roi et les Reines se souvinrent qu'ils ne s'étaient jamais vus, et trouvèrent quelque chose de ²⁵ singulier de les voir danser ensemble sans se connaître. Ils les appelèrent quand ils eurent fini sans leur donner le loisir de parler à personne et leur demandèrent s'ils n'avaient pas bien envie de savoir qui ils étaient, et s'ils ne s'en doutaient point.

« Pour moi, Madame, dit M. de Nemours, je n'ai pas d'incertitude ; ³⁰ mais comme Mme de Clèves n'a pas les mêmes raisons pour deviner qui je suis que celles que j'ai pour la reconnaître, je voudrais bien que Votre Majesté eût la bonté de lui apprendre mon nom.

- Je crois, dit Mme la Dauphine⁵, qu'elle le sait aussi bien que vous savez le sien.

³⁵ - Je vous assure, Madame, reprit Mme de Clèves, qui paraissait un peu embarrassée, que je ne devine pas si bien que vous pensez.

- Vous devinez fort bien, répondit Mme la Dauphine ; et il y a même quelque chose d'obligeant pour M. de Nemours à ne vouloir pas avouer que vous le connaissez sans l'avoir jamais vu. »

⁴⁰ La Reine les interrompit pour faire continuer le bal ; M. de Nemours prit la Reine Dauphine. Cette princesse était d'une parfaite beauté et avait paru telle aux yeux de M. de Nemours avant qu'il allât en Flandre ; mais, de tout le soir, il ne put admirer que Mme de Clèves.

Ire partie.

3. dès l'abord, aussitôt.
4. violente émotion.
5. Marie Stuart, qui avait épousé le fils aîné du roi Henri II.

Karel van Mander (1548-1606), *La Générosité de Scipion* (détail), 1600 (peinture sur cuivre, 44 × 79 cm ; Amsterdam, Rijksmuseum).

LECTURE MÉTHODIQUE

■ À travers l'étude du champ lexical du **regard,** analysez les sentiments de surprise et d'admiration dans cette **scène de rencontre.** Par quels procédés l'auteur fait-il apparaître également l'idée d'une « reconnaissance » mystérieuse entre les deux personnages ?

■ Quel point de vue est adopté dans ce récit ? Celui de Mme de Clèves ? de M. de Nemours ? d'un témoin ? l'un ou l'autre alternativement ? Étudiez précisément le **mode de focalisation** et montrez quels en sont les effets.

■ Les personnages de cette scène sont-ils décrits avec précision ? Par quels moyens stylistiques leur **séduction** est-elle rendue ?

guides p. 39-78-238

Nicolas Boileau

Nicolas Boileau-Despréaux est issu de la bourgeoisie parisienne. À vingt ans il est avocat, mais très vite il se consacre à la littérature. Ses écrits sont d'abord marqués par son esprit critique, son tempérament impulsif et passionné, son don pour la parodie. Dans les *Satires,* composées à partir de 1665, il dénonce les scandales, ridiculise les hommes qui font l'actualité politique, religieuse et littéraire de son temps.

1636-1711

Puis, bien reçu dans les salons, peu à peu protégé par une partie de la Cour, enfin pensionné par le roi, Boileau abandonne progressivement la veine satirique. Il écrit des *Épîtres,* la plupart inspirées par des sujets de morale.

Avec *L'Art poétique* en 1674, il devient le théoricien du classicisme dont il répand la doctrine. Nommé historiographe* du roi en 1677, le voilà si absorbé par cette tâche, et par les honneurs (son élection à l'Académie française en 1684), qu'il n'écrit plus que quelques œuvres, dont *Le Lutrin,* une amusante parodie* d'épopée*. Il termine sa vie, arbitre du style, critique littéraire sévère mais clairvoyant, et militant avec une certaine amertume dans le camp des Anciens* ▷▷▷ p. 105.

Portrait : École Française, XVIIe siècle, *Nicolas Boileau* (Versailles, Musée National du Château).

L'Art poétique - 1674

« Ce que l'on conçoit bien s'énonce clairement »

L'Art poétique s'inspire de modèles antiques : le poète latin Horace (Ier siècle avant J.-C.) avait déjà écrit un Art poétique[1]. À son tour, Boileau compose un traité en quatre chants et en alexandrins (plus de 1 000 vers !). Il y résume la doctrine classique en en présentant les préceptes de façon plaisante, dans une poésie bien versifiée et des formules faciles à retenir.

Il est certains esprits dont les sombres pensées
Sont d'un nuage épais toujours embarrassées ;
Le jour de la raison ne le saurait percer.
Avant donc que d'écrire, apprenez à penser.
5 Selon que notre idée est plus ou moins obscure,
L'expression la suit, ou moins nette, ou plus pure.
Ce que l'on conçoit bien s'énonce clairement,
Et les mots pour le dire arrivent aisément.

1. voir aussi p. 140.

Surtout qu'en vos écrits la langue révérée[1]
10 Dans vos plus grands excès vous soit toujours sacrée.
En vain, vous me frappez d'un son mélodieux,
Si le terme est impropre ou le tour vicieux :
Mon esprit n'admet point un pompeux barbarisme[2],
Ni d'un vers ampoulé l'orgueilleux solécisme[3].
15 Sans la langue, en un mot, l'auteur le plus divin
Est toujours, quoi qu'il fasse, un méchant écrivain.
Travaillez à loisir, quelque ordre qui vous presse,
Et ne vous piquez point d'une folle vitesse :
Un style si rapide, et qui court en rimant,
20 Marque moins trop d'esprit que peu de jugement.
J'aime mieux un ruisseau qui, sur la molle arène[4],
Dans un pré plein de fleurs lentement se promène,
Qu'un torrent débordé qui, d'un cours orageux,
Roule, plein de gravier, sur un terrain fangeux[5].
25 Hâtez-vous lentement, et, sans perdre courage,
Vingt fois sur le métier remettez votre ouvrage :
Polissez-le sans cesse et le repolissez ;
Ajoutez quelquefois, et souvent effacez.
C'est peu qu'en un ouvrage où les fautes fourmillent,
30 Des traits d'esprit, semés de temps en temps, pétillent.
Il faut que chaque chose y soit mise en son lieu ;
Que le début, la fin, répondent au milieu ;
Que d'un art délicat les pièces assorties
N'y forment qu'un seul tout de diverses parties,
35 Que jamais du sujet le discours s'écartant
N'aille chercher trop loin quelque mot éclatant.

Chant I, v. 147 à 182.

1. respectée.
2. mot déformé.
3. faute contre la syntaxe.
4. le sable.
5. boueux.

LECTURE MÉTHODIQUE

■ Par l'observation du système de l'énonciation, de certains modes verbaux et du sens de certains verbes, définissez à quel **type de texte** appartient cet extrait : narratif, descriptif, didactique.

■ Observez les alinéas et la ponctuation. Quelle est la **structure** du texte ? Dans quel ordre sont donnés les préceptes ?
Reformulez brièvement chacun d'eux pour en expliciter l'idée essentielle. Comment chacun d'eux est-il développé ? Utilisez le repérage des champs lexicaux pour répondre à cette question.

■ Le texte comporte des **images** (comparaisons, métaphores). Repérez-les et précisez quelle est leur fonction (vous pouvez vous référer à la première question).

■ Quelles phrases ont valeur de **maximes** ? Leur force est-elle liée à leur forme poétique ?

ÉCRITURE

■ En vous appuyant sur ce texte mais surtout sur votre propre expérience, construisez une thèse argumentée exposant pourquoi il est préférable de « **savoir penser** » avant d'écrire (vers 4).

guides p. 39-78-369

Le Classicisme

Les écrivains de la génération de 1660 : Molière, La Fontaine, Racine..., sont bien différents par leur personnalité et leur œuvre. Pourtant la postérité les a rassemblés sous le terme commun de « Classiques », considérant qu'il y avait entre eux une parenté de goût et d'inspiration, l'illustration d'un même idéal. Ces constantes et ces tendances, communes à cette période du XVIIe siècle, constituent ce que l'on appelle le **Classicisme.** Même si la notion est difficile à définir, le Classicisme possède des caractéristiques précises. En relation avec le rayonnement de la monarchie absolue, il impose à la fois une conception de l'art et un idéal humain.

■ *Un idéal esthétique*

L'art classique puise son inspiration dans des références et des modèles. À partir de là s'élabore une doctrine qui conditionne à la fois les sujets et l'écriture.

■ L'imitation des Anciens

Les références à **l'Antiquité** abondent dans l'art classique, la connaissance de la **mythologie,** de la littérature **grecque** et **latine** formant la culture de tous les lettrés du XVIIe siècle. Les emprunts et même l'imitation ne sont pas considérés comme une preuve de faiblesse ou de pauvreté d'inspiration. La Fontaine ne se cache pas d'avoir imité Ésope, ni Racine d'avoir suivi Euripide ou Sénèque. Cette imitation est au contraire pour eux une garantie de perfection. Car l'Antiquité est un modèle. Les Anciens ont laissé des œuvres qui ont franchi les siècles. Cette capacité à durer est, aux yeux des Classiques, la marque de l'excellence. Il faut donc suivre les Anciens pour construire des œuvres qui puissent s'imposer à leur tour. Cet idéal esthétique s'accorde avec l'ambition monarchique : que la langue française produise des chefs-d'œuvre dignes de la grande tradition antique. Mais pour faire œuvre durable, le Classicisme doit viser **l'éternel** et **l'universel.**

■ Le souci de l'universel

La société du XVIIe siècle repose sur la **tradition.** Elle fait triompher **l'ordre** et croit à l'existence d'une vérité et de valeurs permanentes. L'homme, pense-t-on, est immuable. Les œuvres classiques expriment cette conception. Même lorsqu'elles parlent du présent, elles dépassent le cadre historique pour peindre, derrière l'homme de 1660, **l'Homme éternel.** Plus que l'individu, c'est la nature humaine qui intéresse les classiques. Les *Caractères* de La Bruyère, par exemple, présentent bien des portraits précis, mais c'est toujours un type humain qui s'en dégage ▷▷▷ *p. 192.* Exprimant ce désir de l'universel, le style classique rejette le particulier. Il n'utilise pas un vocabulaire concret ; la langue a été « épurée » des mots réalistes ou spécialisés qu'aimaient la Renaissance et le Baroque. La description et le portrait particulièrement sont assez rares dans les œuvres classiques. Dans *La Princesse de Clèves* ▷▷▷ *p. 199,* le terme abstrait *(beauté, air brillant, admirer)* est toujours préféré au détail pittoresque. On recherche ce qui est **exemplaire** plutôt que ce qui est original.

Pour atteindre cette universalité, l'art classique suit la voie de la conformité à la raison.

■ L'autorité de la raison

La **raison** étant une faculté commune à tous les hommes, on doit se fier scrupuleusement à elle dans le domaine esthétique. Les Classiques entendent par le mot *raison* le bon sens, partagé par le plus grand nombre. Le bon sens impose que l'on ne s'écarte pas de ce qui peut être normalement accepté par l'esprit. **L'ordre** est un des impératifs fondamentaux de la raison. Boileau l'impose grâce à son *Art poétique,* ▷▷▷ *p. 201.*

La raison impose aussi que l'on suive des principes qui ont déjà fait leurs preuves. Les **règles** sont la forme strictement codifiée de ces principes. Elles s'imposent avec rigueur dans le théâtre et représentent des contraintes ▷▷▷ *p. 157.* Mais pour l'esprit classique, elles sont fondées sur la raison. Par exemple, la règle des unités est bonne parce qu'elle est conforme au bon sens : une action simple dans un lieu unique et en un temps limité s'accorde logiquement aux conditions de la représentation théâtrale. En même temps qu'à un besoin de rigueur, elles répondent à un souci de vraisemblance.

■ La vraisemblance et les bienséances

S'interrogeant sur le problème de la vérité dans l'art, les Classiques répondent en choisissant de viser avant tout la **vraisemblance.** Selon ce principe, l'art consiste à représenter non pas ce qui existe réellement, mais ce que la plupart des hommes admettent comme conforme à la vérité. La vraisemblance montre les choses *comme elles doivent être,* c'est-à-dire selon l'idée que l'on se fait du vrai. Racine par souci de la vraisemblance écrit dans la Préface de *Phèdre* qu'il a pris soin d'atténuer le caractère « odieux » du personnage de Phèdre, jugeant que *la calomnie avait quelque chose de trop bas et de trop noir pour la mettre dans la bouche d'une princesse.*

En adaptant ainsi le propos à l'image que l'on peut avoir d'une héroïne noble, Racine respecte également un autre impératif du Classicisme : la **bienséance.** Ce mot désigne « ce qui convient », ce qui est bien adapté au personnage, aux circonstances. Le Classicime rejette l'excès, le « monstrueux » qui plaisait au Baroque. Mais la bienséance est aussi la décence, le bon goût. Au nom de ce respect, on ne montre pas au théâtre des personnages qui se battent ou qui mangent, par exemple.

Les composantes de l'idéal classique étant indissociablement liées à leur expression, l'écriture classique manifeste ce même souci de la clarté et du bon ton. L'écrivain classique réprouve les mots « bas », ridiculise, comme le fait Molière, les exagérations de la **Préciosité,** les métaphores obscures des mauvais poètes ou le « jargon » des faux savants, condamne l'emphase et l'outrance. Le Classicisme est un art de la **mesure.**

Mais cet idéal artistique est aussi une morale sociale. Né dans un monde d'ordre, recevant l'empreinte d'une société policée, le Classicisme façonne à son tour un homme à son image.

Un idéal humain

Le Classicisme s'incarne dans un type humain, **l'honnête homme,** qui possède toutes les qualités que demande cette époque à un **homme du monde,** à un homme de **cour.**

L'honnête homme

On donne ce nom au XVIIᵉ siècle à celui qui sait faire preuve de mesure et de retenue. Dans ses idées, l'honnête homme se montre tolérant. Parmi les personnages de Molière, il est celui qui adopte des positions conciliantes et raisonnables face aux « extrémistes », obsédés par leurs passions ridicules, leur vanité ou leur colère. C'est un modéré, partisan du « juste milieu », car selon le mot de Philinthe dans *Le Misanthrope :*

La parfaite raison fuit toute extrémité.

L'honnête homme est aussi un homme ouvert, curieux d'esprit, savant parfois mais sans faire étalage de ses connaissances. Il sait s'adapter aux circonstances et au milieu où il se trouve.

Dans son comportement social, il est agréable, poli, raffiné dans ses manières, capable de se dominer. Il pratique l'art de la conversation avec délicatesse. Arrias ▷ ▷ ▷ *p. 194* est le contraire de cet idéal : dans une compagnie, il se met en avant, interrompt et

ment. Il déplaît, alors que la principale qualité de l'honnête homme est de plaire.

L'art de plaire

C'est à ce talent que l'on juge l'homme du monde. Plaire impose que l'on sache être profond tout en divertissant. La Fontaine par exemple instruit ses lecteurs mais sa morale passe par l'agrément de la fable. Il faut surtout éviter d'être ennuyeux : les *Lettres* de Mme de Sévigné ▷ ▷ ▷ *p. 186* expriment par toutes les ressources de l'écriture ce souci de ne pas peser et ce désir de plaire. Encore faut-il que ce talent soit naturel, car *ce qui fait le plus souvent qu'on déplaît, c'est qu'on cherche à plaire* (Le chevalier de Méré, *Discours*).

En matière d'art et de goût, plaire est le vrai critère. Les écrivains en font le seul juge de leur œuvre. Si une pièce a plu, c'est qu'elle est bonne. Les pédants et les doctes croient que l'art est dans les règles ; l'écrivain classique leur répond, comme Molière, que *la grande règle de toutes les règles est de plaire (Critique de l'École des femmes),* ou comme Racine que *la principale règle est de plaire et de toucher : toutes les autres ne sont faites que pour parvenir à cette première (Bérénice).*

On voit ici que les qualités humaines et la morale sociale rejoignent les ambitions artistiques et les formes même de l'art. C'est que le Classicisme forme un tout. Ceci explique que le mot de « classique » ait un emploi et une signification très larges. En effet, bien que le Classicisme soit le reflet d'un état politique et social très précis, il dépasse ces limites historiques et renvoie à une valeur beaucoup plus générale. Dès le XVIIᵉ siècle, on désigne par « classique » ce qui constitue par ses qualités une référence à suivre. Est classique ce qui est « digne d'être enseigné dans les classes », ce qui mérite d'être « pris pour modèle ». Aujourd'hui, le mot, appliqué à toutes sortes de domaines, sert à qualifier un idéal d'ordre, de rigueur, de clarté et de sobriété, et des œuvres capables de survivre aux variations des modes. La notion s'est étendue, à partir des idéaux qu'avaient incarnés les écrivains de la génération de 1660. On dit ainsi, au XXᵉ siècle, en parlant de Gide ou de Radiguet, qu'ils ont une écriture classique parce qu'elle présente ces mêmes qualités.

XVIIIe s.

Watteau, L'Enseigne de Gersaint

■ Le détail du tableau montre deux personnages : où et comment sont-ils situés ? Qu'y a-t-il *d'original* dans cette présentation ?

■ Observez leur *costume* : quelles informations peut-il donner à des lecteurs du XXe siècle ?

■ Que voit-on à *l'arrière-plan* ? Comment comprenez-vous le titre *L'Enseigne de Gersaint* ?

Le XVIIIe siècle s'ouvre sur la fin du règne de Louis XIV : **monarque absolu**, le Roi-Soleil incarne le pouvoir politique et religieux. Même si son prestige est un peu diminué par la longueur du règne, sa personne inspire le respect, il est presque divinisé. Garant des institutions, il est quasiment intouchable. En 1792, pourtant, Louis XVI, qui est porteur des mêmes valeurs, est emprisonné, ce qui serait apparu au début du siècle comme un véritable crime. Pis, quelques mois après, condamné à mort par une assemblée révolutionnaire, il est guillotiné. En moins d'un siècle, les certitudes et les traditions ont ainsi basculé, sous la poussée d'une contestation progressivement plus violente et plus affirmée. La **Révolution de 1789** est issue de ce mouvement auquel les découvertes, la réflexion philosophique et politique, la littérature elle-même, sous toutes ses formes, ont très largement contribué. **Le Siècle des Lumières** doit son nom à ces « lumières » de l'esprit qui se sont donné pour mission d'éclairer les esprits.

Les grandes étapes du siècle

■ *Fin du règne de Louis XIV (1685-1715)*

Le long règne de Louis XIV (54 ans) est assombri sur la fin par l'austérité et la dévotion de la Cour et par la **Révocation de l'Édit de Nantes** (1685), qui contraint les Protestants à s'exiler. Le pouvoir est affaibli par des guerres coûteuses et des défaites. La situation économique est difficile : les menaces de famine, le terrible hiver de 1709 accroissent le nombre des misères tandis que s'édifient d'immenses fortunes. Conscients d'inégalités criantes, certains écrivains, comme La Bruyère, les prennent pour cibles de leurs critiques.

■ *La Régence (1715-1723)*

Louis XV étant trop jeune pour gouverner, la régence est assurée par Philippe d'Orléans. Cette période se caractérise par un mouvement de libéralisation : la rigueur des premières années du siècle est remplacée par les plaisirs, le goût du luxe, la liberté des mœurs, l'impiété et le libertinage. Pour rétablir les finances du royaume, le contrôleur général Law invente le « billet de banque » et émet des emprunts. Mais le système se solde par une faillite qui conduit bien des souscripteurs à la ruine. Le climat général est celui de l'instabilité,

Illustration de la p. 205 :
Antoine Watteau (1684-1721), *L'Enseigne de Gersaint* (détail), 1721 (huile sur toile, 166 × 306 cm ; Berlin, Staatliche Schlösser und Gärten, Château de Charlottenbourg).

Expérience faite en mer avec la machine hydrostatergatique, 1784 (Paris, Musée Carnavalet). ▶

ce que traduisent certaines pièces de théâtre et certains romans : on commence à s'interroger sur la solidité et sur la valeur des traditions.

■ *Le règne de Louis XV (1723-1774)*

Il s'ouvre sur de grands espoirs. Des réformes favorisent le commerce et permettent l'enrichissement de la France. Avec 25 millions de sujets, le royaume de France est le plus peuplé d'Europe occidentale. Mais cette prospérité s'accompagne de troubles politiques. À l'intérieur, ce sont les parlements qui contestent le pouvoir. À l'extérieur, les défaites militaires de la guerre de Sept ans (1756-1763) font perdre à la France ses colonies des Indes et du Canada (1763). Les fastes de la Cour et le rayonnement de la culture française à l'étranger ne cachent pas les crises intérieures : contestation et difficultés politiques.

■ *Le règne de Louis XVI (1774-1792)*

Le nouveau roi choisit de bons ministres, qui tentent de développer l'économie et de rétablir les finances. Mais il les renvoie sous la pression de la noblesse avant qu'ils aient eu le temps d'accomplir leur œuvre. Le projet d'établir l'égalité devant l'impôt suscite la révolte des nobles de robe* et des parlements* qui exigent la convocation des États généraux. Le roi cède. La bourgeoisie, représentée par les députés du Tiers État, profite de cette réunion de 1789 pour faire entendre ses revendications et s'opposer aux privilèges de la noblesse. Ce mécontentement trouve un écho particulièrement vif dans le peuple accablé d'impôts et, dans ces années noires, appauvri encore par la crise économique et menacé de famine.

■ *La Révolution française (1789-1799)*

La dynamique mise en route par le rassemblement des États généraux conduit à des actes de liberté fondamentaux : **prise de la Bastille**, symbole de l'Ancien Régime (14 juillet 1789), **abolition des privilèges** (4 août), **Déclaration des Droits de**

l'homme et du citoyen (26 août), abolition de la monarchie et proclamation de la République (21 septembre 1792). Cependant ces conquêtes sont menacées par la guerre que mènent les armées étrangères (Autriche, Prusse, Angleterre) soutenues par les aristocrates français exilés (« l'armée des princes »). Le Gouvernement révolutionnaire prend des mesures d'exception qui conduisent à une dictature de Salut public et à la Terreur (1793). Celui qui en est l'instigateur, Robespierre, est renversé par des éléments plus modérés (1794). En 1795, le Directoire poursuit la guerre extérieure. Les victoires qu'y remporte le général Bonaparte le conduisent au pouvoir grâce au coup d'État du 18 Brumaire 1799.

Permanences et survivances

Siècle de bouleversements, le XVIIIᵉ siècle conserve un héritage qui se maintient tout en étant perçu comme archaïque et injuste.

■ *L'absolutisme*

Le roi est monarque absolu, de droit divin. Ces qualificatifs signifient qu'il ne détient sa puissance que de Dieu et n'a de comptes à rendre qu'à Dieu. Venu au pouvoir de manière héréditaire, il concentre les pouvoirs (législatif, exécutif et judiciaire). Responsable des lois et de leur application, il est le juge suprême et peut, par simple « **lettre de cachet** », ordonner l'emprisonnement ou l'exil d'un de ses sujets. Il se trouve au sommet d'une structure politique qui fait de lui le seul maître de ses décisions, sans comptes à rendre à un peuple qui ne l'a pas choisi.

◄ *Vive la Nation*, assiette de la fabrique d'Aire sur la Lys, XVIIIᵉ siècle (Sèvres, Musée National de la Céramique).

▲ Lesueur, *Invention du bonnet rouge*, fin XVIIIᵉ siècle (gouache ; Paris, Musée Carnavalet).

■ Le pouvoir de l'Église

L'institution religieuse constitue un véritable « état dans l'état », force dont le roi doit tenir compte. Une partie du clergé constitue une classe privilégiée, qui possède des biens fonciers (10 pour cent du sol), ne paie pas d'impôts mais en perçoit (la dîme, qui représente 10 pour cent des récoltes). Ce haut clergé, assimilable à la noblesse pour ses privilèges, vit luxueusement à la Cour et bénéficie de privilèges peu en rapport avec la vocation de pauvreté qui émane de l'**Évangile**. Parmi les ordres ecclésiastiques, les **Jésuites,** chez qui se recrutent les confesseurs des rois, sont les gardiens d'une tradition qui s'oppose à l'esprit nouveau. Leurs querelles avec les philosophes, notamment Voltaire, animent la vie intellectuelle. Ils sont aussi en conflit avec les Jansénistes, plus ouverts, eux, au renouvellement de la pensée.

De manière générale, l'Église se manifeste par son intolérance. Le fait que le Catholicisme soit **religion d'État** conduit à l'exclusion des Protestants, et à l'élimination de ceux qui affichent leur incroyance : la condamnation à mort du jeune chevalier de La Barre, en 1766, ou du Protestant Calas, en 1763, en sont des exemples révélateurs.

Coiffure à l'Indépendance ou Le Triomphe de la Liberté, XVIIIᵉ siècle (gravure, Château de Blérancourt).

■ Les inégalités sociales

Les trois ordres qui composent la société française sont très inégaux en nombre et en richesse. Le clergé (130 000 personnes environ) et la noblesse (300 000) sont des privilégiés. Le Tiers État (24 millions de personnes) regroupe les ouvriers, les paysans et les bourgeois, séparés par de nombreuses disparités de condition. C'est à cet « ordre » qu'appartiennent de nombreux écrivains (Voltaire, Diderot, Rousseau…), qui souffrent des inégalités et les dénoncent.

■ Les entraves à la liberté

Elles sont de plus en plus mal supportées. Il s'agit de la censure politique ou religieuse qui interdit les ouvrages, les condamne au bûcher, comme ce fut le cas pour l'*Encyclopédie* en 1751, et pousse les écrivains engagés à faire publier leurs œuvres à l'étranger (les *Lettres persanes* à Amsterdam en 1721) ▷ ▷ ▷ *p. 214.* Eux-mêmes ne sont pas à l'abri : Voltaire doit s'exiler, Diderot est enfermé à Vincennes en 1749. La condition d'homme de Lettres contestataire est remplie d'insécurité et de dangers. Tous ceux qui s'opposent à la religion ou la refusent sont également privés de liberté, parfois de la vie au terme de procès au cours desquels on n'hésite pas à recourir à la **question** (la torture) comme ce fut le cas pour Calas et le chevalier de La Barre.

Les ferments nouveaux

Face au poids des traditions, à l'ordre établi, au principe d'autorité, se développent, en réaction, des mouvements de contestation. Ils sont animés par ceux que l'on appelle les « philosophes », dont le portrait est tracé dans l'*Encyclopédie,* et servis par les mutations sociales, scientifiques et économiques.

■ L'esprit philosophique

Il se nourrit de découvertes faites au cours de nombreux voyages à l'étranger et de comparaisons. Il repose sur la volonté de faire disparaître les préjugés et les conformismes : ce n'est pas parce qu'une institution existe depuis des siècles qu'elle est bonne. L'exemple anglais a montré que l'on pouvait passer de la monarchie absolue à la monarchie parlementaire. La réflexion, consolidée par l'esprit dit « d'examen », conduit à faire intervenir la raison et la logique au détriment des croyances et des idées toutes faites. Ce travail, mené dans différents genres littéraires (littérature épistolaire, dictionnaires, contes, pamphlets), modifie les façons de penser et sape peu à peu les certitudes solidement ancrées. L'arbitraire politique et religieux se trouve ainsi fortement contesté.

Le globe aérostatique s'élevant devant le Duc de Chartres, 1783 (Paris, Bibliothèque des Arts Décoratifs).

■ *L'essor de la bourgeoisie*

Les mouvements contestataires, émanant le plus souvent de bourgeois éclairés, comme Voltaire, Diderot, Rousseau, sont servis par le développement d'une classe qui participe largement à l'économie du pays. Commerçants, artisans, détenteurs de charges ressentent douloureusement d'être écartés, car non nobles, des affaires de l'État. Des romans comme *Le Paysan parvenu* de Marivaux, des pièces comme *Le Mariage de Figaro* (1784) opposent le dynamisme des roturiers à l'inaction de ceux qui se sont seulement « donné la peine de naître » ▷▷▷ *p. 232.* La littérature se fait ici le miroir non seulement des préoccupations sociales mais d'un bouleversement économique.

Clodion (1738-1814), *Deux femmes portant avec trois bras une coupe chargée de fruits* (groupe en plâtre, 235 × 100 cm ; Paris, Musée des Arts Décoratifs).

■ *La foi dans le progrès*

Il faut ajouter enfin l'importance du progrès et l'espoir qu'il suscite. Dans la lutte contre toutes les formes d'obscurantisme* et de superstitions, les sciences jouent un rôle important et la diffusion du savoir est perçue comme la base même de toutes les transformations. L'*Encyclopédie* est, sur ce plan, l'ouvrage majeur du siècle. Somme des connaissances de l'époque, elle se veut œuvre de vulgarisation* et de formation de l'esprit ▷▷▷ *p. 223.* Elle fait connaître les découvertes de Lavoisier. Elle exploite, aussi bien sur le plan géographique et historique que sur celui de la réflexion humaniste et ethnologique, les résultats des voyages (ceux de Bougainville, de Cook, de La Pérouse). Elle fait connaître également par ses planches de dessins le fonctionnement des machines, mettant à l'honneur les métiers manuels et le perfectionnement des techniques.

Le XVIIIᵉ siècle se révèle ainsi comme le siècle des confluences : esprit nouveau et tradition, contraintes et aspiration à la liberté, essor économique et frein des préjugés. L'extraordinaire confiance accordée à l'esprit fait de cette époque le cadre d'un nouvel humanisme dont le « philosophe » est à la fois acteur, témoin et reflet. Des événements révolutionnaires qui en marquent les dix dernières années émerge une organisation nouvelle : ses difficultés d'implantation, les soubresauts de la fin du siècle, soulignent la difficulté de passer d'un ordre traditionnel résultant de plusieurs siècles de centralisation à des innovations politiques dont les plus défavorisés, parmi la population, ne seront pas les bénéficiaires.

209

1. L'esprit de contestation

Fontenelle

Montesquieu

Voltaire

D'Alembert

William Blake (1757-1827), *Newton* (gravure en couleurs rehaussée à la plume et à l'aquarelle, 46 x 60 cm ; Londres, The Tate Gallery).

■ Étudiez les *lignes de composition* du tableau : comment mettent-elles en valeur les trois éléments fondamentaux qui le composent ?

■ Quelle est la *signification symbolique* de ces éléments et de leur position respective ?

■ Quelles caractéristiques de *l'esprit du XVIIIᵉ siècle* ce tableau illustre-t-il ?

Les *Lettres persanes* illustrent brillamment l'esprit de contestation qui caractérise le XVIIIᵉ siècle : insolence et désinvolture masquent de manière séduisante une critique sévère des institutions.

> "Le roi de France est le plus puissant prince de l'Europe. Il n'a point de mines d'or comme le roi d'Espagne, son voisin ; mais il a plus de richesses que lui, parce qu'il les tire de la vanité de ses sujets, plus inépuisable que les mines. On lui a vu entreprendre ou soutenir de grandes guerres, n'ayant d'autres fonds que des titres[1] d'honneur à vendre, et, par un prodige de l'orgueil humain, ses troupes se trouvaient payées, ses places, munies, et ses flottes, équipées.
>
> D'ailleurs ce roi est un grand magicien : il exerce son empire sur l'esprit même de ses sujets ; il les fait penser comme il veut. S'il n'a qu'un million d'écus dans son trésor, et qu'il en ait besoin de deux, il n'a qu'à leur persuader qu'un écu en vaut deux, et ils le croient. S'il a une guerre difficile à soutenir, et qu'il n'ait point d'argent, il n'a qu'à leur mettre dans la tête qu'un morceau de papier[1] est de l'argent, et ils en sont aussitôt convaincus. Il va même jusqu'à leur faire croire qu'il les guérit de toutes sortes de maux en les touchant, tant est grande la force et la puissance qu'il a sur les esprits."

Montesquieu, *Lettres persanes*.

1. allusion à l'émission de papier-monnaie (dès 1701) utilisé en 1706 et 1707 pour rembourser les créanciers de l'État.

L'esprit de contestation

Dès la fin du règne de Louis XIV, naît une contestation qui s'attaque à toutes les institutions. Elle prolonge un débat ouvert à la fin du siècle précédent. Elle se trouve également facilitée par le cosmopolitisme ambiant, les voyages. La relativité du jugement est un élément fondamental de la nouvelle façon de penser.

Les Anciens et les Modernes

Les vingt dernières années du XVIIᵉ siècle ont vu s'affronter deux tendances et le débat se poursuit au début du XVIIIᵉ. D'un côté, les partisans du progrès, de l'innovation en matière de création artistique, les **Modernes,** prônent une indépendance dans l'invention, et un esprit tourné vers l'avenir, ouvert, progressiste. Fontenelle ▷▷▷ *p. 212,* Perrault, Fénelon ▷▷▷ *p. 188,* Bayle sont les chefs de file du groupe. En face d'eux, les **Anciens,** parmi lesquels Boileau ▷▷▷ *p. 201,* et La Fontaine ▷▷▷ *p. 176,* revendiquent une stricte imitation de l'Antiquité. La mise à jour de l'esprit nouveau, et l'ampleur de la **querelle** soulignent un changement important dans les mentalités. **L'esprit d'examen,** la volonté de faire intervenir la **raison,** le refus de la **tradition** et du **principe d'autorité** marquent l'existence d'une contestation sous-jacente. Le terrain est préparé pour ceux qui vont délibérément s'attaquer aux croyances, et aux institutions, ne les considérant pas comme bonnes simplement parce qu'elles existent depuis des siècles.

Un contexte de libéralisation

Ce débat trouve son prolongement dans un contexte nouveau, favorable à la contestation. En effet, la mort de Louis XIV est suivie d'une Régence, celle de Philippe d'Orléans. À l'austérité de la fin du règne succède alors une période de libéralisation : la vie mondaine se développe, avec tous les excès du libertinage. On aime les plaisirs, l'argent, les fêtes, ce dont se font l'écho les œuvres romanesques et théâtrales de l'époque, celles de Lesage ▷▷▷ *p. 233,* l'Abbé Prévost, ou Marivaux ▷▷▷ *p. 227.* Même s'il faut toujours craindre la censure et les interdictions, la contestation, surtout si elle prend une forme brillante, reçoit un bon accueil du public. Les *Lettres persanes* (1721) connaissent un immense succès : on apprécie la forme, celle du roman épistolaire, et l'esprit frondeur, faussement naïf de ces Persans qui ne sont autres que Montesquieu ▷▷▷ *p. 214.* Ce succès est d'ailleurs favorisé par la découverte du « regard étranger ».

L'importance du cosmopolitisme

Le développement du commerce et des empires coloniaux joue un rôle important dans la multiplication des voyages et des récits qui les accompagnent. L'Orient est à la mode depuis les voyages de Chardin, de Bernier et de Tavernier : les voyageurs découvrent et font connaître des mœurs et des institutions différentes, ce qui suscite la réflexion comparative et les jugements critiques. C'est sur ce principe que reposent les *Lettres persanes,* d'une part, certains contes de Voltaire, d'autre part *(Zadig ▷▷▷ p. 217, Micromégas).* Jouant sur les différences, ces textes déconcertent et font réfléchir, comme avaient pu le faire, deux siècles plus tôt, des extraits des *Essais* de Montaigne consacrés aux « cannibales » ▷▷▷ *p. 96.*

La convergence de trois facteurs : l'esprit nouveau, le cosmopolitisme et la libéralisation favorise le développement d'une contestation qui prend de l'ampleur et définit mieux ses « cibles ».

Les cibles et les moyens

Ce sont d'abord les superstitions et les préjugés qui sont visés par les nouveaux penseurs, les **philosophes** : avec une ironie plaisante pour le lecteur mais sévère pour les victimes, ils dénoncent les modes de pensée sclérosés, les faux miracles, les jugements sans fondement. Le texte consacré par Fontenelle à la « dent d'or » en est un exemple ▷▷▷ *p. 212.* Ils s'attaquent aussi au fanatisme et à l'intolérance, qui conduit au bûcher ou impose la « question ». Ce sont enfin les injustices et les inégalités qu'ils mettent en relief. **L'esclavage,** les **privilèges,** la **torture,** les **emprisonnements abusifs** font partie de la longue liste d'institutions dénoncées comme indignes d'une société civilisée.

Dans cet objectif, tous les moyens sont bons : les philosophes transforment la littérature en « machine de guerre ». **Les dictionnaires** instruisent tout en contestant, parfois très violemment, comme le font l'*Encyclopédie* ▷▷▷ *p. 223,* ou le *Dictionnaire philosophique* ▷▷▷ *p. 221 ;* les **pamphlets** attaquent directement, avec une ironie dévastatrice. Les **contes** philosophiques utilisent le récit pour dénoncer ▷▷▷ *p. 220 ;* les **lettres** font intervenir de faux épistoliers au regard très critique ▷▷▷ *p. 214.* En même temps cette **littérature engagée** et contestataire est constructive : elle propose des idées, des aménagements, des réformes. Le **déisme,** le **despotisme éclairé,** ou la **monarchie parlementaire,** la **séparation des pouvoirs** font partie des innovations envisagées. Les philosophes contestent pour améliorer et agissent.

Bernard de Fontenelle

Né en 1657 à Rouen, apparenté à Corneille, Fontenelle vécut presque centenaire. C'était un penseur brillant, un écrivain « touche à tout », mais aussi un savant. Il devint secrétaire perpétuel de l'Académie des sciences en 1697. Avec les *Entretiens sur la pluralité des mondes,* il est parvenu par ses talents de vulgarisateur à faire connaître les progrès de son siècle à un large public.

1657-1757

Résolument « moderne » ▷▷▷ *p. 211,* il a beaucoup contribué au développement des idées nouvelles : nécessité de l'observation, supériorité de la raison, confiance dans le progrès. Son *Histoire des oracles* témoigne de cette pensée audacieuse.

Portrait : Hyacinthe Rigaud (1659-1743), *Portrait de Fontenelle* (détail), 1713 (Montpellier, Musée Fabre).

Histoire des oracles - 1686

« Mais on commença par faire des livres et puis on consulta l'orfèvre »

Dans un souci de rationalité, Fontenelle ridiculise dans son Histoire des oracles *la croyance aveugle au merveilleux. Face aux prétendus miracles ou prodiges, il se fait le défenseur de l'esprit critique, prône la nécessité de l'examen et le respect des faits.*

Assurons-nous bien du fait, avant de nous inquiéter de la cause. Il est vrai que cette méthode est bien lente pour la plupart des gens qui courent naturellement à la cause, et passent par-dessus la vérité du fait ; mais enfin nous éviterons le ridicule d'avoir trouvé la cause de ce
5 qui n'est point.

Ce malheur arriva si plaisamment sur la fin du siècle passé à quelques savants d'Allemagne, que je ne puis m'empêcher d'en parler ici.

En 1593, le bruit courut que, les dents étant tombées à un enfant de Silésie[1] âgé de sept ans, il lui en était venu une d'or à la place d'une de
10 ses grosses dents. Horstius, professeur en médecine dans l'université de Helmstad, écrivit en 1595 l'histoire de cette dent, et prétendit qu'elle était en partie naturelle, en partie miraculeuse, et qu'elle avait été envoyée de Dieu à cet enfant pour consoler les chrétiens affligés par les Turcs ! Figurez-vous quelle consolation, et quel rapport de cette dent aux chré-
15 tiens ni aux Turcs ! En la même année, afin que cette dent d'or ne man-

quât pas d'historiens, Rullendus en écrit encore l'histoire. Deux ans après, Ingolsteterus, autre savant, écrit contre le sentiment[2] que Rullandus avait de la dent d'or, et Rullandus fait aussitôt une belle et docte réplique. Un autre grand homme, nommé Libavius, ramasse tout ce qui avait été
20 dit de la dent, et y ajoute son sentiment particulier. Il ne manquait autre chose à tant de beaux ouvrages, sinon qu'il fût vrai que la dent était d'or. Quand un orfèvre l'eut examinée, il se trouva que c'était une feuille d'or appliquée à la dent, avec beaucoup d'adresse : mais on commença par faire des livres, et puis on consulta l'orfèvre.

25 Rien n'est plus naturel que d'en faire autant sur toutes sortes de matières. Je ne suis pas si convaincu de notre ignorance par les choses qui sont, et dont la raison nous est inconnue, que par celles qui ne sont point, et dont nous trouvons la raison. Cela veut dire que, non seulement nous n'avons pas les principes qui mènent au vrai, mais que nous en avons
30 d'autres qui s'accommodent très bien avec le faux.

1. au sud-ouest de la Pologne.
2. l'opinion.

Première Dissertation, chapitre IV.

Antoine Watteau (1684-1721), *La Diseuse Daventure*, v. 1710 (huile sur noyer, 37 X 28 cm ; San Francisco, The Fine Arts Museum).

LECTURE MÉTHODIQUE

■ À partir de l'étude précise de la composition du texte, définissez le **projet** et la **méthode** de Fontenelle. Quel est le rôle des l. 8 à 24 ? Comment ce passage est-il construit ? Diriez-vous de l'ensemble du texte que c'est un texte argumentatif ? un texte narratif ? un conte ?

■ À travers l'étude des pronoms employés, du système de l'énonciation, des modes verbaux et de la tonalité, analysez la façon dont l'auteur tente d'**attirer** le lecteur dans son camp.

■ Quelle est la « **leçon** » du texte ?

PARCOURS CULTUREL

■ Un événement comme celui-ci vous paraît-il vraisemblable à notre époque ? Dans quelle rubrique journalistique pourrait-il alors figurer ? Interrogez-vous sur les raisons de sa crédibilité et sur ses dangers.

LIRE LA PEINTURE

■ Étudiez la **composition du tableau** : couleurs, contrastes, lignes, tonalité, personnages. Quel rôle semble jouer l'arbre central ?

■ En quoi peut-on dire qu'il **met en scène** deux mondes ?

■ Par quels aspects illustre-t-il **l'esprit du XVIIIᵉ siècle ?**

guides p. 151-224-237-369

Montesquieu

Charles-Louis de Secondat, baron de La Brède et de Montes-quieu, naquit près de Bordeaux. Propriétaire terrien, digne par-lementaire, passionné de sciences, il devint célèbre en 1721 avec les *Lettres persanes,* un roman par lettres publié anony-mement à Amsterdam, qui offrait une brillante critique de mœurs et une satire politique d'une audace toute nouvelle.

Doué d'une ouverture d'esprit remarquable, très intéressé par les peuples et leur gouvernement, Montesquieu voyagea pendant plus de trois ans, en Allemagne, en Hollande, en Angleterre. De ses observations, de ses expériences et de ses multiples lectures, il tira l'immense matière de *L'Esprit des lois* (1750), ouvrage capital dans lequel il fonde la science politique. Épuisé de travail, presque aveugle, il mourut à Paris en 1755.

1689-1755

Portrait : École Française, XVIIIᵉ siècle, *Montesquieu.* 1728 (Versailles, Musée National du Château).

Lettres persanes - 1721

« Le roi de France est vieux »

Dans les Lettres persanes, *Montesquieu imagine le voyage de deux Persans en France. Usbek et Rica découvrent une société différente de la leur, s'étonnent de tout. et écrivent à leurs amis persans leurs découvertes et leurs surprises. Ils obli-gent ainsi le lecteur français à regarder d'un œil neuf son propre mode de vie, sa culture, ses institutions et ses dirigeants…*

USBEK À IBBEN
À SMYRNE

Le roi de France est vieux[1]. Nous n'avons point d'exemple dans nos histoires d'un monarque qui ait si longtemps régné. On dit qu'il pos-sède à un très haut degré le talent de se faire obéir : il gouverne avec le même génie sa famille, sa Cour, son État. On lui a souvent entendu dire

5 que, de tous les gouvernements du Monde, celui des Turcs ou celui de notre auguste sultan[2] lui plairait le mieux, tant il fait cas de la politique orientale[3].

J'ai étudié son caractère, et j'y ai trouvé des contradictions qu'il m'est impossible de résoudre. Par exemple : il a un ministre qui n'a que dix-

10 huit ans[4], et une maîtresse qui en a quatre-vingts[5] ; il aime sa religion, et il ne peut souffrir ceux qui disent qu'il la faut observer à la rigueur[6] ; quoiqu'il fuie le tumulte des villes, et qu'il se communique peu, il n'est occupé, depuis le matin jusques au soir, qu'à faire parler de lui : il aime les trophées et les victoires, mais il craint autant de voir un bon général

15 à la tête de ses troupes[7], qu'il aurait sujet de le craindre à la tête d'une armée ennemie. Il n'est, je crois, jamais arrivé qu'à lui d'être, en même temps, comblé de plus de richesse qu'un prince n'en saurait espérer, et accablé d'une pauvreté qu'un particulier ne pourrait soutenir.

1. Louis XIV a 75 ans en 1713.
2. prince musulman.
3. considérée à l'époque comme despotique.
4. sans doute le fils de Louvois, nommé secrétaire d'État à 17 ans.
5. Mme de Maintenon, née en 1635, avait 78 ans.
6. d'une manière rigoureuse (allusion aux Jansénistes
▷▷▷ *p. 168*).
7. allusion à la disgrâce des maréchaux Catinat et Villars.

Antoine Coypel (1661-1722), *Louis XIV reçoit l'Ambassadeur de Perse Mehemet Riza Bey dans la grande galerie de Versailles, le 19 février 1715* (Versailles, Musée National du Château).

Il aime à gratifier ceux qui le servent ; mais il paye aussi libéralement
20 les assiduités ou plutôt l'oisiveté de ses courtisans, que les campagnes labo-
rieuses de ses capitaines. Souvent il préfère un homme qui le déshabille,
ou qui lui donne la serviette quand il se met à table, à un autre qui lui
prend des villes ou lui gagne des batailles. Il ne croit pas que la grandeur souveraine doive être dans la distribution des grâces, et, sans exa-
25 miner si celui qu'il comble de biens est un homme de mérite, il croit
que son choix va le rendre tel : aussi lui a-t-on vu donner une petite pension à un homme qui avait fui deux lieues, et un beau gouvernement à
un autre qui en avait fui quatre.

Il est magnifique[8], surtout dans ses bâtiments : il y a plus de statues
30 dans les jardins de son palais que de citoyens dans une grande ville. Sa
garde est aussi forte que celle du prince devant qui les trônes se renver-
sent. Ses armées sont aussi nombreuses ; ses ressources, aussi grandes ; et
ses finances, aussi inépuisables.

8. fastueux, dépensier.

De Paris, le 7 de la lune de Maharram, 1713.

Lettre 37.

LECTURE MÉTHODIQUE

■ Sur quelle **figure de style** est construit ce portrait ?
Quel mot clé annonce cette figure ?
Récapitulez ses différentes formes et précisez quels
sont les effets produits.

■ Expliquez en quoi les traits de caractère et de comportement mis en évidence dans cette lettre permettent de tracer un **portrait critique.**

■ Repérez tous les indices qui rappellent qu'il s'agit
d'une **lettre.** À qui peut-on penser qu'elle s'adresse

en réalité ? Avec quels objectifs ? Quelles conclusions
pouvez-vous tirer de ces observations concernant le
choix par Montesquieu de ce genre littéraire ?

PARCOURS CULTUREL

■ Comment peut-on différencier une **correspondance
réelle** d'une correspondance **fictive ?** À quelle catégorie appartiennent respectivement ces textes ▷ ▷ ▷
p. 49-110-186-187-214-387 ? Justifiez très précisément vos
réponses.

guides p. 79-175-224

1694-1778

Voltaire

Voltaire incarne le XVIIIe siècle. Sa longue vie occupe presque tout le siècle. Et ses idées, son engagement, ses œuvres, expriment, de façon exemplaire, l'esprit des Lumières.

Une jeunesse brillante et insolente

Né à Paris, François-Marie Arouet est le fils d'un notaire. Il fait des études brillantes chez les Jésuites au collège Louis-le-Grand, puis se lance dans la vie mondaine où ses débuts littéraires sont remarqués. Des écrits satiriques* contre le Régent l'envoient à la Bastille pendant onze mois, puis une tragédie, une épopée, signées Voltaire[1], lui valent faveurs et pensions. La Cour l'accueille.
Mais lorsqu'un aristocrate, le chevalier de Rohan, se jugeant insulté par le jeune homme, le fait bastonner et enfermer à la Bastille par lettre de cachet, Voltaire quitte la France et s'exile en Angleterre en 1726.

Exils et voyages

L'Angleterre lui offre l'exemple d'un pays libéral, travailleur, puissant, éclairé, qui lui inspire les *Lettres philosophiques* (1734). Revenu en France, ayant publié son livre sans autorisation, il doit de nouveau s'exiler et s'installe en Lorraine à Cirey chez sa maîtresse Mme du Châtelet. Pendant ce séjour, il écrit des ouvrages de science, d'histoire et de nombreux pamphlets. De retour à Versailles, on le voit tantôt en faveur, tantôt en disgrâce, à l'image du héros de son conte *Zadig*, écrit en 1747.

Le roi Frédéric II de Prusse l'appelle auprès de lui en 1750. Voltaire se voit déjà conseiller d'un roi philosophe. En vérité, les brouilles avec Frédéric l'obligent à quitter la cour de Prusse au bout de trois ans.

L'« aubergiste de l'Europe »

Indésirable en France, Voltaire s'installe près de Genève aux « Délices ». Là, il s'engage sur tous les fronts de la liberté et de la raison : contre les optimistes avec *Candide* (1759) ; aux côtés des Encyclopédistes ; contre le fanatisme et l'oppression avec l'*Essai sur les mœurs*.

En 1760, sa propriété de Ferney, à la frontière de la Suisse et de la France, devient le centre de l'Europe éclairée d'où partent ses innombrables lettres et où viennent séjourner les nombreux admirateurs de son esprit et de son combat. Car, à 70 ans, Voltaire continue la lutte en faveur du progrès et de la tolérance avec le *Dictionnaire philosophique* (1764), et contre l'injustice en réhabilitant des innocents, comme Calas, un Protestant accusé à tort du meurtre de son fils. Ses contes et ses romans, les pamphlets dont il accable ses adversaires, son action éclairée dans le développement de sa région de Ferney, lui assurent une immense renommée.

Quand, après 28 ans d'exil, il revient à Paris, il est acclamé tant pour son action militante que pour son œuvre littéraire car elles sont indissociables. Il meurt à 84 ans en pleine gloire.

Portrait : Maurice Quentin de La Tour (1704-1788), *Portrait de Voltaire* (Versailles, Musée National du Château).

Virscher, *Voltaire*, vers 1770/1780 (miniature ; Collection particulière). ▶

1. *Voltaire* est obtenu par anagramme, c'est-à-dire par la transposition des lettres contenues dans le nom : Arouet le Jeune (u = v, j = i).

Zadig - 1747

« Comme j'ai remarqué…, j'ai compris… »

Zadig est une histoire orientale ; Voltaire transporte son lecteur au pays des Mille et une nuits. *Mais le conte, qui a pour sous-titre* La Destinée, *est aussi une réflexion sur la vie et sur la liberté de l'homme. Le jeune héros Zadig, malgré sa sagesse, son intelligence et sa franchise, est le jouet d'un destin capricieux.*

Un jour, se promenant auprès d'un petit bois, il vit accourir à lui un eunuque[1] de la reine, suivi de plusieurs officiers qui paraissaient dans la plus grande inquiétude, et qui couraient çà et là, comme des hommes égarés qui cherchent ce qu'ils ont perdu de plus précieux. « Jeune
5 homme, lui dit le premier eunuque, n'avez-vous point vu le chien de la reine ? » Zadig répondit modestement : « C'est une chienne, et non pas un chien. - Vous avez raison, reprit le premier eunuque. - C'est une épagneule très petite, ajouta Zadig. Elle a fait depuis peu des chiens ; elle boite du pied gauche de devant, et elle a les oreilles très longues. - Vous
10 l'avez donc vue ? dit le premier eunuque tout essoufflé. - Non, répondit Zadig, je ne l'ai jamais vue, et je n'ai jamais su que la reine avait une chienne. »

Précisément dans le même temps, par une bizarrerie ordinaire de la fortune[2], le plus beau cheval de l'écurie du roi s'était échappé des mains
15 d'un palefrenier dans les plaines de Babylone. Le grand veneur[3] et tous les autres officiers couraient après lui avec autant d'inquiétude que le premier eunuque après la chienne. Le grand veneur s'adressa à Zadig et lui demanda s'il n'avait point vu passer le cheval du roi. « C'est, répondit Zadig, le cheval qui galope le mieux ; il a cinq pieds de haut, le sabot
20 fort petit ; il porte une queue de trois pieds et demi de long ; les bossettes[4] de son mors sont d'or à vingt-trois carats ; ses fers sont d'argent à onze deniers. - Quel chemin a-t-il pris ? où est-il ? demanda le grand veneur. - Je ne l'ai point vu, répondit Zadig, et je n'en ai jamais entendu parler. »

25 Le grand veneur et le premier eunuque ne doutèrent pas que Zadig n'eût volé le cheval du roi et la chienne de la reine ; ils le firent conduire devant l'assemblée du grand desterham[5], qui le condamna au knout[6] et à passer le reste de ses jours en Sibérie. À peine le jugement fut-il rendu qu'on retrouva le cheval et la chienne. Les juges furent dans la dou-
30 loureuse nécessité de réformer leur arrêt ; mais ils condamnèrent Zadig à payer quatre cents onces d'or pour avoir dit qu'il n'avait point vu ce qu'il avait vu. Il fallut d'abord payer cette amende ; après quoi il fut permis à Zadig de plaider sa cause au conseil du grand desterham ; il parla en ces termes :

35 « Étoiles de justice, abîmes de science, miroirs de vérité, qui avez la pesanteur du plomb, la dureté du fer, l'éclat du diamant et beaucoup d'affinité avec l'or ! Puisqu'il m'est permis de parler devant cette auguste assemblée, je vous jure par Orosmade[7] que je n'ai jamais vu la chienne respectable de la reine, ni le cheval sacré du roi des rois. Voici ce qui m'est arrivé.
40 Je me promenais vers le petit bois, où j'ai rencontré depuis le vénérable eunuque et le très illustre grand veneur. J'ai vu sur le sable les traces d'un animal, et j'ai jugé aisément que c'étaient celles d'un petit chien. Des sillons légers et longs, imprimés sur de petites éminences de sable, entre

1. gardien des femmes du harem.
2. le hasard, le sort.
3. le grand officier des chasses.
4. les ornements du mors.
5. surintendant des Finances en Perse.
6. le fouet, supplice de l'ancienne Russie.
7. dieu persan.

Jean-Baptiste Oudry (1686-1755),
Un Animal dans la lune, 1731 (lavis,
31,1 x 25,7 cm ; Amsterdam, Rijksprententkabinet).

8. reconnaître, comprendre.
9. pierre sur laquelle les orfèvres
essaient l'or et l'argent.
10. d'argent fin, c'est-à-dire
d'argent pur.
11. en grande cérémonie.

les traces des pattes, m'ont fait connaître[8] que c'était une chienne
45 dont les mamelles étaient pendantes, et qu'ainsi elle avait fait des
petits il y a peu de jours. D'autres traces en un sens différent, qui
paraissaient toujours avoir rasé la surface du sable à côté des pattes
de devant, m'ont appris qu'elle avait les oreilles très longues ; et,
comme j'ai remarqué que le sable était toujours moins creusé par
50 une patte que par les trois autres, j'ai compris que la chienne de
notre auguste reine était un peu boiteuse, si je l'ose dire.

« À l'égard du cheval du roi des rois, vous saurez que, me promenant dans les routes de ce bois, j'ai aperçu les marques des fers
d'un cheval ; elles étaient toutes à égales distances. "Voilà, ai-je
55 dit, un cheval qui a un galop parfait." La poussière des arbres, dans
une route étroite qui n'a que sept pieds de large, était un peu enle-
vée à droite et à gauche, à trois pieds et demi du milieu de la route.
"Ce cheval, ai-je dit, a une queue de trois pieds et demi, qui, par
ses mouvements de droite et de gauche, a balayé cette poussière."
60 J'ai vu sous les arbres, qui formaient un berceau de cinq pieds de
haut, les feuilles des branches nouvellement tombées, et j'ai connu
que ce cheval y avait touché, et qu'ainsi il avait cinq pieds de haut.
Quant à son mors, il doit être d'or à vingt-trois carats : car il en a
frotté les bossettes contre une pierre que j'ai reconnue être une pierre
65 de touche[9] et que j'ai fait l'essai. J'ai jugé enfin, par les marques
que ses fers ont laissées sur des cailloux d'une autre espèce, qu'il
était ferré d'argent à onze deniers de fin[10]. »

Tous les juges admirèrent le profond et subtil discernement de
Zadig ; la nouvelle en vint jusqu'au roi et à la reine. On ne parlait
70 que de Zadig dans les antichambres, dans la chambre et dans le
cabinet ; et quoique plusieurs mages opinassent qu'on devait le
brûler comme sorcier, le roi ordonna qu'on lui rendît l'amende des
quatre cents onces d'or à laquelle il avait été condamné. Le gref-
fier, les huissiers, les procureurs, vinrent chez lui en grand appa-
75 reil[11] lui rapporter ses quatre cents onces ; ils en retinrent seulement trois cent quatre-vingt-dix-huit pour les frais de justice, et
leurs valets demandèrent des honoraires.

Zadig vit combien il était dangereux quelquefois d'être trop
savant, et se promit bien, à la première occasion, de ne point dire
80 ce qu'il avait vu.

« Le chien et le cheval. »

LECTURE MÉTHODIQUE

■En observant la structure du texte, sa ponctuation
et les pronoms personnels, dites combien de **récits**
comporte cet extrait et par qui ils sont faits. Quel rôle
joue le passage entre guillemets (l. 35-67) ?

■Dans la plaidoirie de Zadig, relevez les verbes qui
caractérisent la **méthode** qu'il a utilisée. Définissez
le mode de connaissance présenté dans le texte à travers le personnage de Zadig.

■Ce récit vous semble-t-il avoir pour seul objectif de
raconter une anecdote originale ? À quoi pouvez-vous
voir qu'il a une autre **portée** ? Exposez votre réponse
sous forme argumentée illustrée d'exemples du texte.

ÉCRITURE

■En prenant appui sur la dernière phrase du texte,
exposez sous forme de thèse argumentée les risques
que l'on court parfois à dire ce que l'on a vu et le courage que cela nécessite.

PARCOURS CULTUREL

■Cherchez dans trois romans policiers d'auteurs différents des scènes dans lesquelles une personne
expose ses **déductions** comme Zadig. Comparez
ces passages à celui de *Zadig*. Ont-ils la même fonction que chez Voltaire ?

guides p. 237-246-330

Le conte

Le conte est traditionnellement d'origine populaire. Son nom même désigne des récits différents, ce qui le rend difficile à définir. Pourtant il possède des caractéristiques spécifiques.

Les caractéristiques du conte

Un récit merveilleux et symbolique

Le conte est un récit généralement bref qui relate des **faits imaginaires.** À la différence du roman ou de la nouvelle, qui cherchent le plus souvent à imiter le réel, il présente au lecteur un monde où règnent l'**invraisemblance,** le **merveilleux** et le **surnaturel.** Il permet donc de rêver.

Ce qui caractérise aussi le conte, c'est le contraste entre la simplicité du récit, le caractère conventionnel des situations et des personnages et la **richesse symbolique** du contenu. De là vient que, plus que tout autre récit de fiction, il donne lieu à des interprétations. Les ethnologues, les folkloristes ou les psychanalystes voient dans le conte les marques d'un **inconscient populaire** et s'attachent à en dégager le sens profond.

Une structure et des personnages spécifiques

La comparaison d'un grand nombre de contes a permis de constater que ces récits reproduisent certaines constantes.

On a pu à partir de là établir le schéma narratif du conte : le récit présente une situation dont l'**équilibre initial** est rompu par une force qui joue un rôle **perturbateur.** Un **déséquilibre** est alors créé. Mais une force inverse vient rétablir l'équilibre et conduit à la **situation finale.** Le conte correspond à un **processus de transformation :**

état initial → force perturbatrice → déséquilibre → action réparatrice → état final

L'observation des personnages permet aussi de dégager des types qui peuvent être regroupés ainsi : - le héros, - l'objet (objet du désir du héros ou objectif qu'il se fixe), - le donateur (qui peut donner au héros ce qu'il cherche), - le destinataire ou le bénéficiaire (celui pour qui combat le héros), - l'auxiliaire ou « adjuvant » (qui aide le héros), - l'adversaire ou « opposant » (qui fait obstacle au héros). L'intérêt des personnages de contes ne réside pas dans leur psychologie mais dans la **fonction** qu'ils occupent dans le récit.

Les différents contes

Il existe différentes sortes de contes : le conte merveilleux, le conte philosophique, le conte fantastique.

Le conte merveilleux

Le conte oriental *(Les Mille et une nuits),* le conte de fées *(Cendrillon)* appartiennent à cette catégorie. Ces contes, anonymes, étaient transmis oralement. Ils ont été rassemblés à la fin du XVIIe siècle par Charles **Perrault,** au début du XIXe siècle par les frères **Grimm** puis par **Andersen.** Ces contes présentent un univers irréel où les animaux parlent et les objets se métamorphosent ; des puissances magiques interviennent et les personnages sont dotés de qualités ou de défauts hors du commun. Ils peuvent être cruels mais la plupart ont une fin heureuse, compensation aux dures réalités de la vie féodale où ils sont nés.

Le conte philosophique

Au XVIIIe siècle, le conte devient une arme de contestation pour les philosophes. Voltaire avec *Zadig,* ▷▷▷ *p. 217* et *Candide,* ▷▷▷ *p. 220,* donne les modèles du genre. Le nom de « contes philosophiques » traduit clairement la double nature de ces récits. Au conte, ils empruntent leur **forme** brève, les péripéties, l'univers merveilleux (l'Eldorado ▷▷▷ *p. 220*). Mais l'**esprit philosophique** y est constamment à l'œuvre : les traditions sont remises en cause, le pouvoir est contesté, les injustices et les abus sont dénoncés (la cupidité des juges dans *Zadig,* ▷▷▷ *p. 217*). C'est en utilisant les caractères des contes, mais en les détournant par divers procédés de décalage comme l'ironie ou l'exagération, que les philosophes combattent en faveur des idées nouvelles. Par exemple, dans *Zadig,* le thème traditionnel du héros doué de pouvoirs magiques et quelque peu sorcier se transforme en éloge de l'esprit rationnel et scientifique ▷▷▷ *p. 217.*

Le conte fantastique

Au XIXe siècle, le conte connaît un regain d'intérêt sous la forme du conte fantastique. Le nom de « conte » s'explique par le fait que les histoires sont souvent racontées par un narrateur-conteur qui rapporte oralement une de ses expériences. C'est le cas dans *Apparition* de Maupassant, ▷▷▷ *p. 340.* La forme brève du conte sert à resserrer l'intrigue autour d'un événement déterminant et à créer un **effet de concentration.** Le schéma est celui d'une tension : la situation progresse, culmine au cours d'une crise et s'achève rapidement. Le merveilleux des contes traditionnels est également présent.

Candide - 1759

« Ce qu'ils virent dans le pays d'Eldorado[1] »

Candide est un conte philosophique dans lequel Voltaire s'en prend avec ironie aux partisans de l'optimisme. Le jeune Candide, élevé dans l'idée que « tout est pour le mieux dans le meilleur des mondes possibles », se trouve, une fois lancé dans la vie, confronté brutalement à l'existence du mal, à toutes les formes de souffrance et d'injustice. Par contraste, l'Eldorado lui semble être le pays où tout va bien.

Candide et Cacambo[2] montent en carrosse ; les six moutons volaient, et en moins de quatre heures on arriva au palais du roi, situé à un bout de la capitale. Le portail était de deux cent vingt pieds de haut, et de cent de large[3] ; il est impossible d'exprimer quelle en était la matière.
5 On voit assez quelle supériorité prodigieuse elle devait avoir sur ces cailloux et sur ce sable que nous nommons or et pierreries.

Vingt belles filles de la garde reçurent Candide et Cacambo à la descente du carrosse, les conduisirent aux bains, les vêtirent de robes d'un tissu de duvet de colibri ; après quoi les grands officiers et les grandes
10 officières de la couronne les menèrent à l'appartement de Sa Majesté au milieu de deux files, chacune de mille musiciens, selon l'usage ordinaire. Quand ils approchèrent de la salle du trône, Cacambo demanda à un grand officier comment il fallait s'y prendre pour saluer Sa Majesté : si on se jetait à genoux ou ventre à terre ; si on mettait les mains sur la tête ou
15 sur le derrière ; si on léchait la poussière de la salle ; en un mot, quelle était la cérémonie. « L'usage, dit le grand officier, est d'embrasser le roi et de le baiser des deux côtés. » Candide et Cacambo sautèrent au cou de Sa Majesté, qui les reçut avec toute la grâce imaginable, et qui les pria poliment à souper.
20 En attendant, on leur fit voir la ville, les édifices publics élevés jusqu'aux nues, les marchés ornés de mille colonnes, les fontaines d'eau pure, les fontaines d'eau rose, celles de liqueurs de canne de sucre qui coulaient continuellement dans de grandes places pavées d'une espèce de pierreries qui répandaient une odeur semblable à celle du gerofle[4] et de
25 la cannelle. Candide demanda à voir la cour de justice, le parlement ; on lui dit qu'il n'y en avait point, et qu'on ne plaidait jamais. Il s'informa s'il y avait des prisons, et on lui dit que non. Ce qui le surprit davantage, et qui lui fit le plus de plaisir, ce fut le palais des sciences, dans lequel il vit une galerie de deux mille pas[5], toute pleine d'instruments
30 de mathématique et de physique.

Chapitre 18.

1. ce mot espagnol qui signifie « le doré » désignait pour les Conquistadores du XVIᵉ siècle et les explorateurs un pays fabuleux où devaient abonder les richesses et qu'ils cherchaient du côté du Pérou.
2. le valet de Candide.
3. environ 70 m sur 30.
4. le girofle, utilisé comme épice.
5. environ 1 500 m.

LECTURE MÉTHODIQUE

■ Par l'observation des connotations et des hyperboles, caractérisez **l'univers** évoqué dans cet extrait.

■ Quels sont les différents **domaines** présentés ? Par le repérage des champs lexicaux et l'analyse des verbes d'action, dites en quoi chacun diffère de la **réalité sociale** connue.

■ Que **cherche à faire** Voltaire en décrivant cet univers ? Prenez appui sur les réponses précédentes.

PARCOURS CULTUREL

■ Comparez les lignes 12 à 19 avec le texte de Pascal ▷▷▷ *p. 147*. Dégagez le thème commun. Analysez la différence de traitement en définissant les différentes tonalités.

■ Cherchez l'origine et le sens du mot **utopie**. En comparant ce texte et celui de Rabelais ▷▷▷ *p. 46*, déterminez les caractéristiques et les fonctions de l'utopie.

guides p. 39-78-237

Antoine Watteau (1684-1721), *Recrues allant rejoindre le régiment* (huile sur toile, 48 × 60 cm ; Nantes, Musée des Beaux-Arts).

Dictionnaire philosophique
- 1764

Article « Guerre »

Dans ce petit Dictionnaire portatif, *comme l'appelait l'auteur, se trouvent regroupés par ordre alphabétique les grands sujets de réflexion de la pensée des Lumières. Voltaire donne à ses « définitions » un tour brillant et souvent ironique pour défendre les valeurs de progrès et de tolérance et faire avancer les conquêtes de la raison.*

Un généalogiste prouve à un prince qu'il descend en droite ligne d'un comte dont les parents avaient fait un pacte de famille il y a trois ou quatre cents ans avec une maison[1] dont la mémoire même ne subsiste plus. Cette maison avait des prétentions éloignées sur une province dont
5 le dernier possesseur est mort d'apoplexie : le prince et son conseil voient son droit évident. Cette province, qui est à quelques centaines de lieues de lui, a beau protester qu'elle ne le connaît pas, qu'elle n'a nulle envie d'être gouvernée par lui, que, pour donner des lois aux gens, il faut au moins avoir leur consentement ; ces discours ne parviennent pas seule-
10 ment aux oreilles du prince dont le droit est incontestable. Il trouve incontinent un grand nombre d'hommes qui n'ont rien à perdre ; il les habille d'un gros drap bleu à cent dix sous l'aune[2], borde leurs chapeaux avec du gros fil blanc, les fait tourner à droite et à gauche, et marche à la gloire.

1. une famille noble.
2. ancienne mesure de longueur :
1,18 m.

Les autres princes qui entendent parler de cette équipée y prennent
15 part, chacun selon son pouvoir, et couvrent une petite étendue de pays
de plus de meurtriers mercenaires que Gengis Khan, Tamerlan, Bajazet[3]
n'en traînèrent à leur suite.

Des peuples assez éloignés entendent dire qu'on va se battre, et qu'il
y a cinq ou six sous par jour à gagner pour eux, s'ils veulent être de la
20 partie ; ils se divisent aussitôt en deux bandes comme des moissonneurs,
et vont vendre leurs services à quiconque veut les employer.

Ces multitudes s'acharnent les unes contre les autres, non seulement
sans avoir aucun intérêt au procès, mais sans savoir même de quoi il s'agit.

On voit à la fois cinq ou six puissances belligérantes, tantôt trois
25 contre trois, tantôt deux contre quatre, tantôt une contre cinq, se détes-
tant toutes également les unes les autres, s'unissant et s'attaquant tour à
tour ; toutes d'accord en un seul point, celui de faire tout le mal possible.

Le merveilleux de cette entreprise infernale, c'est que chaque chef des
meurtriers fait bénir ses drapeaux et invoque Dieu solennellement avant
30 d'aller exterminer son prochain.

3. conquérants orientaux
des XIIIe et XIVe siècles.

Art d'Écrire.

Planche de l'Encyclopédie.

LECTURE MÉTHODIQUE

■ Observez la structure du texte et le début de chaque paragraphe. Qui est mis en cause ? Quelles conclusions pouvez-vous tirer de ces observations en ce qui concerne **l'origine** et le **développement d'un conflit ?**

■ À partir de la réponse à la 1re question, de l'observation des verbes, du lexique utilisé, définissez à quel **type de texte** appartient cet extrait. Que remarquez-vous en rapprochant le **titre** du texte et le **type** auquel il appartient ?

■ Voltaire parle-t-il ici d'une guerre en particulier ? Prenez appui sur les déterminants, les temps des verbes. Définissez alors la **fonction** de ce texte.

■ Diriez-vous que l'auteur **prend parti** dans ce texte ? Donne-t-il son avis en intervenant directement ? Impose-t-il son point de vue indirectement ? Pour répondre, vous étudierez principalement l'énonciation, l'emploi du vocabulaire péjoratif et le procédé de l'antiphrase.

ÉCRITURE

■ En prenant appui sur les textes ▷▷▷ *p. 82, 83, 84, 85, 86, 270, 393, 398, 399, 404...*, vous exposerez sous forme organisée les caractéristiques de **l'écrivain engagé.** Vous expliquerez quelle mission il se donne et quelles « armes » il utilise.

PARCOURS CULTUREL

■ Comparez le texte de Voltaire avec les extraits de Rabelais ▷▷▷ *p. 47,* d'Aubigné ▷▷▷ *p. 84,* L.-F. Céline ▷▷▷ *p. 393,* J. Prévert ▷▷▷ *p. 399.* Les cibles visées par les écrivains sont-elles les mêmes ? Les procédés utilisés sont-ils les mêmes ?

guides p. 151-224-369-418

L'Encyclopédie - 1751

« La société… ne doit point avilir les mains qui la servent »

Le Dictionnaire raisonné des sciences, des arts et des métiers *parut de 1751 à 1772 au prix de nombreuses difficultés. Mais en faisant connaître la richesse du progrès et l'utilité des métiers, en prônant la tolérance et l'esprit d'examen, en dénonçant l'absolutisme et les superstitions,* l'Encyclopédie *apparaît comme la somme des idées des Lumières.*

Les arts mécaniques[1], dépendant d'une opération manuelle, et asservis[2], qu'on me permette ce terme, à une espèce de routine, ont été abandonnés à ceux d'entre les hommes que les préjugés ont placés dans la classe la plus inférieure. L'indigence[3] qui a forcé ces hommes à s'appli-
5 quer à un pareil travail, plus souvent que le goût et le génie ne les y ont entraînés, est devenue ensuite une raison pour les mépriser, tant elle nuit à tout ce qui l'accompagne. À l'égard des opérations libres de l'esprit[4] elles ont été le partage de ceux qui se sont crus sur ce point les plus favorisés de la nature. Cependant l'avantage que les arts libéraux ont sur les
10 arts mécaniques, par le travail que les premiers exigent de l'esprit, et par la difficulté d'y exceller, est suffisamment compensé par l'utilité bien supérieure que les derniers nous procurent pour la plupart. C'est cette utilité même qui a forcé de les réduire à des opérations purement machinales, pour en faciliter la pratique à un plus grand nombre d'hommes. Mais la
15 société en respectant avec justice les grands génies qui l'éclairent, ne doit point avilir les mains qui la servent. La découverte de la boussole n'est pas moins avantageuse au genre humain, que ne le serait à la physique l'explication des propriétés de cette aiguille. Enfin, à considérer en lui-même le principe de la distinction dont nous parlons, combien de savants
20 prétendus dont la science n'est proprement qu'un art mécanique ! et quelle différence réelle y a-t-il entre une tête remplie de faits sans ordre, sans usage et sans liaison, et l'instinct d'un artisan réduit à l'exécution machinale ?

Le mépris qu'on a pour les arts mécaniques semble avoir influé jusqu'à
25 un certain point sur leurs inventeurs mêmes. Les noms de ces bienfaiteurs du genre humain sont presque tous inconnus, tandis que l'histoire de ses destructeurs, c'est-à-dire des conquérants, n'est ignorée de personne. Cependant c'est peut-être chez les artisans qu'il faut aller chercher les preuves les plus admirables de la sagacité[5] de l'esprit, de sa patience et
30 de ses ressources.

D'Alembert, *Discours préliminaire.*

1. on dirait aujourd'hui la technique ou les métiers manuels.
2. soumis.
3. la pauvreté, le besoin.
4. les arts libéraux : la peinture, la sculpture, l'architecture…
5. la finesse, la clairvoyance.

LECTURE MÉTHODIQUE

■Quelles **activités** sont opposées dans ce texte ? Quels champs lexicaux servent à les désigner ?

■Quel est le **point de vue de l'auteur** sur cette opposition ? Répondez en délimitant le champ lexical de l'**éloge** et celui du **mépris**.

■Faites apparaître **les étapes** que suit la **démonstration,** les arguments utilisés et les termes d'articulation qui expriment l'opposition.

VERS LE RÉSUMÉ

■En vous aidant du travail précédent, résumez ce texte au quart de sa longueur.

PARCOURS CULTUREL

■Recherchez dans un dictionnaire les découvertes techniques importantes qui ont été faites au XVIIIᵉ siècle. Choisissez-en deux et dites quels « bienfaits » elles ont pu apporter au « genre humain » (voir l. 26).

guides p. 39-151

L'ironie

Lorsque Marot fait le portrait de son valet dans les termes suivants ▷▷▷ *p. 37* :
Gourmand, ivrogne et assuré menteur,
Pipeur, larron, jureur, blasphémateur, [...]
Au demeurant le meilleur fils du monde,
il crée un effet d'opposition qui provoque le sourire du lecteur : la conclusion du portrait est bien éloignée de ce que l'on attendrait. De même, Voltaire parle du *merveilleux de cette entreprise infernale* et l'explique en disant que chaque chef *fait bénir ses drapeaux et invoque Dieu solennellement avant d'aller exterminer son prochain* ▷▷▷ *p. 222*. Il met alors en relief, avec une admiration apparente, un jeu d'oppositions soulignant la monstruosité de la guerre et ses pseudo-justifications religieuses. Dans les deux cas, on peut parler d'**ironie**. Celle-ci se définit comme **une manière de railler, de se moquer en disant le contraire de ce que l'on veut faire comprendre.** Cette définition conduit à s'interroger sur :
- les procédés sur lesquels repose l'ironie,
- ses fonctions et son efficacité.

▮ *Les procédés de l'ironie*

La contradiction entre ce qui est exprimé et ce qui est réellement le point de vue du locuteur ou du narrateur peut être le résultat de certains choix lexicaux ou syntaxiques.

▪ Les figures d'opposition
Les deux exemples ci-dessus sont construits sur des **antithèses***. Dans le premier (Marot), la série des adjectifs désignant des défauts de plus en plus graves est reprise par un superlatif de supériorité, *le meilleur,* qui semble démentir tout ce qui précède. Dans le second, *merveilleux* et *infernale* sont **antithétiques***. Il est difficile d'accepter l'idée qu'*exterminer son prochain* puisse être merveilleux et que faire référence à Dieu puisse être *infernal*. La phrase de Voltaire rapproche ainsi parmi quatre notions celles qui sont **antinomiques***. On peut voir ici un fonctionnement de l'ironie par regroupement de termes qui s'opposent : il faut comprendre que la guerre est horrible et qu'elle ne devrait jamais se faire au nom de Dieu.

▪ La tonalité
Les connotations sont importantes dans la création de l'ironie. Faire semblant d'admirer ce qui est inacceptable crée un **effet de décalage.** Insister sur la valeur lorsqu'on veut mettre en relief la sottise relève du même jeu sur les connotations valorisantes ou dévalorisantes. C'est ce que fait Fontenelle dans le récit de la dent d'or ▷▷▷ *p. 212*. Les noms latins des (faux) savants (*Rullandus, Ingolsteterus, Libavius*) et leurs titres (*savant, grand homme*) soulignent une connaissance, démentie par leur comportement.

▪ La fausse logique
On peut enfin citer **l'utilisation d'articulations logiques** ou chronologiques soulignant un raisonnement qui se veut cohérent sans l'être. Dans le texte de Fontenelle ▷▷▷ *p. 213*, l'affirmation : *Mais on commença par faire des livres, et puis on consulta l'orfèvre,* rappelle, avec un détachement ironique, qu'il aurait fallu faire l'inverse pour être rigoureux.

Dans tous les cas, on peut remarquer que les procédés concourent au même type d'effet : un décalage, une **distorsion** entre deux éléments. Il y a quelque chose de « grinçant » dans l'ironie, comme dans un mécanisme qui ne fonctionne pas bien. C'est de là que vient son efficacité.

▮ *Les fonctions de l'ironie*

Anomalie entre ce qui est dit et ce qu'il faut comprendre, l'ironie a plusieurs fonctions.

▪ La surprise
L'ironie déconcerte puisqu'elle semble s'opposer à la logique et à la cohérence. Elle bouscule les idées admises et conduit le lecteur à **s'interroger** au-delà de sa première réaction, qui est de rire ou de sourire. Ainsi, dans l'exemple de Marot, la question que peut se poser le lecteur est celle du jugement élogieux : pour Marot être un « mauvais garçon » n'empêche pas certaines qualités de cœur.

▪ La réflexion et la remise en cause
Par son apparente incohérence, l'ironie fait réfléchir, prendre conscience, s'interroger. Dans le texte de Voltaire, le lecteur est conduit à se poser des questions sur la beauté supposée de la guerre, d'une part, sur ses prétendues justifications religieuses, d'autre part ▷▷▷ *p. 221*.
On comprend, dans ces conditions, que l'ironie soit une arme efficace pour **critiquer** puisqu'elle permet la mise à jour d'anomalies et d'incohérences. Il faut cependant remarquer qu'elle peut être mal comprise. Celui qui dit le contraire de ce qu'il veut faire comprendre court le risque de voir ses propos pris au « pied de la lettre » : l'ironie ne peut fonctionner que dans une situation de communication où les interlocuteurs utilisent les mêmes codes culturels : celui qui considérerait que Voltaire fait l'éloge de la guerre commettrait un contresens grave.

2. Le renouveau des genres

Marivaux

Beaumarchais

Lesage

Diderot

Rousseau

Jean-Honoré Fragonard (1732-1806), *La Jeune liseuse*, 1776 (huile sur toile, 81 x 65 cm ; Washington, The National Gallery of Art).

Dans *Jacques le Fataliste,* Diderot met en question le pouvoir du narrateur, en soulignant les multiples possibilités qui s'offrent à lui de « faire du roman » : le lecteur ne sait plus très bien où il en est…

"Vous allez croire que cette petite armée[1] tombera sur Jacques et son maître, qu'il y aura une action sanglante, des coups de bâton donnés, des coups de pistolet tirés ; et il ne tiendrait qu'à moi que tout cela n'arrivât ; mais adieu la vérité de l'histoire,
5 *adieu le récit des amours de Jacques. Nos deux voyageurs n'étaient point suivis : j'ignore ce qui se passa dans l'auberge après leur départ. Ils continuèrent leur route, allant toujours sans savoir où ils allaient, quoiqu'ils sussent à peu près où ils voulaient aller ; trompant l'ennui et la fatigue par le silence et le bavardage, comme*
10 *c'est l'usage de ceux qui marchent, et quelquefois de ceux qui sont assis.*

Il est bien évident que je ne fais pas un roman, puisque je néglige ce qu'un romancier ne manquerait pas d'employer. Celui qui prendrait ce que j'écris pour la vérité, serait peut-être moins dans l'erreur
15 *que celui qui le prendrait pour une fable."*

1. Jacques et son maître font un voyage au cours duquel il leur arrive toutes sortes d'aventures, comme la rencontre avec des bandes armées.

L'évolution des mentalités et du goût entraîne la naissance ou le renouveau de genres littéraires qui correspondent mieux à la sensibilité du temps.

Le **roman** se développe en fonction d'un lectorat bourgeois ; le **théâtre** s'oriente vers de nouvelles directions. Le courant sensible conduit à la naissance de **l'écriture autobiographique**.

Des intérêts nouveaux

Le XVIIIᵉ siècle voit se développer une bourgeoisie cultivée qui, de plus en plus, prend part à la vie intellectuelle. C'est en particulier dans cette classe que se recrutent de nombreux philosophes. Les lieux de culture tendent ainsi à se modifier. Les salons, qui jouent un rôle important dans les débats d'idées, n'appartiennent pas tous à l'aristocratie : à ceux de Mesdames de Lambert ou de Tencin, s'ajoute celui de Madame Geoffrin. Par ailleurs, on discute beaucoup dans les clubs et dans les cafés. Le « Procope », le « Café de la Régence » sont comme les galeries du Palais-Royal, décor du *Neveu de Rameau,* des endroits où se retrouvent penseurs et philosophes, artistes et contestataires.

La bourgeoisie active constitue un lectorat intéressé par la vie et la représentation qui en est donnée au théâtre ou dans les romans : ces deux genres se font les miroirs d'une société où pragmatisme et concret l'emportent sur l'utopie et le rêve.

Le renouvellement du roman

Même s'il est encore considéré comme un genre secondaire, le roman s'oriente, au XVIIIᵉ siècle, vers la **peinture réaliste** d'une société qui a conscience de ses changements. Retraçant les aventures de *picaros*[1] à la mode espagnole, il rapporte les tentatives d'intégration et de réussite sociale de héros qui n'ont pas la chance de naître privilégiés. Les titres eux-mêmes sont révélateurs : il s'agit d' « aventures » (celles de Gil Blas ▷ ▷ ▷ *p. 233*), vécues par des « parvenus » (*Le Paysan parvenu,* de Marivaux). Le règne de l'argent, le pouvoir pris par les financiers persuadent que la réussite est possible si l'on est malin et débrouillard. Plusieurs romans dits d'éducation sont porteurs de ce message, que les personnages principaux soient des hommes ou des femmes (Marianne, chez Marivaux). En ce sens, le roman n'est pas à séparer d'un message moral : on lui reconnaît encore souvent une **valeur éducative**.

1. Le mot est défini p. 233.

Le renouvellement du théâtre

Le théâtre est un genre qui connaît un grand succès même si la condition des acteurs est toujours précaire : les Comédiens français et les Comédiens italiens contribuent largement à ce succès, faisant triompher la comédie. Les spectacles populaires du théâtre de la foire (des tréteaux en plein air et des farces pleines de jeux de mots et de « tartes à la crème… ») sont très appréciés du public, ce qui provoque la jalousie des autres troupes.

La tragédie n'est plus guère à la mode, hormis certains succès remportés par Voltaire. C'est la **comédie** qui plaît, bientôt doublée par le **drame bourgeois** inventé par Diderot. La première met en scène des bourgeois avides de réussite ou de bonheur. Les thèmes sont empruntés à la vie sociale : critique des financiers chez Lesage, analyse des sentiments chez Marivaux ▷ ▷ ▷ *p. 227,* qui développe des intrigues psychologiques complexes et s'intéresse à l'amour confronté aux conventions d'une société en évolution. Quelques années avant la Révolution, Beaumarchais fait de la comédie un instrument de critique des privilèges de la noblesse ▷ ▷ ▷ *p. 232*. Le drame s'intéresse, lui, aux problèmes professionnels et familiaux. Il répond, selon Diderot, à des principes moraux stricts et c'est probablement la raison de son échec.

L'autobiographie

L'aspect « philosophique » du XVIIIᵉ siècle se double d'un aspect sensible qui privilégie l'analyse des sentiments, des émotions, des états d'âme. Perceptible dans certains romans et dans le théâtre de Marivaux, ce courant trouve une expression privilégiée dans l'autobiographie et met en relief l'importance attachée à l'individu. L'œuvre de J.-J. Rousseau (*Les Confessions* ▷ ▷ ▷ *p. 240*) souligne l'intérêt porté à la vie intérieure, à la mémoire, aux années de formation dans la vie d'un être. Le retour à l'enfance et à l'adolescence, dans le cadre d'une analyse psychologique fouillée, constitue une nouveauté dont s'inspirera Chateaubriand. Le rapprochement des domaines de la morale et de la psychologie est également un élément novateur. La littérature du XVIIIᵉ siècle, que l'on pourrait parfois juger trop engagée et didactique*, s'enrichit ici de données qui annoncent le Romantisme par l'importance accordée au « moi », à la sensibilité, à la vie intérieure.

■ D'où vient *l'impression d'équilibre* qui émane du tableau *p. 225* ? Analysez la disposition générale, la répartition des masses de couleurs, la physionomie du personnage.

■ *Comparez* ce tableau avec celui de Monet *p. 287*. Qu'ont-ils en commun, de différent ?

Marivaux

1688-1763

Pierre Carlet de Chamblain de Marivaux est issu de la petite noblesse. Venu à Paris étudier le droit, il se lie avec Fontenelle ▷▷▷ *p. 212*, et entre en littérature aux côtés des « Modernes » ▷▷▷ *p. 211*. Mais sa carrière prend son véritable tournant avec la banqueroute du financier Law en 1720. Marivaux, ruiné, est obligé d'écrire pour vivre. Il redouble alors d'activité dans le journalisme, publie des romans, écrit pour le théâtre.

En 24 ans, il fait jouer près de 30 comédies par la troupe du Théâtre-Italien dont il aimait la souplesse et le jeu tout en finesse. Le théâtre de Marivaux exige en effet une grande subtilité : il a pour sujet les troubles mystérieux de l'amour, les masques et les pièges du sentiment, comme l'indiquent les titres de ses œuvres les plus célèbres : *La Surprise de l'amour, La Double Inconstance, Le Jeu de l'amour et du hasard, Les Fausses Confidences.*

Après deux romans, *La Vie de Marianne* et *Le Paysan parvenu,* Marivaux meurt en 1763 presque oublié. Mais ses pièces sont aujourd'hui parmi les plus jouées du théâtre français.

Portrait : Carle Van Loo (1705-1765), *Marivaux* (détail), (Paris, Collection de la Comédie-Française).

Les Fausses Confidences - 1737

« Oui ; il est timbré… »

Araminte, une jeune femme riche, est éprise de Dorante, un jeune homme ruiné qu'elle a pris à son service comme intendant. Mais l'amour-propre la retient d'admettre le sentiment qu'elle éprouve. Dorante aime aussi Araminte mais il craint d'être mal reçu. Son ancien valet Dubois se charge de plaider habilement sa cause et d'amener adroitement Araminte à reconnaître son penchant et à se déclarer.

DUBOIS

Son défaut[1], c'est là. *(Il se touche le front.)* C'est à la tête que le mal le tient.

ARAMINTE

À la tête ?

DUBOIS

Oui ; il est timbré mais timbré comme cent.

ARAMINTE

5 Dorante ! il m'a paru de très bon sens. Quelle preuve as-tu de sa folie ?

1. Dubois parle de Dorante.

DUBOIS

Quelle preuve ? Il y a six mois qu'il est tombé fou, qu'il en a la cervelle brûlée, qu'il est comme un perdu. Je dois bien le savoir, car j'étais à lui, je le servais ; et c'est ce qui m'a obligé de le quitter ; et c'est ce qui me force de m'en aller encore ; ôtez cela, c'est un homme incomparable.

ARAMINTE, *un peu boudant.*

10 Oh bien ! Il fera ce qu'il voudra, mais je ne le garderai pas. On a bien affaire d'un esprit renversé ; et, peut-être encore, je gage, pour quelque objet[2] qui n'en vaut pas la peine ; car les hommes ont des fantaisies !...

DUBOIS

Ah ! vous m'excuserez. Pour ce qui est de l'objet, il n'y a rien à dire. Malepeste ! sa folie est de bon goût.

ARAMINTE

15 N'importe ; je veux le congédier. Est-ce que tu la connais, cette personne ?

DUBOIS

J'ai l'honneur de la voir tous les jours ; c'est vous, Madame.

ARAMINTE

Moi, dis-tu ?

DUBOIS

Il vous adore ; il y a six mois qu'il n'en vit point, qu'il donnerait sa vie pour avoir le plaisir de vous contempler un instant. Vous avez dû voir
20 qu'il a l'air enchanté quand il vous parle.

ARAMINTE

Il y a bien en effet quelque petite chose qui m'a paru extraordinaire. Eh ! juste ciel ! le pauvre garçon, de quoi s'avise-t-il ?

DUBOIS

Vous ne croiriez pas jusqu'où va sa démence ; elle le ruine, elle lui coupe la gorge. Il est bien fait, d'une figure passable, bien élevé et de bonne
25 famille ; mais il n'est pas riche ; et vous saurez qu'il n'a tenu qu'à lui d'épouser des femmes qui l'étaient, et de fort aimables, ma foi, qui offraient de lui faire sa fortune, et qui auraient mérité qu'on la leur fît à elles-mêmes. Il y en a une qui n'en saurait revenir, et qui le poursuit encore tous les jours ; je le sais, car je l'ai rencontrée.

ARAMINTE, *avec négligence.*

30 Actuellement ?

DUBOIS

Oui, Madame, actuellement ; une grande brune très piquante, et qu'il fuit. Il n'y a pas moyen, Monsieur refuse tout. Je les tromperais, me disait-il ; je ne puis les aimer, mon cœur est parti. Ce qu'il disait quelquefois la larme à l'œil ; car il sent bien son tort.

ARAMINTE

35 Cela est fâcheux ; mais où m'a-t-il vue avant de venir chez moi, Dubois ?

DUBOIS

Hélas ! Madame, ce fut un jour que vous sortîtes de l'Opéra, qu'il perdit la raison. C'était un vendredi, je m'en ressouviens ; oui, un vendredi ; il vous vit descendre l'escalier, à ce qu'il me raconta, et vous suivit jusqu'à votre carrosse ; il avait demandé votre nom, et je le trouvai qui était comme
40 extasié ; il ne remuait plus.

2. désigne la femme aimée dans la langue classique.

228

Antoine Watteau (1684-1721),
La Boudeuse, 1718 (huile sur toile,
42 × 34 cm ; Leningrad, Musée
de l'Ermitage).

ARAMINTE

Quelle aventure !

DUBOIS

J'eus beau lui crier : Monsieur ! Point de nouvelles, il n'y avait
personne au logis³. À la fin, pourtant, il revint à lui avec un
air égaré ; je le jetai dans une voiture, et nous retournâmes
45 à la maison. J'espérais que cela se passerait, car je l'aimais ;
c'est le meilleur maître ! Point du tout, il n'y avait plus de
ressource. Ce bon sens, cet esprit jovial, cette humeur charmante, vous aviez tout expédié ; et dès le lendemain nous ne
fîmes plus tous deux, lui, que rêver à vous, que vous aimer ;
50 moi, d'épier depuis le matin jusqu'au soir où vous alliez.

ARAMINTE

Tu m'étonnes à un point !...

DUBOIS

Je me fis même ami d'un de vos gens⁴ qui n'y est plus, un
garçon fort exact, qui m'instruisait, et à qui je payais bouteille. C'est à
la Comédie qu'on va, me disait-il ; et je courais faire mon rapport, sur
55 lequel, dès quatre heures, mon homme était à la porte. C'est chez Madame
celle-ci, c'est chez Madame celle-là ; et, sur cet avis, nous allions toute
la soirée habiter la rue, ne vous déplaise, pour voir Madame entrer et sortir, lui dans un fiacre, et moi derrière, tous deux morfondus et gelés, car
c'était dans l'hiver ; lui ne s'en souciant guère, moi jurant par-ci, par-là
60 pour me soulager.

ARAMINTE

Est-il possible ?

DUBOIS

Oui, Madame. À la fin, ce train de vie m'ennuya ; ma santé s'altérait, la
sienne aussi. Je lui fis accroire que vous étiez à la campagne ; il le crut,
et j'eus quelque repos. Mais n'alla-t-il pas, deux jours après, vous ren-
65 contrer aux Tuileries, où il avait été s'attrister de votre absence ! Au retour,
il était furieux, il voulut me battre, tout bon qu'il est ; moi, je ne le voulus point, et je le quittai. Mon bonheur ensuite m'a mis chez Madame,
où, à force de se démener, je le trouve parvenu à votre intendance ; ce
qu'il ne troquerait pas contre la place de l'empereur.

Acte I, scène 14.

3. expression imagée : il avait
perdu la raison.
4. un de vos domestiques.

LECTURE MÉTHODIQUE

■ Par l'observation des pronoms personnels, des
adjectifs possessifs et des noms propres, définissez
la **situation de communication** mise en scène ici.

■ Comparez les répliques de Dubois et celles d'Araminte. À quel **type de texte** appartiennent celles de
Dubois, en majorité ? Est-ce fréquent au théâtre ?

■ En observant, entre autres, la ponctuation, analysez
la manière dont **s'articulent les répliques** des deux
personnages. Qu'en déduisez-vous concernant celui
des deux qui mène le dialogue et ses intentions ?

■ Quelle(s) **relation(s)** pouvez-vous établir entre le
contenu de cette scène et le **titre** de la pièce ?

PARCOURS CULTUREL

■ En vous reportant à d'autres textes présents dans
cet ouvrage, composez vous-même un groupement
de textes autour du thème : **maîtres et valets** dans
le théâtre du XVIIᵉ et du XVIIIᵉ siècle. Mettez en évidence
les éléments communs et la spécificité des situations
et des personnages.

guides p. 139-237-386

Beaumarchais

La vie de Beaumarchais est un étonnant roman. Fils d'un horloger, Pierre-Augustin Caron devient horloger du roi et se pousse à la Cour par ses relations et ses talents. Se succèdent alors des procès, un duel, un emprisonnement, des missions secrètes à l'étranger pour le service du roi. Il arme les Américains dans leur guerre d'Indépendance ; il dirige l'édition des œuvres complètes de Voltaire ; il fonde la Société des Auteurs dramatiques pour défendre les droits des écrivains.

1732-1799

Entre-temps, très intéressé par le théâtre, il s'est essayé dans le drame mais sans grand succès. La comédie au contraire lui réussit : *Le Barbier de Séville* en 1775 connaît un triomphe. *Le Mariage de Figaro,* plusieurs fois censuré, interdit au dernier moment, et finalement représenté en 1784, bénéficie de cette « publicité » et du climat de contestation qui l'entoure. C'est un grand succès.

Pendant la Révolution, Beaumarchais poursuit pour la République ses activités d'aventurier et de brasseur d'affaires. Mais, devenu suspect, il doit émigrer ; puis il revient en France où il meurt en 1799.

Portrait : Jean-Marc Nattier (1685-1766), *Beaumarchais* (détail), (Paris, collection de la Comédie-Française).

Le Barbier de Séville - 1775

« Je me presse de rire de tout… »

À Séville, le jeune comte Almaviva aime la belle Rosine mais celle-ci est surveillée par son tuteur, le vieux Bartholo. Avec l'aide de son valet Figaro, expert en ruses, en déguisements et en duperies, Almaviva épousera Rosine malgré la vigilance du ridicule tuteur, justifiant ainsi le sous-titre de la pièce : la précaution inutile. Dans l'extrait qui suit (Acte I, scène 2), le comte retrouve par hasard son ancien valet Figaro.

LE COMTE

Mais tu ne me dis pas ce qui t'a fait quitter Madrid.

FIGARO

C'est mon bon ange, Excellence, puisque je suis assez heureux pour retrouver mon ancien maître. Voyant à Madrid que la république des lettres était celle des loups, toujours armés les uns contre les autres, et que livrés
5 au mépris où ce risible acharnement les conduit, tous les insectes, les moustiques, les cousins, les critiques, les maringouins[1], les envieux, les feuillistes[2], les libraires[3], les censeurs, et tout ce qui s'attache à la peau des malheureux gens de lettres, achevaient de déchiqueter et de sucer le peu de substance qui leur restait ; fatigué d'écrire, ennuyé de moi,

1. gros moustiques.
2. journalistes. Le mot est péjoratif.
3. on dirait aujourd'hui les éditeurs.

Manuel de La Cruz (1750-1792), *La Place de la Cebada* (huile sur toile, 83 X 94 cm ; Madrid, Musée du Prado).

10 dégoûté des autres, abîmé de dettes et léger d'argent ; à la fin, convaincu
que l'utile revenu du rasoir est préférable aux vains honneurs de la plume,
j'ai quitté Madrid ; et, mon bagage en sautoir, parcourant philosophi-
quement les deux Castilles, la Manche, l'Estramadure, la Sierra Morena,
l'Andalousie[4], accueilli dans une ville, emprisonné dans l'autre, et par-
15 tout supérieur aux événements ; loué par ceux-ci, blâmé par ceux-là, aidant
au bon temps, supportant le mauvais, me moquant des sots, bravant les
méchants, riant de ma misère et faisant la barbe à tout le monde, vous
me voyez enfin établi dans Séville, et prêt de nouveau à servir Votre Excellence en tout ce qu'il lui plaira m'ordonner.

LE COMTE

20 Qui t'a donné une philosophie aussi gaie ?

FIGARO

L'habitude du malheur. Je me presse de rire de tout, de peur d'être obligé
d'en pleurer.

Acte I, scène 2.

4. provinces d'Espagne.

LECTURE MÉTHODIQUE

■ Par l'observation des temps verbaux, des indicateurs
de temps et de lieux, caractérisez ce **type de texte**.
Comment peut-il se justifier à l'endroit où il se trouve
dans la pièce ?

■ Sur quel procédé cette **tirade** est-elle construite ?
Quels sont les effets produits ? Quelles déductions le
lecteur (ou le spectateur) peut-il tirer de cette tirade
concernant la vie passée de Figaro et son caractère ?

■ Le texte est-il seulement **informatif ?** Déterminez
un autre objectif en tenant compte des connotations
et du lexique utilisés.

ÉCRITURE

■ *Je me presse de rire de tout, de peur d'être obligé
d'en pleurer.* Pourquoi rit-on de situations graves,
voire tragiques ? Vous répondrez à cette question dans
un développement argumenté, illustré d'exemples
précis tirés de vos lectures mais aussi d'autres
domaines (cinéma, spectacles, arts graphiques, etc.).

PARCOURS CULTUREL

■ En rapprochant les textes ▷▷▷ *p. 138, 153, 156, 163, 282,
284, 359...*, exposez de manière organisée les caractéristiques et les fonctions d'une tirade de théâtre.

guides p. 78-237-418

Francisco de Goya (1746-1828), *Le Pantin*, 1791/1792 (267 X 160 cm ; Madrid, Musée du Prado).

Le Mariage de Figaro - 1784

« Vous vous êtes donné la peine de naître, et rien de plus »

Figaro, au service du comte Almaviva, va épouser Suzanne, femme de chambre de la comtesse. Mais le comte est bien décidé à tromper sa femme avec la jeune fiancée. Figaro, Suzanne et sa maîtresse s'unissent pour déjouer les projets du comte.
De multiples péripéties conduisent à un complot organisé par les deux femmes et destiné à démasquer l'infidèle. Mais Figaro n'est pas au courant ; il croit que Suzanne a rendez-vous avec le comte, la nuit dans le parc. Il cherche à les surprendre.

FIGARO, *seul, se promenant dans l'obscurité, dit du ton le plus sombre :*

O femme ! femme ! femme ! créature faible et décevante !... nul animal créé ne peut manquer à son instinct ; le tien est-il donc de tromper ?... Après m'avoir obstinément refusé quand je l'en pressais devant sa maîtresse ; à l'instant qu'elle[1] me donne sa parole, au milieu

5 même de la cérémonie[2]... Il riait en lisant, le perfide ! et moi comme un benêt[3] !... non, Monsieur le Comte, vous ne l'aurez pas... vous ne l'aurez pas. Parce que vous êtes un grand seigneur, vous vous croyez un grand génie !... noblesse, fortune, un rang, des places ; tout cela rend si fier ! Qu'avez-vous fait pour tant de biens ! vous vous êtes donné la peine de

10 naître, et rien de plus. Du reste homme assez ordinaire ! tandis que moi, morbleu ! perdu dans la foule obscure, il m'a fallu déployer plus de science et de calculs pour subsister seulement, qu'on n'en a mis depuis cent ans à gouverner toutes les Espagnes ; et vous voulez jouter[4]... On vient... c'est elle... ce n'est personne. - La nuit est noire en diable, et me

15 voilà faisant le sot métier de mari, quoique je ne le sois qu'à moitié ! *(Il s'assied sur un banc.)* Est-il rien de plus bizarre que ma destinée ! fils de je ne sais pas qui ; volé par des bandits, élevé dans leurs mœurs, je m'en dégoûte et veux courir une carrière honnête ; et partout je suis repoussé ! J'apprends la chimie, la pharmacie, la chirurgie, et tout le crédit d'un

20 grand seigneur peut à peine me mettre à la main une lancette[5] vétérinaire !

Acte V, scène 3 (extrait).

1. à l'instant où elle...
2. la cérémonie du mariage.
3. un sot, un nigaud.
4. rivaliser dans une lutte.
5. instrument de chirurgie pour pratiquer la saignée.

LECTURE MÉTHODIQUE

■ Observez la ponctuation, les didascalies, le jeu des pronoms, le rythme des phrases. Déduisez de cette étude **les différentes tonalités** du monologue, ses ruptures et les sentiments qui animent le personnage.

■ Dégagez la **critique de la société** contenue dans ce texte. Quelles sont les cibles visées ? Quelles sont les revendications exprimées ? Sont-elles audacieuses ? ou plutôt atténuées ?

■ En tenant compte des réponses déjà trouvées et des didascalies, déterminez les caractéristiques et les fonctions d'un **monologue de théâtre**.

ÉTUDE COMPARÉE

■ En rapprochant ce monologue de la tirade du *Barbier de Séville* ▷▷▷ *p. 230*, comparez les relations entre Figaro et le comte.

guides p. 174-224-276

Lesage

Né en Bretagne, d'un père notaire, Alain-René Lesage étudie le droit à Paris. Avocat sans fortune, il tente sa chance en traduisant des œuvres espagnoles. Puis il affirme progressivement son originalité avec un roman, *Le Diable boiteux,* une satire sociale qui obtient un grand succès, et *Turcaret,* une comédie dans la tradition de Molière, qui présente un tableau impitoyable des milieux d'argent. Pour le Théâtre de la Foire[1], il écrit une centaine de pièces qui l'aideront à vivre. Et pendant vingt ans, son *Histoire de Gil Blas de Santillane,* avec ses douze livres, offre à des lecteurs avides de romans les aventures mouvementées d'un héros qui cherche à réussir. Lesage meurt en 1747.

1668-1747

Portrait : *Alain-René Lesage* (gravure du XVIIIᵉ siècle).

Histoire de Gil Blas
1715-1724-1735

« De la naissance de Gil Blas,
et de son éducation[2] »

Gil Blas est inspiré des romans picaresques espagnols. On appelle ainsi les romans racontant les aventures d'un picaro, un jeune garçon sans fortune, qui cherche à s'élever par de bonnes ou de mauvaises actions. Les multiples péripéties de la vie de Gil Blas lui permettent une chaotique ascension sociale. Devenu vieux, il raconte sa vie en tirant la leçon de ses expériences. Voici le début de ce récit.

Blas de Santillane, mon père, après avoir longtemps porté les armes pour le service de la monarchie espagnole, se retira dans la ville où il avait pris naissance. Il y épousa une petite bourgeoise qui n'était plus dans sa première jeunesse, et je vins au monde dix mois après leur
5 mariage. Ils allèrent ensuite demeurer à Oviédo[3], où ma mère se mit femme de chambre, et mon père écuyer[4]. Comme ils n'avaient pour tout bien que leurs gages, j'aurais couru risque d'être assez mal élevé, si je n'eusse pas eu dans la ville un oncle chanoine. Il se nommait Gil Perez. Il était frère aîné de ma mère et mon parrain. Représentez-vous un petit homme
10 haut de trois pieds et demi, extraordinairement gros, avec une tête enfoncée entre les deux épaules : voilà mon oncle. Au reste, c'était un ecclésiastique qui ne songeait qu'à bien vivre, c'est-à-dire qu'à faire bonne chère ; et sa prébende[5], qui n'était pas mauvaise, lui en fournissait les moyens.

1. Il s'agit à l'origine de spectacles souvent satiriques que les bateleurs donnaient à l'occasion des Foires de printemps et d'automne à Paris. Leur succès grandissant leur a permis de rivaliser avec les troupes officielles.
2. titre du chapitre.
3. ville des Asturies, au nord-ouest de l'Espagne.
4. ici : serviteur d'une personne de qualité.
5. revenu ecclésiastique.

233

José del Castillo (1737-1793), *Le Marchand d'éventails*, 1786 (huile sur toile, 105 × 148 cm ; Madrid, Musée du Prado).

Il me prit chez lui dès mon enfance, et se chargea de mon éducation.
15 Je lui parus si éveillé, qu'il résolut de cultiver mon esprit. Il m'acheta
un alphabet, et entreprit de m'apprendre lui-même à lire ; ce qui ne lui
fut pas moins utile qu'à moi ; car, en me faisant connaître mes lettres, il
se remit à la lecture, qu'il avait toujours fort négligée, et, à force de s'y
appliquer, il parvint à lire couramment son bréviaire, ce qu'il n'avait jamais
20 fait auparavant. Il aurait encore bien voulu m'enseigner la langue latine ;
c'eût été autant d'argent épargné pour lui ; mais, hélas ! le pauvre Gil
Perez ! il n'en avait de sa vie su les premiers principes ; c'était peut-être
(car je n'avance pas cela comme un fait certain) le chanoine du chapitre[6]
le plus ignorant.

6. communauté de chanoines.

Livre I, chapitre 1.

LECTURE MÉTHODIQUE

■ Observez les pronoms et le système de l'énonciation. Dites **qui raconte** et quelle est la **place du lecteur** dans cette narration.

■ Par l'observation des champs lexicaux, dites en quoi ce passage correspond au **titre** du chapitre. Comment faut-il comprendre le mot « **naissance** » ?

■ À quels indices le lecteur peut-il percevoir que le récit est fait à une époque ultérieure ? Utilisez pour répondre à cette question les temps verbaux et la **tonalité** - que vous préciserez - du **portrait du chanoine**.

■ Quels sont les **éléments critiques** du texte ? Sur quoi portent-ils ?

guides p. 39-369-418

Denis Diderot

1713-1784

Fils d'un coutelier de Langres, Diderot est destiné à la prêtrise, mais il quitte tout pour poursuivre des études à Paris, où il mène une vie de bohème. Il se lie avec Rousseau et commence à développer ses propres réflexions philosophiques. Un de ses ouvrages, marqué par le matérialisme, lui vaut d'être emprisonné en 1749.

Les curiosités de Diderot sont multiples. Il écrit des romans, se passionne pour le théâtre, devient critique d'art, publie des ouvrages de philosophie et de science. Partout il fait preuve d'une pensée originale. Son enthousiasme, son intelligence, son imagination, le poussent vers des domaines inexplorés. L'immense entreprise de l'*Encyclopédie* qu'il dirige pendant vingt ans, au prix de nombreuses difficultés, est à sa démesure. Il rédigea lui-même près de mille articles.

Invité en 1773 par la tsarine Catherine II de Russie, il demeure cinq mois à Saint-Pétersbourg. Il meurt à Paris à l'âge de 71 ans.

Portrait : Louis-Michel Van Loo (1707-1771), *Denis Diderot* (détail), (huile sur toile, 81 X 65 cm ; Paris, Musée du Louvre).

Jacques le Fataliste - 1778

« D'où venaient-ils ?... Où allaient-ils ?... »

Jacques le Fataliste se présente comme un dialogue entre un valet et son maître. Mais ce dialogue est continuellement entrecoupé par des péripéties, des digressions et d'autres récits emboîtés. Ce roman a pour intérêt de développer une réflexion sur le déterminisme et la liberté, Jacques étant persuadé que « tout est écrit là-haut ».

Comment s'étaient-ils rencontrés ? Par hasard, comme tout le monde. Comment s'appelaient-ils ? Que vous importe ? D'où venaient-ils ? Du lieu le plus prochain. Où allaient-ils ? Est-ce que l'on sait où l'on va ? Que disaient-ils ? Le maître ne disait rien ; et Jacques disait que son
5 capitaine disait que tout ce qui nous arrive de bien et de mal ici-bas était écrit là-haut.

LE MAÎTRE
C'est un grand mot que cela.

JACQUES
Mon capitaine ajoutait que chaque balle qui partait d'un fusil avait son billet[1].

LE MAÎTRE
10 Et il avait raison...
Après une courte pause, Jacques s'écria : Que le diable emporte le cabaretier et son cabaret !

1. elle a son destinataire et arrive à destination.

LE MAÎTRE

Pourquoi donner au diable son prochain ? Cela n'est pas chrétien.

JACQUES

C'est que, tandis que je m'enivre de son mauvais vin, j'oublie de mener
15 nos chevaux à l'abreuvoir. Mon père s'en aperçoit ; il se fâche. Je hoche
de la tête ; il prend un bâton et m'en frotte un peu durement les épaules.
Un régiment passait pour aller au camp devant Fontenoy ; de dépit je
m'enrôle. Nous arrivons ; la bataille[2] se donne.

LE MAÎTRE

Et tu reçois la balle à ton adresse.

JACQUES

20 Vous l'avez deviné ; un coup de feu au genou ; et Dieu sait les bonnes et
mauvaises aventures amenées par ce coup de feu. Elles se tiennent ni plus
ni moins que les chaînons d'une gourmette. Sans ce coup de feu, par
exemple, je crois que je n'aurais été amoureux de ma vie, ni boiteux.

LE MAÎTRE

Tu as donc été amoureux ?

JACQUES

25 Si je l'ai été !

LE MAÎTRE

Et cela par un coup de feu ?

JACQUES

Par un coup de feu.

LE MAÎTRE

Tu ne m'en as jamais dit un mot.

JACQUES

Je le crois bien.

LE MAÎTRE

30 Et pourquoi cela ?

JACQUES

C'est que cela ne pouvait être dit ni plus tôt ni plus tard.

LE MAÎTRE

Et le moment d'apprendre ces amours est-il venu ?

JACQUES

Qui le sait ?

LE MAÎTRE

À tout hasard, commence toujours...

35 Jacques commença l'histoire de ses amours.

Antonio Carnicero (1748-1814),
*Ascension d'un globe Montgolfier à
Madrid, le 12 août 1792* (détail)
(Madrid, Musée du Prado).

2. la bataille de Fontenoy eut
lieu en 1745 au cours de
la guerre de Succession
d'Autriche.

LECTURE MÉTHODIQUE

■ Par l'observation de la disposition typographique,
dites à quels **genres littéraires** semble se rattacher
ce passage. Quel effet résulte de cette disposition ?

■ Qui pose les questions des lignes 1 à 6 ? Qui y
répond ? Qu'a d'**original** ce début ?

■ Dites **combien il y a ici d'histoires,** de **narrateurs.**
Représentez cette structure par un schéma.

■ Par l'observation des champs lexicaux, dites quelles
sont les relations entre ce **début de roman** et son **titre.**

ÉCRITURE

■ Un romancier peut-il faire tout ce qu'il veut de ses
personnages ? En une réflexion argumentée, vous
vous demanderez quelles sont les limites qui s'opposent à sa **liberté de création.**

guides p. 39-237-369-386

Le texte narratif

On parle de **narration** lorsqu'un texte fait le **récit** d'événements, réels ou fictifs, qui impliquent des faits, des personnages, des lieux, un déroulement, et un narrateur.

■ Identifier un texte narratif

On reconnaît un texte narratif au fait qu'il rapporte, par la voix d'un narrateur, une histoire inscrite dans un contexte spatio-temporel, comprenant un état **initial** et un état **final.**

■ Histoire et narration

Un texte narratif est le produit de deux éléments : l'**histoire** (ce qui est raconté) et la **narration** (la façon dont l'histoire est racontée). On peut facilement comprendre cette différence si l'on pense à une expérience fréquente : entendre raconter la même histoire de plusieurs façons différentes.

■ L'importance du temps et du lieu

Les événements d'un récit sont inscrits dans le temps et se déroulent dans un ou des lieux. Cette caractéristique détermine la présence, dans un texte narratif, d'**indicateurs de temps** et de **lieux** ainsi que des variations de **temps verbaux.** Leur variation marque une évolution et assure le passage d'un état initial (la situation du début) à un état final (le point d'aboutissement).

■ La présence d'un narrateur

Le récit passe par la voix d'un narrateur qui raconte l'histoire. Il faut le distinguer de l'auteur qui est celui qui signe le livre. La présence du narrateur est plus ou moins visible dans le texte.

■ Analyser un texte narratif

Lire méthodiquement une narration implique d'être attentif aux points suivants :

■ La succession des faits

On attendit encore. Les invités partirent ; seuls, les parents les plus proches demeuraient. À minuit, on coucha la mariée toute secouée de sanglots.
Maupassant, *p. 328.*
On observe ici une chronologie et des actions effectuées par chacun des personnages.

■ L'ordre de présentation des faits

- Une histoire n'est pas toujours rapportée dans son déroulement chronologique. La narration peut perturber l'ordre de succession des faits en intercalant des « retours en arrière ». Par exemple au début de cette nouvelle ▷ ▷ ▷ *p. 325 :*
Après avoir longtemps juré qu'il ne se marierait jamais, Jacques Bourdillère avait soudain changé d'avis. Cela était arrivé brusquement, un été, aux bains de mer.

Un matin, comme il était étendu sur le sable, tout occupé à regarder les femmes sortir de l'eau [...].
- Le paragraphe qui suit raconte la scène de la rencontre qui a eu lieu un an auparavant.

■ **La vitesse du récit :** Une longue période peut être racontée en quelques mots : *Cela dura des semaines, des mois* ▷ ▷ ▷ Cendrars, *p. 389.* Ou bien des « blancs » dans le récit peuvent laisser passer des années sans les raconter. Ce sont des **ellipses.** Dans le cours d'une narration, une **scène** raconte l'enchaînement des faits comme s'ils se déroulaient sous nos yeux.

■ **Les temps verbaux :** Dans un récit au passé, le passé simple sert pour le récit des scènes, pour mettre au premier plan certains événements ; l'imparfait sert à assurer l'arrière-plan. Le présent permet d'actualiser des faits passés, en produisant un effet de simultanéité entre l'histoire et la narration ▷ ▷ ▷ *p. 365* (fin du texte). L'emploi, plus rare, du passé composé traduit la juxtaposition des actions sans relation de cause à effet (d'où l'impression d'« absurde » de *L'Étranger* ▷ ▷ ▷ *p. 412*).

■ **Les indices de la présence du narrateur :** Différents cas se présentent.
- **On identifie facilement le narrateur** car il est un des personnages de l'histoire qu'il raconte (Céline ▷ ▷ ▷ *p. 393*). Le récit est alors mené à la 1re personne. (Dans une autobiographie, le narrateur se confond avec l'auteur ▷ ▷ ▷ *p. 256.*)
- **Le narrateur n'existe pas comme personnage,** mais il manifeste sa présence par des signes : des interventions ou des adresses au lecteur ▷ ▷ ▷ *p. 197* ; des modalisateurs *(sans doute, certainement),* ou des termes qui expriment son sentiment *(Puis* (il) *étudiait quelque méchante demie heure,* ▷ ▷ ▷ *p. 43).*
- **On peut difficilement identifier le narrateur** car l'histoire semble « s'écrire toute seule ». C'est le cas de nombreux récits à la 3e personne, principalement les romans du XIXe siècle, ▷ ▷ ▷ *p. 320* et *p. 335.* La narration adopte différentes perspectives, selon les différents modes de focalisation ▷ ▷ ▷ *p. 238.*

■ Les genres narratifs

Ce sont : le roman, la nouvelle, le conte, la fable. Mais des passages narratifs peuvent se rencontrer dans d'autres genres : au théâtre, lorsqu'un personnage raconte ce qui lui est arrivé ou est arrivé à quelqu'un d'autre.
On trouve aussi des passages narratifs dans les textes argumentatifs.

La focalisation

On appelle « focalisation » la position qu'occupe un narrateur pour conduire son récit. Pour rappeler l'origine scientifique du verbe « focaliser », on peut dire aussi que la focalisation est l'**optique** suivant laquelle les éléments d'un récit sont portés à la connaissance du lecteur. On parle aussi de **points de vue** narratifs, par exemple celui du narrateur ou celui d'un personnage. Il importe de savoir les repérer pour mieux comprendre les textes narratifs.

■ *Les différents modes de focalisation*

■ **La focalisation** (ou le point de vue) **externe.** Les événements semblent se dérouler devant l'objectif d'une caméra qui se contenterait de les enregistrer.

Vers la fin du mois d'octobre dernier, un jeune homme entra dans le Palais-Royal au moment où les maisons de jeu s'ouvraient, conformément à la loi qui protège une passion essentiellement imposable. Sans trop hésiter, il monta l'escalier du tripot désigné sous le nom de numéro 36.

Balzac ▷▷▷ *p. 290.*

Le lecteur se trouve devant des faits bruts, non accompagnés de jugements ; il n'a pas accès à la pensée du personnage. L'article indéfini « *un* jeune homme » ne permet pas de connaître son identité.

■ **La focalisation** (ou le point de vue) **interne.** Le lecteur a l'impression de percevoir et de juger les choses et les êtres à travers le regard d'un personnage, à travers sa conscience, suivant ses pensées.

Enfin, en prêtant l'oreille, Meaulnes crut entendre comme un chant, comme des voix d'enfants et de jeunes filles, là-bas...

Alain-Fournier ▷▷▷ *p. 364.*

Le lecteur partage l'incertitude du personnage dans sa découverte du château. Il ne sait pas plus que lui ce qui en est. On repère la focalisation interne à la présence de **verbes de perception** (*voir, entendre*) ou de jugement (*croire, penser, se dire*).

■ **La focalisation zéro.** C'est l'absence de focalisation. La perception n'est plus limitée. On appelle aussi ce mode de focalisation le **point de vue omniscient,** car la réalité est décrite par un narrateur qui voit tout et sait tout (causes, suites des événements, passé, avenir, pensées des personnages).

Quand tout fut vendu, il resta douze francs soixante et quinze centimes qui servirent à payer le voyage de Mlle Bovary chez sa grand-mère. La bonne femme mourut dans l'année même ; le père Rouault étant paralysé, ce fut une tante qui s'en chargea. [...] Depuis la mort de Bovary, trois médecins se sont succédé à Yonville sans pouvoir y réussir tant M. Homais les a tout de suite battus en brèche. Il fait une clientèle d'enfer ; l'autorité le ménage et l'opinion publique le protège.

Il vient de recevoir la croix d'honneur.

Flaubert ▷▷▷ *p. 321.*

Le lecteur apprend tout de la destinée de chacun des personnages, partage le regard ironique du narrateur sur l'un d'eux : Homais.

■ *Les effets produits*

Le mode de focalisation influe sur la narration que lit le lecteur. Il en résulte des effets différents pour le sens et les enjeux du texte.

■ **La focalisation externe.** L'effet produit est une sorte de neutralité, d'objectivité∗, d'absence d'émotion. La narration n'oriente pas les réactions du lecteur. Cette modalité est assez rare.

■ **La focalisation interne.** En exprimant des perceptions et des émotions à travers la sensibilité et la subjectivité∗ d'un personnage, ce point de vue narratif permet au lecteur de mieux cerner la psychologie du personnage et de mieux le comprendre de l'intérieur.

On annonça le dîner. Julien, déjà fort mal disposé, vint à penser que, de l'autre côté du mur de la salle à manger, se trouvaient de pauvres détenus, sur la portion de viande desquels on avait peut-être grivelé pour acheter tout ce luxe de mauvais goût dont on voulait l'étourdir.

Stendhal ▷▷▷ *p. 288.*

La focalisation interne crée, entre le lecteur et Julien, une complicité favorisant le phénomène d'identification et le partage des émotions.

■ **La focalisation zéro.** L'absence de limitation permet une vision globale, une connaissance « polyphonique » de toutes les données de l'intrigue ou de la situation évoquée. Il donne au lecteur l'impression de dominer le récit, d'avoir les tenants et les aboutissants d'une situation, les clés d'un caractère. Ce point de vue « omniscient » garantit au lecteur le plus grand nombre d'informations : il est particulièrement efficace dans les romans de type historique ou social comme ceux de Balzac ou de Zola.

J.-J. Rousseau

En désaccord avec son temps, en lutte contre ses contemporains, Jean-Jacques Rousseau, avec ses conflits et sa marginalité, s'est forgé une philosophie, une pensée politique et une écriture qui exerceront après lui une très profonde influence.

Une jeunesse instable

1712-1778

Né dans la République protestante de Genève, Rousseau perd sa mère à sa naissance et vit une jeunesse perturbée. Mis en apprentissage, il s'enfuit de Genève à 16 ans et commence à vagabonder. Protégé par Mme de Warens, qui devient sa maîtresse, il étudie, travaille, se passionne pour la musique.

Il s'emploie ensuite comme précepteur, puis comme secrétaire d'ambassadeur. Mais ces postes où on ne reconnaît pas ses mérites augmentent sa rancœur contre une société inégalitaire où il ne trouve pas sa place. La vie pauvre qu'il mène à Paris avec une servante d'auberge dont il aura cinq enfants affirme sa volonté d'appartenir au peuple. Mais ses ambitions sont grandes.

Les luttes et les succès

À trente ans, Rousseau est tenté par la vie mondaine et la réussite. Il se fait connaître par sa musique et rédige des articles pour l'*Encyclopédie*. Son amitié avec les philosophes, en particulier Diderot, l'encourage en 1750 à écrire le *Discours sur les sciences et les arts,* une critique audacieuse de la civilisation. Il accentue sa position originale en 1755 avec le *Discours sur l'origine de l'inégalité* qui contient une condamnation de la propriété, du luxe et du progrès et un éloge de l'état de nature et de l'homme primitif. Ces idées lui valent le succès mais aussi l'hostilité de Voltaire qui attise la brouille avec ses amis.

L'activité de Rousseau s'intensifie alors : il publie en 1761 un roman d'amour par lettres, *La Nouvelle Héloïse,* qui influencera les Romantiques ; il rédige un traité d'éducation aux conceptions novatrices, l'*Émile ;* il écrit en 1762 *Le Contrat social,* une œuvre essentielle dans la formation des hommes de 1789.

Mais condamné pour ses idées tant à Paris qu'à Genève, abandonné par les philosophes, Rousseau s'isole.

Le persécuté

Souffrant d'une humeur inquiète et farouche, jugé indésirable là où il s'installe et se brouillant avec ceux qui l'accueillent, Rousseau est obsédé par les persécutions et le complot dont il se croit victime. Pour se justifier et se défendre, il écrit le récit de sa vie dans *Les Confessions* de 1765 à 1770 et se réfugie dans le plaisir de l'écriture intime avec *Les Rêveries du promeneur solitaire.*

Il meurt à Ermenonville le 2 juillet 1778. En 1794, ses cendres sont transférées au Panthéon par les Révolutionnaires qui lui devaient tant.

Portrait : *Jean-Jacques Rousseau* (détail), XVIIIe siècle (huile sur toile, Versailles, Musée National du Château).

Les Confessions - 1765-1770

« Et cet homme, ce sera moi »

Rousseau qui se croyait persécuté et victime de calomnies, et que l'on attaquait en effet dans sa vie privée, écrivit Les Confessions *pour se justifier. Son arme, disait-il, serait la vérité. Dans cette autobiographie, il prétend donner « le seul portrait d'homme peint exactement d'après nature et dans toute sa vérité ».*

Je forme une entreprise qui n'eut jamais d'exemple et dont l'exécution n'aura point d'imitateur. Je veux montrer à mes semblables un homme dans toute la vérité de la nature ; et cet homme, ce sera moi.

Moi seul. Je sens mon cœur, et je connais les hommes. Je ne suis fait
5 comme aucun de ceux que j'ai vus ; j'ose croire n'être fait comme aucun de ceux qui existent. Si je ne vaux pas mieux, au moins je suis autre. Si la nature a bien ou mal fait de briser le moule dans lequel elle m'a jeté, c'est ce dont on ne peut juger qu'après m'avoir lu.

Que la trompette du jugement dernier sonne quand elle voudra ; je
10 viendrai, ce livre à la main, me présenter devant le souverain juge[1]. Je dirai hautement : Voilà ce que j'ai fait, ce que j'ai pensé, ce que je fus. J'ai dit le bien et le mal avec la même franchise. Je n'ai rien tu de mauvais, rien ajouté de bon ; et s'il m'est arrivé d'employer quelque ornement indifférent[2], ce n'a jamais été que pour remplir un vide occasionné
15 par mon défaut de mémoire. J'ai pu supposer vrai ce que je savais avoir pu l'être, jamais ce que je savais être faux. Je me suis montré tel que je fus ; méprisable et vil quand je l'ai été, bon, généreux, sublime, quand je l'ai été : j'ai dévoilé mon intérieur tel que tu l'as vu toi-même, Être éternel. Rassemble autour de moi l'innombrable foule de mes semblables ;
20 qu'ils écoutent mes confessions, qu'ils rougissent de mes indignités, qu'ils gémissent de mes misères. Que chacun d'eux découvre à son tour son cœur au pied de ton trône avec la même sincérité ; et puis qu'un seul te dise, s'il l'ose : « Je fus meilleur que cet homme-là. »

Livre I.

1. Dieu.
2. sans importance.

LECTURE MÉTHODIQUE

■ Par l'observation des pronoms personnels et des adjectifs possessifs, dites qui parle, de qui il s'agit, à qui s'adresse le narrateur au début du texte, puis à partir de la ligne 11. Le titre de l'œuvre permet-il d'en définir à coup sûr le **genre** ?

■ Repérez tous les éléments lexicaux ou grammaticaux qui révèlent l'idée d'une **comparaison** : entre qui et qui ? à quel sujet ? au bénéfice de qui ?

■ Quelles **intentions** Rousseau annonce-t-il au début des *Confessions* ? Quelles difficultés craint-il de rencontrer ? À partir de ces réponses, récapitulez les caractéristiques, les enjeux et les écueils du **genre autobiographique**.

PARCOURS CULTUREL

■ Recherchez le champ sémantique du mot **confession**. Quel(s) sens vous semble(nt) le mieux convenir à l'entreprise de Rousseau telle que la présente le préambule des *Confessions* ?

■ Recherchez dans cet ouvrage d'autres textes dans lesquels un écrivain annonce son projet de parler de lui-même dans une œuvre autobiographique. Comparez le projet, le contenu, la tonalité.

guides p. 257-369-386

« Ce ruban seul me tenta, je le volai… »

Dans le récit de sa vie, Rousseau donne une importance exceptionnelle aux scènes de l'enfance. Ici il raconte un épisode qui a eu lieu alors qu'il avait seize ans.

Jean-Baptiste Greuze (1725-1805), *Jeune fille debout,* étude pour *L'Accordée de village* (crayon, 51,5 × 32,5 cm ; Châlon-sur-Saône, Musée Denon).

Il est bien difficile que la dissolution d'un ménage n'entraîne un peu de confusion dans la maison[1], et qu'il ne s'égare bien des choses. Cependant, telle était la fidélité des domestiques et la vigilance de M. et Mme Lorenzy[2], que rien ne se trouva de manque sur l'inventaire. La
5 seule Mlle Pontal[3] perdit un petit ruban couleur de rose et argent, déjà vieux. Beaucoup d'autres meilleures choses étaient à ma portée ; ce ruban seul me tenta, je le volai, et comme je ne le cachais guère on me le trouva bientôt. On voulut savoir où je l'avais pris. Je me trouble, je balbutie, et enfin je dis, en rougissant, que c'est Marion qui me l'a donné. Marion
10 était une jeune Mauriennoise[4] dont Mme de Vercellis avait fait sa cuisinière, quand, cessant de donner à manger, elle avait renvoyé la sienne, ayant plus de besoin de bons bouillons que de ragoûts fins. Non seulement Marion était jolie, mais elle avait une fraîcheur de coloris qu'on ne trouve que dans les montagnes, et surtout un air de modestie et de dou-
15 ceur qui faisait qu'on ne pouvait la voir sans l'aimer. D'ailleurs bonne fille, sage, et d'une fidélité à toute épreuve. C'est ce qui surprit quand je la nommai. L'on n'avait guère moins de confiance en moi qu'en elle, et l'on jugea qu'il importait de vérifier lequel était le fripon des deux. On la fit venir ; l'assemblée était nombreuse, le comte de La Roque[5] y
20 était. Elle arrive, on lui montre le ruban, je la charge[6] effrontément ; elle reste interdite, se tait, me jette un regard qui aurait désarmé les démons et auquel mon barbare cœur résiste. Elle nie enfin avec assurance, mais sans emportement, m'apostrophe, m'exhorte à rentrer en moi-même, à ne pas déshonorer une fille innocente qui ne m'a jamais fait de mal ; et
25 moi, avec une impudence infernale, je confirme ma déclaration, et lui soutiens en face qu'elle m'a donné le ruban. La pauvre fille se mit à pleurer, et ne me dit que ces mots : « Ah ! Rousseau, je vous croyais un bon caractère. Vous me rendez bien malheureuse, mais je ne voudrais pas être à votre place. » Voilà tout. Elle continua de se défendre avec autant de
30 simplicité que de fermeté, mais sans se permettre jamais contre moi la moindre invective. Cette modération, comparée à mon ton décidé, lui fit tort. Il ne semblait pas naturel de supposer d'un côté une audace aussi diabolique, et de l'autre une aussi angélique douceur. On ne parut pas se décider absolument, mais les préjugés étaient pour moi. Dans le tra-
35 cas où l'on était, on ne se donna pas le temps d'approfondir la chose ; et le comte de La Roque, en nous renvoyant tous deux, se contenta de dire que la conscience du coupable vengerait assez l'innocent. Sa prédiction n'a pas été vaine ; elle ne cesse pas un seul jour de s'accomplir.

Livre II.

1. Mme de Vercellis, chez qui Rousseau est employé comme laquais vient de mourir.
2. l'intendant de Mme de Vercellis et sa femme.
3. femme de chambre.
4. de la région de Maurienne en Savoie.
5. neveu de Mme de Vercellis.
6. l'accuse.

LECTURE MÉTHODIQUE

■ Par l'observation des verbes, dites à quels temps le récit est fait. Est-ce le même d'un bout à l'autre du récit ? Quand change-t-il ? Pourquoi ? Comparez le **présent** de la dernière phrase aux autres présents du texte. Quelle est leur valeur respective ? Que révèlent-ils sur **l'écriture** des *Confessions* ?

■ Par une analyse précise du vocabulaire élogieux et du vocabulaire péjoratif, étudiez **comment Rousseau juge** Marion et se juge lui-même. Cette façon de se présenter est-elle en relation avec la notion de « confession » ?

■ Dégagez dans le texte ce qui relève du **récit**, de l'**analyse** et du **discours rapporté**.

guides p. 237-330-418

Antoine Watteau (1684-1721), *La Danse*, 1719 (huile sur toile, 97 X 116 cm ; Berlin, Staatliche Museen, Preussischer Kulturbesitz Gemäldegalerie).

Émile ou de l'Éducation
- 1762

« Hommes, soyez humains »

Émile est le titre d'un traité d'éducation. Rousseau y expose des théories qui reposent sur deux grands principes : il faut écarter l'enfant de l'influence néfaste de la société et laisser parler la nature. Dans un extrait du livre second, il adresse un véritable plaidoyer aux hommes pour qu'ils manifestent de la bienveillance et de l'indulgence à l'égard des enfants.

Hommes, soyez humains, c'est votre premier devoir ; soyez-le pour tous les états, pour tous les âges, pour tout ce qui n'est pas étranger à l'homme. Quelle sagesse y a-t-il pour vous hors de l'humanité ? Aimez l'enfance ; favorisez ses jeux, ses plaisirs, son aimable instinct. Qui de vous
5 n'a pas regretté quelquefois cet âge où le rire est toujours sur les lèvres, et où l'âme est toujours en paix ? Pourquoi voulez-vous ôter à ces petits innocents la jouissance d'un temps si court qui leur échappe, et d'un bien

si précieux dont ils ne sauraient abuser ? Pourquoi voulez-vous remplir
d'amertume et de douleurs ces premiers ans si rapides, qui ne reviendront
10 pas plus pour eux qu'ils ne peuvent revenir pour vous ? Pères, savez-vous
le moment où la mort attend vos enfants ? Ne vous préparez pas des regrets
en leur ôtant le peu d'instants que la nature leur donne : aussitôt qu'ils
peuvent sentir le plaisir d'être, faites qu'ils en jouissent ; faites qu'à
quelque heure que Dieu les appelle, ils ne meurent point sans avoir
15 goûté la vie.

Que de voix vont s'élever contre moi ! J'entends de loin les clameurs de
cette fausse sagesse qui nous jette incessamment hors de nous, qui compte
toujours le présent pour rien, et, poursuivant sans relâche un avenir qui
fuit à mesure qu'on avance, à force de nous transporter où nous ne sommes
20 pas, nous transporte où nous ne serons jamais.

C'est, me répondez-vous, le temps de corriger les mauvaises inclinations
de l'homme ; c'est dans l'âge de l'enfance, où les peines sont le moins sensibles, qu'il faut les multiplier, pour les épargner dans l'âge de raison.
Mais qui vous dit que tout cet arrangement est à votre disposition, et
25 que toutes ces belles instructions dont vous accablez le faible esprit d'un
enfant ne lui seront pas un jour plus pernicieuses qu'utiles ? Qui vous
assure que vous épargnez quelque chose par les chagrins que vous lui pro-
diguez ? Pourquoi lui donnez-vous plus de maux que son état n'en comporte, sans être sûr que ces maux présents sont à la décharge de l'avenir ?
30 Et comment me prouverez-vous que ces mauvais penchants dont vous
prétendez le guérir ne lui viennent pas de vos soins mal entendus, bien
plus que de la nature ? Malheureuse prévoyance, qui rend un être actuellement misérable, sur l'espoir bien ou mal fondé de le rendre heureux un
jour ! Que si ces raisonneurs vulgaires confondent la licence avec la liberé,
35 et l'enfant qu'on rend heureux avec l'enfant qu'on gâte, apprenons-leur
à les distinguer.

Livre II.

LECTURE MÉTHODIQUE

■ Par des **repérages lexicaux**, dites à quels domaines se rattachent les recommandations de celui qui parle et comment il les **justifie** dans le premier paragraphe.

■ Qu'est-ce qui laisse penser que Rousseau suppose la présence d'**interlocuteurs ?** Quels **points de vue** émanent de ces différents énonciateurs ?

■ Quelles sont les **objections** envisagées par Rousseau à travers les points de vue de ses éventuels opposants dans les paragraphes 2 et 3 ?

■ Étudiez précisément la manière dont est **construit** le paragraphe 3. Par quoi commence-t-il ? Sur quels **arguments** repose la réponse de Rousseau ?

ÉCRITURE

■ En prenant pour point d'appui la condition défavorisée de nombreux enfants dans le monde, construisez un paragraphe commençant, comme le texte de Rousseau, par *Hommes, soyez humains.*

■ *Que de voix vont s'élever contre moi*, écrit Rousseau. Prenez la parole pour rédiger le **discours de protestation** auquel il pense. Faites clairement comprendre si vous adhérez ou non à ces objections.

guides p. 139-151

Jean-Baptiste Perronneau (1715-1783), *L'Enfant au livre* (63 X 52 cm ; Leningrad, Musée de l'Ermitage).

« À quoi sert cela ? »

Dans un extrait du livre III, Rousseau montre par un exemple concret pourquoi il faut mettre un enfant dans une situation d'expérimentation pratique et non lui remplir la tête de théories.

Supposons que, tandis que j'étudie avec mon élève le cours du soleil et la manière de s'orienter, tout à coup il m'interrompe pour me demander à quoi sert tout cela. Quel beau discours je vais lui faire ! de combien de choses je saisis l'occasion de l'instruire en répondant à sa ques-
5 tion, surtout si nous avons des témoins de notre entretien. Je lui parlerai de l'utilité des voyages, des avantages du commerce, des productions particulières à chaque climat, des mœurs des différents peuples, de l'usage du calendrier, de la supputation[1] du retour des saisons pour l'agriculture, de l'art de la navigation, de la manière de se conduire sur mer et de suivre

10 exactement sa route sans savoir où l'on est. La politique, l'histoire naturelle, l'astronomie, la morale même, et le droit des gens, entreront dans
mon explication, de manière à donner à mon élève une grande idée de
toutes ces sciences et un grand désir de les apprendre. Quand j'aurai tout
dit, j'aurai fait l'étalage d'un vrai pédant, auquel il n'aura pas compris
15 une seule idée. Il aurait grande envie de me demander comme auparavant à quoi sert de s'orienter ; mais il n'ose, de peur que je me fâche. Il
trouve mieux son compte à feindre d'entendre ce qu'on l'a forcé d'écouter. Ainsi se pratiquent les belles éducations.

Mais notre Émile, plus rustiquement élevé, et à qui nous donnons avec
20 tant de peine une conception dure[2], n'écoutera rien de tout cela. Du premier mot qu'il n'entendra pas[3], il va s'enfuir, il va folâtrer par la chambre
et me laisser pérorer tout seul. Cherchons une solution plus grossière ;
mon appareil scientifique ne vaut rien pour lui.

Nous observions la position de la forêt au nord de Montmorency[4]
25 quand il m'a interrompu par son importune question : *À quoi sert cela ?*
Vous avez raison, lui dis-je, il y faut penser à loisir ; et si nous trouvons
que ce travail n'est bon à rien, nous ne le reprendrons plus, car nous ne
manquons pas d'amusements utiles. On s'occupe d'autre chose, et il n'est
plus question de géographie du reste de la journée.

30 Le lendemain matin je lui propose un tour de promenade avant le déjeuner ; il ne demande pas mieux : pour courir, les enfants sont toujours prêts,
et celui-ci a de bonnes jambes. Nous montons dans la forêt, nous par-
courons les champeaux[5], nous nous égarons, nous ne savons plus où nous
sommes ; et, quand il s'agit de revenir, nous ne pouvons plus retrouver
35 notre chemin. Le temps se passe, la chaleur vient, nous avons faim ; nous
nous pressons, nous errons vainement de côté et d'autre, nous ne trouvons partout que des bois, des carrières, des plaines, nul renseignement
pour nous reconnaître. Bien échauffés, bien recrus[6], bien affamés, nous
ne faisons avec nos courses que nous égarer davantage. Nous nous asseyons
40 enfin pour nous reposer, pour délibérer[7]. Émile que je suppose élevé
comme un autre enfant, ne délibère point, il pleure ; il ne sait pas que
nous sommes à la porte de Montmorency, et qu'un simple taillis nous le
cache ; mais ce taillis est une forêt pour lui, un homme de sa stature est
enterré dans des buissons.

45 Après quelques moments de silence, je lui dis d'un air inquiet : Mon
cher Émile, comment ferons-nous pour sortir d'ici ?

Livre III, chapitre 48.

1. calcul, estimation.
2. Émile… que nous avons
habitué à ne concevoir les
choses que si elles sont claires.
3. qu'il ne comprendra pas.
4. au nord de Paris. Rousseau y
vécut de 1756 à 1762.
5. les plateaux.
6. épuisés.
7. réfléchir sur la décision à
prendre.

LECTURE MÉTHODIQUE

■ À partir de la première phrase, précisez quel est le
thème essentiel de ce texte et retrouvez tous les
termes qui s'y rattachent.

■ Quelle question revient deux fois ? où ? sous quelle
forme ?

■ En quoi les réponses à ces deux questions sont-elles
différentes ? Établissez un parallèle et faites-en une
étude comparée. Quelle **démarche pédagogique**
est la plus efficace ?

■ En prenant appui sur les articulations logiques du
texte et sur sa structure, précisez s'il est **narratif** ou
argumentatif. Quelle est sa **finalité ?**

ÉCRITURE

■ Pour vous, **l'enseignement** doit-il fournir une solide
connaissance théorique et livresque ou permettre une
expérience pratique et directement utile ? Vous déve-
lopperez votre point de vue dans une ou deux thèses
argumentées.

guides p. 151-237

La philosophie des Lumières

L'expression « **philosophie des Lumières** » comporte deux termes clés qui caractérisent un aspect essentiel du XVIIIe siècle : le mot **Lumières** souligne l'importance accordée à l'esprit, à la capacité « éclairante » de la raison. Le mot **philosophie** met l'accent sur un idéal humain.

▪ Les lumières

Par un jeu de connotations* positives, ce terme s'oppose à l'idée d'obscurité : la lumière éclaire, guide. Elle suggère l'idée de cheminement vers une forme de **vérité.** Elle convient particulièrement bien à la démarche qu'illustrent les œuvres de cette époque.

▪ La clarté de l'observation

Les écrivains du XVIIIe siècle observent un état social, politique et religieux qui leur paraît contestable. C'est à partir d'une sorte « **d'état des lieux** » méticuleux qu'ils engagent leurs **critiques. L'esprit d'examen** est à la base de leur démarche : analyse de la royauté par Montesquieu dans *L'Esprit des lois* (1748) et par Voltaire dans les *Lettres philosophiques,* par Diderot dans l'*Encyclopédie.* Les phénomènes sociaux sont également observés de près : inégalités dénoncées par Rousseau, privilèges critiqués par Beaumarchais ▷▷▷ *p. 232.* La religion n'échappe pas non plus à cet esprit d'analyse : le pouvoir religieux du roi, les manifestations de l'intolérance, le pouvoir du pape sont envisagés de manière méthodique avec la volonté de ne laisser dans l'ombre aucune entrave à la liberté.

▪ La clarté du raisonnement

De l'observation, on passe facilement, par une méthode expérimentale, à la décomposition des phénomènes. Il y a quelque chose de **pédagogique** dans les textes du XVIIIe siècle, dans la mesure où la volonté de leurs auteurs est non seulement de faire connaître, mais aussi de faire réfléchir. Des *Lettres persanes* à l'*Encyclopédie,* en passant par les contes philosophiques, le parcours révèle une constante orientation didactique* ▷▷▷ *p. 223.* La logique figure dans la structure des textes (énoncé d'une thèse et argumentation déductive), dans la présence des **articulations** du discours, dans une rhétorique persuasive qui fait appel à l'esprit. Ce mode de raisonnement est tout à fait perceptible dans le texte de Fontenelle ▷▷▷ *p. 212.* Il est mis en action dans l'extrait de *Zadig* qui montre comment la déduction à partir de l'observation conduit à la vérité et s'oppose à la fragilité des impressions et des croyances ▷▷▷ *p. 217.*

▪ Le refus des « zones d'ombre »

La volonté d'éclaircissement s'oppose à l'obscurité des modes de pensée peu rigoureux, auxquels appartiennent les croyances irrationnelles, les préjugés, les superstitions et certaines traditions. Il est ainsi montré que l'opinion d'une foule n'est pas nécessairement la vérité, que l'apparence n'est pas toujours crédible, que ce qui existe depuis longtemps n'est pas nécessairement le meilleur ▷▷▷ *p. 214.* Ainsi, comment accepter un fonctionnement monarchique qui n'a d'autre justification que la notion de « droit divin » et l'hérédité ? Comment souscrire à un ordre social dans lequel la plus grande partie des biens et des pouvoirs se trouve entre les mains d'un petit nombre, tandis que les véritables artisans du progrès, du développement économique ont un rôle secondaire ? Ces refus caractérisent un esprit et une littérature dont les représentants sont ceux que l'on appelle les **philosophes.**

▪ Les philosophes

Héritier et continuateur de l'humaniste de la Renaissance et de l'honnête homme du XVIIe siècle, le **philosophe** se définit, dans l'*Encyclopédie,* comme celui à qui *rien de ce qui est humain n'est étranger*[1]. Penseur, il applique un esprit clair et rigoureux à l'analyse critique de ce qui l'entoure, sans exception : comportements, croyances, connaissances, fonctionnements politiques, sociaux et religieux. Il est déterminé par la raison, considérée comme la faculté de réfléchir et de juger, mais également comme la garante du « raisonnable ». Sensible et imaginatif, il sait faire la part de ce qui relève de la sensibilité et de la pensée, mettant parfois la première au service de la seconde lorsqu'il cherche à convaincre et à émouvoir. Installé dans son temps, il est un être sociable, *plein d'humanité,* au service de ses semblables. C'est pourquoi il est aussi un **homme engagé** capable de prendre des risques et d'affronter des dangers : censure, emprisonnement, exil, destruction de son œuvre. C'est ce qui est arrivé à Voltaire (condamnation à la Bastille et exil), à Diderot (emprisonnement, condamnation de l'*Encyclopédie* ▷▷▷ *p. 235).* Mais le philosophe conteste pour mieux reconstruire. *Honnête homme qui veut plaire et se rendre utile*[2], il veut apporter un message qui permette de remplacer le fanatisme, la superstition et l'arbitraire par une organisation juste, rationnelle et raisonnable, avec le souci constant de l'être humain dans son contexte social.

---

1. La phrase est empruntée à un écrivain latin : Térence (194-159 av. J.-C.).
2. Extrait de l'article « Philosophe » de l'*Encyclopédie.*

XIXᵉ s.

historiques et culturels

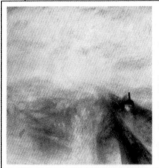

Turner, *Pluie, vapeur et vitesse, le chemin de fer*

- Comment retrouve-t-on, dans le tableau, les trois éléments du *titre* ?

- Ce tableau illustre *deux grandes tendances* du XIXᵉ siècle. Lesquelles ? Comment s'opère leur fusion ?

- Quelle *impression* se dégage du tableau ? D'où vient-elle ?

Issu de la Révolution, le XIXᵉ siècle témoigne autant de ses échecs que de ses aspirations. Il faut en effet l'effondrement, dans la violence, de plusieurs régimes successifs pour que s'installent, après 1871, la République et les valeurs de 1789. Parallèlement, les découvertes scientifiques et leurs applications créent les conditions d'un développement économique et industriel intense. Mais tandis que le Positivisme* voit dans la science l'explication du monde et le secret du bonheur, le progrès révèle ses corollaires désastreux : accroissement de l'exode rural, développement d'un prolétariat esclave du machinisme et victime du libéralisme économique. Pourtant, malgré le travail des enfants et l'existence des « misérables », l'instruction touche une population plus nombreuse, le livre se répand, le niveau culturel s'améliore. De sorte que, si l'on considère le XIXᵉ siècle comme celui des révolutions (politique et industrielle), il faut le voir aussi comme celui des paradoxes et des contrastes, avec cette caractéristique particulière : une remarquable coïncidence entre l'évolution historique et les courants culturels. Cette coïncidence met en relief leurs nombreuses interactions. Jamais encore, peut-être, la littérature et les arts n'auront été à ce point le reflet des mentalités et des sensibilités.

Illustration de la p. 247 :
William Turner (1775-1851), *Pluie, vapeur et vitesse - Le Chemin de fer* (détail), 1844 (huile sur toile, 91 × 122 cm ; Londres, The National Gallery).

Percier, Isabey, Gérard Thomire, *La Table d'Austerlitz* ou *Table des maréchaux*. vers 1808 (Château de la Malmaison).

Jacques-Louis David (1748-1825), *Le Général Bonaparte.* 1797 (huile sur toile, 81 × 65 cm ; Paris, Musée du Louvre).

Les articulations historiques

■ *Le Premier Empire (1804-1815)*

Le siècle commence alors que Bonaparte, premier consul, s'apprête à devenir Napoléon Iᵉʳ (le Sacre a lieu le 2 décembre 1804), et à engager la France dans une double politique d'organisation intérieure et de conquêtes extérieures. Les images de héros couverts de gloire peuplent les rêves des jeunes gens nés « avec le siècle », tandis que se crée, déjà, le mythe napoléonien.

■ *L'effondrement de l'Empire (1815)*

L'épopée s'achève à Waterloo, le 18 juin 1815, face à la coalition anglo-prussienne. Avec l'exil de l'Empereur disparaissent les ambitions de toute une jeunesse à laquelle la Restauration n'apporte que tristesse et conformisme.

■ *La Restauration, Louis XVIII et Charles X (1815-1830)*

La chute de Napoléon fait revenir la Monarchie. Louis XVIII règne de 1815 à 1824. Charles X lui succède, mais le contexte et les mentalités ont changé. On ne peut revenir à l'Ancien Régime. Les incertitudes politiques, les revendications libertaires conduisent aux journées révolutionnaires de 1830.

■ *Les Trois Glorieuses (1830) et la Monarchie de Juillet*

Trois journées de révolte et de barricades soulèvent Paris en juillet 1830 et mettent fin au règne de Charles X. Mais la monarchie demeure : Louis-Philippe monte sur le trône pour 18 ans et s'ouvre alors le règne des banquiers et des bourgeois. Le mot d'ordre « Enrichissez-vous » révèle autant une volonté de progrès qu'un repli sur la réussite individuelle. La Monarchie de Juillet, dite « monarchie bourgeoise », se construit sur un accroissement des inégalités et fait de l'artiste un marginal qui vit difficilement de sa plume.

Coupe longitudinale des Serres du Muséum d'Histoire Naturelle de Paris, 1855 (dessin aquarellé, 65 X 45 cm ; Paris, Bibliothèque des Archives Nationales).

■ *La Révolution de 1848*

Le soulèvement de 1848 se fait dans la ligne de 1789 : mêmes aspirations, mêmes revendications égalitaires. Dans le même élan sont abolis la censure, l'esclavage et la peine de mort. On instaure le suffrage universel. Mais l'éphémère Seconde République s'achève dans la violence avec le coup d'État de Louis Napoléon Bonaparte, le 2 décembre 1851. Victor Hugo, contraint à l'exil, compose les *Châtiments,* sévère pamphlet* contre le régime de Napoléon III.

■ *Le Second Empire (1852-1870)*

Une fois les mouvements d'opposition réprimés, le Second Empire se construit sur un ordre intérieur sévère et sur d'ambitieux projets de politique extérieure. Baudelaire et Flaubert ont à souffrir de la rigueur morale : *Madame Bovary* et *Les Fleurs du mal* sont condamnés pour immoralité. Le Second Empire est aussi l'époque des transformations de Paris et des spéculations financières et immobilières.

■ *La guerre franco-prussienne de 1870*

1870 est, d'après Hugo, « l'année terrible ». Le régime s'effondre avec la défaite de Sedan, la France est occupée, les Prussiens sont à Versailles. C'est dans la violence de la Commune réprimée (en 1871) que naît la Troisième République.

■ *L'enracinement de la République (1871-1900)*

Solidement installée, la République se développe malgré des crises graves et nombreuses, les chutes de ministères et les scandales financiers. La « guerre scolaire » s'ouvre entre partisans et adversaires de la laïcité. Elle se résout avec les lois J. Ferry (1882) qui décrètent la scolarité primaire obligatoire, laïque et gratuite. Un nationalisme doublé d'antisémitisme est à l'origine de l'affaire Dreyfus, dans laquelle Zola prend position avec courage. Dans le même temps, la France connaît un développement scientifique et économique important. Elle s'ouvre avec passion et curiosité à la modernité du siècle qui commence.

Un siècle de progrès

■ *Les applications de la science*

Pour illustrer le XIXe siècle, on peut citer aussi bien la machine à vapeur que la Tour Eiffel, le vaccin contre la rage, l'invention des rayons X, le phonographe ou l'anesthésie chirurgicale. C'est là mettre en relief l'activité scientifique du siècle, ses exploitations techniques et leurs retombées sur le plan industriel et économique. Ainsi le développement de l'électricité, l'utilisation du moteur à explosion, l'industrie houillère, les fonderies sont à l'origine de concentrations industrielles, par exemple celles du Creusot ou de la région de Lorraine qui développe l'extraction du charbon et la métallurgie. D'autres régions comme la Normandie ou le Nord connaissent aussi un essor industriel important. Celui-ci a de nombreuses conséquences : accélération de la production, recherche d'un abaissement des coûts, nouvelles politiques d'investissements. Le développement bancaire suit : le XIXe siècle est celui des concentrations financières qui font prospérer les riches investisseurs et disparaître les petits. Le commerce connaît lui aussi des mutations importantes.

■ *Le domaine médical*

Le XIXe siècle voit naître le premier vaccin contre la rage, mis au point par Pasteur, et le procédé de la pasteurisation, qui permet la conservation des aliments. Le bacille de la tuberculose est découvert en 1882 par Koch. En même temps, Claude Bernard développe la méthode expérimentale : observation des phénomènes, déduction, vérification par la recréation des conditions de l'expérience. De manière générale, une rigueur plus grande dans les méthodes d'investigation est à l'origine des progrès médicaux. On peut croire alors, et c'est ce qui caractérise l'esprit positiviste, que la science, maîtrisée et utilisée par l'homme, concourt à l'amélioration non seulement matérielle mais morale et psychologique, trouvant des solutions à tout. Mais c'est oublier que le développement industriel est à l'origine de nombreuses mutations sociales.

◄ Jean-François Millet (1814-1875), *Scieurs de long* (Bayonne, Musée des Beaux-Arts).

Achille Devéria (1800-1857), *Deux heures de l'après-midi, Cécile de Radepont* (Paris, Musée Carnavalet). ▼

La question sociale

Les multiples modifications qui s'opèrent dans le monde industriel, de la production au financement, ne sont pas sans conséquences sur les conditions sociales : le progrès et la prospérité ne touchent pas toutes les couches de la population. Les différences s'accentuent entre bourgeois qui s'enrichissent et ouvriers parfois réduits à des conditions de vie très précaires.

■ Les ouvriers

Leur situation n'a rien d'homogène sur l'ensemble du territoire français. Les pires exemples sont ceux des ouvriers de la grande industrie du Nord : journées de 13 à 15 heures, sans temps d'arrêt pour les repas, risques constants de mutilation par suite d'un travail sans protection. Femmes et enfants travaillent aussi, à un taux horaire inférieur à celui des hommes. Ni les uns ni les autres n'ont de couverture sociale : pas de congés, la maladie est une catastrophe, l'incapacité de travailler conduit à la misère, à l'alcoolisme, à la marginalité. Ces conditions sont à l'origine de mouvements sociaux importants, comme la révolte des Canuts (ouvriers de la soie) à Lyon en 1836. Elles sont aussi le point de départ des revendications sociales et des premières ébauches de regroupements syndicaux. La Première Internationale, qui rassemble des prolétaires, voit le jour en 1862 sous l'égide de K. Marx.

■ Les paysans

Le monde rural connaît un exode qui touche certaines régions tandis que d'autres profitent des inventions nouvelles : assainissement des zones marécageuses, assolement des terres, modification de la composition de certains sols, utilisation d'engrais. Certains rendements progressent, comme celui du blé en Beauce ; mais la mécanisation reste encore peu répandue, comme on le voit dans le roman de Zola, *La Terre*. Souvent pauvres ou très pauvres, les paysans vivent difficilement sur des exploitations très réduites, tandis que la grande propriété appartient aux bourgeois. Le plus gros de la population paysanne est faite de salariés ne possédant rien. Ce sont eux qui, lassés de leur misère, viennent accroître le prolétariat urbain séduit par le mirage de la grande ville.

■ Les bourgeois

Ce sont les grands bénéficiaires, avec l'aristocratie du Second Empire, du développement économique. Ils participent activement au phénomène d'enrichissement qui caractérise la Monarchie de Juillet et le régime de Napoléon III. L'argent est un élément prépondérant de la vie sociale bourgeoise : on le fait fructifier, on en fait état par la recherche visible du confort et du luxe, on refuse tout ce qui pourrait le menacer, la révolution, la guerre, les troubles sociaux.

Certains héros de Balzac ou de Flaubert incarnent ces bourgeois ridiculisés par Verlaine ou Rimbaud, puis par Labiche dans ses comédies. Gardiens des valeurs morales, ils érigent le conformisme en règle de vie, bannissant tout ce qui - choquant, insolite, inhabituel - leur paraît offusquer les bonnes mœurs. Des tableaux comme *Olympia* ou *Le Déjeuner sur l'herbe* de Manet font crier au scandale. Avec le triomphe de la bourgeoisie d'argent et d'une aristocratie qui revendique des valeurs voisines, la fin du siècle voit s'effectuer un décloisonnement des catégories sociales : il y a là, déjà, une orientation vers la société de masse, spécificité du XXᵉ siècle.

La vie culturelle

Sur le plan de la culture et de la diffusion des idées, le XIXᵉ siècle connaît des progrès notables. En ce qui concerne l'instruction, les structures mises en place par Napoléon Iᵉʳ (les lycées) sont maintenues et complétées par des mesures visant à développer l'école primaire (lois de 1833). Ce processus aboutit, à la fin du siècle, aux lois J. Ferry (1882), qui instaurent un enseignement primaire obligatoire, laïc et gratuit. Les progrès sont tels que dans les années 1890, l'alphabétisation touche presque la totalité de la population. Cette évolution va de pair avec le développement du livre d'un côté, de la presse de l'autre.

■ Les livres

Ils se multiplient tandis que prospèrent les grandes maisons d'édition (Hetzel, Charpentier). Si les œuvres des grands romanciers ont une diffusion encore restreinte, une littérature populaire circule grâce au colportage, encore très répandu dans les campagnes; peu à peu se développent des ouvrages spécialisés : histoire, vulgarisation scientifique, qui témoignent d'un grand élan de curiosité culturelle.

■ Les journaux

Le XIXᵉ siècle est caractérisé par l'importance nouvelle de la presse, le « quatrième pouvoir ». Celle-ci est due d'abord à des progrès techniques : nouvelles méthodes d'impression, plus rapides, grâce à de nouvelles machines.

Auguste Rodin (1840-1917),
Monument à Balzac,
1897 (bronze, 270 X 120,5 X 128 cm ;
Paris, Musée Rodin).

En 1836, dans *La Presse,* Émile de Girardin inaugure à la fois l'utilisation de la publicité et des feuilletons, qui font considérablement monter les ventes. Créé en 1863, *Le Petit Journal,* dont la couverture est consacrée à l'évocation de faits divers sanglants, connaît un très grand succès. En 1860, il existe environ 60 quotidiens à Paris. Et il y a peu d'écrivains du siècle qui, d'une manière ou d'une autre, n'aient participé à cette presse en y publiant des articles divers : critique littéraire, picturale, récits de voyages, contes, feuilletons. La participation la plus célèbre est celle de Zola qui, dans *L'Aurore* du 13 janvier 1898, publia l'article « J'accuse » en faveur du capitaine Dreyfus.

■ La situation de l'artiste

On comprend que l'homme de Lettres et l'artiste aient été concernés par l'évolution d'une société dont ils sont à la fois les témoins, les porte-parole ou les critiques. Souvent mal acceptés, souvent mal à l'aise, ils sont observateurs et miroirs d'un monde qui les inspire et dont ils rejettent le conformisme. Mais ils laissent à la postérité, par leurs œuvres, une illustration et un écho de l'Histoire dans le domaine des comportements et des mentalités. Ils la doublent, l'éclairent, faisant apparaître ce que le récit des événements laisse dans l'ombre l'histoire des hommes.

Mucha (1860-1939), motif en bronze pour *le décor de la fontaine, du magasin de Georges Fouquet,* vers 1900 (crayon sur carton, 65 X 50,3 cm ; Paris, Musée Carnavalet). ▶

Couverture de *Vingt mille lieues sous les mers* de Jules Verne (Édition originale, Hetzel).

1. Une sensibilité nouvelle

Chateaubriand

Eugène Delacroix (1798-1863), *Étude de ciel : Soleil couchant* (détail), vers 1849 (pastel sur papier gris, 18 X 24 cm ; Paris, Musée du Louvre).

"Un soir, je m'étais égaré dans une forêt à quelque distance de la cataracte du Niagara ; bientôt je vis le jour s'éteindre autour de moi, et je goûtai, dans toute sa solitude, le beau spectacle d'une nuit dans les déserts du Nouveau Monde.

5 *Une heure après le coucher du soleil, la lune se montra au-dessus des arbres, à l'horizon opposé. Une brise embaumée, que cette reine des nuits amenait de l'orient avec elle, semblait la précéder dans les forêts, comme sa fraîche haleine. L'astre solitaire monta peu à peu dans le ciel : tantôt il suivait paisiblement sa*
10 *course azurée, tantôt il reposait sur des groupes de nues qui ressemblaient à la cime des hautes montagnes couronnées de neige. Ces nues, ployant et déployant leurs voiles, se déroulaient en zones diaphanes de satin blanc, se dispersaient en légers flocons d'écume, ou formaient dans les cieux des bancs d'une ouate éblouissante,*
15 *si doux à l'œil, qu'on croyait ressentir leur mollesse et leur élasticité."*

Chateaubriand, *Le Génie du Christianisme,* 1802.

La transition entre le XVIIIe et le XIXe siècle se fait par la Révolution. Ce déchaînement de plusieurs années, issu d'un bouleversement des idées et d'une remise en cause des traditions, contribue à l'émergence d'une sensibilité nouvelle. Celle-ci était en germe dans plusieurs mouvements culturels européens : la période troublée des années 1789-99 ne fait que confirmer et développer des modifications déjà engagées.

L'influence européenne

En Angleterre, la publication et le succès des romans dits « gothiques » (ou encore romans dits « noirs ») témoignent de l'importance accordée à l'imagination fantastique. *Le Château d'Otrante* (1764) de Walpole[1], *Les Mystères d'Udolphe* (1794) d'Ann Radcliffe[2], mettent en scène, dans des contextes médiévaux ou fantastiques, des personnages inquiétants. Parallèlement s'exprime, en poésie, avec des poètes comme Coleridge, Wordsworth, Keats, un goût nouveau pour la nature (bois, lacs, montagnes, paysages sauvages des landes). Les thèmes poétiques sont aussi l'ennui et la nostalgie, à peine compensés par les rêves d'évasion et de voyage.

En Allemagne, à la même époque, le mouvement *Sturm und Drang* (Tempête et assaut) révèle, dans les années 1770-90, des orientations artistiques similaires, qui se traduisent dans la création littéraire : passion pour les légendes, appel à la mythologie, exaltation des émotions et des sentiments, célébration du « moi », glorification des forces de la nature, aspiration à la liberté. On compte parmi les représentants de ce courant les poètes Schiller (1759-1805), Bürger (1747-1794) et Goethe (1749-1832), eux-mêmes inspirés par l'œuvre de Jean-Jacques Rousseau ▷▷▷ *p. 239.*

En France, en effet, parallèlement à la pensée rationaliste des philosophes ▷▷▷ *p. 246,* s'est développé, dans la deuxième moitié du siècle, un courant marqué par des préoccupations nouvelles : intérêt pour le « moi » et pour l'analyse psychologique, accord de la sensibilité avec la nature sauvage, importance accordée au rêve et à la méditation, célébration des élans et des passions. *Les Confessions* ▷▷▷ *p. 240, Les Rêveries du promeneur solitaire,* et le roman épistolaire *La Nouvelle Héloïse* de Rousseau témoignent de ce goût nouveau suscité par les émotions et les mouvements de l'âme.

1. Horace Walpole (1717-1797).
2. Ann Radcliffe (1764-1823).

L'importance de la Révolution

Lorsque éclate la Révolution, point d'aboutissement d'une lente maturation d'idées contestataires, ces trois courants nouveaux se sont rejoints. Leur diffusion et les échanges culturels sont alors assurés par les aristocrates cultivés. Ceux-ci quittent en effet la France pour échapper au Tribunal révolutionnaire ou pour s'engager dans « l'armée des princes ». Ils deviennent ainsi les porte-parole, les « véhicules » de toute une pensée nouvelle dont ils s'imprègnent durant leur séjour en Angleterre et en Allemagne et qu'ils font connaître à leur retour en France. C'est le cas de Chateaubriand ▷▷▷ *p. 254,* dont la vie, la sensibilité et l'œuvre regroupent, de manière exemplaire, les tendances ultimes du Siècle des Lumières et les aspirations du XIXe siècle. On peut citer également Madame de Staël, qui se fait l'analyste de ces transformations et Senancour, auteur d'un roman par lettres qui illustre les manifestations de cette sensibilité.

Passions, élans et aspirations créent un ton nouveau, qui peut se définir par un individualisme centré sur l'observation du moi, l'explosion des passions, et surtout l'attente individuelle ou collective de grandes réalisations.

Hippolyte Maindron
(1801-1884),
Velléda, 1839 (modèle plâtre,
180 x 70 x 68 cm ;
Angers,
Musée des Beaux-Arts).

1768-1848

Chateaubriand

Né le 4 septembre 1768, à Saint-Malo, par une nuit de tempête, François-René de Chateaubriand eut une vie marquée par les orages, ceux que lui imposa l'Histoire, ceux que lui valut son caractère passionné.

Enfance et adolescence

Aristocrate breton, Chateaubriand partage ses années d'enfance et d'adolescence entre des études peu motivantes et de nombreux séjours à Combourg. Le jeune homme échappe à l'atmosphère pesante de cette demeure par de longues errances dans la lande ou des discussions enflammées avec sa sœur Lucile. Plus tard, il retracera dans ses *Mémoires,* les élans et les incertitudes de cette période.

Rencontre avec l'Histoire

Entré dans l'armée en 1786, il se trouve à Paris lors de la Révolution et assiste avec dégoût à la prise de la Bastille. Il quitte alors la France pour un voyage en Amérique qui satisfait davantage sa soif d'évasion et d'aventure. L'arrestation de Louis XVI à Varennes et le manque d'argent le ramènent à Paris en 1791. Il s'exile de nouveau pour s'engager dans l'armée des princes. Blessé, il rejoint l'Angleterre. Les années 1793-1800 sont difficiles : solitude, conditions matérielles pénibles. Sa première œuvre naît pendant cette période, l'*Essai sur les Révolutions* (1797).

Entrée en politique et en littérature

Dès son retour, en 1800, Chateaubriand publie deux œuvres inspirées par son séjour au Nouveau Monde, *Le Génie du Christianisme* et *Atala* (1802). Leur lyrisme et la célébration de la religion lui valent l'admiration du public. Il entame alors une carrière politique comme ambassadeur en Italie. Mais l'assassinat du duc d'Enghien, en 1804, entraîne sa rupture définitive avec Napoléon. Abandonnant la vie publique, il voyage en Orient (1807-1808). À la chute de l'Empire, il adhère à la Restauration et poursuit une carrière diplomatique agitée. En 1823, il est ministre des Affaires étrangères, mais son refus de se rallier à Louis-Philippe en 1830 met fin à ses activités politiques.

Portrait : Anne-Louis Girodet (1767-1824), *François-René, vicomte de Chateaubriand* (détail), (Versailles, Musée National du Château).

Le temps des mémoires

Depuis 1803, Chateaubriand songe à écrire ses mémoires. Il les commence en 1809, avec un double but, celui de « rendre compte de lui à lui-même », et de rectifier une image inexacte donnée, dit-il, par ses ennemis. L'œuvre se termine avec sa mort, en 1848, et constitue un témoignage précieux sur les relations d'un homme et de son époque.

Les Romantiques, caricature, vers 1830 (Paris, Musée Carnavalet).

René - 1802

« Levez-vous vite, orages désirés… »

Inclus dans Le Génie du Christianisme, René *met en scène un jeune homme qui porte le même prénom que Chateaubriand. Le récit, à la première personne, rapporte les épisodes d'une vie teintée de mélancolie et d'ennui, de « vague des passions ». Ici, le narrateur s'est réfugié à la campagne après la mort de son père.*

Comment exprimer cette foule de sensations fugitives que j'éprouvais dans mes promenades ? Les sons que rendent les passions dans le vide d'un cœur solitaire ressemblent au murmure que les vents et les eaux font entendre dans le silence d'un désert ; on en jouit, mais on ne
5 peut les peindre.

L'automne me surprit au milieu de ces incertitudes : j'entrai avec ravissement dans le mois des tempêtes. Tantôt j'aurais voulu être un de ces guerriers errant au milieu des vents, des nuages et des fantômes ; tantôt j'enviais jusqu'au sort du pâtre que je voyais réchauffer ses mains à
10 l'humble feu de broussailles qu'il avait allumé au coin d'un bois. J'écoutais ses chants mélancoliques, qui me rappelaient que dans tout pays le chant naturel de l'homme est triste, lors même qu'il exprime le bonheur. Notre cœur est un instrument incomplet, une lyre où il manque des cordes, et où nous sommes forcés de rendre les accents de la joie sur le ton consa-
15 cré aux soupirs.

Le jour, je m'égarais sur de grandes bruyères terminées par des forêts. Qu'il fallait peu de chose à ma rêverie ! une feuille séchée que le vent chassait devant moi, une cabane dont la fumée s'élevait dans la cime dépouillée des arbres, la mousse qui tremblait au souffle du Nord sur le
20 tronc d'un chêne, une roche écartée, un étang désert où le jonc flétri murmurait ! Le clocher solitaire s'élevant au loin dans la vallée a souvent attiré mes regards ; souvent j'ai suivi des yeux les oiseaux de passage qui volaient au-dessus de ma tête. Je me figurais les bords ignorés, les climats lointains où ils se rendent ; j'aurais voulu être sur leurs ailes. Un
25 secret instinct me tourmentait : je sentais que je n'étais moi-même qu'un voyageur, mais une voix du ciel semblait me dire : « Homme, la saison de ta migration n'est pas encore venue ; attends que le vent de la mort se lève, alors tu déploieras ton vol vers ces régions inconnues que ton cœur demande. »
30 « Levez-vous vite, orages désirés qui devez emporter René dans les espaces d'une autre vie ! » Ainsi disant, je marchais à grands pas, le visage enflammé, le vent sifflant dans ma chevelure, ne sentant ni pluie, ni frimas, enchanté, tourmenté, et comme possédé par le démon de mon cœur.

LECTURE MÉTHODIQUE

■ Repérez et identifiez les pronoms personnels du texte. Quel est celui **qui revient le plus souvent ?** Que révèle leur emploi ?

■ Par l'analyse des verbes, de leurs temps et de leurs modes, **distinguez** ce qui appartient au récit, au style direct, à l'analyse des sentiments.

■ À partir de la comparaison contenue dans le premier paragraphe, étudiez, par l'observation des champs lexicaux et des effets de rapprochement, comment s'expriment les **relations** entre les **états d'âme** du narrateur et la **nature**.

PARCOURS CULTUREL

■ Quelles sont, à partir de ce texte, les caractéristiques du « **vague des passions** » qui correspond à la sensibilité nouvelle du début du siècle ?

guides p. 39-237-418

Mémoires d'outre-tombe - 1846

« Je fus tiré de mes réflexions par le gazouillement d'une grive… »

Dans les Mémoires d'outre-tombe, *écrits de 1809 à 1848, Chateaubriand fait le récit de sa vie. Dans l'extrait qui suit, le rappel des souvenirs, mêlés à l'évocation de l'avenir, met en jeu différents moments du temps.*

MONTBOISSIER, JUILLET 1817.

Hier au soir je me promenais seul, le ciel ressemblait à un ciel d'automne ; un vent froid soufflait par intervalles. À la percée d'un fourré, je m'arrêtai pour regarder le soleil : il s'enfonçait dans des nuages au-dessus de la tour d'Alluye, d'où Gabrielle[1], habitante de cette tour,
5 avait vu comme moi le soleil se coucher il y a deux cents ans. Que sont devenus Henri et Gabrielle ? Ce que je serai devenu quand ces *Mémoires* seront publiés.

Je fus tiré de mes réflexions par le gazouillement d'une grive perchée sur la plus haute branche d'un bouleau. À l'instant, ce son magique fit
10 reparaître à mes yeux le domaine paternel ; j'oubliai les catastrophes[2] dont je venais d'être le témoin, et, transporté subitement dans le passé, je revis ces campagnes où j'entendis si souvent siffler la grive. Quand je l'écoutais alors, j'étais triste de même qu'aujourd'hui ; mais cette première tristesse était celle qui naît d'un désir vague de bonheur, lorsqu'on est sans
15 expérience ; la tristesse que j'éprouve actuellement vient de la connaissance des choses appréciées et jugées.

Le chant de l'oiseau dans les bois de Combourg[3] m'entretenait d'une félicité que je croyais atteindre ; le même chant dans le parc de Montboissier me rappelait des jours perdus à la poursuite de cette félicité insai-
20 sissable. Je n'ai plus rien à apprendre, j'ai marché plus vite qu'un autre, et j'ai fait le tour de la vie. Les heures fuient et m'entraînent ; je n'ai pas même la certitude de pouvoir achever ces *Mémoires.* Dans combien de lieux ai-je déjà commencé à les écrire, et dans quel lieu les finirai-je ? Combien de temps me promènerai-je au bord des bois ? Mettons à profit le
25 peu d'instants qui me restent ; hâtons-nous de peindre ma jeunesse, tandis que j'y touche encore : le navigateur, abandonnant pour jamais un rivage enchanté, écrit son journal à la vue de la terre qui s'éloigne et qui va bientôt disparaître.

I, livre III, chapitre I.

Le château de Combourg, *gravure,* XIXᵉ siècle.

1. la tour dont il est question appartient aux ancêtres de Gabrielle d'Estrées, maîtresse d'Henri IV.
2. il s'agit de sa rupture avec Louis XVIII en 1817. Chateaubriand perd alors sa fonction de ministre d'État et sa propriété de la Vallée aux Loups.
3. voir la biographie *p. 254.*

LECTURE MÉTHODIQUE

■ Observez les temps des verbes et les indicateurs temporels. À combien de **moments du temps** font-ils référence ? Faites un tableau pour classer ces moments et montrer leur importance respective.

■ Les indications de temps se doublent d'indications de lieu : quels sont les **deux lieux importants** du texte ? En quoi sont-ils liés à l'**expérience personnelle** du narrateur ?

■ En utilisant les indicateurs de lieu et de temps et les pronoms personnels, précisez à quel **type** et à quel **genre** appartient ce texte.

■ En quoi les lignes 20-28 sont-elles différentes ? Quelle est la **figure dominante** de la dernière phrase ?

PARCOURS CULTUREL

■ Connaissez-vous d'autres textes littéraires dans lesquels une **perception** (auditive, visuelle, gustative…) est à l'origine d'une **réminiscence ?** Cherchez-en des exemples et analysez la nature de la réminiscence.

guides p. 237-257-418

L'autobiographie

L'étymologie révèle le sens du mot « autobiographie » : *graphein*, écrire, *bio*, une vie, *auto*, soi-même. Dans l'autobiographie, **l'auteur,** celui qui publie et signe un ouvrage, en est aussi le **narrateur,** celui qui raconte, et le **personnage principal,** le héros. Ainsi, *Je suis moi-même la matière de mon livre*, dit Montaigne ▷▷▷ *p. 91*, et Rousseau : *Je veux montrer à mes semblables un homme dans toute la vérité de la nature, et cet homme, ce sera moi* ▷▷▷ *p. 240*.

Différentes formes d'autobiographie

Les exemples de Montaigne et de Rousseau soulignent que « l'écriture du moi » est un **genre historiquement ancien,** sous des aspects et sous des noms divers : *Confessions, Essais, Mémoires, Souvenirs, Vie de...* Les termes choisis attirent l'attention sur des orientations différentes. Si *Mémoires* évoque davantage les souvenirs, *Confessions*, par sa connotation morale et religieuse, oriente vers l'aveu et la recherche d'un pardon. L'historique des écrits autobiographiques fait remonter au IVe siècle après Jésus-Christ : *les Confessions* de saint Augustin ouvrent la voie. Par la suite, Montaigne, Rousseau, Chateaubriand, Stendhal, Mauriac, Simone de Beauvoir, M. Leiris et N. Sarraute constituent une véritable lignée d'autobiographes qui ont livré leur vie au public tout en s'interrogeant sur la nature et sur la finalité de leur démarche.

L'écriture autobiographique

L'importance du « je »

L'autobiographie est écrite à la première personne. Le *je* y représente à la fois celui qui écrit et celui dont il s'agit. Cette situation du **je narrateur, auteur** et **héros** implique une sorte de dédoublement : celui qui raconte se détache de celui qu'il met en scène. Il le fait vivre, présente ce qu'il fait, l'observe, explique ses agissements.

Les modalités d'écriture

L'autobiographie est aussi caractérisée par une alternance de **récit** et d'**analyse.** Cette coexistence se révèle dans l'œuvre de N. Sarraute, *Enfance* ▷▷▷ *p. 434*, qui se présente comme une narration/dialogue à deux voix : la voix qui raconte et la voix qui s'interroge pour savoir s'il est utile de raconter sa vie.

Le jeu des temps

L'autobiographie est une forme d'écriture qui se tourne vers le passé : c'est à l'âge adulte que l'on envisage de faire revivre sa vie antérieure. Le **récit rétrospectif** se trouve donc constamment décalé par rapport au **présent de l'écriture.** Rousseau ouvre ses *Confessions* par une affirmation au présent : *Je forme une entreprise* ▷▷▷ *p. 240*, puis utilise le passé lorsqu'il commence le récit de sa vie. Chateaubriand rapporte dans l'épisode de Montboissier ▷▷▷ *p. 256*, comment un épisode récent (vécu la veille du jour où il écrit) l'a replongé dans un passé lointain.

Mémoire et sincérité

La **mémoire** permet la **réminiscence.** Et ce rappel des souvenirs pose le problème de la **sincérité :** comment être vraiment sincère si l'on doit, comme Rousseau, faire appel à son imagination pour compenser une mémoire défaillante ? Il est rare que les autobiographes n'envisagent pas cette question, indissociable des enjeux et de la finalité de leurs écrits.

Enjeux de l'autobiographie

Faire échec à **l'oubli** et au **temps** est un objectif souvent évoqué. Montaigne pense à la mort prochaine, et N. Sarraute fait un retour vers son enfance parce qu'elle vit dans un monde où *tout fluctue, se transforme, s'échappe.*
L'analyse des années de formation de la personnalité permet de mieux comprendre les mécanismes psychologiques et de mieux se connaître. Chateaubriand confie ainsi qu'il a tenté *d'expliquer son inexplicable cœur.* La notion de **confession** souligne l'idée d'une **introspection morale,** d'un **examen de conscience.**
L'autobiographie est enfin une manière de **porter témoignage sur une époque** à travers un regard original, surtout lorsque le narrateur y a joué un rôle officiel. Dans les *Mémoires d'outre-tombe*, Chateaubriand affirme qu'il a pour objectif de donner de lui une image capable de rectifier celle que ses ennemis ont forgée de lui dans leurs attaques. Derrière ces différentes raisons, analysées et exposées par les auteurs d'autobiographies, se profile le désir d'une **relation privilégiée avec un lecteur.** Juge, témoin, confident, cosignataire d'un « pacte » qui fait de la sincérité un impératif essentiel, il est celui que le narrateur cherche à persuader, charmer, ou à intéresser à un destin individuel, représentatif de la condition humaine.

2. L'époque romantique 1815-1848

Musset

Nerval

A. Bertrand

Hugo

Stendhal

Balzac

Dumas

Caspar David Friedrich (1774-1840), *Le Voyageur au-dessus de la mer de nuages*, vers 1818 (huile sur toile, 98 X 75 cm ; Hambourg, Kunsthalle Museum).

"*Trois éléments partageaient donc la vie qui s'offrait alors aux jeunes gens : derrière eux un passé à jamais détruit, s'agitant encore sur ses ruines, avec tous les fossiles des siècles de l'absolutisme ; devant eux l'aurore d'un immense horizon, les premières*
5 *clartés de l'avenir ; et entre ces deux mondes... quelque chose de semblable à l'Océan qui sépare le vieux continent de la jeune Amérique, je ne sais quoi de vague et de flottant, une mer houleuse et pleine de naufrages, traversée de temps en temps par quelque blanche voile lointaine ou par quelque navire soufflant une*
10 *lourde vapeur ; le siècle présent, en un mot, qui sépare le passé de l'avenir, qui n'est ni l'un ni l'autre et qui ressemble à tous deux à la fois, et où l'on ne sait, à chaque pas qu'on fait, si l'on marche sur une semence ou sur un débris.*

Voilà dans quel chaos il fallut choisir alors ; voilà ce qui se
15 *présentait à des enfants pleins de force et d'audace, fils de l'empire et petits-fils de la Révolution.*

Or, du passé, ils n'en voulaient plus, car la foi en rien ne se donne ; l'avenir, ils l'aimaient, mais quoi ? comme Pygmalion Galathée[1], c'était pour eux comme une amante de marbre, et ils
20 *attendaient qu'elle s'animât, que le sang colorât ses veines.*

Il leur restait donc le présent, l'esprit du siècle, ange du crépuscule, qui n'est ni la nuit ni le jour ; ils le trouvèrent assis sur un sac de chaux plein d'ossements, serré dans le manteau des égoïstes, et grelottant d'un froid terrible."

Musset, *La Confession d'un enfant du siècle*, Ire partie, chap. II.

1. Pygmalion était un roi sculpteur, tombé amoureux d'une statue qui était son œuvre et à laquelle Vénus accorda la vie.

La chute de Napoléon met fin, en 1815, aux espoirs de toute une génération. De cette frustration naissent de nombreux phénomènes de compensation. La volonté d'échapper à une société décevante, déstabilisée par la perte de ses ancrages traditionnels et prenant difficilement conscience de ses mutations, explique les élans romantiques et les aspirations à la liberté.

Les déceptions de la Restauration

Pour la génération née avec le siècle, celle de V. Hugo, l'adolescence coïncide avec Waterloo et le retour à la Monarchie. Tous les jeunes gens qui avaient fondé leur réussite et placé leurs ambitions dans la gloire militaire se trouvent brusquement frustrés : plus d'avenir, un présent incertain et un retour à un ordre politique et social qui se veut traditionnel dans un contexte de ruptures. En effet, tout ce qui fondait les certitudes, foi religieuse, confiance dans un pouvoir consolidé par des siècles de centralisation, traditions, a disparu ou s'est modifié avec les événements révolutionnaires. La société de la Restauration, humiliée par la défaite de 1815, cherche en vain à retrouver les valeurs d'avant 1789. Les aristocrates, dont certains ont été ruinés par la Révolution, voient leurs privilèges diminués par la présence d'une noblesse d'Empire toute récente. Ils acceptent mal l'enrichissement rapide d'une bourgeoisie qui a su tirer profit de la conjoncture révolutionnaire, comme le montre *Le Père Goriot*. Ils se replient avec nostalgie dans leurs hôtels du Faubourg Saint-Germain ou sur leurs terres.

Parallèlement se développe une société de notables, bourgeois aisés, artisans du développement économique, surtout après 1830. Dans la première moitié du siècle, les clivages sociaux se modifient au détriment de l'aristocratie, associée au pouvoir mais non aux forces économiques. La société qui se recompose alors, peu ouverte à l'esprit nouveau, détermine des réactions favorables à la création artistique perçue comme une consolation, une évasion et un facteur de réussite intellectuelle et artistique.

L'artiste et son temps

Le sentiment douloureux d'une inadaptation sociale et historique fait de l'artiste un créateur pris entre des aspirations contraires : l'individualisme qui conduit à l'introspection* lyrique, ou l'observation du monde environnant, qui prend parfois la forme d'un engagement humanitaire.

L'importance de l'individu

Avec le XIXe siècle naît le concept d'individu opposé au groupe social. C'est ce qui conduit à la glorification du moi, à la valorisation de l'expérience personnelle, à l'importance accordée aux passions qui, seules, peuvent compenser les désillusions de la vie sociale et politique.

L'écrivain et les autres

La sensibilité trouve aussi à s'exprimer dans la compassion inspirée par les misères du monde ouvrier. À défaut d'une participation réelle aux activités politiques, certains écrivains se sentent appelés à témoigner en faveur des « misérables ». C'est ce que fera Hugo plus tard lorsqu'il mettra en scène Gavroche, Cosette et Jean Valjean. 1830 et les Trois Glorieuses, puis 1848 soulèvent d'ailleurs le problème de l'engagement de l'écrivain du côté du pouvoir ou des insurgés. Hugo prend le parti des opprimés. Lamartine siège parmi les députés à partir de 1834. D'autre part, la conscience de vivre une époque de transformations conduit à toute une réflexion sur l'évolution humaine. Les certitudes positivistes*, nées de l'observation des progrès scientifiques, développent un optimisme qui se maintient durant tout le siècle, mais auquel n'adhèrent pas ceux qui lui préfèrent l'évasion du rêve.

Le salut par l'écriture

Qu'il s'agisse d'introspection* lyrique ou de compassion humanitaire, les données socio-historiques de cette première moitié de siècle font de la littérature un instrument de compensation. La voie est souvent difficile, comme le montrent certaines existences malheureuses, celle d'A. Bertrand, celle de Nerval. La réussite nécessite parfois de nombreuses tentatives, comme celle de Balzac, de 1820 à 1830. Mais une chose est certaine : écrire console des illusions disparues avec 1815. À celui qui n'a pu réussir ni par le « rouge » (la gloire militaire), ni par le « noir » (la carrière ecclésiastique), il reste la plume.

Un renouveau nécessaire

L'affectivité dominante, les interrogations multiples, la passion de la liberté souffrent des cadres traditionnels trop rigides. L'alexandrin classique, la tragédie sont jugés inaptes à traduire la vie et les élans du cœur : assouplissements et réformes sont à l'ordre du jour. Il revient à l'esthétique romantique d'avoir ouvert des brèches dans la tradition tandis que déjà le souci du réalisme prend le pas sur les enthousiasmes et les rêves.

La poésie romantique

Maurice Chabas (1862-1947), *Contemplation*
(détail), (huile sur toile, 81 X 65,5 cm ; Paris,
Musée du Petit Palais).

Musset

Nerval

A. Bertrand

Hugo

Ainsi, toujours poussés vers de nouveaux rivages,
Dans la nuit éternelle emportés sans retour,
Ne pourrons-nous jamais sur l'océan des âges
    Jeter l'ancre un seul jour ?

5 Ô lac ! l'année à peine a fini sa carrière,
Et près des flots chéris qu'elle devait revoir,
Regarde ! je viens seul m'asseoir sur cette pierre
    Où tu la vis s'asseoir !

Tu mugissais ainsi sous ces roches profondes ;
10 Ainsi tu te brisais sur leurs flancs déchirés ;
Ainsi le vent jetait l'écume de tes ondes
    Sur ses pieds adorés.

Un soir, t'en souvient-il ? nous voguions en silence ;
On n'entendait au loin, sur l'onde et sous les cieux,
15 Que le bruit des rameurs qui frappaient en cadence
    Tes flots harmonieux.

Tout à coup des accents inconnus à la terre
Du rivage charmé frappèrent les échos ;
Le flot fut attentif, et la voix qui m'est chère
20   Laissa tomber ces mots :

« Ô Temps, suspends ton vol ! et vous, heures propices,
    Suspendez votre cours !
Laissez-nous savourer les rapides délices
    Des plus beaux de nos jours !

25 Assez de malheureux ici-bas vous implorent :
    Coulez, coulez pour eux ;
Prenez avec leurs jours les soins qui les dévorent ;
    Oubliez les heureux.

Mais je demande en vain quelques moments encore,
30   Le temps m'échappe et fuit ;
Je dis à cette nuit : "Sois plus lente" ; et l'aurore
    Va dissiper la nuit.

Aimons donc, aimons donc ! de l'heure fugitive,
    Hâtons-nous, jouissons !
35 L'homme n'a point de port, le temps n'a point de rive ;
    Il coule, et nous passons ! »

Lamartine, *Méditations poétiques*, « Le lac », extrait (neuf premières strophes).

Musset

Un « Enfant du siècle »

Alfred de Musset voit le jour en 1810, dans un milieu cultivé. Lui-même écrit, peint, raffole de pièces de théâtre qu'il monte avec son frère Paul. Ayant peu de goût pour les études, il fréquente la Bohème et rencontre les principaux poètes romantiques. À vingt ans, en 1830, la publication des *Contes d'Espagne et d'Italie* fait connaître sa virtuosité poétique.

1810-1857

Échecs et déceptions

Mais plusieurs événements viennent ternir une vie jusqu'alors brillante. Sa première comédie, *La Nuit vénitienne,* est sifflée. Il décide alors de ne plus faire jouer son théâtre. En 1833, sa liaison avec G. Sand est une suite de ruptures et de réconciliations, jusqu'à la séparation en 1835. Son œuvre témoigne alors des bouleversements de sa vie. Les poèmes lyriques des *Nuits, Lorenzaccio, On ne badine pas avec l'amour, Les Caprices de Marianne* offrent un mélange de fantaisie légère et de cynisme masquant à peine un profond désespoir.

Une fin sans gloire

Après 1840, les publications de Musset deviennent de plus en plus rares. Malade, découragé, malgré une double reconnaissance officielle (Légion d'honneur en 1845 et élection à l'Académie française en 1852), il meurt en 1857, oublié de ses contemporains.

Charles Landelle (1812-1908), *Alfred de Musset* (détail), (Versailles, Musée National du Château).

Le Chandelier - 1835

Chanson de Fortunio

Dans la comédie Le Chandelier, *Fortunio est un jeune homme amoureux qui chante à sa bien-aimée, Jacqueline, la chanson que voici :*

Si vous croyez que je vais dire
    Qui j'ose aimer,
Je ne saurais, pour un empire,
    Vous la nommer.

5 Nous allons chanter à la ronde,
    Si vous voulez,
Que je l'adore et qu'elle est blonde
    Comme les blés.

Je fais ce que sa fantaisie
10   Veut m'ordonner,
Et je puis, s'il lui faut ma vie,
    La lui donner.

Du mal qu'une amour ignorée
    Nous fait souffrir,
15 J'en porte l'âme déchirée,
    Jusqu'à mourir.

Mais j'aime trop pour que je die
    Qui j'ose aimer,
Et je veux mourir pour ma mie,
20   Sans la nommer.

■ Ce poème est une **chanson.** À quoi le voit-on ? Pour répondre à cette question, observez la forme du texte, les répétitions, le thème, certains clichés.

■ Observez la variété des pronoms personnels : quelle est la **situation de communication ?** Que représentent **vous** et **nous ?** À qui s'adresse en réalité le jeune homme qui chante ?

■ Par l'étude des champs lexicaux, déterminez la **double tonalité** de cette chanson.

■ À partir de la « Chanson de Fortunio » et d'autres textes de chansons ▷ ▷ ▷ *p. 32, 272, 314,* ou de poèmes mis en musique, expliquez le point de vue suivant :

La chanson est une forme d'expression populaire et elle permet de retrouver l'âme d'une époque. La chanson est un miroir de la société... elle reflète en effet les mythes, les rêves, les espoirs du public, mais on peut aussi trouver dans la chanson tous les thèmes essentiels de l'homme : l'amour, la nature, la mort...

Jacques Charpentreau, *Le Disque dans la Table ronde,* SEPAL, mai 1963.

guides *p. 39-276-386*

Les Nuits

La Nuit de décembre

Les Nuits *sont quatre poèmes portant des noms de mois (mai, décembre, août, octobre). Ils ont tous une forme similaire, celle du dialogue. Dans* La Nuit *de décembre,* le poète retrace la succession des épisodes malheureux de sa vie, tous marqués, dit-il, par la présence d'une ombre familière.

LE POÈTE

Du temps que j'étais écolier,
Je restai un soir à veiller
Dans notre salle solitaire.
Devant ma table vint s'asseoir
5 Un pauvre enfant vêtu de noir,
Qui me ressemblait comme un frère.

Son visage était triste et beau.
À la lueur de mon flambeau,
Dans mon livre ouvert il vint lire.
10 Il pencha son front sur ma main,
Et resta jusqu'au lendemain,
Pensif, avec un doux sourire.

Comme j'allais avoir quinze ans,
Je marchais un jour, à pas lents,
15 Dans un bois, sur une bruyère.
Au pied d'un arbre vint s'asseoir
Un jeune homme vêtu de noir,
Qui me ressemblait comme un frère.

Je lui demandai mon chemin ;
20 Il tenait un luth d'une main,
De l'autre un bouquet d'églantine.
Il me fit un salut d'ami,
Et, se détournant à demi,
Me montra du doigt la colline.

25 À l'âge où l'on croit à l'amour,
J'étais seul dans ma chambre un jour,
Pleurant ma première misère.
Au coin de mon feu vint s'asseoir
Un étranger vêtu de noir,
30 Qui me ressemblait comme un frère.

Il était morne et soucieux ;
D'une main il montrait les cieux,
Et de l'autre il tenait un glaive.
De ma peine il semblait souffrir,
35 Mais il ne poussa qu'un soupir,
Et s'évanouit comme un rêve.

À l'âge où l'on est libertin,
Pour boire un toast en un festin,
Un jour je soulevai mon verre.
40 En face de moi vint s'asseoir
Un convive vêtu de noir,
Qui me ressemblait comme un frère.

Il secouait sous son manteau
Un haillon de pourpre en lambeau,
45 Sur sa tête un myrte stérile.
Son bras maigre cherchait le mien,
Et mon verre, en touchant le sien,
Se brisa dans ma main débile.

Eugène Lami (1800-1890),
illustration pour
Nuit de Décembre, 1859
(aquarelle ;
Musée National du
Château de Malmaison).

Un an après, il était nuit,
50 J'étais à genoux près du lit
Où venait de mourir mon père.
Au chevet du lit vint s'asseoir
Un orphelin vêtu de noir,
Qui me ressemblait comme un frère.

55 Ses yeux étaient noyés de pleurs ;
Comme les anges de douleurs,
Il était couronné d'épine ;
Son luth à terre était gisant,
Sa pourpre de couleur de sang,
60 Et son glaive dans sa poitrine.

Je m'en suis si bien souvenu,
Que je l'ai toujours reconnu
À tous les instants de ma vie.
C'est une étrange vision,
65 Et cependant, ange ou démon,
J'ai vu partout cette ombre amie.

Suivent 17 strophes terminées par cette interrogation :

Qui donc es-tu, toi que dans cette vie
Je vois toujours sur mon chemin ?

La Vision, alors, répond au poète.

LA VISION

Je ne suis ni dieu ni démon,
70 Et tu m'as nommé par mon nom
Quand tu m'as appelé ton frère ;
Où tu vas, j'y serai toujours,
Jusques au dernier de tes jours,
Où j'irai m'asseoir sur ta pierre.

75 Le ciel m'a confié ton cœur.
Quand tu seras dans la douleur,
Viens à moi sans inquiétude.
Je te suivrai sur le chemin ;
Mais je ne puis toucher ta main,
80 Ami, je suis la Solitude.

Extrait.

LECTURE MÉTHODIQUE

■ Dans la première partie du poème (vers 1 à 60), repérez les similitudes et les parallélismes de **structure** dans les groupes de deux strophes. Quel effet produisent-ils ?

■ Étudiez les éléments communs à chaque apparition de l'ombre. Par l'observation des champs lexicaux, précisez quelle est leur **tonalité.**

■ Qu'y a-t-il à la fois de **logique** et de **paradoxal** dans le dernier vers ? Prenez appui sur le déroulement de l'évocation et sur les situations évoquées pour répondre à cette question.

PARCOURS CULTUREL

■ Cherchez ce que **symbolisent** le luth, la couronne d'épines, l'églantine et le myrte.

guides p. 39-276-306

Nerval

1808-1855

« Enfant du siècle », comme Musset, Gérard Labrunie eut lui aussi une vie marquée par la souffrance, et par un mal plus douloureux encore, la folie.

Orphelin de mère, le jeune Gérard est élevé par son grand-père dans le Valois, région de forêts et d'étangs toute empreinte de poésie et de mystère. Il y situera certaines de ses nouvelles, dont *Sylvie*.

Refusant les études de médecine, il choisit la poésie et se fait connaître par une traduction du *Faust* de Goethe (1828). Il participe à la bataille d'*Hernani* (1830), fréquente le « Cénacle » et s'éprend d'une comédienne, Jenny Colon, qui incarne tous ses rêves. Lorsqu'elle épouse un musicien, il entreprend un voyage en Europe.

Mais, en 1841, une première crise de folie révèle ses déchirements intérieurs et sa quête inlassable d'une identité perturbée. Après un voyage en Orient dont il donne le récit dans le *Voyage en Orient* publié en 1851, sa réadaptation à la France est difficile : Jenny Colon, sa « seule étoile », est morte en 1842. Outre les difficultés financières, il vit une seconde crise de folie. Hospitalisé en 1853, il compose certains sonnets des *Chimères*, son œuvre la plus achevée.

Le 26 janvier 1855, on le retrouve pendu près du Châtelet.

Odelettes rythmiques et lyriques - 1852

Une allée du Luxembourg

Ce bref poème reprend le thème traditionnel de la rencontre. On ne sait pas qui est la « jeune fille » dont il est question.

Elle a passé, la jeune fille
Vive et preste comme un oiseau :
À la main une fleur qui brille,
À la bouche un refrain nouveau.

5 C'est peut-être la seule au monde
Dont le cœur au mien répondrait,
Qui venant dans ma nuit profonde
D'un seul regard l'éclaircirait !

Mais non, - ma jeunesse est finie...
10 Adieu, doux rayon qui m'as lui, -
Parfum, jeune fille, harmonie...
Le bonheur passait, - il a fui !

LECTURE MÉTHODIQUE

■ Par l'observation des pronoms personnels, des déterminants, des verbes et des adjectifs, étudiez quelle est la **présence dominante** de ce poème et ce qu'elle apporte.

■ Quelle est la **seconde présence ?** Comment est-elle exprimée ? Étudiez précisément la situation d'énonciation du texte.

■ Par l'observation et l'analyse des temps et modes verbaux, de la ponctuation, analysez l'évolution de la **relation** entre **elle** et **je.** Utilisez aussi le découpage des strophes, les rimes et les rythmes.

■ Comparez le premier et le dernier vers.

VERS LE COMMENTAIRE LITTÉRAIRE

■ En prenant appui sur les repérages de la lecture méthodique, traitez un ou plusieurs des trois axes de commentaire suivants :
- une **rencontre** entre *je* et *elle ;*
- deux présences à la fois **antithétiques** et **complémentaires ;**
- un **échec** prévisible.

guides p. 369-386-418

Gustave Moreau (1826-1898), *Les Licornes* (détail), 1885 (huile et détrempe sur toile, 115 X 90 cm ; Paris, Musée Gustave-Moreau).

Fantaisie

Composé et publié dès 1832, le poème « Fantaisie » fait partie du recueil des Odelettes, *dans lequel Nerval affirme « ronsardiser ». L'inspiration est tournée vers l'évocation du passé à laquelle s'ajoutent la croyance en une vie antérieure et les charmes nostalgiques des rêves.*

Il est un air[1] pour qui je donnerais
Tout Rossini, tout Mozart et tout Weber[2],
Un air très vieux, languissant et funèbre,
Qui pour moi seul a des charmes secrets !

5 Or, chaque fois que je viens à l'entendre,
De deux cents ans mon âme rajeunit...
C'est sous Louis treize ; et je crois voir s'étendre
Un coteau vert, que le couchant jaunit,

Puis un château de brique à coins de pierre,
10 Aux vitraux teints de rougeâtres couleurs,
Ceint de grands parcs, avec une rivière
Baignant ses pieds, qui coule entre des fleurs ;

Puis une dame, à sa haute fenêtre,
Blonde aux yeux noirs, en ses habits anciens,
15 Que, dans une autre existence peut-être,
J'ai déjà vue... et dont je me souviens !

1. Nerval dit lui-même en note qu'il s'agit du « chant d'Adrienne » dans *Sylvie*. 2. le mot se prononce Webre, comme le rappelle Nerval en note.

LECTURE MÉTHODIQUE

■ Observez la ponctuation du texte : quelles indications vous donne-t-elle sur sa **structure ?** Quelles différences pouvez-vous établir entre les vers 1 à 6 et 7 à 16 ? Aidez-vous aussi des mots de liaison pour répondre à cette question.

■ Quel est le **thème dominant** des vers 1 à 7 ? Pour répondre à cette question, analysez les adjectifs, les pronoms personnels et les champs lexicaux.

■ Quels éléments composent la **réminiscence ?** Dans quel ordre sont-ils donnés ? Quel effet produit cet ordre ?

PARCOURS CULTUREL

■ Cherchez le champ sémantique de « **fantaisie** » et déterminez à quel(s) sens se rattache ici le titre. Le mot est-il employé dans le même sens *p. 308* ?

guides p. 39-296-306-381

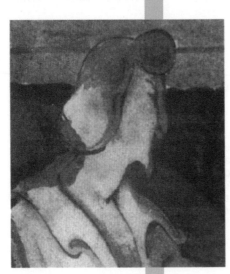

Aloysius Bertrand

Né à Dijon et mort à Paris, seul et inconnu, Louis Bertrand eut une vie brève, traversée par la misère et la maladie. Son œuvre unique, *Gaspard de la nuit* est un recueil de poèmes en prose composé de six livres. Son titre est le nom d'un personnage mystérieux, rencontré à Dijon, et qui n'est autre que le Diable.
Cette œuvre valut à son auteur une gloire posthume, celle d'avoir inventé un genre nouveau : le poème en prose.

1807-1841

Portrait : Aloysius Bertrand (1807-1841), *Autoportrait* (détail) (Collection particulière).

Gaspard de la nuit - 1842

Ondine

Ce poème appartient au livre intitulé « La nuit et ses prestiges ».

> *... Je croyais entendre*
> *Une vague harmonie enchanter mon sommeil,*
> *Et près de moi s'épandre un murmure pareil*
> *Aux chants entrecoupés d'une voix triste et tendre.*
> Ch. Brugnot, *Les deux Génies*[1].

   - « Écoute ! - Écoute ! - C'est moi, c'est Ondine qui frôle de ces gouttes d'eau les losanges sonores de ta fenêtre illuminée par les mornes rayons de la lune ; et voici en robe de moire, la dame châtelaine qui contemple à son balcon la belle nuit étoi-
5 lée et le beau lac endormi.

   « Chaque flot est un ondin qui nage dans le courant, chaque courant est un sentier qui serpente vers mon palais, et mon palais est bâti fluide, au fond du lac, dans le triangle du feu, de la terre et de l'air.

10 « Écoute ! - Écoute ! - Mon père bat l'eau coassante d'une branche d'aulne verte, et mes sœurs caressent de leurs bras d'écume les fraîches îles d'herbes, de nénuphars et de glaïeuls, ou se moquent du saule caduc et barbu qui pêche à la ligne ! »

★

   Sa chanson murmurée, elle me supplia de recevoir son anneau
15 à mon doigt pour être l'époux d'une Ondine, et de visiter avec elle son palais pour être le roi des lacs.

   Et comme je lui répondais que j'aimais une mortelle, boudeuse et dépitée, elle pleura quelques larmes, poussa un éclat de rire, et s'évanouit en giboulées qui ruisselèrent blanches le
20 long de mes vitraux bleus.

1. écrivain contemporain d'A. Bertrand.

LECTURE MÉTHODIQUE

■ Observez la disposition typographique du texte et sa ponctuation : que remarquez-vous ? Qu'est-ce que souligne la présence de l'étoile ? Repérez toutes les **différences** qui existent entre les deux parties.

■ En utilisant les champs lexicaux et la situation d'énonciation, faites apparaître les éléments qui créent et soulignent une **continuité** entre les deux parties.

■ Quel est le **rôle d'Ondine** ? Appuyez-vous sur le repérage des verbes et de l'énonciation pour répondre à cette question.

■ Le texte est **un poème en prose**. En utilisant le guide et le tableau *p. 316* et *438*, retrouvez dans ce texte certaines caractéristiques du poème en prose.

PARCOURS CULTUREL

■ Le personnage d'Ondine a inspiré d'autres écrivains. Lesquels ? Quelles sont ses caractéristiques ? Cherchez d'autres **divinités des eaux** et précisez quelles sont leurs fonctions, dans la mythologie, en poésie.

guides p. 316-369-386

Victor Hugo

Victor Hugo vécut 83 ans. Cette longévité fait de lui le témoin et parfois l'acteur des bouleversements politiques et sociaux de son siècle. Son œuvre en porte le témoignage.

Le chef de file de la poésie nouvelle

Né en 1802, à Besançon, le jeune Hugo connaît, avec ses deux frères, une enfance et une adolescence mouvementées : voyages au gré des affectations de son père, général d'Empire, mésentente et séparation de ses parents, refus des études au profit de la poésie. Il apparaît bientôt comme le chef de file d'un groupe de jeunes écrivains (Nerval, Nodier, Sainte-Beuve) avec qui il fonde le « Cénacle* ». Leur idéal de liberté les conduit à s'affranchir de la doctrine classique, aussi bien au théâtre qu'en poésie. Les *Odes et Ballades* (1828), *Les Orientales* (1829) témoignent d'un choix nouveau d'inspiration et de forme. En 1830, la bataille d'*Hernani* ▷▷▷ *p. 281,* oppose partisans et adversaires du drame romantique ▷▷▷ *p. 286.* Hugo, désormais célèbre, voit sa vie affective et familiale perturbée, en 1833, par la rencontre de la comédienne Juliette Drouet et le début de leur liaison.

Le drame et l'exil

En 1843, un drame l'atteint profondément, la mort de sa fille Léopoldine, et celle de son gendre, noyés au cours d'une promenade en barque. Il apprend l'événement par hasard, dans un café, au cours d'un voyage. La date du 4 septembre marque alors le début d'une période de douleur et d'interrogations dont témoignent *Les Contemplations,* œuvre poétique publiée en 1856. Entre-temps, dans une période historiquement troublée, Hugo s'est défini comme un « homme de gauche », partisan de la liberté et luttant contre les injustices. Son roman consacré aux humbles, *Les Misérables,* est déjà en chantier lorsque se produit la Révolution de 1848. Présent aux côtés des Républicains, Hugo tente de s'opposer au coup d'État du 2 décembre 1851. Recherché, sa tête mise à prix, il s'exile à Bruxelles d'abord puis à Jersey et Guernesey. En exil, il termine *Les Misérables,* et compose une œuvre violemment satirique, réquisitoire contre Napoléon III, les *Châtiments* (1853). Il est alors un écrivain engagé, le « phare » de toute l'opposition. Poète, il se donne pour mission de guider le peuple vers la lumière de la liberté.

Le retour

Ayant refusé une amnistie accordée en 1859, Hugo attend la chute de l'Empire, en 1870, pour rentrer en France. Il publie alors l'épopée de *La Légende des siècles* (1877-1883). En 1885, lorsqu'il meurt, des funérailles nationales rendent un immense hommage à l'homme qui a peut-être le plus marqué son siècle et dont l'image et l'œuvre ont déjà pris, à cette époque, une dimension mythique.

1802-1885

Portrait : Léon Bonnat (1843-1923), *Victor Hugo* (détail), (Paris, Maison de Victor Hugo).

Victor Hugo (1802-1885), *La Tourgue,* 1835 (lavis ; Paris, Maison de Victor Hugo). ▶

Châtiments - 1853

Au bord de la mer

Publiés deux ans après le coup d'État de 1851, les Châtiments *sont une œuvre poétique à la fois satirique et polémique. Le poète exilé y critique sévèrement celui qu'il appelle le sanglant gredin, Napoléon III.*
Dans le Livre III, intitulé ironiquement « La famille est restaurée », il imagine un dialogue entre un personnage Harmodius et des interlocuteurs qui sont des allégories.

Eugène Delacroix (1798-1863), *La Grèce expirant sur les ruines de Missolonghi*, 1852 (huile sur toile, 213 X 242 cm ; Bordeaux, Musée des Beaux-Arts).

HARMODIUS
La nuit vient. Vénus brille.

L'ÉPÉE
Harmodius, c'est l'heure !

LA BORNE DU CHEMIN
Le tyran va passer.

HARMODIUS
J'ai froid, rentrons.

UN TOMBEAU
Demeure.

HARMODIUS
Qu'es-tu ?

LE TOMBEAU
Je suis la tombe. - Exécute, ou péris.

UN NAVIRE À L'HORIZON
Je suis la tombe aussi, j'emporte les proscrits.

L'ÉPÉE
5 Attendons le tyran.

HARMODIUS
J'ai froid. Quel vent !

LE VENT
Je passe.
Mon bruit est une voix. Je sème dans l'espace
Les cris des exilés, de misère expirants,
Qui sans pain, sans abri, sans amis, sans parents,
Meurent en regardant du côté de la Grèce.

VOIX DANS L'AIR
10 Némésis [1] ! Némésis ! lève-toi, vengeresse !

L'ÉPÉE
C'est l'heure. Profitons de l'ombre qui descend.

LA TERRE
Je suis pleine de morts.

LA MER
Je suis rouge de sang.
Les fleuves m'ont porté des cadavres sans nombre.

LA TERRE
Les morts saignent pendant qu'on adore son ombre.
15 À chaque pas qu'il fait sous le clair firmament,
Je les sens s'agiter en moi confusément.

UN FORÇAT

Je suis forçat, voici la chaîne que je porte,
Hélas ! pour n'avoir pas chassé loin de ma porte
Un proscrit qui fuyait, noble et pur citoyen.

L'ÉPÉE

20 Ne frappe pas au cœur, tu ne trouverais rien.

LA LOI

J'étais la loi, je suis un spectre. Il m'a tuée.

LA JUSTICE

De moi, prêtresse, il fait une prostituée.

LES OISEAUX

Il a retiré l'air des cieux, et nous fuyons.

LA LIBERTÉ

Je m'enfuis avec eux ; - ô terre sans rayons,
25 Grèce, adieu !

UN VOLEUR

Ce tyran, nous l'aimons. Car ce maître
Que respecte le juge et qu'admire le prêtre,
Qu'on accueille partout de cris encourageants,
Est plus pareil à nous qu'à vous, honnêtes gens.

LE SERMENT

Dieux puissants ! à jamais fermez toutes les bouches !
30 La confiance est morte au fond des cœurs farouches.
Homme, tu mens ! Soleil, tu mens ! Cieux, vous mentez !
Soufflez, vents de la nuit ! emportez, emportez
L'honneur et la vertu, cette sombre chimère !

LA PATRIE

Mon fils, je suis aux fers ! Mon fils, je suis ta mère !
35 Je tends les bras vers toi du fond de ma prison.

HARMODIUS

Quoi ! le frapper, la nuit, rentrant dans sa maison !
Quoi ! devant ce ciel noir, devant ces mers sans borne !
Le poignarder, devant ce gouffre obscur et morne,
En présence de l'ombre et de l'immensité !

LA CONSCIENCE

1. déesse de la vengeance.   40 Tu peux tuer cet homme avec tranquillité.

Jersey, 25 octobre.

LECTURE MÉTHODIQUE

■Observez la **situation de communication** et l'alternance des répliques. Que remarquez-vous en ce qui concerne le contenu des interventions d'Harmodius d'une part, la relation entre l'**identité** de chaque locuteur et le **thème** de ses paroles d'autre part ?

■Déduisez de la première question l'**élément commun** à toutes les répliques, et les diverses **connotations** qui s'y rattachent.

■Quelle **fonction** ont les différentes répliques par rapport à la dernière, celle de la conscience ? En quoi cette analyse vous permet-elle de déterminer à quel **type** de texte appartient cet extrait ?

ÉCRITURE

■À partir du contenu du texte, exposez en les développant les **différentes raisons** qui sont données à Harmodius de *tuer cet homme*. Montrez en particulier, en faisant cet exposé, quelles sont les **valeurs bafouées,** selon les différents locuteurs, par le *tyran*.

■En prenant appui sur la lecture méthodique du texte, analysez ce qui fait la **force** de cet extrait.

■De la même manière, exprimez en les développant les **hésitations** d'Harmodius et les raisons qu'il peut avoir de refuser un assassinat.

guides p. 39-78-139-151

« Sonnez, sonnez toujours, clairons de la pensée »

L'extrait qui suit est d'inspiration biblique. Hugo met en scène l'épisode de la bataille de Jéricho[1] et lui confère une signification symbolique.

I

Sonnez, sonnez toujours, clairons de la pensée[2].

Quand Josué rêveur, la tête aux cieux dressée,
Suivi des siens, marchait, et, prophète irrité[3],
Sonnait de la trompette autour de la cité,
5 Au premier tour qu'il fit, le roi se mit à rire ;
Au second tour, riant toujours, il lui fit dire :
« Crois-tu donc renverser ma ville avec du vent ? »
À la troisième fois l'arche allait en avant,
Puis les trompettes, puis toute l'armée en marche,
10 Et les petits enfants venaient cracher sur l'arche,
Et, soufflant dans leur trompe, imitaient le clairon ;
Au quatrième tour, bravant les fils d'Aaron[4],
Entre les vieux créneaux tout brunis par la rouille,
Les femmes s'asseyaient en filant leur quenouille,
15 Et se moquaient, jetant des pierres aux Hébreux ;
À la cinquième fois, sur ces murs ténébreux,
Aveugles et boiteux vinrent, et leurs huées
Raillaient le noir clairon sonnant sous les nuées ;
À la sixième fois, sur sa tour de granit
20 Si haute qu'au sommet l'aigle faisait son nid,
Si dure que l'éclair l'eût en vain foudroyée,
Le roi revint, riant à gorge déployée,
Et cria : « Ces Hébreux sont bons musiciens ! »
Autour du roi joyeux riaient tous les anciens
25 Qui le soir sont assis au temple, et délibèrent.

À la septième fois, les murailles tombèrent.

19 mars 1853. Jersey.

1. ce poème retrace un épisode de l'Ancien Testament. Josué, roi des Hébreux, conduisant son peuple, « les fils d'Aaron » (v.12), vers la Terre promise, cherche à s'emparer de la ville de Jéricho. Portant « l'Arche d'alliance », objet symbolisant un pacte avec Dieu, il fait le tour des murailles sept fois sous les insultes des habitants. La septième fois, un miracle fait tomber les murs et il entre dans la ville.
2. ce texte est le poème liminaire du septième livre des *Châtiments.*
3. désigne Josué.
4. la périphrase désigne les Hébreux.

LECTURE MÉTHODIQUE

■ Lisez ce texte à voix haute : repérez les **e** muets qui doivent être prononcés, les diérèses, les enjambements, les coupes. Quelles remarques pouvez-vous faire concernant les effets produits par le **rythme ?**

■ Quelles sont les **étapes** du récit ? Comment sont-elles soulignées ? Qu'ont en commun les situations présentées ? Utilisez pour répondre à cette question les anaphores et les champs lexicaux.

■ À partir des images, des pluriels et du contexte biblique, déterminez la **tonalité** de ce texte.

■ Pourquoi le premier et le dernier vers sont-ils détachés des autres ? Comment comprenez-vous l'expression *clairons de la pensée* ? Quelle est la **portée symbolique** du personnage de Josué et de l'épisode ?

PARCOURS CULTUREL

■ Ce texte fait référence à un **épisode biblique**. Recherchez ceux qu'évoquent les expressions suivantes : « bâtir sur du sable », « un bouc émissaire », « être transporté au septième ciel », « prêcher dans le désert », « porter au pinacle », « être changé en statue de sel », « tuer le veau gras »

guides p. 78-87-306

Roberts, *La Porte du Grand Temple de Baalbec*, 1841 (74,9 x 62,2 cm ; Londres, The Royal Academy of Arts).

Le même épisode figure dans l'Ancien Testament.

■ TEXTE ÉCHO

10 Josué donna cet ordre au peuple : « Vous ne pousserez pas de cla-meur, vous ne ferez pas entendre votre voix et aucune parole ne sortira de votre bouche jusqu'au jour où je vous dirai : Poussez la clameur ; alors, vous pousserez la clameur. »

5 11 L'arche du SEIGNEUR tourna autour de la ville pour en faire le tour une fois, puis ils rentrèrent au camp et y passèrent la nuit.

12 Josué se leva de bon matin et les prêtres portèrent l'arche du SEI-GNEUR ; 13 les sept prêtres qui portaient les sept cors de bélier devant l'arche du SEIGNEUR se remirent en marche en sonnant du cor. L'avant-

10 garde marchait devant eux et l'arrière-garde suivait l'arche du SEIGNEUR : on marchait en sonnant du cor. 14 Ils tournèrent une fois autour de la ville le second jour, puis ils revinrent au camp. Ainsi firent-ils pendant six jours. 15 Or, le septième jour, ils se levèrent lorsque apparut l'aurore et ils tournèrent sept fois autour de la ville selon ce même rite ; c'est ce

15 jour-là seulement qu'ils tournèrent sept fois autour de la ville. 16 La sep-tième fois, les prêtres sonnèrent du cor et Josué dit au pleuple : « Pous-sez la clameur, car le SEIGNEUR vous a livré la ville. 17 La ville sera vouée à l'interdit par le SEIGNEUR, elle et tout ce qui s'y trouve. [...]

20 Le peuple poussa la clameur et on sonna du cor. Lorsque le peuple

20 entendit le son du cor, il poussa une grande clameur et le rempart s'écroula sur place ; le peuple monta vers la ville, chacun droit devant soi, et ils s'emparèrent de la ville. 21 Ils vouèrent à l'interdit tout ce qui se trouvait dans la ville, aussi bien l'homme que la femme, le jeune homme que le vieillard, le taureau, le mouton et l'âne, les passant tous

25 au tranchant de l'épée.

Ancien Testament. Le livre de Josué, 6.

271

Les Contemplations - 1856

Vieille chanson du jeune temps

Publié alors que V. Hugo est en exil, le recueil poétique des Contemplations *est indissociable d'une date, le 4 septembre 1843, jour de la disparition de sa fille Léopoldine. L'œuvre se divise en deux parties,* Autrefois, *qui regroupe des poèmes du bonheur et* Aujourd'hui, *expression de la douleur et des interrogations sur la mort et sur le destin.*

Je ne songeais pas à Rose ;
　Rose au bois vint avec moi ;
Nous parlions de quelque chose,
Mais je ne sais plus de quoi.

5　J'étais froid comme les marbres ;
Je marchais à pas distraits ;
Je parlais des fleurs, des arbres ;
Son œil semblait dire : Après ?

La rosée offrait ses perles,
10　Le taillis ses parasols ;
J'allais ; j'écoutais les merles,
Et Rose les rossignols.

Moi, seize ans, et l'air morose.
Elle vingt ; ses yeux brillaient.
15　Les rossignols chantaient Rose
Et les merles me sifflaient.

Rose, droite sur ses hanches,
Leva son beau bras tremblant
Pour prendre une mûre aux branches ;
20　Je ne vis pas son bras blanc.

Une eau courait, fraîche et creuse,
Sur les mousses de velours ;
Et la nature amoureuse
Dormait dans les grands bois sourds.

25　Rose défit sa chaussure,
Et mit, d'un air ingénu,
Son petit pied dans l'eau pure ;
Je ne vis pas son pied nu.

Je ne savais que lui dire ;
30　Je la suivais dans le bois,
La voyant parfois sourire
Et soupirer quelquefois.

Je ne vis qu'elle était belle
Qu'en sortant des grands bois sourds.
35　- Soit ; n'y pensons plus ! dit-elle.
Depuis, j'y pense toujours.

Autrefois, Paris, juin 1831.

LECTURE MÉTHODIQUE

■ Repérez les pronoms personnels, les adjectifs possessifs, les noms propres : **qui raconte ?** De quelle manière le narrateur met-il en scène les deux héros ? Que souligne-t-il à leur sujet ?

■ Par l'observation des champs lexicaux et des images, précisez quel **rôle** est attribué à la **nature.**

■ Quelle est la **tonalité** du texte ? Utilisez, pour répondre à cette question, les oppositions passé/présent, les anaphores, l'image que le narrateur donne de lui-même.

■ Comment se justifient les différents termes qui composent le **titre ?**

VERS LE COMMENTAIRE LITTÉRAIRE

■ En prenant appui sur les repérages de la lecture méthodique, rédigez un ou plusieurs des axes de commentaire suivants :

- une **scène champêtre** racontée par l'un des protagonistes ;
- la mise à distance **ironique** ;
- le sens du **titre.**

Richard Parkes Bonnington (1802-1828), *Paysage de rivière, soleil couchant,* vers 1825 (huile sur carton, 27,3 X 32,5 cm ; Londres, Victoria and Albert Museum).

« Demain, dès l'aube… »

Pour comprendre ce poème, le lecteur doit être attentif à la date indiquée, 3 septembre 1847, veille du quatrième anniversaire de la mort de Léopoldine.

Demain, dès l'aube, à l'heure où blanchit la campagne,
Je partirai. Vois-tu, je sais que tu m'attends.
J'irai par la forêt, j'irai par la montagne.
Je ne puis demeurer loin de toi plus longtemps.

5 Je marcherai les yeux fixés sur mes pensées,
Sans rien voir au-dehors, sans entendre aucun bruit,
Seul, inconnu, le dos courbé, les mains croisées,
Triste, et le jour pour moi sera comme la nuit.

Je ne regarderai ni l'or du soir qui tombe,
10 Ni les voiles au loin descendant vers Harfleur[1].
Et quand j'arriverai, je mettrai sur ta tombe
Un bouquet de houx vert et de bruyère en fleur.

Aujourd'hui, IV, 14, 3 septembre 1847.

1. petit port à l'embouchure de la Seine.

LECTURE MÉTHODIQUE

■ Observez les temps des verbes, les pronoms personnels, les négations et le rythme du poème : qu'en déduisez-vous en ce qui concerne l'**attitude** et les **sentiments du poète ?**

■ Pourquoi le lecteur peut-il commettre une erreur en interprétant ce poème ? À quel moment peut-il rectifier une interprétation erronée ?

■ Quelle est la **tonalité** de ce texte ? Utilisez, pour répondre à cette question, les pronoms personnels, les négations, les adjectifs.

VERS LA DISSERTATION

■ À partir de divers textes poétiques ▷▷▷ *p. 67, 262, 374, 430,* montrez en quoi la poésie trouve son inspiration dans le domaine des sentiments.

guides p. 78-276-369

La Légende des siècles
1859-1877-1883

« C'est ainsi que Roland épousa la belle Aude »

Épopée de l'humanité en marche vers la lumière, La Légende des siècles *est née, dit Hugo, d'une vision : « J'eus un rêve : le mur des siècles m'apparut. » Elle retrace l'évolution des hommes depuis le départ d'Adam du Paradis terrestre. L'extrait donné ici se situe au Moyen Âge. Il rapporte un épisode de la lutte de Charlemagne contre un baron révolté, Gérard de Vienne. L'affrontement des deux armées est remplacé par un duel entre deux chevaliers, Roland et Olivier.*

Le vieux Gérard dans Vienne
Attend depuis trois jours que son enfant revienne[1].
Il envoie un devin regarder sur les tours ;
Le devin dit : « Seigneur, ils combattent toujours. »

5 Quatre jours sont passés, et l'île et le rivage
Tremblent sous ce fracas monstrueux et sauvage.
Ils vont, viennent, jamais fuyant, jamais lassés,
Froissent le glaive au glaive et sautent les fossés,
Et passent, au milieu des ronces remuées,
10 Comme deux tourbillons et comme deux nuées.

1. il s'agit d'Olivier, l'un des deux combattants.

Eugène Delacroix (1798-1863), *Tigre attaquant un cheval sauvage*, 1825-1828 (aquarelle vernie par places, 18 X 25 cm ; Paris, Musée du Louvre).

Ô chocs affreux ! terreur ! tumulte étincelant !
Mais enfin Olivier saisit au corps Roland,
Qui de son propre sang en combattant s'abreuve,
Et jette d'un revers Durandal dans le fleuve.

15 - « C'est mon tour maintenant, et je vais envoyer
Chercher un autre estoc² pour vous, dit Olivier.
Le sabre du géant Sinnagog est à Vienne.
C'est, après Durandal, le seul qui vous convienne.
Mon père le lui prit alors qu'il le défit.
20 Acceptez-le. »

                    Roland sourit . - « Il me suffit
De ce bâton. » - Il dit, et déracine un chêne.

Sire Olivier arrache un orme dans la plaine
Et jette son épée, et Roland, plein d'ennui³,
L'attaque. Il n'aimait pas qu'on vînt faire après lui
25 Les générosités qu'il avait déjà faites.

Plus d'épée en leurs mains, plus de casque à leurs têtes.
Ils luttent maintenant, sourds, effarés, béants,
À grands coups de troncs d'arbre, ainsi que des géants.

Pour la cinquième fois, voici que la nuit tombe.
30 Tout à coup Olivier, aigle aux yeux de colombe,
S'arrête et dit :

                    - « Roland, nous n'en finirons point.
Tant qu'il nous restera quelque tronçon au poing,
Nous lutterons ainsi que lions et panthères.
Ne vaudrait-il pas mieux que nous devinssions frères ?
35 Écoute, j'ai ma sœur, la belle Aude au bras blanc ;
Épouse-la.

            - Pardieu ! je veux bien, dit Roland.
Et maintenant buvons, car l'affaire était chaude. »

C'est ainsi que Roland épousa la belle Aude.

Ire partie, X, « Le mariage de Roland ».

2. désigne une épée.
3. souci.

LECTURE MÉTHODIQUE

■ Étudiez l'alternance du récit et du **discours direct :** comment est-elle signalée ? Quel est l'effet produit ?

■ Repérez tout ce qui, dans le récit et dans le dialogue, exprime la **démesure :** comparaisons, métaphores, hyperboles, pluriels, champs lexicaux. Quelle est la **tonalité ?** En quoi est-elle servie par l'alexandrin ?

■ À partir de vos réponses, précisez certaines caractéristiques de la **chanson de geste.**

PARCOURS CULTUREL

■ **L'épopée** est un genre représenté dans la littérature de l'Antiquité et dans celle du Moyen Âge. Recherchez plusieurs exemples de récits épiques. Précisez leur époque, leur thème, leur auteur et certains de leurs **héros.**

■ D'où vient l'expression **« chanson de geste »** ? Montrez comment l'étymologie permet de définir ce genre littéraire.

LIRE LA PEINTURE

■ Étudiez comment sont rendus dans le tableau **la violence** et **le mouvement** du combat.

■ Quelles **relations** peut-on établir entre le tableau et le texte ?

guides *p. 78-87-330*

La tonalité lyrique

D'après le mythe antique, Orphée, le premier des poètes, chantait en s'accompagnant d'un instrument à cordes, **la lyre.** Il faut chercher là l'étymologie du mot « lyrique ». Dans la littérature grecque, il caractérisait toute forme poétique destinée à être chantée, comme les hymnes*, les odes*. Par la suite, le terme s'élargit pour caractériser la tonalité de certaines ballades* médiévales, sonnets* de la Renaissance ou tirades* et stances* de l'époque classique. Par opposition aux tonalités épique et dramatique, le lyrisme définissait le choix de thèmes comme **l'amour,** heureux ou malheureux, les **plaisirs** ou les **tourments de la vie.**

Depuis le XIXᵉ siècle, l'adjectif s'applique à l'expression des émotions et des sentiments personnels, mouvements de l'âme, regrets, admiration, enthousiasme, bonheur… C'est pourquoi on peut parler du lyrisme de Chateaubriand évoquant ses soucis et ses aspirations :

Ainsi disant, je marchais à grands pas, le visage enflammé, le vent sifflant dans ma chevelure, ne sentant ni pluie ni frimas, enchanté, tourmenté, et comme possédé par le démon de mon cœur. ▷▷▷ p. 255.

▉ Les indices du lyrisme

La tonalité lyrique étant associée à l'expression des sentiments, elle se reconnaît à plusieurs indices.

■ **L'importance du *je* :** L'écriture à la première personne privilégie et favorise l'analyse du moi, l'introspection*, l'expression de ce qui est ressenti.

■ **Le lexique de l'affectivité :** Il comporte tous les termes exprimant les sentiments et les émotions, les états d'âme. Du désespoir au bonheur, ce vocabulaire englobe des mots que l'on retrouve dans *La Nuit de décembre* ▷▷▷ Musset p. 262 : tristesse, douceur, solitude, amour, chagrin, cœur, larmes, pleurs, douleur…

Ce quatrain de V. Hugo, inspiré par la mort de sa fille, illustre l'utilisation de ce vocabulaire de l'affectivité :

Je marcherai les yeux fixés sur mes pensées,
Sans rien voir au-dehors, sans entendre aucun
[*bruit,*
Seul, inconnu, le dos courbé, les mains croisées,
Triste, et le jour pour moi sera comme la nuit,
▷▷▷ p. 273.

■ **Les interjections et les rythmes :** Les cris d'admiration, le désespoir, les plaintes* s'expriment par des interjections diverses *(Las, Hélas, Oh, Ô),* des exclamations et des apostrophes. *Ô Dieu, l'étrange peine,* répète Rodrigue ▷▷▷ p. 136. Chateaubriand interpelle la nature : *Levez-*

vous, orages désirés… ▷▷▷ p. 255, et Aragon, sa patrie déchirée : *Ô ma France, ô ma délaissée* ▷▷▷ p. 398.

■ **La structure des phrases** elle-même est marquée par les mouvements de la sensibilité : harmonie des rythmes ternaires*, régularité des parallélismes* comme dans les Stances de Rodrigue :

En cet affront mon père est l'offensé,
Et l'offenseur le père de Chimène.

Ou au contraire des ruptures fréquentes traduisent les bouleversements et les émotions.

Tandis que Verlaine, par l'harmonie musicale de ce quatrain, traduit la douceur de la rêverie :

Une aube affaiblie
Verse par les champs
La mélancolie
Des soleils couchants. ▷▷▷ p. 312.

■ **Les figures de style :** Comparaisons, métaphores et allégories traduisent les effets d'une sensibilité bouleversée, qui perd de vue parfois la réalité des choses : *Le bonheur passait - il a fui*, dit Nerval en parlant d'une jeune fille qu'il a à peine entrevue. ▷▷▷ p. 264.
La courbe de tes yeux fait le tour de mon cœur proclame Éluard. ▷▷▷ p. 373.
Les anaphores*, elles, soulignent la force des sentiments et des réactions (indignation, chagrin, joie, étonnement) ▷▷▷ p. 74 :
Le temps s'en va, le temps s'en va, ma dame ;
Las ! le temps, non, mais nous nous en allons…

▉ Les grands thèmes lyriques

Le lyrisme n'est pas réservé à la poésie, même si c'est là qu'on le trouve le plus souvent, de la littérature courtoise du Moyen Âge jusqu'au XXᵉ siècle, en passant par la Pléiade et par le Romantisme. Il imprègne certaines pages de **prose romanesque, l'autobiographie** (Rousseau, Chateaubriand, ▷▷▷ p. 240, 256), le théâtre (A. de Musset, ▷▷▷ p. 261) la philosophie même (Pascal ▷▷▷ p. 145), la littérature épistolaire (Madame de Sévigné ▷▷▷ p. 187).

Mais, quels que soient les genres où il s'exprime, il est toujours rattaché aux grands **thèmes** qui touchent **la sensibilité :** l'amour, la mort, la vie, l'enfance et la mémoire, le sentiment du temps qui passe, la conscience d'une condition humaine éphémère, l'admiration pour la nature, la ferveur religieuse, la recherche du bonheur : *La lyre exprime en effet,* écrit Baudelaire, dans *L'Art romantique, cet état presque surnaturel, cette intensité de la vie où l'âme chante [...] comme l'arbre, l'oiseau et la mer.*

Eugène Lami (1800-1890), *Rachel,* 1841 (aquarelle ; Londres, Victoria and Albert Museum).

Le théâtre romantique

Hugo

Musset

Contrairement à *Hernani,* le drame intitulé *Cromwell* (1827) n'eut pas un succès retentissant. Il reste cependant célèbre par sa préface, véritable manifeste du théâtre romantique. V. Hugo y critique sévèrement les règles de la tragédie classique, en particulier celles qui concernent les unités de temps et de lieu.

> *"Quoi de plus invraisemblable et de plus absurde, en effet, que ce vestibule, ce péristyle, cette antichambre, lieu banal où nos tragédies ont la complaisance de venir se dérouler, où arrivent, on ne sait comment, les conspirateurs pour déclamer contre le tyran, le tyran pour déclamer contre les conspirateurs, chacun à son tour. [...]*
>
> *Il résulte de là que tout ce qui est trop caractéristique, trop intime, trop local, pour se passer dans l'antichambre ou dans le carrefour, c'est-à-dire tout le drame, se passe dans la coulisse. Nous ne voyons en quelque sorte sur le théâtre que les coudes de l'action ; ses mains sont ailleurs. Au lieu de scènes, nous avons des récits ; au lieu de tableaux, des descriptions. De graves personnages placés, comme le chœur antique, entre le drame et nous, viennent nous raconter ce qui se fait dans le temple, dans le palais, dans la place publique, de façon que souventes fois nous sommes tentés de leur crier : « Vraiment ! mais conduisez-nous donc là-bas ! On s'y doit bien amuser, cela doit être beau à voir ! » [...]*
>
> *L'unité de temps n'est pas plus solide que l'unité de lieu. L'action, encadrée de force dans les vingt-quatre heures, est aussi ridicule qu'encadrée dans le vestibule. Toute action a sa durée propre comme son lieu particulier. Verser la même dose de temps à tous les événements ! appliquer la même mesure sur tout ! On rirait d'un cordonnier qui voudrait mettre le même soulier à tous les pieds."*

Préface de *Cromwell.*

Victor Hugo

BIOGRAPHIE P. 267

Hernani - 1830

« Bonjour, beau cavalier… »

Parce qu'il mettait en application les principes de la préface de Cromwell, *Hernani fit scandale et déclencha une véritable bataille entre Romantiques et partisans des Classiques.*
La scène d'exposition fut en particulier la cible de violentes critiques : on pardonnait difficilement à son auteur les alexandrins « cassés », « l'escalier dérobé », jugé peu noble, et Don Carlos enfermé dans un placard…

SARAGOSSE[1]

U ne chambre à coucher. La nuit. Une lampe sur une table.

SCÈNE PREMIÈRE. - DOÑA JOSEFA DUARTE, *vieille, en noir,*
avec le corps[2] de sa jupe cousu de jais, à la mode d'Isabelle la Catholique[3] ;
DON CARLOS.

DOÑA JOSEFA, *seule.*
(Elle ferme les rideaux cramoisis de la fenêtre et met en ordre quelques fauteuils. On frappe à une petite porte dérobée à droite. Elle écoute. On frappe un second coup.)
Serait-ce déjà lui ?

(Un nouveau coup.)
C'est bien à l'escalier

Dérobé.

(Un quatrième coup.)
Vite, ouvrons.
(Elle ouvre la petite porte masquée. Entre don Carlos, le manteau sur le nez et le chapeau sur les yeux.)
Bonjour, beau cavalier.
(Elle l'introduit. Il écarte son manteau et laisse voir un riche costume de velours et de soie, à la mode castillane de 1519. Elle le regarde sous le nez et recule étonnée.)
Quoi, seigneur Hernani, ce n'est pas vous ! - Main-forte !
Au feu !

DON CARLOS, *lui saisissant le bras.*
Deux mots de plus, duègne[4], vous êtes morte !

(Il la regarde fixement. Elle se tait, effrayée.)
5   Suis-je chez doña Sol, fiancée au vieux duc
De Pastraña, son oncle, un bon seigneur, caduc,
Vénérable et jaloux ? dites ? La belle adore
Un cavalier sans barbe et sans moustache encore,
Et reçoit tous les soirs, malgré les envieux,
10   Le jeune amant sans barbe à la barbe du vieux.
Suis-je bien informé ?

(Elle se tait. Il la secoue par le bras.)
Vous répondrez peut-être ?

DOÑA JOSEFA
Vous m'avez défendu de dire deux mots, maître.

1. la pièce se déroule en
Espagne, vers 1519.
2. ce terme désigne la partie du
vêtement qui entoure le buste.
3. reine de Castille
(1451-1504).
4. la duègne est, en Espagne,
une gouvernante chargée de
veiller sur une jeune fille.

DON CARLOS

Aussi n'en veux-je qu'un. - Oui, - non. - Ta dame est bien
Doña Sol de Silva ? Parle.

DOÑA JOSEFA

Oui. - Pourquoi ?

DON CARLOS

Pour rien.

15   Le duc, son vieux futur, est absent à cette heure ?

DOÑA JOSEFA

Oui.

DON CARLOS

Sans doute elle attend son jeune ?

DOÑA JOSEFA

Oui.

DON CARLOS

Que je meure !

DOÑA JOSEFA

Oui.

DON CARLOS

Duègne, c'est ici qu'aura lieu l'entretien ?

DOÑA JOSEFA

Oui.

DON CARLOS

Cache-moi céans⁵.

DOÑA JOSEFA

Vous !

DON CARLOS

Moi.

DOÑA JOSEFA

Pourquoi ?

DON CARLOS

Pour rien.

DOÑA JOSEFA

Moi vous cacher !

DON CARLOS

Ici.

DOÑA JOSEFA

Jamais !

DON CARLOS, *tirant de sa ceinture un poignard et une bourse.*

Daignez, madame,

20   Choisir de cette bourse ou bien de cette lame.

DOÑA JOSEFA, *prenant la bourse.*

Vous êtes donc le diable ?

DON CARLOS

Oui, duègne.

DOÑA JOSEFA, *ouvrant une armoire étroite dans le mur.*

Entrez ici.

DON CARLOS, *examinant l'armoire.*

Cette boîte ?

*Costume de Mademoiselle Mars dans
le rôle de Doña Sol,* dans *Hernani*
au Théâtre-Français, première
moitié du XIXe siècle (Paris,
Bibliothèque de la Comédie-
Française).

5. ici, le terme est un
archaïsme.

Costume de Don Carlos au troisième acte d'Hernani, 1830 (Paris, Bibliothèque de la Comédie-Française).

> DOÑA JOSEFA, *la refermant.*
> Va-t'en, si tu n'en veux pas.
>
> DON CARLOS, *rouvrant l'armoire.*
> Si !
>
> *(L'examinant encore.)*
> Serait-ce l'écurie où tu mets d'aventure
> Le manche du balai qui te sert de monture ?
>
> *(Il s'y blottit avec peine.)*
> Ouf !
>
> DOÑA JOSEFA, *joignant les mains et scandalisée.*
> Un homme ici !
>
> DON CARLOS, *dans l'armoire restée ouverte.*
> C'est une femme, est-ce pas[6],
> Qu'attendait ta maîtresse ?
>
> DOÑA JOSEFA
> O ciel ! j'entends le pas
> De doña Sol. - Seigneur, fermez vite la porte.
> *(Elle pousse la porte de l'armoire qui se referme.)*
>
> DON CARLOS, *de l'intérieur de l'armoire.*
> Si vous dites un mot, duègne, vous êtes morte.
>
> DOÑA JOSEFA, *seule.*
> Qu'est cet homme ? Jésus mon Dieu ! si j'appelais ?
> Qui ? Hors madame et moi, tout dort dans le palais.
> Bah ! l'autre va venir. La chose le regarde.
> Il a sa bonne épée, et que le ciel nous garde
> De l'enfer !
>
> *(Pesant la bourse.)*
> Après tout, ce n'est pas un voleur.
> *(Entre doña Sol, en blanc. Doña Josefa cache la bourse.)*

Acte I, scène 1.

6. la négation est supprimée (n'est-ce pas) parce que la langue est familière.

LECTURE MÉTHODIQUE

■ Repérez les didascalies : quelles **informations** donnent-elles ? Établissez une classification selon qu'il s'agit d'indications de mise en scène, de gestes, de précisions vestimentaires, historiques…

■ Observez le **dialogue** et son **évolution** : quels effets produisent son découpage, la ponctuation, les niveaux de langue ?

■ Récapitulez tous les **éléments d'information** contenus dans le dialogue. Sur quels personnages et sur quelle situation les informations portent-elles ?

■ Le dialogue et les didascalies informent le spectateur : a-t-il une première idée de l'**intrigue ?** Sur quelle **attente** la scène se termine-t-elle ?

VERS LA DISSERTATION

■ Construisez deux thèses argumentées pour étayer ce double point de vue de V. Hugo :
« Le théâtre n'est pas le pays du réel ; il y a des arbres de carton, des palais de toile, un ciel de haillons. […] C'est le pays du vrai : il y a des cœurs humains sur la scène, des cœurs humains dans la coulisse, des cœurs humains dans la salle. »

ÉTUDE COMPARÉE

■ Quelle originalité présente cet extrait par rapport à une scène de **tragédie** classique ? Référez-vous aux extraits donnés ▷▷▷ p. 153, 154 ainsi qu'aux guides ▷▷▷ p. 157, 286.

PARCOURS CULTUREL

■ En utilisant les textes ▷▷▷ p. 227 et p. 230, précisez ce qui caractérise une **scène d'exposition.**

guides p. 286-395

Albert Besnard (1849-1934),
*La Première d'*Hernani, vers 1909
(Paris, Maison de Victor Hugo).

■ TEXTE ÉCHO

« On casse les vers et on les jette par les fenêtres ! »

*Partisan actif des jeunes Romantiques, Théophile Gautier, « l'homme au gilet rouge », se jeta dans la bataille d'*Hernani. *Il la raconte dans un ouvrage publié bien après sa mort et consacré à son ami Victor Hugo.*

Cependant, le lustre descendait lentement du plafond avec sa triple couronne de gaz et son scintillement prismatique ; la rampe montait, traçant entre le monde idéal et le monde réel sa démarcation lumineuse. Les candélabres s'allumaient aux avant-scènes, et la salle s'emplis-
5 sait peu à peu. Les portes des loges s'ouvraient et se fermaient avec fracas. Sur le rebord de velours, posant leurs bouquets et leurs lorgnettes, les femmes s'installaient comme pour une longue séance, donnant du jeu aux épaulettes de leur corsage décolleté, s'asseyant bien au milieu de leurs jupes. Quoiqu'on ait reproché à notre école l'amour du laid, nous devons
10 avouer que les belles, jeunes et jolies femmes furent chaudement applaudies de cette jeunesse ardente, ce qui fut trouvé de la dernière inconvenance et du dernier mauvais goût par les vieilles et les laides. Les applaudies se cachèrent derrière leurs bouquets avec un sourire qui pardonnait. L'orchestre et le balcon étaient pavés de crânes académiques et classiques.
15 Une rumeur d'orage grondait sourdement dans la salle ; il était temps que la toile se levât ; on en serait peut-être venu aux mains avant la pièce, tant l'animosité était grande de part et d'autre. Enfin les trois coups retentirent. Le rideau se replia lentement sur lui-même, et l'on vit, dans une chambre à coucher du seizième siècle, éclairée par une petite lampe, doña
20 Josepha Duarte, vieille en noir, avec le corps de sa jupe cousu de jais, à la mode d'Isabelle la Catholique, écoutant les coups que doit frapper à la porte secrète un galant attendu par sa maîtresse :

Serait-ce déjà lui ? C'est bien à l'escalier
Dérobé...

25 La querelle était déjà engagée. Ce mot rejeté sans façon à l'autre vers, cet enjambement audacieux, impertinent même, semblait un spadassin de profession, allant donner une pichenette sur le nez du classicisme pour le provoquer en duel.
– Eh quoi ! dès le premier mot l'orgie en est déjà là ? On casse les vers
30 et on les jette par les fenêtres ! dit un classique admirateur de Voltaire[1] avec le sourire indulgent de la sagesse pour la folie.

1. Voltaire composa des tragédies appréciées du public.

281

Il était tolérant d'ailleurs, et ne se fût pas opposé à de prudentes innovations, pourvu que la langue fût respectée ; mais de telles négligences
au début d'un ouvrage devaient être condamnées chez un poète, quels
35 que fussent ses principes, libéral ou royaliste.

- Mais ce n'est pas une négligence, c'est une beauté, répliquait un romantique de l'atelier de Devéria[2], fauve comme un cuir de Cordoue et coiffé
d'épais cheveux rouges comme ceux d'un Giorgione[3].

... C'est bien à l'escalier
40 *Dérobé...*

Ne voyez-vous pas que ce mot *dérobé* rejeté, et comme suspendu en dehors
du vers, peint admirablement l'escalier d'amour et de mystère qui enfonce
sa spirale dans la muraille du manoir ! Quelle merveilleuse science archi-
tectonique ! quel sentiment de l'art du XIVe siècle ! quelle intelligence
45 profonde de toute civilisation !

L'ingénieux élève de Devéria voyait sans doute trop de choses dans ce
rejet, car ses commentaires, développés outre mesure, lui attirèrent des
chut et des *à la porte,* dont l'énergie croissante l'obligea bientôt au silence.

Théophile Gautier, *Victor Hugo,* texte publié en 1902.

2. Devéria est un peintre et un
dessinateur romantique
(1800-1857).
3. peintre italien.

LECTURE MÉTHODIQUE

■Retrouvez, dans le récit de T. Gautier, toutes les références faites à la **scène d'exposition** ▷ ▷ ▷ *p. 278.*

■Sur quels points précis s'opposent Romantiques et
partisans des Classiques ? Avec quels **arguments ?**

Analysez la double tonalité des interventions.

■Quel est le **ton** du récit de T. Gautier ? Se contente-
t-il d'apporter des informations sur la représentation
d'*Hernani* ?

guides *p. 151-157-286*

Hernani - 1830

« Malheur à qui me touche ! »

*À l'acte III, Hernani, amoureux de doña Sol, qui l'aime aussi, lui explique qu'elle
ne trouvera auprès de lui que malheur et déchéance.*

HERNANI

Monts d'Aragon ! Galice ! Estramadoure[1] !
- Oh ! je porte malheur à tout ce qui m'entoure ! -
J'ai pris vos meilleurs fils, pour mes droits, sans remords ;
Je les ai fait combattre, et voilà qu'ils sont morts !
5 C'étaient les plus vaillants de la vaillante Espagne,
Ils sont morts ! ils sont tous tombés dans la montagne,
Tous sur le dos couchés, en braves, devant Dieu,
Et, si leurs yeux s'ouvraient, ils verraient le ciel bleu !
Voilà ce que je fais de tout ce qui m'épouse !
10 Est-ce une destinée à te rendre jalouse ?
Doña Sol, prends le duc, prends l'enfer, prends le roi !
C'est bien. Tout ce qui n'est pas moi vaut mieux que moi !
Je n'ai plus un ami qui de moi se souvienne,
Tout me quitte, il est temps qu'à la fin ton tour vienne,
15 Car je dois être seul. Fuis ma contagion.
Ne te fais pas d'aimer une religion !
Oh ! par pitié pour toi, fuis ! - Tu me crois, peut-être,

1. provinces d'Espagne.

282

Valnay fils, *Décor de la plantation dans le troisième acte d'*Hernani, *dans la mise en scène de 1877* (Paris, Bibliothèque de la Comédie-Française).

Un homme comme sont tous les autres, un être
Intelligent, qui court droit au but qu'il rêva.
20 Détrompe-toi. Je suis une force qui va !
Agent aveugle et sourd de mystères funèbres !
Une âme de malheur faite avec des ténèbres !
Où vais-je ? je ne sais. Mais je me sens poussé
D'un souffle impétueux, d'un destin insensé.
25 Je descends, je descends, et jamais ne m'arrête.
Si parfois, haletant, j'ose tourner la tête,
Une voix me dit : Marche ! et l'abîme est profond,
Et de flamme ou de sang je le vois rouge au fond !
Cependant, à l'entour de ma course farouche,
30 Tout se brise, tout meurt. Malheur à qui me touche !
Oh ! fuis ! détourne-toi de mon chemin fatal,
Hélas ! sans le vouloir, je te ferais du mal !

Acte III, 4, vers 973-1004.

LECTURE MÉTHODIQUE

■ Par l'observation des pronoms personnels, des différents verbes et des modalités d'écriture (récit, monologue, dialogue), précisez le **thème essentiel** de la tirade et la **démarche** suivie par Hernani dans son exposé. À quel type de texte celui-ci appartient-il ?

■ L'extrait comporte plusieurs termes répétés. Repérez-les et déterminez à partir de là les caractéristiques essentielles du **personnage**.

■ À partir des observations précédentes, récapitulez certaines fonctions de la **tirade** au théâtre. Comme il s'agit ici d'une tirade en vers, repérez les effets de versification les plus visibles et dites en quoi ils accentuent la **force** du texte.

ÉCRITURE

■ **L'image du héros passionné,** assumant un destin qu'il juge fatal, inévitable, vous semble-t-elle dépassée à notre époque ? Répondez à cette question de manière argumentée et illustrée d'exemples.

guides p. 39-151-276-286

On ne badine pas avec l'amour - 1834

« Adieu, table splendide, noble salle à manger »

On ne badine pas avec l'amour *fait partie des* Comédies et proverbes *et met en scène deux jeunes gens qui s'aiment mais ne veulent pas se l'avouer. Autour d'eux gravitent des personnages comiques, dont maître Bridaine, curé du village. Constamment jaloux du précepteur de Perdican, maître Blazius, Bridaine se lamente ici par avance de ne pas être bien placé lors d'un repas chez le baron.*

> *La salle à manger.*
> *On met le couvert.*

Entre MAÎTRE BRIDAINE.

Cela est certain, on lui donnera encore aujourd'hui la place d'honneur. Cette chaise que j'ai occupée si longtemps à la droite du baron sera la proie du gouverneur. Ô malheureux que je suis ! Un âne bâté[1], un ivrogne sans pudeur, me relègue au bas bout[2] de la table ! le majordome lui ver-
5 sera le premier verre de malaga, et, lorsque les plats arriveront à moi, ils seront à moitié froids, et les meilleurs morceaux déjà avalés ; il ne restera plus autour des perdreaux ni choux ni carottes. Ô sainte Église catholique ! Qu'on lui ait donné cette place hier, cela se concevait ; il venait d'arriver ; c'était la première fois depuis nombre d'années, qu'il s'asseyait
10 à cette table. Dieu ! comme il dévorait ! Non, rien ne me restera que des os et des pattes de poulet. Je ne souffrirai pas cet affront. Adieu, vénérable fauteuil où je me suis renversé tant de fois, gorgé de mets succulents ! Adieu, bouteilles cachetées, fumet sans pareil de venaisons[3] cuites à point ! Adieu, table splendide, noble salle à manger, je ne dirai plus le
15 *Benedicite*[4] ! Je retourne à ma cure ; on ne me verra pas confondu parmi la foule des convives, et j'aime mieux, comme César, être le premier au village que le second dans Rome[5]. *(Il sort.)*

Acte II, scène 2.

1. ignorant.
2. le bas bout de la table est l'endroit où sont placés les hôtes peu importants.
3. viande de gibier.
4. prière de début de repas.
5. paroles attribuées à César.

Gavarni (1804-1866), *Une loge à l'Opéra* (lithographie ; Paris, Bibliothèque Nationale de France).

LECTURE MÉTHODIQUE

■ Observez la ponctuation, les interjections, les rythmes : quel est le **ton** de cette tirade ?

■ Par le repérage et l'analyse du champ lexical dominant, dites quel est le **thème du passage** et quelles sont les **craintes** de Bridaine.

■ Certaines références ne sont-elles pas inattendues ? Qu'ont-elles en commun ? Vers quelle **tonalité** orientent-elles le texte ?

guides p. 39-87-175

« Je voudrais bien savoir si je suis amoureux »

Au début de l'acte III, Perdican s'interroge sur ses sentiments à l'égard de Camille.

PERDICAN

Je voudrais bien savoir si je suis amoureux. D'un côté, cette manière d'interroger est tant soit peu cavalière, pour une fille de dix-huit ans ; d'un autre, les idées que ces nonnes lui ont fourrées dans la tête auront de la peine à se corriger. De plus, elle doit partir aujourd'hui. Diable !
5 je l'aime, cela est sûr. Après tout, qui sait ? peut-être elle répétait une leçon, et d'ailleurs il est clair qu'elle ne se soucie pas de moi. D'une autre part, elle a beau être jolie, cela n'empêche pas qu'elle n'ait des manières beaucoup trop décidées, et un ton trop brusque. Je n'ai qu'à n'y plus penser ; il est clair que je ne l'aime pas. Cela est certain qu'elle est jolie ; mais
10 pourquoi cette conversation d'hier ne veut-elle pas me sortir de la tête ? En vérité, j'ai passé la nuit à radoter. Où vais-je donc ? - Ah ! je vais au village.
Il sort.

Acte III, scène 1.

Théodore Chassériau (1819-1856), *Autoportrait* (huile sur toile, 99 X 82 cm ; Paris, Musée du Louvre).

LECTURE MÉTHODIQUE

■ À partir de la première phrase du texte et de la **récurrence** de certains termes, mettez en relief la structure du texte.

■ Observez les **pronoms personnels** du passage : que révèlent-ils sur le thème des observations faites par Perdican ? Qu'y a-t-il là de paradoxal ?

■ Repérez les **articulations logiques** du discours : que peut-on déduire de leur nature, de leur nombre, de leur place ?

■ À partir des réponses aux questions précédentes, dites quelles sont les caractéristiques du passage, le **type** de texte auquel il appartient et son **originalité**. Dites en particulier si le monologue **répond** à son objectif. Que montre-t-il, en réalité ?

ÉCRITURE

■ Même si vous ne connaissez pas la pièce, construisez le même type de monologue prononcé par Camille à propos de Perdican. Rédigez un texte aboutissant aux mêmes **incertitudes** apparentes, ou au contraire un texte **répondant clairement** (de manière affirmative ou négative) à la question initiale.

guides p. 139-151

Le drame romantique

Dans la première moitié du XIXe siècle, le théâtre est touché par la volonté de renouvellement et les aspirations à la liberté que manifestent les écrivains. Héritier de la tragédie classique ▷ ▷ ▷ *p. 157,* le drame se définit en s'opposant aux contraintes de ce genre*.

■ *Un théâtre plus adapté*

Il faut chercher les théories du drame romantique dans l'œuvre de Stendhal, *Racine et Shakespeare* (1823) et surtout dans la *Préface de Cromwell,* de V. Hugo (1827). Les deux auteurs y exposent les modifications du contexte socio-culturel : une sensibilité nouvelle, la nostalgie des élans héroïques dans une société conformiste, le besoin d'une réflexion sur l'engagement, sur le pouvoir, sur le destin. Pour intéresser le public contemporain, le théâtre ne doit pas chercher trop loin dans le temps ses thèmes d'inspiration. Il doit être au contraire à l'image de la vie, divertir tout en faisant réfléchir. Ces impératifs conditionnent la nature de l'action dramatique et la structure des pièces.

■ *Le refus des règles classiques*

Au nom du respect de la vie et de ses hasards, le drame romantique rejette les contraintes qui figeaient la tragédie dans des limites précises. Hugo ironise sur l'invraisemblable « péristyle » où se rencontrent les personnages ▷ ▷ ▷ *p. 277,* sur l'unité de temps de vingt-quatre heures. Il se moque aussi des événements intéressants qui se passent en coulisse, refuse que les personnages soient uniquement d'origine noble et que le langage ne soit que de la langue soutenue. Enfin, il assouplit la règle de l'unité d'action* en acceptant des actions secondaires.

■ *Les caractéristiques*

Libéré des conventions, le drame repose sur le « mélange » des genres*, des formes et des tonalités.

■ Temps et lieux

Il peut se dérouler dans un laps de temps supérieur à vingt-quatre heures et dans des endroits différents. La diversité des époques et des lieux est primordiale. Abandonnant définitivement l'Antiquité, elle concourt à recréer une atmosphère historique et une couleur locale* associées aux admirations romantiques et chargées de symboles : l'Espagne du XVIIe pour *Hernani* ▷ ▷ ▷ *p. 278,* la Renaissance italienne à Florence et à Venise pour *Lorenzaccio,* l'Angleterre du XVIIIe.

■ Personnages

Le drame romantique met en scène des héros déchirés entre leurs passions et leurs engagements, pris au piège de situations qu'ils n'ont pas voulues, payant par la mort leur fidélité à un idéal proche de celui de la chevalerie. Ils sont nobles ou proscrits, parfois les deux (Hernani), simples domestiques (Ruy Blas), incarnation de l'écrivain misérable face aux pouvoirs de l'argent. Ils ne sont tenus par aucune ligne de comportement répondant à la bienséance. Leur langage est celui de leur condition sociale. Ils illustrent la nature humaine dans sa grandeur et dans ses faiblesses, à la fois sublimes et grotesques, tragiques et comiques. Échappant au temps, ils dépassent les modèles historiques dont ils sont issus. Leurs hésitations, leurs contradictions les rapprochent d'un public sur lequel ils exercent un fort pouvoir d'émotion.

■ Expression et versification

L'impératif de fidélité à la vie détermine aussi les modes d'expression. Le drame romantique peut être en prose *(Lorenzaccio).* L'alexandrin *(Hernani, Ruy Blas)* n'empêche pas le caractère très rapide et très fragmentaire de certains dialogues ▷ ▷ ▷ *p. 278.* « *Casser les vers* », comme le disait un combattant de la bataille d'*Hernani* ▷ ▷ ▷ *p. 281,* n'est pas un simple jeu de mots : il peut arriver qu'un alexandrin soit « disloqué » en trois ou quatre répliques. Parmi les bouleversements qui choquèrent tant les partisans des classiques figure le mélange de niveaux de langue. Qu'on puisse parler d'« escalier dérobé » paraissait incongru. Mais Hugo affirmait qu'il ne faut pas faire de distinction entre les « mots sénateurs » et les « mots roturiers ».

■ Vocation

Chargé de mettre en scène la vie, le drame romantique a aussi une vocation didactique. Champ d'application de théories nouvelles, illustration d'une conception nouvelle de l'engagement individuel, ce théâtre offre matière à réflexion : sur les relations avec le pouvoir *(Ruy Blas),* sur l'honneur *(Hernani* et *Ruy Blas),* sur le sens de l'action politique *(Lorenzaccio),* sur le statut de l'écrivain. En ce sens, il se fait l'écho de préoccupations historiques tout en reflétant des situations, des comportements et des aspirations humains.

Le drame romantique était adapté à une sensibilité et à une époque : certaines pièces, trop datées, ne lui ont guère survécu. Mais d'autres ont pu, grâce à la force de leur action et à la grandeur émouvante de leurs héros, traverser le temps et trouver encore, à la fin du XXe siècle, un public attentif et passionné.

Le roman romantique

Stendhal
Balzac
Hugo

Claude Monet (1840-1926), *La Liseuse*, 1872/1874 (huile sur toile, 50 X 65 cm ; Baltimore, Walters Art Gallery).

■ Étudiez la *structure du tableau* : situation du personnage, couleurs, contrastes, lignes.

■ Sur quelle *partie du personnage* le peintre a-t-il mis l'accent ?

■ *Comparez ce tableau* avec celui de Fragonard, p. 225.

Madame Bovary est un roman dans lequel Flaubert se moque à la fois du romanesque et du Romantisme. Dans l'extrait qui suit, en présentant les lectures de son héroïne, Emma, il fait une parodie de ce qui était à la mode dans la première moitié du siècle : inspiration médiévale et héros chevaleresques...

> *"Elle[1] contait des histoires, vous apprenait des nouvelles, faisait en ville vos commissions, et prêtait aux grandes, en cachette, quelque roman qu'elle avait toujours dans les poches de son tablier, et dont la bonne demoiselle elle-même avalait de longs chapitres, dans les intervalles de sa besogne. Ce n'étaient qu'amours, amants, amantes, dames persécutées s'évanouissant dans des pavillons solitaires, postillons qu'on tue à tous les relais, chevaux qu'on crève à toutes les pages, forêts sombres, troubles du cœur, serments, sanglots, larmes et baisers, nacelles au clair de lune, rossignols dans les bosquets,* messieurs *braves comme des lions, doux comme des agneaux, vertueux comme on ne l'est pas, toujours bien mis, et qui pleurent comme des urnes. Pendant six mois, à quinze ans, Emma se graissa donc les mains à cette poussière des vieux cabinets de lecture. Avec Walter Scott, plus tard, elle s'éprit de choses historiques, rêva bahuts, salle des gardes et ménestrels. Elle aurait voulu vivre dans quelque vieux manoir, comme ces châtelaines au long corsage, qui, sous le trèfle des ogives, passaient leurs jours, le coude sur la pierre et le menton dans la main, à regarder venir du fond de la campagne un cavalier à plume blanche qui galope sur un cheval noir."*

G. Flaubert, *Madame Bovary.*

1. « Elle » désigne une vieille femme qui travaille au couvent où Emma est pensionnaire.

Stendhal

Admirateur fervent de Napoléon et amoureux de l'Italie, Henri Beyle, dit Stendhal, ne connut la gloire qu'après sa mort. Sa vie fut une quête passionnée du bonheur.

De l'ambition à l'ennui

Né à Grenoble en 1783, Henri Beyle, tôt orphelin de mère, est élevé selon des principes sévères. Après des études d'ingénieur dans sa ville natale, il vient à Paris en 1799 avec l'espoir d'entrer à l'École polytechnique. Mais il commence à travailler au ministère de la Guerre, où il s'ennuie. Il s'engage alors dans la campagne d'Italie, avec Bonaparte. Si ce métier ne le passionne pas, le pays l'enchante. Il doit cependant rentrer à Paris. D'emplois administratifs en campagnes militaires, dont celle de Russie en 1812, il mène une vie qui ne lui permet pas de réaliser ses ambitions, devenir préfet.

Le « Milanais »

À la chute de l'Empire, en 1814, il s'installe à Milan, où il commence à écrire, en particulier une *Vie de Napoléon,* inachevée. Sa vie affective est marquée par des passions malheureuses. Expulsé d'Italie en 1821, pour ses idées jugées trop démocratiques, il revient à Paris où est publié son premier roman, *Armance*. Pendant cette période, il accumule déboires sentimentaux et problèmes financiers. Il retourne en Italie en 1829, à Trieste d'abord, puis à Civita-Vecchia, où il est consul. En 1830 est publié *Le Rouge et le Noir*. Il fait alors alterner les séjours en France et en Italie. *La Chartreuse de Parme* paraît en 1838. Il meurt en 1842, laissant inachevé son dernier roman, *Lamiel*.

1783-1842

Portrait : Johan Olaf Sodermark (1790-1848), *Stendhal* (détail), (Versailles, Musée National du Château).

Le Rouge et le Noir - 1830

« J'ai fait imposer silence aux gueux… »

Le Rouge et le Noir raconte l'ascension sociale d'un jeune homme, Julien Sorel, dans la bourgeoisie provinciale, puis dans l'aristocratie parisienne de 1830. Dans l'extrait donné ici, le héros, précepteur des enfants du maire, est invité à un dîner auquel assistent les notables de la petite ville de Verrières.

Le percepteur des contributions, l'homme des impositions indirectes, l'officier de gendarmerie et deux ou trois autres fonctionnaires publics arrivèrent avec leurs femmes. Il furent suivis de quelques libéraux riches. On annonça le dîner. Julien, déjà fort mal disposé, vint à pen-
5 ser que, de l'autre côté du mur de la salle à manger, se trouvaient de pauvres détenus, sur la portion de viande desquels on avait peut-être *grivelé*[1] pour acheter tout ce luxe de mauvais goût dont on voulait l'étourdir.

1. fait des économies.

288

Ils ont faim peut-être en ce moment, se dit-il à lui-même ; sa gorge se serra, il lui fut impossible de manger et presque de parler. Ce fut bien
10 pis un quart d'heure après ; on entendait de loin en loin quelques accents d'une chanson populaire, et, il faut l'avouer, un peu ignoble que chantait l'un des reclus. M. Valenod[2] regarda, un de ses gens en grande livrée, qui disparut, et bientôt on n'entendit plus chanter. Dans ce moment, un valet offrait à Julien du vin du Rhin, dans un verre vert, et Mme Vale-
15 nod avait soin de lui faire observer que ce vin coûtait neuf francs la bouteille pris sur place. Julien, tenant son verre vert, dit à M. Valenod :
- On ne chante plus cette vilaine chanson.
- Parbleu ! Je le crois bien, répondit le directeur triomphant, j'ai fait imposer silence aux gueux.
20 Ce mot fut trop fort pour Julien ; il avait les manières, mais non pas encore le cœur de son état. Malgré toute son hypocrisie si souvent exercée, il sentit une grosse larme couler le long de sa joue.
Il essaya de la cacher avec le verre vert, mais il lui fut absolument impossible de faire honneur au vin du Rhin. *L'empêcher de chanter !* se disait-il
25 à lui-même, ô mon Dieu ! et tu le souffres !
Par bonheur, personne ne remarqua son attendrissement de mauvais ton. Le percepteur des contributions avait entonné une chanson royaliste. Pendant le tapage du refrain, chanté en chœur : Voilà donc, se disait la conscience de Julien, la sale fortune à laquelle tu parviendras, et tu n'en
30 jouiras qu'à cette condition et en pareille compagnie ! Tu auras peut-être une place de vingt mille francs, mais il faudra que, pendant que tu te gorges de viandes, tu empêches de chanter le pauvre prisonnier ; tu donneras à dîner avec l'argent que tu auras volé sur sa misérable pitance, et pendant ton dîner il sera encore plus malheureux ! - Ô Napoléon ! qu'il
35 était doux de ton temps de monter à la fortune par les dangers d'une bataille ; mais augmenter lâchement la douleur du misérable !
J'avoue que la faiblesse dont Julien fait preuve dans ce monologue me donne une pauvre opinion de lui. Il serait digne d'être le collègue de ces
40 conspirateurs en gants jaunes[3], qui prétendent changer toute la manière d'être d'un grand pays, et ne veulent pas avoir à se reprocher la plus petite égratignure.

Iʳᵉ partie, chap. XXII, « Façons de penser en 1830 ».

2. le maître de maison, un notable.
3. désigne des conspirateurs qui ne vont pas au bout de leurs actions et ne mettent pas leurs projets à exécution, refusant de se « salir les mains ».

◄ Eugène Lami (1800-1890), *Causerie du soir*, extrait de *La Vie au château*.

LECTURE MÉTHODIQUE

■ Par l'étude des différentes formes de dialogue et de récit, étudiez la manière dont se trouvent présentées au lecteur les **réactions** de Julien.

■ Comment le **narrateur** se manifeste-t-il dans cet extrait de roman ?

■ Quels traits de caractère du héros le lecteur peut-il déduire de la scène qui est ici rapportée ? Par quelle phrase clé le narrateur fait-il comprendre les **contradictions** de son personnage ?

■ Quelles **relations** pouvez-vous établir entre le **titre** du chapitre et le contenu de l'extrait ?

VERS LA DISSERTATION

■ Élaborez une thèse argumentée pour étayer le point de vue de C. Roy selon lequel ce que nous donnent les romans, « c'est la véritable histoire de la vie réelle, l'histoire que n'ont jamais écrite les historiens » *(Défense de la littérature)*. Vous pouvez aussi utiliser les textes ▷▷▷ *p. 290, 322, 393.*

guides p. 39-237-330

Balzac

D'une ambition littéraire dévorante, Honoré de Balzac consacra sa vie à une œuvre gigantesque, *La Comédie humaine,* qui épuisa ses forces intellectuelles et physiques.

Dans l'attente du succès

Né à Tours en 1799 dans un milieu bourgeois, Honoré de Balzac vient à Paris en 1814 avec sa famille. En 1819, après des études de droit, il refuse de devenir notaire et envisage une carrière littéraire qui ne démarre pas facilement. Pour vivre, il écrit des romans à la mode, sous différents pseudonymes. En même temps, il découvre et observe la société parisienne, tout en s'initiant à la vie mondaine, sous la conduite de Madame de Berny et de la duchesse d'Abrantès. Le succès se fait attendre jusqu'en 1829, date de la publication de *La Physiologie du mariage* puis de *La Peau de chagrin* (1830).

Le « galérien » des lettres

Dès lors sa vie est entièrement dominée par une production littéraire intense : ses nombreux romans sont regroupés en séries intitulées « Scènes de la vie parisienne, militaire, de province… ». En 1835, avec *Le Père Goriot,* l'organisation interne de l'œuvre se met en place selon le principe de la réapparition des personnages. Autour de ce fil conducteur se construit *La Comédie humaine,* dont il rédige l'avant-propos en 1842. Entre-temps, il est tombé amoureux d'une admiratrice polonaise, Ève Hanska, avec qui il échange une abondante correspondance. Il l'épousera en 1850, peu de temps avant de mourir. Son œuvre ne cesse de s'enrichir : nouveaux romans, remaniements des anciens. Sa volonté de « faire concurrence à l'état civil » le pousse à créer une foule de personnages dont les plus célèbres donnent leur nom aux œuvres : *César Birotteau, Eugénie Grandet, La Cousine Bette, Le Colonel Chabert…*

En 1850, épuisé, il meurt à Paris, laissant une œuvre qui mêle de manière complexe aux thèmes romantiques une inspiration réaliste et des préoccupations philosophiques.

1799-1850

La Peau de chagrin - 1830

« Monsieur, votre chapeau, s'il vous plaît… »

La Peau de chagrin est un roman qui s'apparente au genre fantastique. Son titre est le nom d'une sorte de parchemin magique capable d'exaucer tous les vœux. Il connut un grand succès dès sa publication, en 1830. Voici le début du roman, ce qu'on appelle l'incipit.

Vers la fin du mois d'octobre dernier, un jeune homme entra dans le Palais-Royal au moment où les maisons de jeu s'ouvraient, conformément à la loi qui protège une passion essentiellement imposable. Sans trop hésiter, il monta l'escalier du tripot désigné sous le nom de
5 numéro 36.

Grandville (1803-1847), *Scènes de la Vie privée des animaux,* extrait (Collection particulière).

- Monsieur, votre chapeau, s'il vous plaît ? lui cria d'une voix sèche et grondeuse un petit vieillard blême, accroupi dans l'ombre, protégé par une barricade, et qui se leva soudain en montrant une figure moulée sur un type ignoble.

10 Quand vous entrez dans une maison de jeu, la loi commence par vous dépouiller de votre chapeau. Est-ce une parabole évangélique et providentielle ? N'est-ce pas plutôt une manière de conclure un contrat infernal avec vous en exigeant je ne sais quel gage ? Serait-ce pour vous obliger à garder un maintien respectueux devant ceux qui vont gagner votre
15 argent ? Est-ce la police, tapie dans tous les égouts sociaux, qui tient à savoir le nom de votre chapelier ou le vôtre, et si vous l'avez inscrit sur la coiffe ? Est-ce, enfin, pour rendre la mesure de votre crâne et dresser une statistique instructive sur la capacité cérébrale des joueurs ? Sur ce point, l'administration garde un silence complet. Mais, sachez-le bien,
20 à peine avez-vous fait un pas vers le tapis vert, déjà votre chapeau ne vous appartient pas plus que vous ne vous appartenez à vous-même : vous êtes au jeu, vous, votre fortune, votre coiffe, votre canne et votre manteau. À votre sortie, le JEU vous démontrera, par une atroce épigramme en action, qu'il vous laisse encore quelque chose en vous rendant votre bagage. Si
25 toutefois vous avez une coiffure neuve, vous apprendrez à vos dépens qu'il faut se faire un costume de joueur.

Ire partie, « le Talisman ».

LECTURE MÉTHODIQUE

■ Par l'observation et l'analyse des pronoms personnels, étudiez le **système de l'énonciation** du texte. Que désignent le *vous* de la ligne 6 et celui de la ligne 13 ?

■ Quelle est la **fonction** des deux premiers paragraphes ? La suite du texte joue-t-elle le même **rôle ?** Utilisez, pour répondre à cette question, l'analyse des temps verbaux et l'énonciation.

■ Quelle **atmosphère** se dégage de ce début de roman ? Tenez compte, pour répondre à cette question, des champs lexicaux, de la ponctuation, des pronoms personnels.

PARCOURS CULTUREL

■ À partir de ce texte et de ceux qui se trouvent *p. 233* et *p. 434,* déterminez les caractéristiques et les fonctions du **début de roman**.

guides p. 369-386-418

Le Colonel Chabert - 1835

« Ainsi, vos actes seront discutés »

Considéré comme mort à la bataille d'Eylau (1807), le colonel Chabert réapparaît dans la société parisienne de la Restauration. Pauvre, oublié, il s'adresse à l'avoué Derville pour que celui-ci l'aide à récupérer ses biens et à obtenir le divorce de sa femme, remariée au comte Ferraud, dont elle a deux enfants. L'avoué tente ici de dissuader le colonel d'aller en justice.

É coutez-moi. Vous êtes le comte Chabert, je le veux bien, mais il s'agit de le prouver judiciairement à des gens qui vont avoir intérêt à nier votre existence. Ainsi, vos actes seront discutés. Cette discussion entraî-
nera dix ou douze questions préliminaires. Toutes iront contradictoire-
5 ment jusqu'à la cour suprême, et constitueront autant de procès coûteux, qui traîneront en longueur, quelle que soit l'activité que j'y mette. Vos adversaires demanderont une enquête à laquelle nous ne pour-
rons pas nous refuser, et qui nécessitera peut-être une com-
mission rogatoire en Prusse. Mais supposons tout au mieux :
10 admettons qu'il soit reconnu promptement par la justice que vous êtes le colonel Chabert. Savons-nous comment sera jugée la question soulevée par la bigamie fort innocente de la comtesse Ferraud ? Dans votre cause, le point de droit est en dehors du code, et ne peut être jugé par les
15 juges que suivant les lois de la conscience, comme fait le jury dans les questions délicates que présentent les bizar-
reries sociales de quelques procès criminels. Or, vous n'avez pas eu d'enfants de votre mariage, et M. le comte Ferraud en a deux du sien, les juges peuvent déclarer nul le mariage
20 où se rencontrent les liens les plus faibles, au profit du mariage qui en comporte de plus forts, du moment où il y a eu bonne foi chez les contractants. Serez-vous dans une position morale bien belle, en voulant *mordicus*[1] avoir à votre âge et dans les circonstances où vous vous trouvez une
25 femme qui ne vous aime plus ? Vous aurez contre vous votre femme et son mari, deux personnes puissantes qui pourront influencer les tribunaux. Le procès a donc des éléments de durée. Vous aurez le temps de vieillir dans les chagrins les plus cuisants.

Bertall (Albert d'Arnoux, dit) (1820-1882), illus-
tration pour *Le Colonel Chabert* (Paris, Bibliothèque Nationale de France).

LECTURE MÉTHODIQUE

■ Observez les **pronoms personnels.** Que révèlent-ils concernant la situation de communication ? Quelle est la **fonction du langage** qui prédomine ici ?

■ Le texte comporte un certain nombre de termes « techniques ». À quel **domaine** font-ils référence ? En quoi peut-on dire qu'il est question de double **argumentation ?**

■ En premier appui sur l'**articulation logique** centrale, dites quelles sont les deux grandes étapes du texte et précisez le **thème** de chacune.

■ Quels sont les **arguments** de Derville ? Précisez leur nature, leur force. Peut-on justifier leur ordre ? En quoi révèlent-ils le pouvoir de la partie adverse ?

ÉCRITURE

■ *Il s'agit de le prouver :* rédigez ce que pourrait être la réponse du Colonel Chabert, à partir de son rôle historique dans la bataille d'Eylau et d'autres preuves, pour **justifier** son identité.

■ Derville parle des *lois de la conscience :* expliquez ce que recouvre cette expression et demandez-vous en quoi l'utilisation de ces lois peut être bénéfique à un accusé et au fonctionnement de la justice en général.

guide p. 151

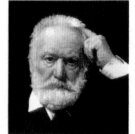

Victor Hugo

BIOGRAPHIE P. 267

Le dernier jour
d'un condamné - 1828

« Cette espèce d'autopsie intellectuelle d'un condamné... »

Dans Le Dernier Jour d'un condamné, *V. Hugo donne la parole à un prisonnier condamné à mort : celui-ci raconte son procès et son emprisonnement, jusqu'au moment de son exécution. Au chapitre VI, il s'interroge sur l'utilité du journal qu'il tient.*

Je me suis dit :
- Puisque j'ai le moyen d'écrire, pourquoi ne le ferais-je pas ? Mais quoi écrire ? Pris entre quatre murailles de pierre nue et froide, sans liberté pour mes pas, sans horizon pour mes yeux, pour unique distraction

5 machinalement occupé tout le jour à suivre la marche lente de ce carré blanchâtre que le judas de ma porte découpe vis-à-vis sur le mur sombre, et, comme je le disais tout à l'heure, seul à seul avec une idée, une idée de crime et de châtiment, de meurtre et de mort ! est-ce que je puis avoir quelque chose à dire, moi qui n'ai plus rien à faire dans ce monde ? Et

10 que trouverai-je dans ce cerveau flétri et vide qui vaille la peine d'être écrit ?

Pourquoi non ? Si tout, autour de moi, est monotone et décoloré, n'y a-t-il pas en moi une tempête, une lutte, une tragédie ? Cette idée fixe qui me possède ne se présente-t-elle pas à moi à chaque heure, à chaque

15 instant, sous une nouvelle forme, toujours plus hideuse et plus ensanglantée à mesure que le terme appoche ? Pourquoi n'essaierais-je pas de me dire à moi-même tout ce que j'éprouve de violent et d'inconnu dans la situation abandonnée où me voilà ? Certes, la matière est riche ; et, si abrégée que soit ma vie, il y aura bien encore dans les angoisses, dans

20 les terreurs, dans les tortures qui la rempliront, de cette heure à la dernière, de quoi user cette plume et tarir cet encrier. - D'ailleurs, ces angoisses, le seul moyen d'en moins souffrir, c'est de les observer, et les peindre m'en distraira.

Et puis, ce que j'écrirai ainsi ne sera peut-être pas inutile. Ce journal

25 de mes souffrances, heure par heure, minute par minute, supplice par supplice, si j'ai la force de le mener jusqu'au moment où il me sera *physiquement* impossible de continuer, cette histoire, nécessairement inachevée, mais aussi complète que possible, de mes sensations, ne portera-t-elle point avec elle un grand et profond enseignement ? N'y aura-t-il pas dans

30 ce procès-verbal de la pensée agonisante, dans cette progression toujours croissante de douleurs, dans cette espèce d'autopsie intellectuelle d'un condamné, plus d'une leçon pour ceux qui condamnent ? Peut-être cette lecture leur rendra-t-elle la main moins légère, quand il s'agira quelque autre fois de jeter une tête qui pense, une tête d'homme, dans ce qu'ils

35 appellent la balance de la justice ? Peut-être n'ont-ils jamais réfléchi, les malheureux, à cette lente succession de tortures que renferme la formule expéditive d'un arrêt de mort ? Se sont-ils jamais seulement arrêtés à cette idée poignante que dans l'homme qu'ils retranchent il y a une intelli-

Victor Hugo (1802-1885), *Le Phare des Casquets* (plume et lavis ; Paris, Maison de Victor Hugo).

gence ; une intelligence qui avait compté sur la vie, une âme qui ne s'est point disposée pour la mort ? Non. Ils ne voient dans tout cela que la chute verticale d'un couteau triangulaire, et pensent sans doute que pour le condamné il n'y a rien avant, rien après.

Ces feuilles les détromperont. Publiées peut-être un jour, elles arrêteront quelques moments leur esprit sur les souffrances de l'esprit ; car ce sont celles-là qu'ils ne soupçonnent pas. Ils sont triomphants de pouvoir tuer sans presque faire souffrir le corps. Hé ! c'est bien de cela qu'il s'agit ! Qu'est-ce que la douleur physique près de la douleur morale ! Horreur et pitié, des lois faites ainsi ! Un jour viendra, et peut-être ces mémoires, dernier confidents d'un misérable, y auront-ils contribué...

À moins qu'après ma mort le vent ne joue dans le préau avec ces morceaux de papier souillés de boue, ou qu'ils n'aillent pourrir à la pluie, collés en étoiles à la vitre cassée d'un guichetier.

Chapitre VI (entier).

LECTURE MÉTHODIQUE

■ À partir des premières lignes et en prenant appui sur les **champs lexicaux** dominants, précisez quel est le thème de ce chapitre et quelle **question essentielle** se pose le narrateur-personnage.

■ Quelles sont les **deux réponses** apportées à la question posée par le narrateur ? À qui **appartiennent-elles ?** Où figurent-elles dans le texte ?

■ Quels **arguments** justifient les deux réponses ? Retrouvez-les dans le texte et classez-les en fonction de leur thème.

■ À laquelle des deux réponses le narrateur accorde-t-il le plus d'importance ? Laquelle a-t-il choisie ? À quoi le voyez-vous ?

■ Expliquez **l'importance du souhait** exprimé dans les quatre dernières lignes.

ÉCRITURE

Le condamné mis en scène par V. Hugo ne voulait pas écrire, puis il s'est décidé à le faire. Sous une forme **argumentée** et en partant du contenu de l'extrait, dites pourquoi, finalement, il s'est mis à écrire.

guides p. 39-151

Les Misérables - 1862

« Ce jardin n'était plus un jardin… »

*Les Misérables est un long roman consacré à ceux que la société méprise et rejette.
Il raconte l'histoire de Jean Valjean, condamné au bagne pour avoir volé un pain.
L'extrait suivant est la description du jardin de la maison où vit Jean Valjean
avec Cosette.*

Il y avait un banc de pierre dans un coin, une ou deux statues moisies,
quelques treillages décloués par le temps pourrissant sur le mur ; du
reste plus d'allées ni de gazon ; du chiendent partout. Le jardinage était
parti, et la nature était revenue. Les mauvaises herbes abondaient, aven-
5 ture admirable pour un pauvre coin de terre. La fête des giroflées y était
splendide. Rien dans ce jardin ne contrariait l'effort sacré des choses vers
la vie ; la croissance vénérable était là chez elle. Les arbres s'étaient baissés vers les ronces, les ronces étaient montées vers les arbres, la plante
avait grimpé, la branche avait fléchi, ce qui rampe sur la terre avait été
10 trouver ce qui s'épanouit dans l'air, ce qui flotte au vent s'était penché
vers ce qui se traîne dans la mousse ; troncs, rameaux, feuilles, fibres, touffes,
vrilles, sarments, épines, s'étaient mêlés, traversés, mariés, confondus ;
la végétation, dans un embrassement étroit et profond, avait célébré et
accompli là, sous l'œil satisfait du créateur, en cet enclos de trois cents
15 pieds carrés, le saint mystère de sa fraternité, symbole de la fraternité
humaine. Ce jardin n'était plus un jardin, c'était une broussaille colossale, c'est-à-dire quelque chose qui est impénétrable comme une forêt,
peuplé comme une ville, frissonnant comme un nid, sombre comme une
cathédrale, odorant comme un bouquet, solitaire comme une tombe, vivant
20 comme une foule.

IVe partie, livre III, chapitre III.

LECTURE MÉTHODIQUE

■ Par l'étude de l'organisation des phrases, par l'analyse des temps verbaux et des champs lexicaux, étudiez **comment s'exprime** l'idée contenue dans la
phrase : *Le jardinage était parti, et la nature était
revenue.*

■ Précisez quelle est **l'image de la nature** donnée dans
cet extrait ; utilisez, pour répondre à cette question,
les verbes et les adjectifs.

■ Par l'analyse des figures de style, étudiez comment
s'exprime la **fusion** des éléments du monde. En quoi
ce jardin prend-il une **valeur symbolique ?**

VERS LE COMMENTAIRE LITTÉRAIRE

■ En prenant appui sur les repérages de la lecture
méthodique du texte, rédigez un ou plusieurs des
trois axes de commentaire suivants :
- l'**organisation** de la description ;
- l'expression de l'**abandon** et de la **confusion ;**
- une signification **symbolique :** un jardin à l'image
du monde.

Jean-François Millet (1814-1875), *Narcisses des bois, fleurs du printemps,*
1867/1868 (Hambourg, Hamburger Kunsthalle).

guides *p. 39-78-238-323*

Le Romantisme

Les œuvres littéraires et artistiques de la première moitié du XIXe siècle offrent un ensemble de points communs permettant de définir le courant culturel qu'on appelle le **Romantisme.** Celui-ci s'enracine dans les littératures germanique et anglaise ▷ ▷ ▷ *p. 253.* Il s'explique par le contexte historique et social ▷ ▷ ▷ *p. 249.* Il se caractérise par l'importance accordée aux **passions** et par la volonté d'échapper, en l'exprimant, au **« mal du siècle ».**

■ *Le mal du siècle*

L'expression désigne l'état d'incertitude et d'insatisfaction des deux premières générations du siècle, déjà perceptible dans « le vague des passions » analysé par Chateaubriand ▷ ▷ ▷ *p. 255.* Ce trouble, venu du décalage entre les espoirs et la réalité historique, prend la forme d'une alternance d'enthousiasme et de chagrin, de vague à l'âme. Musset analyse ce phénomène avec précision dans *La Confession d'un enfant du siècle* (1835) : *Alors s'assit sur un monde en ruines une jeunesse soucieuse...* Cet état de **malaise existentiel** s'exprime dans toutes les formes littéraires.

■ *L'importance du lyrisme*

■ Le moi

Un des traits principaux du Romantisme est l'exaltation du **« moi ».** La poésie se consacre à l'expression des sentiments personnels. Du désespoir profond ▷ ▷ ▷ *p. 262* à la nostalgie teintée de fantaisie de Nerval ▷ ▷ ▷ *p. 265,* toutes les nuances du chagrin s'expriment. Le poète romantique expose ses états d'âme en un épanchement qui trouve un écho dans l'affectivité de son lecteur. *Les Nuits,* de Musset ▷ ▷ ▷ *p. 262, Les Contemplations,* de Hugo ▷ ▷ ▷ *p. 272* sont des œuvres qui retracent certains épisodes douloureux de la vie de leur auteur. L'utilisation constante du **« je »** fait de l'écriture romantique une sorte de miroir dans lequel le poète, en se racontant et en se souvenant, s'observe et s'analyse.

■ Temps et nature

Ce **lyrisme** aux accents élégiaques* est indissociable d'un certain nombre de thèmes comme la sensibilité au temps et à la nature. De nombreux textes romantiques expriment la douleur du temps qui passe, la nostalgie de l'enfance et l'importance de la mémoire. *Ô Temps, suspends ton vol !* s'écrie Lamartine ▷ ▷ ▷ *p. 260,* tandis que Hugo rappelle avec émotion les émois de l'adolescence ▷ ▷ ▷ *p. 272.* Dans sa quête de consolation, le poète romantique trouve dans la nature une confidente en accord avec sa propre sensibilité. Les paysages romantiques ont souvent en commun une nature sauvage : bords de mer et tempêtes, cataractes, bois profonds, forêts mystérieuses. La nature associée au temps offre un thème de **méditation** privilégié : **l'automne** et ses couleurs, la tristesse des feuilles mortes.

■ *La recherche de l'évasion*

L'expression lyrique du mal de vivre s'accompagne de nombreuses tentatives d'échapper au présent.

■ L'importance du voyage

Voyager pour oublier est une constante de l'attitude romantique. Les pays méditerranéens ont inspiré Musset *(Contes d'Espagne et d'Italie),* l'Afrique le peintre Delacroix et l'Orient presque tous les écrivains. Nerval rapporte ses souvenirs dans le *Voyage en Orient ;* Hugo compose *Les Orientales.*

■ La découverte d'époques oubliées

Le **voyage dans le temps** est une autre forme de dépaysement. Le Moyen Âge est à l'honneur dans l'œuvre de Hugo. Nerval affirme « ronsardiser » ▷ ▷ ▷ *p. 265,* et Musset, comme Stendhal, s'intéresse à la Renaissance italienne. Ces incursions littéraires dans des domaines d'inspiration jusque-là laissés de côté s'accompagnent d'un renouvellement des genres : la poésie abandonne les cadres rigides du classicisme et assouplit l'alexandrin ; le théâtre se libère. Les innovations prennent parfois des formes tumultueuses dont la bataille d'*Hernani* reste un exemple célèbre.

■ L'exploration du monde des rêves

À défaut de trouver des satisfactions dans un environnement trop marqué par le souci de la réussite matérielle, les Romantiques cherchent refuge dans le **rêve** et dans la **réminiscence.** Nerval ▷ ▷ ▷ *p. 265,* se remémore une *autre vie* et explore les frontières inconnues qui vont de la veille au sommeil. Cet intérêt conduit Gautier ▷ ▷ ▷ *p. 338* et Nodier dans l'univers fantastique. Ce goût pour **l'onirisme*** s'exprime dans *Gaspard de la nuit* ▷ ▷ ▷ *p. 266.*

■ *Un nouveau type de héros*

Illustrés par la littérature et la peinture, les caractères romantiques s'incarnent dans un nouveau modèle de héros. Le héros romantique est un être qui a conscience d'*être né trop tard dans un monde trop vieux :* épris d'absolu et de liberté, il a le sentiment de ne pas être maître de son destin. Le monde positiviste* laisse peu de place à l'enthousiasme et au rêve.

Martin Drolling (1752-1817), *Intérieur d'une salle à manger* (détail), 1816
(Paris, Collection particulière).

3. Le second versant du siècle

Baudelaire

Heredia

Rimbaud

Verlaine

Laforgue

Balzac

Flaubert

Maupassant

Zola

Gautier

MONSIEUR PRUDHOMME

"Il est grave : il est maire et père de famille.
Son faux col engloutit son oreille. Ses yeux
Dans un rêve sans fin flottent insoucieux,
Et le printemps en fleurs sur ses pantoufles brille.

5 *Que lui fait l'astre d'or, que lui fait la charmille*
Où l'oiseau chante à l'ombre, et que lui font les cieux,
Et les prés verts et les gazons silencieux ?
Monsieur Prudhomme songe à marier sa fille.

Avec monsieur Machin, un jeune homme cossu
10 *Il est juste-milieu[1], botaniste et pansu.*
Quant aux faiseurs de vers, ces vauriens, ces maroufles,

Ces fainéants barbus, mal peignés, il les a
Plus en horreur que son éternel coryza[2]
Et le printemps en fleurs brille sur ses pantoufles."

Verlaine, *Poèmes saturniens.*

1. partisan d'une politique qui évite
les deux extrêmes.
2. rhume.

L'échec politique de 1848 et le retour à l'ordre sont perçus comme la fin des illusions romantiques et le triomphe du Positivisme*. La voie du réalisme s'est ouverte avec Balzac : le mouvement se précise et se développe. L'art de la deuxième moitié du siècle, dans une société dominée par l'expansion économique et industrielle, s'oriente dans deux directions opposées mais simultanées. D'un côté, il traduit l'évolution sociale, s'y intéresse, l'analyse, poussant le souci de l'objectivité scientifique jusqu'à vouloir faire de la création littéraire une véritable expérimentation rationnelle. De l'autre, il s'oppose à un contexte trop marqué par le matérialisme ou s'en évade, cherchant à combler, par le symbolisme, les insuffisances du réel.

Un contexte de mutations

S'ouvrant sur le coup d'État de décembre 1851 et bouleversé par 1870, le deuxième versant du XIXe siècle est caractérisé par l'ampleur des modifications économiques. C'est une époque de profondes mutations : multiplication des applications des sciences, implantations industrielles nombreuses, développement des activités bancaires. Les transformations gigantesques de Paris, menées par le préfet Haussmann, les différentes expositions, dont celle, universelle, de 1889, les différentes formes de l'expansion coloniale témoignent de l'évolution économique. Sous le Second Empire, puis sous la IIIe République, on exalte l'esprit d'initiative, la volonté d'entreprendre, le goût de la spéculation sous toutes ses formes. Mais une société dont les valeurs sont la réussite et l'ambition accentue les inégalités sociales. La deuxième moitié du siècle, marquée par l'accroissement du prolétariat, l'est aussi par la dégradation de ses conditions de vie. Différents mouvements, suscités par la diffusion des idées socialistes, soulignent une volonté de rassemblement et d'union revendicative dont les manifestations sont redoutées par le pouvoir. Les arts, et en particulier la littérature, portent témoignage de ces évolutions, soit en les dénonçant, soit en les utilisant comme thèmes d'inspiration.

La situation de l'artiste

Plus encore que dans la première moitié du siècle, la situation de l'artiste est caractérisée par l'ambiguïté. Sous le Second Empire, Napoléon III se veut le protecteur des arts et se pose en mécène, ce qui impose à l'artiste, s'il veut être reconnu, d'adhérer à l'esthétique officielle. Certains le refusent catégoriquement, comme Hugo, résolument opposé au régime et clamant, depuis Guernesey, son indignation et sa haine de « Napoléon le petit ». Se réfugiant dans une solitude hautaine, d'autres, comme les représentants de l'école parnassienne, cherchent leur inspiration dans une histoire ou dans des pays lointains, et comme Heredia ou Leconte de Lisle, privilégient la recherche d'une perfection formelle. Le mouvement appelé l'Art pour l'art illustre le goût d'une poésie travaillée et ciselée à la manière de la joaillerie ou de l'orfèvrerie. D'autres encore recherchent par l'utilisation des symboles à dépasser une réalité trop imprégnée de pragmatisme et de matérialisme en approfondissant les voies ouvertes par le Romantisme visionnaire. Baudelaire, Rimbaud, Lautréamont représentent le groupe des poètes symbolistes, marginaux et révoltés, que Verlaine rassemble sous le nom de « poètes maudits ». Tout en effet oppose les poètes au conformisme ambiant, qui est celui de la bourgeoisie. L'image dominante de l'artiste, « l'Albatros » ou le « Saltimbanque » de Baudelaire, le « Pierrot » de Verlaine ou de Laforgue, est celle d'un être incompris, en constant décalage avec les idées et les valeurs de son époque. Victimes de l'idéologie bourgeoise d'un « Monsieur Prudhomme », ces poètes cherchent des échappatoires dans les paradis artificiels chers à Baudelaire, ou dans l'invention d'un nouveau langage faisant d'eux, selon l'expression de Rimbaud, de véritables « Prométhée », des « voleurs de feu ». Bien des recherches menées dans les années 1860-1880 sur le plan poétique ont pour origine le divorce entre la société bourgeoise et les artistes appartenant à la Bohème*.

Simultanément, on observe un phénomène différent dans l'univers romanesque. Le Réalisme, puis le Naturalisme montrent le romancier comme un observateur, un analyste, un témoin qui, intégré à son époque, l'utilise comme contexte spatio-temporel et cherche à en exploiter les découvertes. Le romancier naturaliste se veut un scientifique appliquant à la littérature les méthodes de la médecine expérimentale. Il pense ainsi concilier les certitudes scientifiques et la création romanesque. Il n'y a plus là ni marginalité ni refus mais une adaptation de la production littéraire à l'idéologie positiviste. La coexistence de la poésie hermétique, celle de Mallarmé, difficile d'accès, et du naturalisme de Zola ou des Goncourt, souligne les orientations différentes de la littérature en même temps que ses hésitations. Le Décadentisme de la fin du siècle, illustré par des écrivains comme Huysmans (À Rebours) ou comme Villiers de l'Isle-Adam, avec son esthétique raffinée et compliquée, est à l'image des incertitudes à propos des valeurs traditionnelles, de leur refus et de la prescience de mouvements nouveaux qui marqueront, comme le Surréalisme, le siècle suivant.

Parnasse et Symbolisme

Baudelaire

Heredia

Rimbaud

Verlaine

Laforgue

Odilon Redon (1840-1916), *Pégase,* vers 1900 (pastel, 80,7 × 65 cm ; Hiroshima, Hiroshima Museum of Art).

■ Étudiez les *jeux de contraste* (couleurs, volumes) et leur signification symbolique. Quel sens faut-il donner à la position du cheval entre la terre et l'azur, à son attitude ?

"À moi. L'histoire d'une de mes folies.

Depuis longtemps je me vantais de posséder tous les paysages possibles, et trouvais dérisoires les célébrités de la peinture et de la poésie moderne.

J'aimais les peintures idiotes, dessus de porte, décors, toiles de saltim- banques, enseignes, enluminures populaires, la littérature démodée, latin d'église, livres érotiques sans orthographe, romans de nos aïeules, contes de fées, petits livres de l'enfance, opéra vieux, refrains niais, rhythmes naïfs.

Je rêvais croisades, voyages de découvertes dont on n'a pas de relations, républiques sans histoires, guerres de religion étouffées, révolutions de mœurs, déplacemement de races et de continents : je croyais à tous les enchantements.

J'inventai la couleur des voyelles ! - A noir, E blanc, I rouge, O bleu, U vert[1]. - Je réglai la forme et le mouvement[1] de chaque consonne, et, avec des rhythmes instinctifs, je me flattai d'inventer un verbe poétique acces- sible, un jour ou l'autre, à tous les sens. Je réservais la traduction.

Ce fut d'abord une étude. J'écrivais des silences, des nuits, je notais l'inexprimable. Je fixais des vertiges."

Rimbaud, *Une saison en enfer.*

1. référence au « Sonnet des voyelles ».

Charles Baudelaire

Placée sous le signe d'une double obsession, la douleur du spleen* et la lumière de l'idéal, la vie de Baudelaire se révèle comme un constant déchirement.

Du bonheur à la vie de bohème

Issu d'un milieu bourgeois cultivé et raffiné, Baudelaire vit une enfance heureuse. Mais la mort de son père, en 1827, et le rapide remariage de sa mère avec le général Aupick, en 1828, sont vécus comme un double drame. À Lyon, puis à Paris, l'adolescent suit des études parfois agitées. En 1839, il commence à apprendre le droit. C'est alors qu'il se brouille avec son beau-père, inquiet de ses fréquentations : le jeune homme se plaît surtout dans le milieu bohème et marginal des artistes et des prostituées.

Du voyage exotique à la création littéraire

Pour l'éloigner de ces influences, sa famille l'embarque sur un paquebot à destination de Calcutta. Mais le voyageur abrège son périple après un séjour dans les îles de l'océan Indien. De retour à Paris, il mène une vie de dandy* : dépenses multiples et tapageuses, apparence vestimentaire facilement provocante, refus de la morale bourgeoise. Il se lie avec la mulâtresse Jeanne Duval. Inquiets de voir son héritage rapidement dilapidé, ses parents imposent qu'un notaire gère ses biens : le jeune homme doit alors travailler pour vivre. Il devient critique d'art et se fait connaître par les *Salons* de 1845 et de 1846, ainsi que par ses premières traduction d'E. Poe.

Sa vie affective est alors dominée par trois femmes : Jeanne Duval, Marie Daubrun et Madame Sabatier. En 1857, il publie le recueil des *Fleurs du mal,* sur lequel il travaille depuis plus de dix ans. La publication est rapidement suivie d'une condamnation pour « offense à la morale publique et aux bonnes mœurs ». Bouleversé, le poète se juge incompris.

1821-1867

Portrait : Gustave Courbet (1819-1877), *Charles Baudelaire* (détail), 1848 (huile sur toile, 53 X 61 cm ; Montpellier, Musée Fabre).

Inspiration et déchéance

Malgré sa déception, Baudelaire continue les *Salons* et rédige des articles de critique littéraire. Il compose un recueil de poèmes en prose, *Le Spleen de Paris,* qui sera publié après sa mort, s'interroge sur la drogue et les « paradis artificiels » (1860), poursuit la traduction d'E. Poe. Épuisé par les névralgies et les vertiges, il tente une expatriation en Belgique, de 1864 à 1866, mais n'y connaît aucun succès. De retour en France, il meurt le 31 août 1867, paralysé et privé de la parole.

◄ Charles Baudelaire (1821-1867), *Autoportrait* (Collection particulière).

Les Fleurs du mal - 1857

L'Albatros

Dans Les Fleurs du mal, *le poète exprime ses angoisses, ses doutes et ses espoirs. Le recueil analyse deux états opposés : le spleen, souffrance physique et morale, et l'idéal, qui exprime l'élan vers le beau. Dans « L'Albatros », l'oiseau libre maltraité par les hommes illustre cette double obsession.*

1. petite pipe que fument les marins.

Souvent, pour s'amuser, les hommes d'équipage
Prennent des albatros, vastes oiseaux des mers
Qui suivent, indolents compagnons de voyage,
Le navire glissant sur les gouffres amers.

5 À peine les ont-ils déposés sur les planches,
Que ces rois de l'azur, maladroits et honteux,
Laissent piteusement leurs grandes ailes blanches
Comme des avirons traîner à côté d'eux.

Ce voyageur ailé, comme il est gauche et veule !
10 Lui, naguère si beau, qu'il est comique et laid !
L'un agace son bec avec un brûle-gueule¹.
L'autre mime, en boitant, l'infirme qui volait !

Le Poète est semblable au prince des nuées
Qui hante la tempête et se rit de l'archer ;
15 Exilé sur le sol au milieu des huées,
Ses ailes de géant l'empêchent de marcher.

« Spleen et Idéal », III.

Gustave Moreau (1826-1898), *Le Poète voyageur* (détail), 1868 (huile sur toile, 180 X 146 cm ; Paris, Musée Gustave-Moreau).

LECTURE MÉTHODIQUE

■ Par le repérage des articulations temporelles, des champs lexicaux et des métaphores, étudiez comment se modifie la **situation** de l'albatros.

■ Observez la **structure** et le rythme des vers. Ces deux éléments sont-ils en relation avec les différences relevées dans la première question ?

■ Qu'a de particulier la dernière strophe ? En quoi cependant reprend-elle le **thème général ?**

■ Quelle est, d'après ce poème, la **conception** que Baudelaire se fait du poète ?

VERS LE COMMENTAIRE LITTÉRAIRE

■ En prenant appui sur la lecture méthodique du texte, rédigez un ou plusieurs des trois axes de commentaire suivants :
- un récit **anecdotique** dans un contexte maritime ;
- l'expression d'une **transformation ;**
- une **métaphore** de la condition de l'artiste.

PARCOURS CULTUREL

■ La littérature et l'art utilisent souvent les animaux. Recherchez des exemples de cette utilisation. En particulier, quelle est la **signification symbolique** de la colombe, de la chouette, du serpent ?

guides p. 39-78-306

L'ennemi

Une des constantes de l'inspiration baudelairienne est le sentiment du temps qui passe. Ce sentiment se double parfois de la crainte de ne plus avoir d'inspiration.

Ma jeunesse ne fut qu'un ténébreux orage,
Traversé çà et là par de brillants soleils ;
Le tonnerre et la pluie ont fait un tel ravage,
Qu'il reste en mon jardin bien peu de fruits vermeils.

5 Voilà que j'ai touché l'automne des idées,
Et qu'il faut employer la pelle et les râteaux
Pour rassembler à neuf les terres inondées,
Où l'eau creuse des trous grands comme des tombeaux.

Et qui sait si les fleurs nouvelles que je rêve
10 Trouveront dans ce sol lavé comme une grève
Le mystique aliment qui ferait leur vigueur ?

- Ô douleur ! ô douleur ! Le Temps mange la vie,
Et l'obscur Ennemi qui nous ronge le cœur
Du sang que nous perdons croît et se fortifie !

« Spleen et Idéal », X.

Gustave Moreau (1826-1898), *La Parque et l'ange de la mort,* 1890 (huile sur toile, 110 X 67 cm ; Paris, Musée Gustave-Moreau).

LECTURE MÉTHODIQUE

■ À partir de l'observation du champ lexical dominant, dites sur quelle **métaphore** reposent les trois premières strophes du sonnet. En récapitulant les termes qui la composent, dites de quelle manière elle est « **filée** ».

■ En vous appuyant sur l'étude des temps verbaux et des indicateurs temporels, analysez **l'expression du temps** dans le sonnet. Cette notion est-elle importante ? À quoi le voyez-vous ?

■ Quels **thèmes** le sonnet fait-il alterner ? Quelle est la **tonalité ?** Étudiez les champs lexicaux, la ponctuation, les temps verbaux et les figures de style.

PARCOURS CULTUREL

■ Recherchez dans la poésie de la Pléiade et chez les poètes romantiques des textes évoquant le **thème de la fuite du temps.** Présentez les éléments communs à ces textes et au sonnet « L'ennemi », puis classez-les.

LIRE LA PEINTURE

■ Retrouvez dans le tableau les éléments qui **caractérisent** les deux personnages : La Parque (position, couleur) et l'ange de la mort (emblèmes, position) et leur **rapprochement**.

■ Qu'y a-t-il de violent, d'angoissant dans le tableau ? Quelles **relations** peut-on établir avec le texte de Baudelaire ?

guides p. 78-276-418

302

Gustave Courbet (1819-1877), *Le Bord de la mer à Palavas*, 1854 (huile sur toile, 27 X 46 cm ; Montpellier, Musée Fabre).

L'homme et la mer

Homme libre, toujours tu chériras la mer !
La mer est ton miroir ; tu contemples ton âme
Dans le déroulement infini de sa lame,
Et ton esprit n'est pas un gouffre moins amer.

5 Tu te plais à plonger au sein de ton image ;
Tu l'embrasses des yeux et des bras, et ton cœur
Se distrait quelquefois de sa propre rumeur
Au bruit de cette plainte indomptable et sauvage.

Vous êtes tous les deux ténébreux et discrets ;
10 Homme, nul n'a sondé le fond de tes abîmes ;
Ô mer, nul ne connaît tes richesses intimes,
Tant vous êtes jaloux de garder vos secrets.

Et cependant voilà des siècles innombrables
Que vous vous combattez sans pitié ni remord,
15 Tellement vous aimez le carnage et la mort,
Ô lutteurs éternels, ô frères implacables !

« Spleen et Idéal », XIV.

LECTURE MÉTHODIQUE

■ Observez les pronoms personnels du texte. Que remarquez-vous ? Quelles conclusions pouvez-vous tirer sur **l'interlocuteur** du poète, sur la structure du texte et sur son évolution ?

■ Quelles **fonctions** le poète attribue-t-il à la mer ? Répondez à cette question en analysant les champs lexicaux.

■ Étudiez la ponctuation et les rythmes : quels sont les **effets** produits ?

■ Que remarquez-vous en comparant le premier et le dernier vers du poème ?

■ Le contenu du texte permet-il d'apporter une **explication** à ce que vous avez remarqué grâce aux questions précédentes ?

LIRE LA PEINTURE

■ Étudiez comment s'exprime la **disproportion** entre ce personnage et l'ensemble du paysage maritime.

■ Quelles **relations** le tableau peut-il suggérer entre l'homme et la mer ?

■ Quels **rapprochements** peut-on établir avec le texte de Baudelaire ?

guides p. 39-369-386

Le Spleen de Paris - 1869

Les fenêtres

Le Spleen de Paris regroupe des poèmes en prose. « Les fenêtres » évoque la fascination que peut exercer une fenêtre sur celui qui se trouve à l'extérieur.

Celui qui regarde du dehors à travers une fenêtre ouverte, ne voit jamais autant de choses que celui qui regarde une fenêtre fermée. Il n'est pas d'objet plus profond, plus mystérieux, plus fécond, plus ténébreux, plus éblouissant qu'une fenêtre éclairée d'une chandelle. Ce qu'on peut
5 voir au soleil est toujours moins intéressant que ce qui se passe derrière une vitre. Dans ce trou noir ou lumineux vit la vie, rêve la vie, souffre la vie.

Par-delà des vagues de toits, j'aperçois une femme mûre, ridée déjà, pauvre, toujours penchée sur quelque chose, et qui ne sort jamais. Avec
10 son visage, avec son vêtement, avec son geste, avec presque rien, j'ai refait l'histoire de cette femme, ou plutôt sa légende, et quelquefois je me la raconte à moi-même en pleurant.

Si c'eût été un pauvre vieux homme, j'aurais refait la sienne
15 tout aussi aisément.

Et je me couche, fier d'avoir vécu et souffert dans d'autres que moi-même.

Peut-être me direz-vous : « Es-
20 tu sûr que cette légende soit la vraie ? » Qu'importe ce que peut être la réalité placée hors de moi, si elle m'a aidé à vivre, à sentir que je suis et ce que je suis ?

XXXV.

James Whistler (1834-1903), *La Mère de l'artiste*, 1871-1872 (huile sur toile, 145 x 164 cm ; Paris, Musée d'Orsay).

LECTURE MÉTHODIQUE

■ Par l'observation des champs lexicaux, du découpage en paragraphes et des mots de liaison, faites apparaître la **structure** du texte et la manière dont est traité le thème de la fenêtre.

■ Quelle **différence** peut-on remarquer entre le premier et le second paragraphe ? Étudiez les pronoms personnels pour répondre à cette question.

■ En quoi peut-on dire de la fenêtre évoquée par Baudelaire qu'elle est **inspiratrice ?**

■ Déduisez de ce poème la démarche de la **création littéraire,** selon Baudelaire, et ses fonctions.

VERS LE COMMENTAIRE LITTÉRAIRE

■ En prenant appui sur la lecture méthodique du texte, rédigez un ou plusieurs des trois axes de commentaire suivants :
- l'importance des **perceptions visuelles ;**
- le jeu de l'**imagination** à partir de ce qui est vu ;
- la mise en œuvre poétique d'une **triple démarche :** voir, écrire, vivre.

guides p. 39-78-330

José-Maria de Heredia

Descendant de conquistadores espagnols, J.-M. de Heredia naît à Cuba en 1842, dans une famille de planteurs aisée et cultivée. Ses études à l'école des Chartes (1862-1865) favorisent une culture historique et un goût de l'érudition qui marqueront toute son œuvre. En 1866, il collabore régulièrement au journal littéraire, *le Parnasse contemporain*. En 1893, il rassemble sa production poétique, essentiellement des sonnets, dans un recueil, *Les Trophées*, qui connaît un grand succès. Il meurt en 1905 après avoir connu la gloire et être entré à l'Académie française.

1842-1905

Les Trophées - 1893

Les conquérants

En ressuscitant par la poésie les civilisations et les époques disparues, Heredia fait de l'écriture poétique un remède à l'usure du temps.

Comme un vol de gerfauts[1] hors du charnier[2] natal,
Fatigués de porter leurs misères hautaines,
De Palos de Moguer[3], routiers et capitaines
Partaient, ivres d'un rêve héroïque et brutal.

5 Ils allaient conquérir le fabuleux métal
Que Cipango[4] mûrit dans ses mines lointaines,
Et les vents alizés inclinaient leurs antennes[5]
Aux bords mystérieux du monde Occidental.

Chaque soir, espérant des lendemains épiques,
10 L'azur phosphorescent de la mer des Tropiques
Enchantait leur sommeil d'un mirage doré ;

Ou penchés à l'avant des blanches caravelles,
Ils regardaient monter en un ciel ignoré
Du fond de l'Océan des étoiles nouvelles.

Les Trophées, Le Moyen Âge et la Renaissance.

1. un gerfaut est un oiseau de proie.
2. terme désignant le nid de ce type d'oiseaux.
3. port d'où s'embarqua C. Colomb.
4. nom du Japon.
5. il s'agit de vergues soutenant les voiles des navires.

LECTURE MÉTHODIQUE

■ En quoi le contenu du sonnet correspond-il à son **titre** ? Étudiez le champ lexical dominant et classez les termes qui le composent. Quelles peuvent être ici les connotations du mot *conquérant* ?

■ Par l'observation du lexique et des rythmes, par l'écoute attentive du poème lu à haute voix et par le repérage de certaines sonorités, dites si la **tonalité** est la même dans toutes les strophes. S'il y a changement, où s'opère-t-il et quel est-il ?

■ Quel est le sens de l'expression **étoiles nouvelles** ?

VERS LA DISSERTATION

■ En prenant pour illustration les textes qui font référence au voyage ▷▷▷ *p. 307, 308* et *348, 352*, construisez une thèse argumentée pour réfuter le point de vue de Baudelaire donné ici :

Amer savoir, celui qu'on tire du voyage !
Le monde, monotone et petit, aujourd'hui,
Hier, demain, toujours, nous fait voir notre image :
Une oasis d'horreur dans un désert d'ennui !

Les Fleurs du mal, « Le voyage ».

guides p. 39-306-381

La versification

La poésie française repose traditionnellement sur des unités rythmiques et typographiques appelées **vers,** terminées par des sons répétés, les **rimes,** et disposées, ou non, en groupes appelés **strophes.** Au XIXᵉ siècle, apparaissent le vers libre et le poème en prose.

▌*Le vers*

Repérable par sa typographie, le vers est un ensemble régulier et accentué de syllabes prononcées.

▪ **Les syllabes**

Le **nombre des syllabes** détermine le **nom** du vers : alexandrin (12), décasyllabe (10), octosyllabe (8), heptasyllabe (7). Il existe aussi des vers de 4 ou 6 syllabes et d'autres qui en comportent 5, 9, 11. Verlaine, dans son *Art poétique,* considère que le vers impair est plus musical.

Le **e** en fin de mot **ne** compte **que** si le mot suivant commence par une consonne. Il ne compte pas en fin de vers ▷▷▷ *p. 283 :*
*Tout se brise, tout meurt. Malheur à qui me touch**e** !*

On appelle **diérèse** le fait de prononcer, en poésie, certaines syllabes non prononcées en prose :
Que ne t'es-tu vers Diane tournée ?

Le phénomène inverse, qui rassemble en une seule syllabe ce que l'on prononce habituellement en deux syllabes, est une **synérèse** ▷▷▷ *p. 82.*
Si est-ce que de Dieu la juste intelligence
Court après le meurtrier et en prend la vengeance .

▪ **Les accents rythmiques et les coupes**

Le vers, quelle que soit sa longueur, est divisé en éléments séparés par des pauses appelées **coupes.** Celle qui se situe au milieu du vers est la **césure.** Les autres sont des **coupes secondaires.** Par les arrêts qu'elles provoquent dans la lecture, elles sont à l'origine des différents effets d'harmonie, de ralentissement ou d'accélération du rythme, comme dans un morceau de musique. Elles sont en relation avec les **accents,** qui se situent sur la dernière syllabe de chaque unité grammaticale. La **combinaison des coupes et des accents** crée **le rythme** du vers ▷▷▷ *p. 77, 156, 305 :*

Je n'ai plus que les os, un squelette je semble,
Décharné, dénervé, démusclé, dépoulpé.

Tu me haïssais plus, je ne t'aimais pas moins.

Comme un vol de gerfauts hors du charnier natal.

▪ **Enjambement, rejet, contre-rejet**

La fin du vers, unité métrique, ne coïncide pas toujours avec la fin d'une unité grammaticale. Celle-ci peut se poursuivre au début du vers suivant, ce qui provoque des effets de rallongement, conti-nuité, mise en relief. Le phénomène s'appelle un **enjambement.** Le groupe qui commence le vers est un **rejet** ▷▷▷ *p. 309 :*
Il dort dans le soleil, la main sur sa poitrine
Tranquille. Il a deux trous rouges au côté droit.
Lorsqu'une unité grammaticale commence en fin de vers, cette partie se nomme un **contre-rejet.**

▌*Les rimes*

C'est le deuxième élément clé de la versification française. On appelle rime le retour d'un même phonème en fin de vers. Les rimes sont caractérisées par leur nature, leur qualité et leur disposition.

▪ **Nature des rimes :** Une rime est dite **féminine** si elle est terminée par un **e muet,** masculine dans tous les autres cas. Jusqu'au XIXᵉ siècle, la règle était de faire alterner rimes féminines et masculines.

▪ **Qualité :** Les rimes sont pauvres, suffisantes ou riches selon leur nombre de phonèmes communs (1 comme dans *tout* et *bout,* 2 comme dans *tour* et *amour,* 3 comme dans *tour* et en*toure*).

▪ **Disposition :** Les rimes aabb sont plates ou suivies, les rimes abab sont alternées ou croisées, les rimes abba sont embrassées. Les rimes sont un élément important dans la création d'**effets sonores :** l'utilisation des mêmes rimes dans les deux quatrains du sonnet accentue l'unité thématique. Moins les rimes sont nombreuses, plus il y a d'effet, comme dans le poème d'Aragon, *C,* construit sur une rime unique ▷▷▷ *p. 398.*

▌*Les strophes*

La strophe est un regroupement de vers : distique (2 vers), tercet (3 vers), quatrain (4 vers), quintil (5 vers), sizain (6 vers). Ces regroupements qui soulignent des unités de sens, sont aussi générateurs d'effets de continuité ou de rupture. La **ponctuation** joue alors un rôle important. Les poèmes à forme fixe (rondeau, ballade, sonnet) sont composés d'un nombre imposé de strophes.

▌*Le vers libre*

Au XIXᵉ siècle, le refus des contraintes formelles conduit à la création du vers libre, caractérisé par l'absence de longueur fixe, de rythme régulier, et, souvent, de rimes. *Marine,* de Rimbaud ▷▷▷ *p. 310,* ou *L'hiver qui vient,* de Laforgue ▷▷▷ *p. 315,* en sont des exemples. L'irrégularité apparente de ces vers est compensée par une adaptation de la longueur à la syntaxe et au sens. C'est en réalité la lecture du poème, et non sa forme, qui détermine les pauses, les accélérations ou les rallongements.

Arthur Rimbaud

Une adolescence révoltée

Rimbaud naît à Charleville en 1854 dans une famille bourgeoise. Brillant élève, il compose des vers latins, écrit ses premiers poèmes, encouragé par un de ses professeurs, G. Izambard. Mais bientôt, il manifeste une violente révolte contre l'ordre social, le conformisme, la religion. Le départ de son professeur le laisse seul et désemparé. Viennent alors les premières fugues (août 1870), retracées dans « Ma bohème » : elles le mènent jusqu'à Paris. À son retour, il abandonne ses études. Il a 17 ans.

1854-1891

La rencontre avec Verlaine

Les ambitions poétiques de Rimbaud se précisent au printemps de 1871, dans les « Lettres dites du Voyant ». Invité par Verlaine, il retourne à Paris. Mais ses comportements provocateurs et grossiers le font rejeter des milieux littéraires. Fasciné par cet adolescent original, Verlaine abandonne femme et enfant pour vivre avec lui une vie d'aventures en Belgique et à Londres. C'est au cours de ces errances que le jeune poète compose certains textes des *Illuminations*. Mais en juillet 1873, à l'occasion d'une dispute, à Bruxelles, Verlaine tire sur son ami. Même s'ils se revoient en 1875, la séparation est définitive. Peu après, Rimbaud abandonne la poésie.

Les dernières aventures

En 1880, il quitte la France pour l'Abyssinie, où il fait du commerce sans réussir financièrement. Atteint d'un cancer à une jambe, il rentre en France pour y être hospitalisé et meurt de gangrène en novembre 1891.

Portrait : Henri Fantin-Latour (1836-1904), *Un coin de table* (détail), 1872 (huile sur toile, 160 X 225 cm ; Paris, Musée d'Orsay).

« Tu as bien fait de partir[1], Arthur Rimbaud ! »

TEXTE ÉCHO

*T*u *as bien fait de partir, Arthur Rimbaud ! Tes dix-huit ans réfractaires à l'amitié, à la malveillance, à la sottise des poètes de Paris ainsi qu'au ronronnement d'abeille stérile de ta famille ardennaise un peu folle, tu as bien fait de les éparpiller au vent du large, de les jeter sous le couteau de leur précoce guillotine.*

5 *Tu as eu raison d'abandonner le boulevard des paresseux, les estaminets des pisse-lyres[2], pour l'enfer des bêtes, pour le commerce des rusés et le bonjour des simples.*

Cet élan absurde du corps et de l'âme, ce boulet de canon qui atteint sa cible en la faisant éclater, oui, c'est bien là la vie d'un homme ! On ne peut pas, au sortir de l'enfance, indéfiniment étrangler son prochain. Si les volcans changent peu de place, 10 *leur lave parcourt le grand vide du monde et lui apporte des vertus qui chantent dans ses plaies.*

Tu as bien fait de partir, Arthur Rimbaud ! Nous sommes quelques-uns à croire sans preuve le bonheur possible avec toi.

René Char, *Fureur et Mystère*, 1948, Éd. Gallimard.

1. plusieurs poètes du XXᵉ siècle ont rendu hommage à Rimbaud et, parmi eux, René Char.
2. expression péjorative désignant les poètes médiocres.

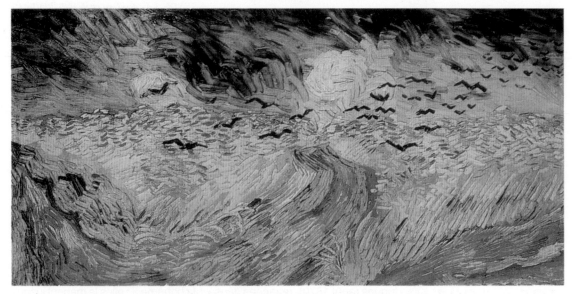

Vincent Van Gogh (1853-1890), *Champs de blé aux corbeaux*, 1890 (huile sur toile, 100,5 × 50 cm ; Amsterdam, Fondation Vincent Van Gogh, Musée Vincent Van Gogh).

Poésies

Ma bohème *(Fantaisie)*

Rimbaud est un jeune poète de 16 ans lorsqu'il compose ce sonnet qui évoque sans doute l'une ou plusieurs de ses fugues.

Je m'en allais, les poings dans mes poches crevées ;
   Mon paletot aussi devenait idéal[1],
J'allais sous le ciel, Muse ! et j'étais ton féal[2] ;
Oh ! là ! là ! que d'amours splendides j'ai rêvées !

5 Mon unique culotte avait un large trou.
- Petit Poucet rêveur, j'égrenais dans ma course
Des rimes. Mon auberge était à la Grande-Ourse[3].
- Mes étoiles au ciel avaient un doux frou-frou.

Et je les écoutais, assis au bord des routes,
10 Ces bons soirs de septembre où je sentais des gouttes
De rosée à mon front, comme un vin de vigueur ;

Où, rimant au milieu des ombres fantastiques,
Comme des lyres, je tirais les élastiques
De mes souliers blessés, un pied près de mon cœur !

1. presque inexistant.
2. chevalier qui se soumet à son suzerain, au Moyen Âge.
3. transformation de l'expression « dormir à la belle étoile ».

LECTURE MÉTHODIQUE

■ Par l'observation des verbes et des indicateurs de lieu, dites quel est le **premier thème** évoqué dans ce sonnet.

■ Quelles **images** le jeune homme donne-t-il de lui-même ? Répondez à cette question en analysant les métaphores et les comparaisons. Déduisez de vos réponses un deuxième thème étroitement lié au premier.

■ Combien de **niveaux de langue** sont utilisés dans ce sonnet ? Quels sont les effets produits ?

■ Rimbaud a-t-il respecté ici les **règles du sonnet** ? Repérez les enjambements. À quoi servent-ils ?

PARCOURS CULTUREL

■ Cherchez le champ sémantique du mot « **Bohème** ». Dans quels titres (œuvres littéraires et musicales), dans quelles expressions figure-t-il ? Avec quel(s) sens ?

guides p. 39-78-395

Le dormeur du val

En 1870, au cours de ses fugues, Rimbaud traverse des régions dévastées par la guerre franco-prussienne. C'est de là que vient probablement l'inspiration de ce sonnet.

C'est un trou de verdure où chante une rivière
Accrochant follement aux herbes des haillons
D'argent ; où le soleil, de la montagne fière,
Luit : c'est un petit val qui mousse de rayons.

5 Un soldat jeune, bouche ouverte, tête nue,
Et la nuque baignant dans le frais cresson bleu,
Dort ; il est étendu dans l'herbe, sous la nue,
Pâle dans son lit vert où la lumière pleut.

Les pieds dans les glaïeuls, il dort. Souriant comme
10 Sourirait un enfant malade, il fait un somme :
Nature, berce-le chaudement : il a froid.

Les parfums ne font pas frissonner sa narine ;
Il dort dans le soleil, la main sur sa poitrine
Tranquille. Il a deux trous rouges au côté droit.

Octobre 1870.

Vincent Van Gogh
(1853-1890), *Troncs d'arbre
dans l'herbe*, 1890
(huile sur toile, 72 × 90 cm ;
Otterlo, The Netherlands,
Collection State Museum
Kröller-Müller).

LECTURE MÉTHODIQUE

■ Par l'observation précise des champs lexicaux et de l'organisation du sonnet, faites apparaître, de manière organisée, l'ensemble des **relations** entre le poème et le **titre**.

■ Quelles sont les caractéristiques des **deux éléments** qui composent le titre ? Étudiez, pour répondre à cette question, les métaphores, les comparaisons, les images, les couleurs, les personnifications.

■ Quel est l'effet produit par la **dernière phrase** ? Que révèle alors la relecture du texte ? Sur quelle figure dominante reposent à la fois le titre et le sonnet entier ?

PARCOURS CULTUREL

■ De nombreux textes ainsi que de nombreuses œuvres picturales évoquent la **guerre**. Retrouvez les textes donnés dans cet ouvrage qui traitent de ce thème. Comparez-les pour déterminer à travers quels aspects elle est évoquée et par quels moyens elle est critiquée.

VERS LA DISSERTATION

■ À partir de la recherche précédente, construisez une thèse argumentée correspondant à la problématique de ce sujet : « La littérature prend souvent pour thème d'inspiration la guerre. Vous vous demanderez quelles peuvent être les raisons de ce choix. »

guides p. 39-69-78

William Turner (1775-1851), *Yacht approchant des côtes* (Londres, The Tate Gallery).

Illuminations - 1886[1]

Marine

Les Illuminations *comportent de nombreux poèmes en vers libres ou en prose dont le thème, complexe, ambigu, conduit le lecteur à faire intervenir sa propre imagination.*

Les chars d'argent et de cuivre -
Les proues d'acier et d'argent -
Battent l'écume, -
Soulèvent les souches des ronces.
5   Les courants de la lande,
Et les ornières immenses du reflux,
Filent circulairement vers l'est,
Vers les piliers de la forêt, -
Vers les fûts de la jetée,
10 Dont l'angle est heurté par des tourbillons de lumière.

1. œuvre composée entre 1873 et 1875 mais publiée seulement en 1886.

LECTURE MÉTHODIQUE

■ Peut-on parler ici d'un champ lexical unique ? Observez pour cela les groupes nominaux. D'où viennent la **complexité** et l'**originalité** du texte ?

■ Étudiez précisément la **structure** répétée : sujet/ verbe/ complément. Que remarquez-vous ?

■ Quelle vous semble être la **fonction** de ce texte poétique ? Raconter une scène maritime ? Décrire un tableau ? Évoquer un rêve ? Aidez-vous de références précises au texte et de l'analyse du **titre**.

■ Pour quelles raisons ce poème et le tableau du peintre anglais **Turner** ont-ils été rapprochés ?

VERS LA DISSERTATION

■ À partir de ce texte poétique et d'autres, de votre choix, élaborez une thèse argumentée étayant la définition suivante de la poésie :

Art du langage généralement associé à la versification, visant à exprimer ou à suggérer quelque chose au moyen de combinaisons verbales où le rythme, l'harmonie et l'image ont autant et parfois plus d'importance que le contenu intelligible lui- même.

Dictionnaire Robert.

guides p. 39-306

Aube

Moment privilégié entre la nuit et le jour, l'aube a inspiré de nombreux poètes, parmi lesquels Rimbaud.

J'ai embrassé l'aube d'été.

Rien ne bougeait encore au front des palais. L'eau était morte. Les camps d'ombre ne quittaient pas la route du bois. J'ai marché, réveillant les haleines vives et tièdes, et les pierreries regardèrent, et les ailes se levè-
5 rent sans bruit.

La première entreprise[1] fut, dans le sentier déjà empli de frais et blêmes éclats, une fleur qui me dit son nom.

Je ris au wasserfall[2] blond qui s'échevela à travers les sapins : à la cime argentée je reconnus la déesse.

10 Alors je levai un à un les voiles. Dans l'allée, en agitant les bras. Par la plaine, où je l'ai dénoncée au coq. À la grand'ville elle fuyait parmi les clochers et les dômes, et courant comme un mendiant sur les quais de marbre, je la chassais.

En haut de la route, près d'un bois de lauriers, je l'ai entourée avec ses
15 voiles amassés, et j'ai senti un peu son immense corps. L'aube et l'enfant tombèrent au bas du bois.

Au réveil il était midi.

1. entreprise : à être entreprise.
2. chute d'eau, en allemand.

LECTURE MÉTHODIQUE

■ Observez la **présentation typographique** du texte et sa structure (alinéas, blancs, phrase d'ouverture et de fermeture, articulations temporelles). Que remarquez-vous ?

■ Que « **raconte** » ce poème en prose ? Appuyez-vous sur les champs lexicaux, sur la nature des verbes, les temps, les indicateurs de lieu pour répondre à cette question. Qui sont les deux personnages mis en cause ?

■ À partir du repérage des pronoms personnels, étudiez le système de l'**énonciation** du texte : qu'a-t-il d'original ?

■ Qui est « **l'enfant** » du texte ? Comment comprenez-vous le rapport entre le **titre** et le contenu du poème ?

PARCOURS CULTUREL

■ En vous appuyant sur ce texte et sur ceux des *pages 266, 304 et 401*, retrouvez les caractéristiques du **poème en prose**. Aidez-vous du guide, *p. 316*.

guides p. 39-369-418

Paul Verlaine

Né à Metz le 30 mars 1844, Verlaine vient à Paris en 1856. Une fois bachelier, il commence à travailler mais c'est la création poétique qui l'intéresse. Il collabore à plusieurs revues et publie successivement les *Poèmes saturniens* (1866) et les *Fêtes galantes* (1869).

1844-1896

À cette époque, déjà, il se laisse aller à l'alcoolisme et à la violence. En 1871, sa rencontre avec Rimbaud ouvre une période d'aventures. Il quitte sa famille et les deux poètes vagabondent en Belgique et à Londres. En 1873, pour avoir tiré des coups de feu sur son ami, Verlaine est emprisonné pendant deux ans, à Bruxelles puis à Mons.

L'expérience de la prison semble le ramener à une certaine « sagesse », titre d'un recueil publié en 1880. Mais très vite il est repris par le goût de la boisson et mène, de 1885 à 1887, une vie misérable, d'hôpitaux en asiles. Ainsi, tandis que se poursuit la publication de son œuvre, *Les Poètes maudits* en 1883, *Jadis et Naguère* en 1884, *Parallèlement* en 1889, il traverse des périodes de lucidité coupées de phases de déchéance. Il meurt en 1896, deux ans après avoir été sacré « Prince des poètes ».

Portrait : Édouard Chantalat, XIXᵉ siècle, *Paul Verlaine* (détail), (Rennes, Musée des Beaux-Arts).

Poèmes saturniens - 1866

Soleils couchants

Verlaine se croit influencé par la planète Saturne, ce qui lui vaut, dit-il, une « bonne part de malheur ». Les poèmes de ce recueil, d'inspiration variée mais de tonalité mélancolique, évoquent des états d'âme en relation avec le temps ou les paysages.

Une aube affaiblie
Verse par les champs
La mélancolie
Des soleils couchants.

5 La mélancolie
Berce de doux chants
Mon cœur qui s'oublie
Aux soleils couchants.

Et d'étranges rêves
10 Comme des soleils
Couchants, sur les grèves,
Fantômes vermeils,

Défilent sans trêves,
Défilent, pareils
15 À de grands soleils
Couchants sur les grèves.

« Paysages tristes », I.

LECTURE MÉTHODIQUE

■ En tenant compte du titre du poème, « Soleils couchants » et de celui du groupement, « Paysages tristes », repérez le vocabulaire des **perceptions visuelles** d'une part, de l'**affectivité** d'autre part. Y a-t-il séparation entre les deux ?

■ Quels sont les effets produits par les **répétitions** (sons, termes ou expressions) ? Aidez-vous de l'observation des rimes et de la ponctuation pour répondre à cette question.

■ Ce poème est-il l'évocation d'une scène vécue, rêvée, d'un spectacle, d'un tableau ? D'où vient son « **imprécision** » ?

PARCOURS CULTUREL

■ Il existe souvent des convergences entre un mouvement poétique et un mouvement pictural. De quel **courant de peinture** peut-on rapprocher ce poème de Verlaine ?

guides p. 39-276-381

Fêtes galantes - 1869

Fantoches

Le titre Fêtes galantes *est emprunté au peintre Watteau (1684-1721).
Verlaine met en scène dans ce recueil des personnages de la* Commedia dell'Arte,
dans un contexte de fêtes à la fois brillantes et mélancoliques.

Scaramouche et Pulcinella
Qu'un mauvais dessein rassembla
Gesticulent, noirs sur la lune.

Cependant l'excellent docteur
5 Bolonais cueille avec lenteur
Des simples parmi l'herbe brune.

Lors sa fille, piquant minois,
Sous la charmille, en tapinois,
Se glisse demi-nue, en quête

10 De son beau pirate espagnol,
Dont un langoureux rossignol
Clame la détresse à tue-tête.

Paul Cézanne (1839-1906), *Mardi Gras,* 1888 (huile sur toile, 102 x
81 cm ; Moscou, Musée Pouchkine).

LECTURE MÉTHODIQUE

■ Observez la ponctuation du texte et les indications temporelles : que vous permettent-elles de déduire concernant les **liens logiques et thématiques** entre les strophes ?

■ De qui est-il question dans ce poème ? Où se trouvent les personnages ? S'agit-il d'une **scène réelle**, d'une **scène de théâtre ?** Appuyez votre réponse sur l'observation du lexique et des indications de lieux ainsi que sur le titre.

■ Quelle est la **tonalité** de ce poème ?

PARCOURS CULTUREL

■ La **Commedia dell'Arte :** à quand remonte cette forme de théâtre ? Quelles sont ses caractéristiques ? Cherchez qui sont Scaramouche, Pulcinella, le docteur Bolonais. Citez d'autres personnages de ce théâtre et précisez leurs caractéristiques.

──────── *guides p. 276-306* ────────

Sagesse - 1881

Je suis venu, calme orphelin

La composition du recueil Sagesse *est liée à l'expérience de l'emprisonnement. Aux remords et au retour vers Dieu se mêle la volonté de réfléchir sur le sens de l'existence. En s'identifiant à G. Hauser, Verlaine fait un triste bilan de sa propre vie.*

Gaspard Hauser[1] chante :

Je suis venu, calme orphelin,
   Riche de mes seuls yeux tranquilles,
Vers les hommes des grandes villes :
Ils ne m'ont pas trouvé malin.

5 À vingt ans un trouble nouveau
Sous le nom d'amoureuses flammes
M'a fait trouver belles les femmes :
Elles ne m'ont pas trouvé beau.

Bien que sans patrie et sans roi
10 Et très brave ne l'étant guère,
J'ai voulu mourir à la guerre :
La mort n'a pas voulu de moi.

Suis-je né trop tôt ou trop tard ?
Qu'est-ce que je fais en ce monde ?
15 Ô vous tous, ma peine est profonde :
Priez pour le pauvre Gaspard !

1. Gaspard Hauser est un personnage mystérieux, peut-être d'origine aristocratique. Enfant abandonné, il mena une vie misérable et solitaire jusqu'au moment où il fut assassiné, en 1833.

Paul Cézanne (1839-1906), *Garçon au gilet rouge,* 1888/1890 (huile sur toile ; New York, Collection particulière).

LECTURE MÉTHODIQUE

■ Observez la ponctuation du texte : quel phénomène remarquez-vous ? Que révèle-t-il en ce qui concerne la structure du poème ? Analysez précisément cette **structure.**

■ Qu'y a-t-il de commun, de différent, entre les **trois expériences** retracées ?

■ Quelle **relation** thématique et logique pouvez-vous établir entre les trois premiers quatrains et le dernier ? Utilisez les observations de la question 1 pour répondre.

■ En quoi ce poème est-il assimilable à une chanson ? À quel type de **chanson ?** Utilisez la tonalité et le système énonciatif pour répondre à cette question.

VERS LE COMMENTAIRE LITTÉRAIRE

■ En prenant appui sur la lecture méthodique du texte, rédigez un ou plusieurs des trois axes de commentaire suivants :
- l'expression de l'**attente,** de l'espoir, de la découverte ;
- une succession d'**expériences négatives** et leur mise en relief ;
- un bilan et un appel **désespérés.**

guides p. 276-369

Jules Laforgue

1860-1887

Né à Montevideo en 1860, Laforgue quitte l'Uruguay dix ans plus tard pour rejoindre des cousins installés à Tarbes. Sa famille rentre en France en 1875 et se regroupe, mais le malheur surgit en 1877 avec la mort de sa mère. Désespéré, le jeune homme mène alors une vie de misère et d'ennui, qu'il exprime dans une poésie d'une ironie amère. Grâce à quelques appuis, il obtient en 1881 le poste de lecteur auprès de l'impératrice d'Allemagne Augusta. Il fait alors éditer, à compte d'auteur, *Les Complaintes* (1885) et *L'Imitation de Notre-Dame la Lune* (1886). Mais il est atteint de phtisie aiguë et meurt à Paris en 1887.

Portrait : *Jules Laforgue,* Frontispice des *Moralités légendaires,* 1887 (gravure ; Paris, Bibliothèque Nationale de France).

Derniers vers - 1890

L'hiver qui vient

Le recueil intitulé Derniers vers *est composé de poèmes en vers libres dont les rythmes très diversifiés traduisent des états d'âme perturbés : émotion, refus, indignation, admiration. « L'hiver qui vient » est une évocation à la fois chagrine et moqueuse de la mauvaise saison et de ses intempéries.*

C'est la saison, c'est la saison, adieu vendanges !...
Voici venir les pluies d'une patience d'ange,
Adieu vendanges, et adieu tous les paniers¹,
Tous les paniers Watteau des bourrées sous les marronniers²,
5 C'est la toux dans les dortoirs du lycée qui rentre,
C'est la tisane dans le foyer,
La phtisie pulmonaire attristant le quartier,
Et toute la misère des grands centres.

Mais, lainages, caoutchouc, pharmacie, rêve,
10 Rideaux écartés du haut des balcons des grèves
Devant l'océan de toitures des faubourgs,
Lampes, estampes, thé, petits-fours,
Serez-vous pas mes seules amours !...
(Oh ! et puis, est-ce que tu connais, outre les pianos,
15 Le sobre et vespéral mystère hebdomadaire
Des statistiques sanitaires
Dans les journaux ?)

Non, non ! c'est la saison et la planète falote !
Que l'autan³, que l'autan
20 Effiloche les savates que le Temps se tricote !
C'est la saison, oh déchirements ! c'est la saison !
Tous les ans, tous les ans,
J'essaierai en chœur d'en donner la note.

1. allusion à une chanson :
« Adieu paniers, les vendanges sont faites. »
2. la bourrée est une danse.
Les paniers font sans doute référence, ici, aux robes
« à paniers » des personnages de Watteau.
3. l'autan est un vent d'hiver.

LECTURE MÉTHODIQUE

■ Par le repérage des champs lexicaux, étudiez comment se trouve évoqué *l'hiver qui vient*. Quelles **images** cette saison fait-elle naître chez le poète ? Sont-elles toutes « poétiques » ?

■ Ces images sont-elles simplement **juxtaposées** ? Pour répondre à cette question, repérez les reprises de termes semblables ou proches par le sens.

■ Identifiez les différents types de vers. Quels sont les effets produits par leur succession ? Leur nature, ainsi que leurs regroupements et les rimes vous semblent-ils en relation avec **l'évocation de l'hiver** ? Utilisez aussi la ponctuation pour répondre à cette question.

guides p. 39-306-395

Le poème en prose

L'expression « poème en prose » est paradoxale puisqu'elle réunit deux termes qui s'opposent : la prose, écriture libre, et la poésie, qui repose sur les contraintes du vers, des rythmes et des rimes. Les deux, pourtant, se combinent en un genre créé dans la première moitié du XIXe siècle.

■ Historique

Jusqu'au XIXe siècle, la poésie classique se différencie nettement de la prose : tout texte poétique est versifié et comporte des rimes. Les vers les plus employés sont l'alexandrin*, l'octosyllabe* et le décasyllabe*. Mais avec le Romantisme apparaît une **exigence de liberté,** qui donne naissance à un **genre** tout à fait **nouveau.** Celui-ci est illustré par *Gaspard de la nuit*, recueil de poèmes en prose d'A. Bertrand. Ces poèmes nouveaux influencent rapidement Baudelaire *(Le Spleen de Paris)*, Rimbaud *(Illuminations)*, Lautréamont *(Les Chants de Maldoror)*, Mallarmé. Certains poètes du XXe siècle, Claudel, Char, Ponge, Michaux, adoptent ce genre.

■ Caractéristiques

Combinant deux genres spécifiques - prose et poésie - le poème en prose emprunte des caractéristiques à l'un et à l'autre et les fait coexister.

■ La prose

Le poème en prose n'est ni versifié ni rimé. Sa présentation graphique est celle d'un texte en prose de longueur variable, en un ou plusieurs paragraphes. « L'huître » ou « Le mimosa » de Ponge sont des textes brefs ▷ ▷ ▷ *p. 401* et *402*. D'autres sont plus longs. On reconnaît cependant le poème en prose à ce qu'il constitue une **unité de sens** ou **de thème.** Cette unité est soulignée par la présence d'un titre qui suggère un **contenu** ou une **orientation d'écriture** (récit, description, évocation), interpellation même, comme dans le texte de R. Char ▷ ▷ ▷ *p. 307.*

■ La poésie

Elle joue un rôle important même si elle n'est pas immédiatement visible. On la trouve essentiellement dans la **structure** et dans le **rythme.**

- Les effets de structure d'ensemble

Le poème en prose est parfois divisé en paragraphes. Chez A. Bertrand ▷ ▷ ▷ *p. 266*, ces paragraphes sont séparés par des blancs et par un signe récurrent, une étoile. La structure, rendue visible par des paragraphes, est également soulignée par des reprises de termes (répétitions, anaphores) ou par des articulations logiques ou chronologiques. « Aube » retrace une évolution à la fois spatiale (changements de lieux) et temporelle (changements de temps) perceptible dans chaque paragraphe ▷ ▷ ▷ *p. 311.*

Dans « Tu as bien fait de partir, Arthur Rimbaud », la première expression figure de manière anaphorique au début du 3e paragraphe, comme un refrain. Le poème en prose est **construit de manière** aussi **rigoureuse** que le serait un poème rimé et versifié ▷ ▷ ▷ *p. 307.*

- Les effets de rythme

Ils sont indissociables des effets de structure puisqu'ils sont liés à la construction des phrases. Lorsqu'elles sont brèves, elles sont parfois martelées comme des vers : *Pourtant on peut l'ouvrir, c'est un travail grossier* constituent des vers de 6 pieds (« L'huître »). « Aube » commence *(J'ai embrassé l'aube d'été)* et finit *(Au réveil il était midi)* par un octosyllabe. Ces phénomènes sont assez rares mais on trouve souvent des phrases longues et construites sur les rythmes ternaires ou sur des effets de reprise. Dans « Ondine », on observe une construction dans laquelle chaque élément cité prend appui sur l'élément précédent : *Chaque flot est un ondin qui nage dans le courant, chaque courant est un sentier qui serpente vers mon palais, et mon palais...* ▷ ▷ ▷ *p. 266.* Dans « Le mimosa », la première phrase conduit de la présentation, *Le voici...,* au terme *le mimosa,* qui est le dernier du paragraphe. La ponctuation, les répétitions et l'organisation syntaxique concourent à la création d'un **rythme original** qui donne au poème en prose une musicalité et une harmonie particulières.

■ Thèmes

Pas plus que la poésie, le poème en prose n'a de thème réservé. Il aborde tous les domaines : le spectacle réaliste de la rue, la rencontre magique avec une nymphe des eaux : « Ondine » ▷ ▷ ▷ *p. 266,* la présentation insolite d'un coquillage recelant peut-être un trésor : « L'huître » ▷ ▷ ▷ *p. 401,* l'évocation d'un pays : R. Char ▷ ▷ ▷ *p. 406,* un moment privilégié de la journée : « Aube » ▷ ▷ ▷ *p. 311.* Ce n'est donc pas son inspiration qui le caractérise, mais sa **souplesse d'utilisation** et **d'adaptation** *aux mouvements lyriques de l'âme, aux ondulations de la rêverie, aux soubresauts de la conscience.* Ainsi défini par Baudelaire, le poème en prose apparaît comme un mode d'expression privilégié capable de traduire ce qui relève du rêve et de l'inconscient.

*Le
Réalisme*

Édouard Manet (1832-1883), *Le Déjeuner dans l'atelier*, 1868 (huile sur toile, 118 X 153 cm ; Munich, Bayerische Staatsgemäldesammlungen).

*Balzac
Flaubert
Maupassant*

■ Vers quel *personnage* est attirée l'attention du spectateur ? Par quels moyens ?
■ Quelle est la *tonalité* d'ensemble du tableau (couleurs, nuances...) ? D'où vient l'*équilibre* général qui le caractérise (lignes de composition, organisation d'ensemble) ?
■ En quoi peut-on dire qu'il est *réaliste* ?

Dans la préface de *Pierre et Jean*, Maupassant s'interroge sur deux démarches de création romanesque : « arranger » la réalité pour « faire beau », ou « donner une image exacte de la vie ».

"Le romancier qui transforme la vérité constante, brutale et déplaisante, pour en tirer une aventure exceptionnelle et séduisante, doit, sans souci exagéré de la vraisemblance, manipuler les événements à son gré, les préparer et les arranger pour plaire au lecteur, l'émouvoir ou l'attendrir. Le plan de son roman n'est qu'une série de combinaisons ingénieuses conduisant avec adresse au dénouement. Les incidents sont disposés et gradués vers le point culminant et l'effet de la fin, qui est un événement capital et décisif, satisfaisant toutes les curiosités éveillées au début, mettant une barrière à l'intérêt, et terminant si complètement l'histoire racontée qu'on ne désire plus savoir ce que deviendront, le lendemain, les personnages les plus attachants.

Le romancier, au contraire, qui prétend nous donner une image exacte de la vie, doit éviter avec soin tout enchaînement d'événements qui paraîtrait exceptionnel. Son but n'est point de nous raconter une histoire, de nous amuser et de nous attendrir, mais de nous forcer à penser, à comprendre le sens profond et caché des événements. À force d'avoir vu et médité, il regarde l'univers, les choses, les faits et les hommes d'une certaine façon qui lui est propre et qui résulte de l'ensemble de ses observations réfléchies. C'est cette vision personnelle du monde qu'il cherche à nous communiquer en la reproduisant dans un livre. Pour nous émouvoir, comme il l'a été lui-même par le spectacle de la vie, il doit la reproduire devant nos yeux avec une scrupuleuse ressemblance. Il devra donc composer son œuvre d'une manière si adroite, si dissimulée, et d'apparence si simple, qu'il soit impossible d'en apercevoir et d'en indiquer le plan, de découvrir ses intentions."

Maupassant, Préface de *Pierre et Jean*.

Le Père Goriot - 1835

« Là règne la misère sans poésie… »

Le Père Goriot retrace l'histoire d'un père ruiné par les ambitions et les dépenses de ses filles. Au début du roman, la description de la pension parisienne où il mène une vie médiocre, est un exemple très représentatif du réalisme littéraire.

Cette salle, entièrement boisée, fut jadis peinte en une couleur indistincte aujourd'hui, qui forme un fond sur lequel la crasse a imprimé ses couches de manière à y dessiner des figures bizarres. Elle est plaquée de buffets gluants sur lesquels sont des carafes échancrées, ternies, des
5 ronds de moiré métallique, des piles d'assiettes en porcelaine épaisse, à bords bleus, fabriquées à Tournai. Dans un angle est placée une boîte à cases numérotées qui sert à garder les serviettes, ou tachées ou vineuses, de chaque pensionnaire. Il s'y rencontre de ces meubles indestructibles, proscrits partout, mais placés là comme le sont les débris de la civilisa-
10 tion aux Incurables[1]. Vous y verriez un baromètre à capucin qui sort quand il pleut, des gravures exécrables qui ôtent l'appétit, toutes encadrées en bois noir verni à filets dorés ; un cartel[2] en écaille incrustée de cuivre ; un poêle vert, des quinquets d'Argand[3] où la poussière se combine avec l'huile, une longue table couverte en toile cirée assez grasse pour qu'un
15 facétieux externe y écrive son nom en se servant de son doigt comme de style, des chaises estropiées, de petits paillassons piteux en sparterie[4] qui se déroule toujours sans se perdre jamais, puis des chaufferettes misérables à trous cassés, à charnières défaites, dont le bois se carbonise. Pour expliquer combien ce mobilier est vieux, crevassé, pourri, tremblant, rongé,
20 manchot, borgne, invalide, expirant, il faudrait en faire une description qui retarderait trop l'intérêt de cette histoire, et que les gens pressés ne pardonneraient pas. Le carreau rouge est plein de vallées produites par le frottement ou par les mises en couleur. Enfin, là règne la misère sans poésie ; une misère économe, concentrée, râpée. Si elle n'a pas de fange
25 encore, elle a des taches ; si elle n'a ni trous ni haillons, elle va tomber en pourriture.

1. hospice réservé aux malades incurables. 2. pendule murale. 3. un quinquet désigne une lampe. Argand en est l'inventeur. 4. faits en corde tressée.

◄ Adolf Menzel (1815-1905), *Escalier*, 1848 (huile sur toile, 37 X 22 cm ; Essen, Folkwang Museum).

LECTURE MÉTHODIQUE

■ Par une observation précise de la structure du texte et des éléments présentés, dites selon quelle **organisation** se fait la **description**.

■ À quelles **perceptions** le narrateur fait-il appel chez son lecteur ? Répondez à cette question en faisant un repérage précis des verbes et des champs lexicaux auxquels ils se rattachent.

■ Quel est le **point de vue** adopté dans cet extrait ? Appuyez-vous sur les pronoms personnels et sur d'autres indices pour justifier votre réponse. Quels sont les effets produits ?

■ Quelle est la **connotation générale** de l'ensemble ? Quels termes précis concourent à la mettre en relief ?

VERS LA DISSERTATION

■ En utilisant les textes *p. 295* et *364*, construisez une thèse expliquant pourquoi il est utile de faire connaître, par des descriptions, les lieux de l'action romanesque.

guides p. 39-238-323-381

Gustave Flaubert

1821-1880

Sa situation dans le siècle vaut à Flaubert d'être marqué à la fois par le Romantisme et par le courant réaliste. Son œuvre entière reflète cette double appartenance.

Un goût précoce pour l'écriture

Né à Rouen en 1821, Flaubert est le fils d'un médecin. Passionné très jeune par l'écriture, il accumule dès son adolescence des textes inspirés par les élans et les passions romantiques. En 1836, sur la plage de Trouville, une rencontre bouleverse sa vie, celle d'Élisa Schlésinger, qui deviendra le personnage de Madame Arnoux dans *L'Éducation sentimentale.* Il quitte cependant la Normandie pour faire des études de droit à Paris, mais il préfère fréquenter les milieux littéraires.

L'ermite de Croisset

Son séjour à Paris ne dure guère. Atteint d'une constante neurasthénie, pessimiste et désabusé, il s'éloigne des mondanités de la capitale. Une crise d'épilepsie, en 1844, le ramène en Normandie, à Croisset. Il y passe son temps à écrire, avec de brefs séjours à Paris et un long voyage en Égypte et en Tunisie, où il prend des notes pour ses romans à venir, comme *Salammbô*. L'élaboration de son œuvre est douloureuse tant il est exigeant envers lui-même : modifications multiples, insatisfaction permanente. *Madame Bovary,* roman publié en 1857, est condamné pour immoralité. Après l'inspiration très lyrique et exotique de *La Tentation de saint Antoine, L'Éducation sentimentale* (1869) retrace, à travers l'itinéraire de Frédéric Moreau, l'échec de toute une génération romantique, la sienne. Le pessimisme de l'écrivain s'exprime encore dans les *Trois Contes* (1877) et surtout dans *Bouvard et Pécuchet* (1881), tentative inachevée de répertorier la bêtise humaine. En 1880, Flaubert meurt, accablé par les soucis financiers et atteint de dépression grave.

Portrait : Eugène Giraud (1806-1881), *Gustave Flaubert* (détail), (Versailles, Musée National du château).

Encrier de Gustave Flaubert (Croisset, Pavillon Flaubert).

Georges Rochegrosse (1859-1938)
Cabinet de travail de Gustave Flaubert 1874
(aquarelle, 12 X 19 cm ; Croisset, Pavillon Flaubert).

Claude Monet (1840-1926), *Le Jardin de l'artiste à Vétheuil*, 1881 (huile sur toile, 150 × 120 cm ; Washington, National Gallery of Art).

Madame Bovary - 1857

« C'est la faute de la fatalité ! »

Emma, l'héroïne du roman qui porte son nom, s'est empoisonnée. Après sa mort, Charles, son mari, découvre l'ampleur de ses infidélités. Dans le passage proposé ici, qui constitue l'épilogue du roman, il rencontre Rodolphe, l'un des anciens amants d'Emma.

Un jour qu'il était allé au marché d'Argueil pour y vendre son cheval, - dernière ressource, - il rencontra Rodolphe.

Ils pâlirent en s'apercevant. Rodolphe, qui avait seulement envoyé sa carte, balbutia d'abord quelques excuses, puis s'enhardit et même poussa
5 l'aplomb (il faisait très chaud, on était au mois d'août) jusqu'à l'inviter à prendre une bouteille de bière au cabaret.

Accoudé en face de lui, il mâchait son cigare tout en causant, et Charles se perdait en rêveries devant cette figure qu'elle avait aimée. Il lui semblait revoir quelque chose d'elle. C'était un émerveillement. Il aurait
10 voulu être cet homme.

320

L'autre continuait à parler culture, bestiaux, engrais, bouchant avec des phrases banales tous les interstices où pouvait se glisser une allusion. Charles ne l'écoutait pas ; Rodolphe s'en apercevait, et il suivait sur la mobilité de sa figure le passage de ses souvenirs. Elle s'empourprait peu
15 à peu, les narines battaient vite, les lèvres frémissaient ; il y eut même un instant où Charles, plein d'une fureur sombre, fixa ses yeux contre Rodolphe qui, dans une sorte d'effroi, s'interrompit. Mais bientôt la même lassitude funèbre réapparut sur son visage.

- Je ne vous en veux pas, dit-il.

20 Rodolphe était resté muet. Et Charles, la tête dans ses deux mains, reprit d'une voix éteinte et avec l'accent résigné des douleurs infinies :

- Non, je ne vous en veux plus !

Il ajouta même un grand mot, le seul qu'il ait jamais dit :

- C'est la faute de la fatalité !

25 Rodolphe, qui avait conduit cette fatalité, le trouva bien débonnaire pour un homme dans sa situation, comique même et un peu vil.

Le lendemain, Charles alla s'asseoir sur le banc, dans la tonnelle. Des jours passaient par le treillis ; les feuilles de vigne dessinaient leurs ombres sur le sable, le jasmin embaumait, le ciel était bleu, des cantha-
30 rides bourdonnaient autour des lis en fleur, et Charles suffoquait comme un adolescent sous les vagues effluves amoureux qui gonflaient son cœur chagrin.

À sept heures, la petite Berthe, qui ne l'avait pas vu de toute l'après-midi vint le chercher pour dîner.

35 Il avait la tête renversée contre le mur, les yeux clos, la bouche ouverte, et tenait dans ses mains une longue mèche de cheveux noirs.

- Papa, viens donc ! dit-elle.

Et, croyant qu'il voulait jouer, elle le poussa doucement. Il tomba par terre. Il était mort.

40 Trente-six heures après, sur la demande de l'apothicaire, M. Canivet accourut. Il l'ouvrit et ne trouva rien.

Quand tout fut vendu, il resta douze francs soixante et quinze centimes qui servirent à payer le voyage de Mlle Bovary chez sa grand-mère. La bonne femme mourut dans l'année même ; le père Rouault étant para-
45 lysé, ce fut une tante qui s'en chargea. Elle est pauvre et l'envoie, pour gagner sa vie, dans une filature de coton.

Depuis la mort de Bovary, trois médecins se sont succédé à Yonville sans pouvoir y réussir tant M. Homais les a tout de suite battus en brèche. Il fait une clientèle d'enfer ; l'autorité le ménage et l'opinion
50 publique le protège.

Il vient de recevoir la croix d'honneur.

Épilogue.

LECTURE MÉTHODIQUE

■ Par l'observation des articulations chronologiques, distinguez les différentes **étapes** de ce passage narratif et la manière dont s'exprime la durée. Que remarquez-vous en comparant les 12 dernières lignes au reste du texte ? Quelle indication donne le temps du dernier verbe ?

■ En vous appuyant sur le repérage de certains champs lexicaux, étudiez comment sont mises en relief les **différences** entre les deux interlocuteurs.

■ Ce passage est l'**épilogue** du roman. À quoi le perçoit-on ? Sur quelles impressions reste le lecteur ?

VERS LA DISSERTATION

■ En utilisant cet extrait et d'autres passages de romans ou romans entiers, élaborez une thèse expliquant les raisons pour lesquelles la littérature s'intéresse plus aux vies malheureuses qu'à l'évocation du bonheur.

LIRE LA PEINTURE

■ D'où vient la **luminosité** du tableau ? Étudiez les couleurs, le thème et le moment de l'année qu'il évoque.

■ En quoi peut-on dire de ce tableau qu'il est « **impressionniste** » ?

■ Quels **rapports** peut-on établir avec le texte de G. Flaubert ?

guides p. 237-369-418

L'Éducation sentimentale - 1869

« Alors, une joie frénétique éclata... »

L'Éducation sentimentale retrace le parcours social et affectif d'un jeune provincial, Frédéric Moreau, avide de réussite. Mais ses hésitations, son caractère velléitaire font de sa vie un échec. L'extrait qui suit rapporte un épisode de la Révolution de 1848. Le peuple s'est emparé du palais des Tuileries et le pille. Frédéric, accompagné de son ami Hussonnet, contemple la scène : les pillards viennent de jeter par la fenêtre un fauteuil comparable à un trône royal.

Alors, une joie frénétique éclata, comme si, à la place du trône, un avenir de bonheur illimité avait paru ; et le peuple, moins par vengeance que pour affirmer sa possession, brisa, lacéra les glaces et les rideaux, les lustres, les flambeaux, les tables, les chaises, les tabourets,
5 tous les meubles, jusqu'à des albums de dessins, jusqu'à des corbeilles de tapisserie. Puisqu'on était victorieux, ne fallait-il pas s'amuser ! La canaille s'affubla ironiquement de dentelles et de cachemires. Des crépines¹ d'or s'enroulèrent aux manches des blouses, des chapeaux à plumes d'autruche ornaient la tête des forgerons, des rubans de la Légion d'hon-
10 neur firent des ceintures aux prostituées. Chacun satisfaisait son caprice ; les uns dansaient, d'autres buvaient. Dans la chambre de la reine, une femme lustrait ses bandeaux avec de la pommade ; derrière un paravent, deux amateurs jouaient aux cartes ; Hussonnet montra à Frédéric un individu qui fumait son brûle-gueule accoudé sur un balcon ; et le délire redou-
15 blait au tintamarre continu des porcelaines brisées et des morceaux de cristal qui sonnaient, en rebondissant, comme des lames d'harmonica.

Puis la fureur s'assombrit. Une curiosité obscène fit fouiller tous les cabinets, tous les recoins, ouvrir tous les tiroirs. Des galériens enfoncèrent leurs bras dans la couche des princesses, et se roulaient dessus par
20 consolation de ne pouvoir les violer. D'autres, à figures plus sinistres, erraient silencieusement, cherchant à voler quelque chose ; mais la multitude était trop nombreuse. Par les baies de portes, on n'apercevait dans l'enfilade des appartements que la sombre masse du peuple entre les dorures, sous un nuage de poussière. Toutes les poitrines haletaient ; la chaleur de plus
25 en plus devenait suffocante ; les deux amis, craignant d'être étouffés, sortirent.

Dans l'antichambre, debout sur un tas de vêtements, se tenait une fille publique, en statue de la Liberté, - immobile, les yeux grands ouverts, effrayante.

1. franges utilisées en ameublement.

IIIᵉ partie, chapitre 1.

LECTURE MÉTHODIQUE

■ Par l'observation des champs lexicaux dominants, analysez la **relation** qui s'établit entre chacun des deux premiers paragraphes et les deux affirmations : *Une joie frénétique éclata* et *La fureur s'assombrit.*

■ Quelle **évolution** souligne *Puis* (l. 17) ? Est-elle perceptible dans le lexique utilisé ? Quelles sont les connotations du verbe *s'assombrir* ?

■ Le narrateur intervient-il dans le récit ? Quel est le **point de vue** adopté ? Justifiez votre réponse par le repérage d'indices précis.

■ Quelle image du peuple est donnée ici ? Étudiez les connotations. Quelle est la **portée symbolique** de la dernière image ?

■ Étudiez la relation entre roman et histoire.

guides p. 39-237-238

Le texte descriptif

À propos de la description, le dictionnaire donne comme définition : action de **donner à voir** et résultat de cette action. Le terme désigne donc une démarche, ainsi que l'image qui en résulte. Cette double précision joue un rôle important lorsqu'on veut identifier et analyser un texte descriptif pour pouvoir ensuite en préciser la ou les fonctions.

▮ *Identifier un texte descriptif*

Un texte descriptif présente certaines caractéristiques à partir desquelles on peut l'identifier.

▪ Une succession d'éléments perçus visuellement

Alors que la narration rapporte des faits, dans une description, le narrateur donne à voir des objets, des lieux ou des personnes : un riche ▷▷▷ *p. 192*, une huître ▷▷▷ *p. 401*, un jardin ▷▷▷ *p. 295*, l'intérieur d'une salle à manger ▷▷▷ *p. 318*.
Les éléments perceptibles par le regard sont présentés selon une **organisation** qui est la leur, ou qui se met en place selon un **angle de vision** particulier, ou encore selon une **hiérarchie** voulue par celui qui décrit. Le texte descriptif est donc composé d'éléments constitutifs situés les uns par rapport aux autres.

▪ L'absence d'évolution chronologique

Une autre particularité du texte descriptif est qu'il ne retrace pas un déroulement du temps, ni le passage d'un état initial à un état final. La succession des éléments présentés ne s'inscrit pas dans une durée : on peut dire en ce sens qu'il y a **une sorte d'arrêt,** qui fige les choses à un moment donné. On ne peut cependant pas exclure totalement la possibilité d'une évolution temporelle dans le texte descriptif. Ainsi, dans la description du jardin ▷▷▷ *p. 295*, Hugo emploie le plus-que-parfait pour souligner les transformations antérieures : ce qu'il décrit est le résultat de ces transformations.

▮ *Analyser un texte descriptif*

Les caractéristiques qui permettent d'identifier le texte descriptif permettent aussi de l'analyser. Pour **lire méthodiquement** un texte descriptif, il est utile d'envisager les points suivants.

▪ La structure

La description peut se faire du plus large au plus précis ▷▷▷ *p. 295* ou, inversement, suivre un phénomène d'élargissement. Elle peut se faire aussi de haut en bas ou vice versa, ou encore latéralement. Il convient donc d'être attentif à l'organisation des éléments et à **l'ordre** selon lequel ils sont donnés.

▪ Le point de vue

Savoir **qui voit** et d'**où** la vision est perçue constituent deux points importants. Le premier, qui met en cause la focalisation* ▷▷▷ *p. 238,* souligne le caractère de la vision (celle du narrateur, de l'un ou de l'autre des personnages…). Celui qui voit peut modifier la transcription de ce qui est vu, par affectivité ou pour toutes sortes de raisons. Ainsi, dans « Les conquérants », le paysage marin est embelli par l'espoir qui anime les voyageurs. Par ailleurs, l'angle de vision influe sur ce qui est vu, et donc sur ce qui est décrit (vision large, rétrécie, sélective…).

▪ La tonalité

Les choix lexicaux, les connotations*, les figures de style* confèrent à un texte descriptif différentes tonalités*. Dans la présentation de la pension Vauquer, les termes péjoratifs attirent l'attention sur la saleté, la laideur, la décrépitude ▷▷▷ *p. 318.* L'admiration passe par des hyperboles* ; le dégoût s'exprime par des images et des comparaisons dépréciatives. Les différentes tonalités s'expliquent par les **intentions des narrateurs.** La description a en effet plusieurs fonctions.

▮ *Fonctions du texte descriptif*

L'organisation, le regard, les tonalités conduisent à s'interroger sur le rôle du texte descriptif : à quoi sert-il dans le contexte narratif ?

▪ Un rôle explicatif

Le texte descriptif apporte des éléments indispensables à la compréhension de l'action. Il est essentiel de savoir où elle se passe. Ainsi, les descriptions balzaciennes situent les lieux, historiquement et géographiquement, et permettent de saisir certaines interactions lieux/personnages. La description fait connaître ou imaginer les décors.

▪ Un rôle symbolique

Le texte descriptif a souvent une portée symbolique. Les lieux décrits sont indissociables du regard de celui qui les décrit et, par la description, se révèle la signification qui leur est trouvée ou attribuée. La description du jardin, dans *Les Misérables* ▷▷▷ *p. 295,* traduit une conception philosophique et religieuse du monde, une fusion entre la nature, l'homme, la civilisation et Dieu.
Il est donc essentiel de savoir « décrypter » une description : image fixe, tableau, décor, elle prend des significations différentes. Elle n'est jamais là uniquement pour elle-même.

Guy de Maupassant

1850-1893

Celui qui sera le « disciple » admiratif de Flaubert, naît comme lui en Normandie, province qui sert de cadre à la plupart de ses contes et de ses romans.

De l'enfance vagabonde à la formation littéraire

Élevé par sa mère, le jeune Maupassant connaît, avec son frère Hervé, une enfance assez libre dans la campagne normande. En 1870, il est mobilisé et découvre avec horreur le spectacle de la guerre : cette expérience lui inspirera plusieurs articles de presse et de nombreux contes.

Venu à Paris faire des études, il travaille dans plusieurs ministères, observant avec minutie les comportements des fonctionnaires. Grâce à Flaubert, il pénètre dans les milieux littéraires et écrit, corrige, refait, sous la direction impitoyable du « maître ». Il participe à l'élaboration du recueil de nouvelles des *Soirées de Médan* (1880) en compagnie de Zola et des frères Goncourt. La première nouvelle du recueil, *Boule-de-suif,* connaît un grand succès : Maupassant est alors célèbre.

Le dandy

Le succès de ses contes, publiés dans le *Gil Blas, Le Gaulois* et dans *Le Figaro,* lui permet de mener une vie de dandy. Il fréquente les milieux de la haute finance, voyage, navigue sur son yacht le *Bel-Ami,* du nom du roman publié en 1885. Mais il souffre de syphilis et est atteint, héréditairement, de troubles nerveux. La disparition de son frère, mort fou en 1889, le bouleverse profondément : n'est-il pas lui aussi marqué par la folie ? Il meurt en 1893, après une fin de vie douloureuse, tourmenté par des maux de tête insupportables et des hallucinations.

Portrait : François Feyen-Perrin (1826-1888), *Guy de Maupassant,* 1876 (détail), (Versailles, Musée National du Château).

Illustrations de Julian-Damazy pour *Le Horla* de G. de Maupassant, 1908/1910 (Paris, Bibliothèque Nationale de France). ▶

ŒUVRES COMPLÈTES ILLUSTRÉES
DE
GUY DE MAUPASSANT

Le
Horla

Illustrations
DE
JULIAN-DAMAZY

Gravure sur bois
PAR
G. LEMOINE

PARIS
LIBRAIRIE OLLENDORFF
1908

L'enfant - 1882

Ce conte fut publié pour la première fois dans Le Gaulois, *le 24 juillet 1882.
Il est ici donné dans son intégralité.*

Après avoir longtemps juré qu'il ne se marierait jamais, Jacques
Bourdillère avait soudain changé d'avis. Cela était arrivé brusquement, un été, aux bains de mer.

Un matin, comme il était étendu sur le sable, tout occupé à regarder
5 les femmes sortir de l'eau, un petit pied l'avait frappé par sa gentillesse
et sa mignardise. Ayant levé les yeux plus haut, toute la personne le sédui-
sit. De toute cette personne, il ne voyait d'ailleurs que les chevilles et la
tête émergeant d'un peignoir de flanelle blanche, clos avec soin. On le
disait sensuel et viveur. C'est donc par la seule grâce de la forme qu'il fut
10 capté d'abord ; puis il fut retenu par le charme d'un doux esprit de jeune
fille, simple et bon, frais comme les joues et les lèvres.

Présenté à la famille, il plut et il devint bientôt fou d'amour. Quand
il apercevait Berthe Lannis de loin, sur la longue plage de sable jaune, il
frémissait jusqu'aux cheveux. Près d'elle, il devenait muet, incapable de
15 rien dire et même de penser, avec une espèce de bouillonnement dans le
cœur, de bourdonnement dans l'oreille, d'effarement dans l'esprit. Était-
ce donc de l'amour, cela ?

Il ne le savait, n'y comprenait rien, mais demeurait, en tout cas, bien
décidé à faire sa femme de cette enfant.

20 Les parents hésitèrent longtemps, retenus par la mauvaise réputation
du jeune homme. Il avait une maîtresse, disait-on, une *vieille maîtresse*[1],
une ancienne et forte liaison, une de ces chaînes qu'on croit rompues et
qui tiennent toujours.

Outre cela, il aimait, pendant des périodes plus ou moins longues, toutes
25 les femmes qui passaient à portée de ses lèvres.

Alors il se rangea, sans consentir même à revoir une seule fois celle
avec qui il avait vécu longtemps. Un ami régla la pension de cette femme,
assura son existence. Jacques paya, mais ne voulut pas entendre parler
d'elle, prétendant désormais ignorer jusqu'à son nom. Elle écrivit des lettres
30 sans qu'il les ouvrît. Chaque semaine, il reconnaissait l'écriture maladroite
de l'abandonnée ; et, chaque semaine, une colère plus grande lui venait
contre elle, et il déchirait brusquement l'enveloppe et le papier, sans ouvrir,
sans lire une ligne, une seule ligne, sachant d'avance les reproches et plaintes
contenus là-dedans.

35 Comme on ne croyait guère à sa persévérance, on fit durer l'épreuve
tout l'hiver, et c'est seulement au printemps que sa demande fut agréée.

Le mariage eut lieu à Paris dans les premiers jours de mai.

Il était décidé qu'ils ne feraient point le classique voyage de noces. Après
un petit bal, une sauterie de jeunes cousines qui ne se prolongerait point
40 au-delà de onze heures, pour ne pas éterniser les fatigues de cette longue
journée de cérémonie, les jeunes époux devaient passer leur première nuit
commune dans la maison familiale, puis partir seuls, le lendemain matin,
pour la plage chère à leurs cœurs, où ils s'étaient connus et aimés.

La nuit était venue, on dansait dans le grand salon. Ils s'étaient reti-
45 rés tous les deux dans un petit boudoir japonais, tendu de soies éclatantes,
à peine éclairé, ce soir-là, par les rayons alanguis d'une grosse lanterne

1. allusion au titre
d'une nouvelle
de Barbey d'Aurevilly.

325

de couleur, pendue au plafond comme un œuf énorme. La fenêtre entrouverte laissait entrer parfois des souffles frais du dehors, des caresses d'air qui passaient sur les visages, car la soirée était tiède et calme, pleine d'odeurs de printemps.

Ils ne disaient rien ; ils se tenaient les mains en se les pressant parfois de toute leur force. Elle demeurait, les yeux vagues, un peu éperdue par ce grand changement dans sa vie, mais souriante, remuée, prête à pleurer, souvent prête aussi à défaillir de joie, croyant le monde entier changé par ce qui lui arrivait, inquiète sans savoir de quoi, et sentant tout son corps, toute son âme envahis d'une indéfinissable et délicieuse lassitude.

Lui la regardait obstinément, souriant d'un sourire fixe. Il voulait parler, ne trouvait rien et restait là, mettant toute son ardeur en des pressions de mains. De temps en temps, il murmurait : « Berthe ! » et chaque fois elle levait les yeux sur lui d'un regard doux et tendre ; ils se contemplaient une seconde, puis son regard à elle, pénétré et fasciné par son regard à lui, retombait.

Ils ne découvraient aucune pensée à échanger. On les laissait seuls ; mais, parfois, un couple de danseurs jetait sur eux, en passant, un regard furtif, comme s'il eût été témoin discret et confident d'un mystère.

Une porte de côté s'ouvrit, un domestique entra, tenant sur un plateau une lettre pressée qu'un commissionnaire venait d'apporter. Jacques prit en tremblant ce papier, saisi d'une peur vague et soudaine, la peur mystérieuse des brusques malheurs.

Il regarda longtemps l'enveloppe dont il ne connaissait point l'écriture, n'osant pas l'ouvrir, désirant follement ne pas la lire, ne pas savoir, mettre en poche cela et se dire : « À demain. Demain, je serai loin, peu m'importe ! » Mais, sur un coin, deux grands mots soulignés : TRÈS URGENT, le retenaient et l'épouvantaient. Il demanda : « Vous permettez, mon amie ? » déchira la feuille collée et lut. Il lut le papier, pâlissant affreusement, le parcourut d'un coup et, lentement, sembla l'épeler.

Quand il releva la tête, toute sa face était bouleversée. Il balbutia : « Ma chère petite, c'est... c'est mon meilleur ami à qui il arrive un grand malheur. Il a besoin de moi tout de suite... tout de suite... pour une affaire de vie ou de mort. Me permettez-vous de m'absenter vingt minutes ? Je reviens aussitôt. »

Elle bégaya, tremblante, effarée : « Allez, mon ami ! » n'étant pas encore assez sa femme pour oser l'interroger pour exiger savoir. Et il disparut. Elle resta seule, écoutant danser dans le salon voisin.

Il avait pris un chapeau, le premier trouvé, un pardessus quelconque, et il descendit en courant l'escalier. Au moment de sauter dans la rue, il s'arrêta encore sous le bec de gaz du vestibule et relut la lettre.

Voici ce qu'elle disait :

   « Monsieur,

   « Une fille Ravet, votre ancienne maîtresse, paraît-il, vient d'accoucher d'un enfant qu'elle prétend être de vous. La mère va mourir et implore votre visite. Je prends la liberté de vous écrire et de vous demander si vous pouvez accorder ce dernier entretien à cette femme, qui semble être très malheureuse et digne de pitié.

   « Votre serviteur,

                                        « Dʳ BONNARD. »

Quand il pénétra dans la chambre de la mourante, elle agonisait déjà. Il ne la reconnut pas d'abord. Le médecin et deux gardes la soignaient, et partout à terre traînaient des seaux pleins de glace et des linges pleins de sang.

L'eau répandue inondait le parquet ; deux bougies brûlaient sur un meuble ; derrière le lit, dans un petit berceau d'osier, l'enfant criait, et, à chacun de ses vagissements, la mère, torturée, essayait un mouvement, grelottante sous les compresses gelées.

105 Elle saignait ; elle saignait, blessée à mort, tuée par cette naissance. Toute sa vie coulait ; et, malgré la glace, malgré les soins, l'invincible hémorragie continuait, précipitait son heure dernière.

Elle reconnut Jacques et voulut lever les bras : elle ne put pas, tant ils étaient faibles, mais sur ses joues livides des larmes commencèrent 110 à glisser.

Il s'abattit à genoux près du lit, saisit une main pendante et la baisa frénétiquement ; puis, peu à peu, il s'approcha tout près du maigre visage qui tressaillait à son contact. Une des gardes, debout, une bougie à la main, les éclairait, et le médecin, s'étant reculé, regardait du fond 115 de la chambre.

Alors, d'une voix lointaine, en haletant, elle dit : « Je vais mourir, mon chéri ; promets-moi de rester jusqu'à la fin. Oh ! ne me quitte pas maintenant, ne me quitte pas au dernier moment ! »

Il la baisait au front, dans ses cheveux, en sanglotant. Il murmura : 120 « Sois tranquille, je vais rester. »

Elle fut quelques minutes avant de pouvoir parler encore, tant elle était oppressée et défaillante. Elle reprit : « C'est à toi, le petit. Je te le jure devant Dieu, je te le jure sur mon âme, je te le jure au moment de mourir. Je n'ai pas aimé d'autre homme que toi… Promets-moi de ne pas l'aban-125 donner. » Il essayait de prendre encore dans ses bras ce misérable corps déchiré, vidé de sang. Il balbutia, affolé de remords et de chagrin : « Je te le jure, je l'élèverai et je l'aimerai. Il ne me quittera pas. » Alors elle tenta d'embrasser Jacques. Impuissante à lever sa tête épuisée, elle tendait ses lèvres blanches dans un appel de baiser. Il approcha sa bouche 130 pour cueillir cette lamentable et suppliante caresse.

Un peu calmée, elle murmura tout bas : « Apporte-le, que je voie si tu l'aimes. »

Et il alla chercher l'enfant.

Il le posa doucement sur le lit, entre eux, et le petit être cessa de pleu-135 rer. Elle murmura : « Ne bouge plus ! » Et il ne remua plus. Il resta là, tenant en sa main brûlante cette main que secouaient des frissons d'agonie, comme il avait tenu, tout à l'heure, une autre main que crispaient des frissons d'amour. De temps en temps, il regardait l'heure, d'un coup d'œil furtif, guettant l'aiguille qui passait minuit, puis une heure, puis 140 deux heures.

Le médecin s'était retiré ; les deux gardes après avoir rôdé quelque temps, d'un pas léger, par la chambre, sommeillaient maintenant sur des chaises. L'enfant dormait et la mère, les yeux fermés, semblait se reposer aussi.

Tout à coup, comme le jour blafard filtrait entre les rideaux croisés, 145 elle tendit ses bras d'un mouvement brusque et si violent qu'elle faillit jeter à terre son enfant. Une espèce de râle se glissa dans sa gorge ; puis elle demeura sur le dos, immobile, morte.

Les gardes accourues déclarèrent : « C'est fini. »

Il regarda une dernière fois cette femme qu'il avait aimée puis la pen-150 dule qui marquait quatre heures, et s'enfuit oubliant son pardessus, en habit noir, avec l'enfant dans ses bras.

Après qu'il l'eut laissée seule, sa jeune femme avait attendu, assez calme d'abord, dans le petit boudoir japonais. Puis, ne le voyant point repa-raître, elle était rentrée dans le salon, d'un air indifférent et tranquille,

155 mais inquiète horriblement. Sa mère, l'apercevant seule, avait demandé :
« Où donc est ton mari ? » Elle avait répondu : « Dans sa chambre ; il
va revenir. »

Au bout d'une heure, comme tout le monde l'interrogeait, elle avoua
la lettre et la figure bouleversée de Jacques, et ses craintes d'un malheur.

160 On attendit encore. Les invités partirent ; seuls, les parents les plus
proches demeuraient. À minuit, on coucha la mariée toute secouée de
sanglots. Sa mère et deux tantes, assises autour du lit, l'écoutaient pleurer, muettes et désolées... Le père était parti chez le commissaire de police
pour chercher des renseignements.

165 À cinq heures, un bruit léger glissa dans le corridor ; une porte s'ouvrit
et se ferma doucement ; puis soudain un petit cri pareil à un miaulement
de chat courut dans la maison silencieuse.

Toutes les femmes furent debout d'un bond, et Berthe, la première,
s'élança, malgré sa mère et ses tantes, enveloppée de son peignoir de nuit.

170 Jacques, debout au milieu de la chambre, livide, haletant, tenait un
enfant dans ses bras.

Les quatre femmes le regardèrent effarées ; mais Berthe, devenue soudain téméraire, le cœur crispé d'angoisse, courut à lui : « Qu'y a-t-il ?
dites, qu'y a-t-il ? »

175 Il avait l'air fou ; il répondit d'une voix saccadée : « Il y a... il y a...
que j'ai un enfant, et que la mère vient de mourir... » Et il présentait
dans ses mains inhabiles le marmot hurlant.

Berthe, sans dire un mot, saisit l'enfant, l'embrassa, l'étreignant contre
elle ; puis, relevant sur son mari ses yeux pleins de larmes : « La mère
180 est morte, dites-vous ? » Il répondit : « Oui, tout de suite... dans mes
bras... J'avais rompu depuis l'été... Je ne savais rien, moi... c'est le médecin qui m'a fait venir... »

Alors Berthe murmura : « Eh bien, nous l'élèverons ce petit. »

Contes cruels et fantastiques.

LECTURE SUIVIE

■ Étudiez l'organisation chronologique du récit. Quelles en sont les grandes parties ? Sont-elles dans une **continuité temporelle ?** Faites un schéma pour représenter cette organisation.

■ Quels sont les **lieux** essentiels dans lesquels se déroule cette histoire ? Quelles relations entretiennent-ils avec les **étapes chronologiques ?**

■ Y a-t-il dans le récit des indices qui laissent présager le « malheur » ?

■ En juxtaposant la scène du mariage et celle de la mort, sur quels **contrastes** joue Maupassant ?

■ Quelle image donne-t-il du jeune homme et de la jeune fille ? Quel rôle joue l'enfant ? Quelle(s) **signi-fication(s) symboliques(s)** le lecteur peut-il trouver à ce conte ?

guides p. 237-330-418

Pierre et Jean - 1888

« N'est-il pas naturel que j'accepte aussi son héritage ? »

Pierre et Jean sont deux frères qui s'entendent assez bien malgré une rivalité latente. Mais l'héritage que reçoit Jean d'un ami de la famille éveille les soupçon de Pierre : cet ami ne serait-il pas le vrai père de Jean ?
Dans le passage qui suit, après une violente altercation entre les deux hommes, Jean s'interroge : a-t-il raison d'accepter la fortune qui lui échoit ?

Et lontemps il médita, immobile sur les coussins, imaginant et rejetant des combinaisons sans trouver rien qui pût le satisfaire.

Mais une idée soudaine l'assaillit : - Cette fortune qu'il avait reçue, un honnête homme la garderait-il ?

5 Il se répondit : « Non », d'abord, et se décida à la donner aux pauvres. C'était dur, tant pis. Il vendrait son mobilier et travaillerait comme un autre, comme travaillent tous ceux qui débutent. Cette résolution virile et douloureuse fouettant son courage, il se leva et vint poser son front contre les vitres. Il avait été pauvre, il redeviendrait pauvre. Il n'en mour-

10 rait pas, après tout. Ses yeux regardaient le bec de gaz qui brûlait en face de lui de l'autre côté de la rue. Or, comme une femme attardée passait sur le trottoir, il songea brusquement à Mme Rosémilly[1], et il reçut au cœur la secousse des émotions profondes nées en nous d'une pensée cruelle. Toutes les conséquences désespérantes de sa décision lui appa-

15 rurent en même temps. Il devrait renoncer à épouser cette femme, renoncer au bonheur, renoncer à tout. Pouvait-il agir ainsi, maintenant qu'il s'était engagé vis-à-vis d'elle ? Elle l'avait accepté le sachant riche. Pauvre, elle l'accepterait encore ; mais avait-il le droit de lui demander, de lui imposer ce sacrifice ? Ne valait-il pas mieux garder cet argent comme

20 un dépôt qu'il restituerait plus tard aux indigents ?

Et dans son âme où l'égoïsme prenait des masques honnêtes, tous les intérêts déguisés luttaient et se combattaient. Les scrupules premiers cédaient la place aux raisonnements ingénieux, puis reparaissaient, puis s'effaçaient de nouveau.

25 Il revint s'asseoir, cherchant un motif décisif, un prétexte tout-puissant pour fixer ses hésitations et convaincre sa droiture native. Vingt fois déjà il s'était posé cette question : « Puisque je suis le fils de cet homme, que je le sais et que je l'accepte, n'est-il pas naturel que j'accepte aussi son héritage ? » Mais cet argument ne pouvait empêcher le « non » mur-

30 muré par la conscience intime.

Chapitre VIII.

1. Madame Rosémilly est la femme que Jean souhaite épouser.

LECTURE MÉTHODIQUE

■ À partir de la **question initiale** que se pose Jean, étudiez comment **évolue** sa réflexion : quelle est la **première réponse ?** Comment est-elle justifiée ?

■ Cette réponse est-elle maintenue ? Quels **arguments** précis soutiennent la thèse du « oui » ?

■ Distinguez dans le texte les différentes formes de **discours** (direct, indirect, indirect libre) et différen-

ciez-les du **récit**. Quels sont les **effets** produits par cette alternance ? Combien de voix le texte fait-il intervenir ?

■ En mettant en parallèle le début et la fin du texte, et les réponses similaires, précisez quelle peut être la **fonction** de ce passage. La réflexion de Jean a-t-elle abouti à une **solution ?**

guides p. 39-151-330-418

Le discours rapporté

Lorsque, dans un texte narratif, des personnages parlent, leurs propos sont insérés dans le récit selon différentes modalités. On distingue le **discours direct**, **indirect** et **indirect libre**.

∎ Les trois types de discours

∎ Le discours direct

Il est reconnaissable aux **signes de ponctuation** qui soulignent un effet de rupture dans le récit. Guillemets, deux-points ou tirets signalent le début d'une intervention orale, en général précédée, parfois suivie, par un verbe déclaratif :

La forêt dit : « C'est toujours moi la sacrifiée... », ▷▷▷ *p. 379.*
- Et le pain ? demanda le colonel, ▷▷▷ *p. 394.*

Le caractère direct de l'intervention est aussi perceptible au **temps** et aux **personnes des verbes : je** ou **nous** pour celui qui parle, **tu** ou **vous** pour l'interlocuteur, **il** (pluriel, singulier, masculin, féminin) pour celui dont il est question.

Où donc est le jeune mari/Que vous m'avez promis ? dit-elle. La Fontaine, ▷▷▷ *p. 179.*
Gargantua répondit : « Quoi ? N'ai-je fait suffisant exercice ? » Rabelais, ▷▷▷ *p. 43.*

∎ Le discours indirect

Il se trouve **inséré dans le récit** sans signe typographique particulier (ni points ni guillemets) et supprime les marques spécifiques du discours, les interjections en particulier. L'insertion prend la forme d'une **subordination,** le discours lui-même se transformant en subordonnée complétive après un verbe déclaratif. Il n'y a plus rupture mais continuité entre le récit et les paroles insérées. *Elle demanda où était le jeune mari qu'on lui avait promis.*

Le discours indirect utilise les temps, les pronoms et les adverbes qui sont ceux du **récit**∗.
Il affirma avec force qu'il ne craignait personne et qu'il viendrait le lendemain (discours direct : *Je ne crains personne et je viendrai demain*).
Le **je** figure cependant dans le discours indirect lorsque des paroles s'intègrent à un récit à la première personne : *Et enfin je dis, en rougissant, que c'est Marion qui me l'a donné*, Rousseau ▷▷▷ *p. 241.*

∎ Le discours indirect libre

Il emprunte des éléments aux deux modalités précédentes et les associe. Les temps verbaux et les pronoms personnels sont ceux du discours indirect (donc ceux du récit∗), bien qu'il n'y ait aucun lien de subordination exprimé. Il n'y a pas non plus d'indices typographiques (sauf parfois deux-points).

Mais le ton est celui du discours direct et certaines marques orales peuvent réapparaître, comme les interjections. Il ne crée aucune rupture et l'absence de subordination le rend souvent difficile à distinguer du récit. Ce sont les temps et modes verbaux et la tonalité∗ qui permettent de l'identifier, comme dans cet extrait de *Pierre et Jean* ▷▷▷ *p. 329 :*

Toutes les conséquences désespérantes de sa décision lui apparurent en même temps. Il devrait renoncer à épouser cette femme, renoncer au bonheur, renoncer à tout. Pouvait-il agir ainsi, maintenant qu'il s'était engagé vis-à-vis d'elle ?

∎ Les effets produits

∎ Le discours direct

Il introduit un élément de spontanéité, d'authenticité en citant un discours repris tel quel. Il donne de la vivacité au récit, dont il interrompt le cours. Cette intrusion du spontané et de l'authentique a pour effet d'actualiser le récit et de lui donner vie. Ainsi, le vers ▷▷▷ *p. 274 :*
Le devin dit : « Seigneur, ils combattent toujours » met directement sous les yeux du lecteur une scène pourtant lointaine.

∎ Le discours indirect

L'insertion du discours dans le récit crée un effet d'éloignement, de mise à distance. La modification des temps verbaux, des pronoms, des adverbes annihile la spontanéité et le caractère immédiat des paroles. Néanmoins le locuteur est toujours clairement identifiable et l'énonciation est simple. On sait en effet qui parle lorsqu'on analyse le sujet du verbe déclaratif :
Touquedillon répondit qu'il tiendrait le parti lequel il lui conseillerait. Rabelais.

∎ Le discours indirect libre

Parce qu'il associe deux modalités, il est par nature ambigu. Il rapporte des paroles mais sans toujours les signaler comme éléments du discours. En l'absence d'indices précis, l'énonciation est difficile à identifier : à qui faut-il attribuer l'énoncé ? au narrateur ? à un personnage ? L'ambiguïté de l'énonciation rend l'interprétation du texte plus complexe. Elle permet souvent (fables de La Fontaine, portraits de La Bruyère, romans du XIXᵉ) la mise à distance et l'ironie soulignant un jugement critique, des intentions non suivies de réalisation ou encore les questions d'un débat intérieur ▷▷▷ *p. 329 :*

Il se répondit : « Non », d'abord, et se décida à la donner aux pauvres. C'était dur, tant pis. Il vendrait son mobilier et travaillerait comme un autre, comme travaillent tous ceux qui débutent.

Le Naturalisme

Zola

Gustave Caillebotte (1848-1894), *Les Raboteurs de parquet*, 1875 (huile sur toile, 102 × 146,5 cm ; Paris, Musée d'Orsay).

Les découvertes scientifiques et leurs applications influencent très nettement certaines démarches de création artistique. Zola s'inspire de l'expérimentation scientifique médicale et cherche à l'appliquer au roman. Il expose sa méthode dans un ouvrage théorique intitulé *Le Roman expérimental* (1880).

> *"Eh bien ! en revenant au roman, nous voyons également que le romancier est fait d'un observateur et d'un expérimentateur. L'observateur chez lui donne les faits tels qu'il les a observés, pose le point de départ, établit le terrain solide sur lequel vont marcher les personnages et se développer les phénomènes. Puis, l'expérimentateur paraît et institue l'expérience, je veux dire fait mouvoir les personnages dans une histoire particulière, pour y montrer que la succession des faits y sera telle que l'exige le déterminisme des phénomènes mis à l'étude. C'est presque toujours ici une expérience « pour voir », comme l'appelle Claude Bernard. Le romancier part à la recherche d'une vérité. Je prendrai comme exemple la figure du baron Hulot, dans* La Cousine Bette, *de Balzac. Le fait général observé par Balzac est le ravage que le tempérament amoureux d'un homme amène chez lui, dans sa famille et dans la société. Dès qu'il a eu choisi son sujet, il est parti des faits observés, puis il a institué son expérience en soumettant Hulot à une série d'épreuves, en le faisant passer par certains milieux, pour montrer le fonctionnement du mécanisme de sa passion. Il est donc évident qu'il n'y a pas seulement là observation, mais qu'il y a aussi expérimentation, puisque Balzac ne s'en tient pas strictement en photographe aux faits recueillis par lui, puisqu'il intervient d'une façon directe pour placer son personnage dans des conditions dont il reste le maître. [...] En somme, toute l'opération consiste à prendre les faits dans la nature, puis à étudier le mécanisme des faits, en agissant sur eux par les modifications des circonstances et des milieux, sans jamais s'écarter des lois de la nature. Au bout, il y a la connaissance de l'homme, la connaissance scientifique, dans son action individuelle et sociale."*

> Zola, *Le Roman expérimental.*

1840-1902

Portrait : Édouard Manet (1832-
1883), *Portrait d'Émile Zola*
(détail), (Paris, Musée d'Orsay).

Émile Zola

Romancier témoin de son temps, Zola est connu pour une œuvre foisonnante qui mêle le romanesque à la peinture de la vie sociale. Il l'est aussi pour certaines prises de position courageuses, notamment dans l'affaire Dreyfus.

Des débuts difficiles

Né en 1840 à Marseille, Zola devient orphelin de père à sept ans et cette disparition place la famille dans une situation matérielle difficile : manque d'argent, études perturbées pour l'adolescent qui, venu à Paris, ne parvient pas à devenir bachelier et mène une vie chaotique, sans emploi fixe.

L'entrée en littérature

Vers 1862, son entrée aux éditions Hachette lui permet de côtoyer des écrivains. Sa vocation se précise : il sera romancier. Ses premières œuvres, imprégnées de romantisme, ont peu de succès. Mais il s'intéresse de près aux découvertes scientifiques. Après *Thérèse Raquin* (1867), il décide d'entreprendre une œuvre à vocation scientifique, l'*Histoire naturelle et sociale d'une famille sous le Second Empire* : c'est l'histoire des Rougon-Macquart.

L'engagement littéraire et politique

La vie de Zola est alors rythmée par la parution des différents romans. Les uns connaissent un très vif succès, comme *L'Assommoir* (1877), *Nana* (1880) et *Germinal* (1885) ; d'autres provoquent l'indignation d'un public choqué par le réalisme des scènes rapportées. Le romancier précise ses théories romanesques dans *Le Roman expérimental* (1880).

Sa générosité, son sens de l'honneur et son souci du respect des droits le poussent à intervenir dans l'affaire Dreyfus.

La célèbre lettre « J'accuse », publiée par *L'Aurore* du 13 janvier 1898, lui confère une stature politique. Lorsqu'il meurt en 1902, asphyxié accidentellement, sa réputation d'écrivain politiquement et socialement engagé a déjà largement franchi les frontières de la France.

Édouard Manet (1832-1883), *Portrait d'Émile Zola* (détail), (Paris, Musée d'Orsay).

James Tissot (1836-1902), *L'Ambitieuse* (La Femme à Paris), 1883/1885 (huile sur toile, 142,24 x 101,6 cm ; Buffalo, Albright-Knox Art Gallery, gift of William M. Chase, 1909).

La Curée - 1872

« La ville n'était plus qu'une grande débauche »

La Curée met en scène Aristide Saccard, homme d'affaires et arriviste dans le Paris du Second Empire en pleine rénovation. Le passage suivant donne au lecteur une explication du titre du roman.

Cependant la fortune des Saccard semblait à son apogée. Elle brûlait en plein Paris comme un feu de joie colossal. C'était l'heure où la curée ardente emplit un coin de forêt de l'aboiement des chiens, du claquement des fouets, du flamboiement des torches. Les appétits lâchés se
5 contentaient enfin, dans l'impudence du triomphe, au bruit des quartiers écroulés et des fortunes bâties en six mois. La ville n'était plus qu'une grande débauche de millions et de femmes. Le vice, venu de haut, coulait dans les ruisseaux, s'étalait dans les bassins, remontait dans les jets d'eau des jardins, pour retomber sur les toits, en pluie fine et péné-
10 trante. Et il semblait, la nuit, lorsqu'on passait les ponts, que la Seine charriât, au milieu de la ville endormie, les ordures de la cité, miettes tombées de la table, nœuds de dentelle laissés sur les divans, chevelures oubliées dans les fiacres, billets de banque glissés des corsages, tout ce que la brutalité du désir et le contentement immédiat de l'instinct jet-
15 tent à la rue, après l'avoir brisé et souillé. Alors, dans le sommeil fiévreux de Paris, et mieux encore que dans sa quête haletante du grand jour, on sentait le détraquement cérébral, le cauchemar doré et voluptueux d'une ville folle de son or et de sa chair. Jusqu'à minuit, les violons chantaient ; puis les fenêtres s'éteignaient, et les ombres descendaient sur la ville. C'était
20 comme une alcôve colossale où l'on aurait soufflé la dernière bougie, éteint la dernière pudeur. Il n'y avait plus, au fond des ténèbres, qu'un grand râle d'amour furieux et las ; tandis que les Tuileries, au bord de l'eau, allongeaient leurs bras dans le noir, comme pour une embrassade énorme.

Chapitre III.

LECTURE MÉTHODIQUE

■ Cherchez le champ sémantique du mot « **curée** ». Dans un premier temps, retrouvez dans le texte les mots qui se rattachent au sens dénoté.

■ Étudiez ensuite comment se mettent en place plusieurs champs lexicaux rattachés à différentes **connotations** du mot. Autour de quelles notions (il y en a 3) se construisent ces champs lexicaux ? Utilisez la 5e phrase du texte comme guide pour vos recherches.

■ Repérez, dans le vocabulaire et dans la structure du texte, tout ce qui peut illustrer le mot « **apogée** » (l. 1).

VERS LA DISSERTATION

■ En prenant appui sur différents textes relatifs à **la ville,** exposez, sous forme de thèse argumentée, les raisons pour lesquelles la ville constitue un thème d'inspiration et de réflexion pour les écrivains et pour les peintres.

PARCOURS CULTUREL

■ La ville de **Paris** s'est considérablement modifiée pendant le Second Empire, sur le plan architectural, économique et social. À partir de documents historiques, dites comment.

guides p. 39-78-381

Germinal - 1885

« Crever pour crever,
nous préférons crever à ne rien faire »

L'action de Germinal *se déroule dans le milieu des mineurs, dont les conditions de vie sont très difficiles. Dans le passage suivant, une délégation, sous la conduite de Maheu, un vieux mineur, est venue se plaindre auprès du directeur de la compagnie minière, M. Hennebeau, d'un nouveau mode de paiement. Maheu expose les revendications du groupe.*

Constantin Meunier (1831-1905), *Le Mineur* (huile sur toile ; Douai, Musée de la Chartreuse).

S a voix se raffermissait. Il leva les yeux, il continua, en regardant le directeur :

– Vous savez bien que nous ne pouvons accepter votre nouveau système… On nous accuse de mal boiser. C'est vrai, nous ne donnons pas à
5 ce travail le temps nécessaire. Mais, si nous le donnions, notre journée se trouverait réduite encore, et comme elle n'arrive déjà pas à nous nourrir, ce serait donc la fin de tout, le coup de torchon qui nettoierait vos hommes. Payez-nous davantage, nous boiserons mieux, nous mettrons aux bois les heures voulues, au lieu de nous acharner à l'abattage, la seule
10 besogne productive. Il n'y a pas d'autre arrangement possible, il faut que le travail soit payé pour être fait… Et qu'est-ce que vous avez inventé à la place ? Une chose qui ne peut pas nous entrer dans la tête, voyez-vous ! Vous baissez le prix de la berline, puis vous prétendez compenser cette baisse en payant le boisage à part. Si cela était vrai, nous n'en serions pas
15 moins volés, car le boisage nous prendrait toujours plus de temps. Mais ce qui nous enrage, c'est que cela n'est pas même vrai : la Compagnie ne compense rien du tout, elle met simplement deux centimes par berline dans sa poche, voilà !

– Oui, oui, c'est la vérité, murmurèrent les autres délégués, en voyant
20 M. Hennebeau faire un geste violent, comme pour interrompre.

Du reste, Maheu coupa la parole au directeur. Maintenant, il était lancé, les mots venaient tout seuls. Par moments, il s'écoutait avec surprise, comme si un étranger avait parlé en lui. C'étaient des choses amassées au fond de sa poitrine, des choses qu'il ne savait même pas là, et qui sor-
25 taient, dans un gonflement de son cœur. Il disait leur misère à tous, le travail dur, la vie de brute, la femme et les petits criant la faim à la maison. Il cita les dernières paies désastreuses, les quinzaines dérisoires, mangées par les amendes et les chômages, rapportées aux familles en larmes. Est-ce qu'on avait résolu de les détruire ?

LECTURE MÉTHODIQUE

■ Identifiez ce qui, dans le passage, relève du **discours** et ce qui appartient au **récit**. Qu'observez-vous de particulier dans les lignes 21-29 ? Quel est le **rôle** du narrateur ?

■ Sur quel **thème** porte tout le discours de Maheu, qu'il soit exprimé au style direct ou de manière rapportée ?

■ S'agit-il d'une **argumentation construite** et rigoureuse ? Prenez appui sur la ponctuation, les structures de phrase, les indices de la situation de communication pour répondre à cette question.

■ À partir de l'analyse du lexique récurrent, dites quel est le **reproche** majeur adressé par celui qui parle à son interlocuteur. Définissez le ton du passage.

ÉCRITURE

■ À partir des éléments contenus dans les lignes 23-29, **composez** le discours de Maheu présentant la vie misérable des mineurs.

---

guides p. 151-330

« C'était de cette rumeur que la campagne était grosse... »

*Après l'échec de la grève qu'il a organisée, Étienne quitte la mine à la fois meur-
tri et enrichi d'une expérience professionnelle et humaine. Le départ du héros correspond à l'épilogue, comme son arrivée avait coïncidé avec l'ouverture du roman.*

Mais Étienne, quittant le chemin de Vandame, débouchait sur le pavé.
À droite, il apercevait Montsou qui dévalait et se perdait. En face,
il avait les décombres de Voreux, le trou maudit que trois pompes épui-
saient sans relâche. Puis, c'étaient les autres fosses à l'horizon, la Victoire,
5 Saint-Thomas, Feutry-Cantel ; tandis que, vers le nord, les tours élevées
des hauts fourneaux et les batteries des fours à coke fumaient dans l'air
transparent du matin. S'il voulait ne pas manquer le train de huit heures,
il devait se hâter, car il avait encore six kilomètres à faire.
Et, sous ses pieds, les coups profonds, les coups obstinés des rivelaines[1]
10 continuaient. Les camarades étaient tous là, il les entendait le suivre à
chaque enjambée. N'était-ce pas la Maheude, sous cette pièce de bette-
raves, l'échine cassée, dont le souffle montait si rauque, accompagné par
le ronflement du ventilateur ? À gauche, à droite, plus loin, il croyait en
reconnaître d'autres, sous les blés, les haies vives, les jeunes arbres. Main-
15 tenant, en plein ciel, le soleil d'avril rayonnait dans sa gloire, échauffant
la terre qui enfantait. Du flanc nourricier jaillissait la vie, les bourgeons
crevaient en feuilles vertes, les champs tressaillaient de la poussée des herbes.
De toutes parts, des graines se gonflaient, s'allongeaient, gerçaient la plaine,
travaillées d'un besoin de chaleur et de lumière. Un débordement de sève
20 coulait avec des voix chuchotantes, le bruit des germes s'épandait en un
grand baiser. Encore, encore, de plus en plus distinctement, comme s'ils
se fussent rapprochés du sol, les camarades tapaient. Aux rayons enflam-
més de l'astre, par cette matinée de jeunesse, c'était de cette rumeur que
la campagne était grosse. Des hommes poussaient, une armée noire, ven-
25 geresse, qui germait lentement dans les sillons, grandissant pour les
récoltes du siècle futur, et dont la germination allait faire bientôt éclater la terre.

Épilogue.

1. ce terme désigne un pic
de mineur.

LECTURE MÉTHODIQUE

■ Par le repérage des différents indicateurs temporels
et spatiaux, mettez en relief la **double progression**
que l'on peut percevoir dans le texte. À quelles autres
modifications cette progression correspond-elle ?
Appuyez-vous sur les verbes et leurs temps ainsi que
sur les adverbes.

■ Sur quelle figure de style est construite une partie
du texte ? Mettez en relief les différentes analogies
qui conduisent au **symbole final,** que vous expliquerez. Quelle est sa tonalité ?

■ À la lumière de cette image symbolique, et en prenant appui sur les champs lexicaux, expliquez le **titre**
du roman. Peut-on, sans réellement connaître l'histoire, déduire le rôle d'Étienne ?

VERS LA DISSERTATION

■ En prenant appui sur certains extraits romanesques
ou sur certains romans que vous connaissez, élaborez une ou deux thèses argumentées en relation avec
l'affirmation suivante : *Il est très dangereux de lier le
sort d'une œuvre d'art au sort d'une époque. Ce que
nous voyons de notre époque n'est sans doute pas
ce que les siècles futurs en verront.*

K. Haedens, *Paradoxe sur le roman.*

guides *p. 39-237-238*

Réalisme et Naturalisme

La deuxième moitié du XIXe siècle est marquée par plusieurs courants artistiques, dont le Réalisme et le Naturalisme, qui reflètent les préoccupations sociales et scientifiques de l'époque.

■ Le Réalisme

Formé sur le mot « réel », le Réalisme naît avant 1850 et se développe après cette date. Il se caractérise par la volonté de certains peintres et romanciers de représenter la réalité sans la modifier.

■ Origines

Il est difficile de dater exactement la « naissance » du Réalisme. Ce terme apparaît dans les années 1835-40. Il est ensuite régulièrement utilisé par les critiques, dès 1845, par exemple pour caractériser la manière de peindre de Courbet lorsqu'il représente un intérieur campagnard sans tenter de l'embellir. Or il ne s'agit pas d'une tendance isolée mais d'un mouvement en relation étroite avec **l'évolution des mentalités** et des **données sociales.** La Révolution industrielle ▷▷▷ p. 298, l'importance prise par le prolétariat, les mouvements ouvriers, déterminent de nouvelles sources d'intérêt pour les artistes. Le progrès des sciences, la découverte de la photographie, d'abord stricte reproduction du réel, ont également une influence importante au moment où la Révolution de 1848 met fin aux illusions romantiques ▷▷▷ p. 298.

■ Caractéristiques

Le Réalisme puise ses thèmes dans l'observation du monde contemporain, social et historique : il s'intéresse aux choses, aux gens et aux situations qui n'étaient pas jusque-là considérés comme artistiques. Ainsi, dès 1835, Balzac, dans *Le Père Goriot,* décrit un intérieur où tout est sale, nauséabond, délabré, écœurant ▷▷▷ p. 318. La création picturale et littéraire se tourne aussi vers ceux qui vivent dans ces cadres médiocres : ouvriers, artisans, prostituées, marginaux, représentés dans les aspects souvent les plus sordides de leur existence. Lorsque Flaubert évoque une scène de pillage de 1848, il souligne sans lyrisme ni tonalité épique le déchaînement bestial d'une foule en colère ▷▷▷ p. 322. La volonté des écrivains réalistes d'imiter le réel et d'en rendre compte tel quel implique non seulement l'observation mais une véritable documentation. Il faut aller voir sur place, comme le font les Goncourt et Zola, accumuler des notes, s'informer auprès de spécialistes : Maupassant et Flaubert fréquentent les milieux médicaux. Ce souci constant du réel explique aussi que l'étude psychologique des individus perde de son importance au profit de l'analyse du milieu et de la mise en relief des types sociaux. C'est en cela que le Réalisme ouvre la voie au Naturalisme, qui le prolonge sous une forme qui se veut encore plus scientifique.

■ Le Naturalisme

Le Naturalisme est défini par Zola comme *la formule de la science moderne appliquée à la littérature :* il faut donc chercher ses sources dans l'évolution scientifique du siècle.

■ La méthode expérimentale

Deux titres sont révélateurs des objectifs du courant naturaliste : *Le Roman expérimental* et *Histoire naturelle et sociale d'une famille sous le Second Empire.* Les termes utilisés attirent l'attention sur la parenté avec le domaine scientifique. Il s'agit en effet pour le romancier, inspiré par la **méthode expérimentale*** de C. Bernard, d'utiliser les modes de raisonnement des sciences : identification et classification des données de l'expérience, observation des faits, volonté de tenter d'autres expérimentations pour vérifier des hypothèses, souci d'objectivité. Le romancier, dit Zola, est un « observateur » doublé d'un « expérimentateur » ▷▷▷ p. 331. Il illustre là **l'esprit positiviste.**

■ Les applications littéraires

Sur le plan littéraire, le Réalisme documentaire laisse la place à **l'expérimentation :** le romancier invente une situation. Il place un personnage chargé d'une lourde hérédité dans un milieu défini (monde ouvrier, diplomatie, haute finance...). Il se donne pour objectifs d'observer la situation et d'expliquer, avec une objectivité scientifique, les comportements de ses héros. L'ensemble des *Rougon-Macquart* correspond à cette ambition. Chaque roman apparaît comme une expérimentation nouvelle. Mais la science et la littérature sont difficilement compatibles.

■ Limites et ambiguïtés

Le Réalisme, tout d'abord, se heurte à un double problème de choix et d'écriture. Comme le rappelle Maupassant, le romancier réaliste ne peut noter minutieusement toute la réalité ▷▷▷ p. 317. Par ailleurs, l'écriture romanesque impose une **recréation stylistique** comme celle de Flaubert par laquelle s'exprime la subjectivité de l'écrivain. Enfin, il y a une contradiction à vouloir traiter la création littéraire comme une science. La réalité humaine, faite de comportements, de pensées, de sentiments, échappe à la rigueur scientifique : le personnage de roman n'est pas un robot programmé.

Le Fantastique

Gautier
Maupassant

Johann Heinrich Füssli (1741-1825), *Titania trouve l'anneau magique sur la plage.* 1804/1805 (huile sur toile, 61 X 45 cm ; Zurich, Kunsthaus).

Dans « Ligeia », le narrateur veille sa femme morte...

"Une heure s'écoula ainsi, quand - était-ce, grand Dieu ! possible ? - j'eus de nouveau la perception d'un bruit vague qui partait de la région du lit. J'écoutai, au comble de l'horreur. Le son se fit entendre de nouveau, c'était un soupir. Je me précipitai vers le corps, je vis, - je vis dis-
5 *tinctement un tremblement sur les lèvres. Une minute après, elles se relâchaient, découvrant une ligne brillante de dents de nacre. La stupéfaction lutta alors dans mon esprit avec la profonde terreur qui jusque-là l'avait dominé. Je sentis que ma vue s'obscurcissait, que ma raison s'enfuyait : et ce ne fut que par un violent effort que je trouvai à la longue le courage*
10 *de me roidir à la tâche que le devoir m'imposait de nouveau. Il y avait maintenant une carnation imparfaite sur le front, la joue et la gorge ; une chaleur sensible pénétrait tout le corps ; et même une légère pulsation remuait imperceptiblement la région du cœur."*

E. Poe, *Histoires extraordinaires*, « Ligeia ».

■ Étudiez les jeux de contraste et les couleurs, le mouvement.
Qu'y a-t-il de *« fantastique »* dans cette représentation ?

■ Qui est *Titania ?* À quelle œuvre littéraire est-elle associée ?

Théophile Gautier

Connu comme « l'homme au gilet rouge » qui manifesta lors de la bataille d'*Hernani*, T. Gautier est à la fois le théoricien de l'Art pour l'Art, un poète à la recherche de la perfection formelle et l'auteur de nombreux récits fantastiques.

Né en 1811 à Tarbes, il passe la plus grande partie de sa vie à Paris. Il y fréquente les milieux artistiques. Marqué par le Romantisme, il s'en détache dès 1835, et définit ses théories dans la préface du roman, *Mademoiselle de Maupin*.

1811-1872

Faisant alterner la composition de poèmes *(Émaux et Camées* paraît en 1852*)*, de récits de voyages et d'articles de presse, il vit de manière précaire jusqu'au Second Empire : écrivain officiel, il mène alors une vie brillante, qui se termine en 1872, peu après la chute du régime.

Portrait : Auguste Clésinger (1814-1883), *Théophile Gautier* (Versailles, Musée National du château).

Récits fantastiques

La cafetière - 1831

« La cafetière » est un récit fantastique divisé en quatre épisodes assez brefs. Voici le premier.

I

L'année dernière, je fus invité, ainsi que deux de mes camarades d'atelier, Arrigo Cohic et Pedrino Borgnioli, à passer quelques jours dans une terre au fond de la Normandie.

Le temps, qui, à notre départ, promettait d'être superbe, s'avisa de chan-
5 ger tout à coup, et il tomba tant de pluie, que les chemins creux où nous marchions étaient comme le lit d'un torrent.

Nous enfoncions dans la bourbe jusqu'aux genoux, une couche épaisse de terre grasse s'était attachée aux semelles de nos bottes, et par sa pesanteur ralentissait tellement nos pas, que nous n'arrivâmes au lieu de notre
10 destination qu'une heure après le coucher du soleil.

Nous étions harassés ; aussi, notre hôte, voyant les efforts que nous faisions pour comprimer nos bâillements et tenir les yeux ouverts, aussitôt que nous eûmes soupé, nous fit conduire chacun dans notre chambre.

La mienne était vaste ; je sentis, en y entrant, comme un frisson de
15 fièvre, car il me sembla que j'entrais dans un monde nouveau.

En effet, l'on aurait pu se croire au temps de la Régence, à voir les dessus de porte de Boucher représentant les quatre Saisons, les meubles surchargés d'ornements de rocaille du plus mauvais goût, et les trumeaux des glaces sculptés lourdement.

20 Rien n'était dérangé. La toilette couverte de boîtes à peignes, de houppes à poudrer, paraissait avoir servi la veille. Deux ou trois robes de couleurs changeantes, un éventail semé de paillettes d'argent, jonchaient le parquet bien ciré, et, à mon grand étonnement, une tabatière d'écaille ouverte sur la cheminée était pleine de tabac encore frais.

25 Je ne remarquai ces choses qu'après que le domestique, déposant son bougeoir sur la table de nuit, m'eut souhaité un bon somme, et, je l'avoue, je commençai à trembler comme la feuille. Je me déshabillai promptement, je me couchai, et, pour en finir avec ces sottes frayeurs, je fermai bientôt les yeux en me tournant du côté de la muraille.

30 Mais il me fut impossible de rester dans cette position : le lit s'agitait sous moi comme une vague, mes paupières se retiraient violemment en arrière. Force me fut de me retourner et de voir.

Le feu qui flambait jetait des reflets rougeâtres dans l'appartement, de sorte qu'on pouvait sans peine distinguer les personnages de la tapis-
35 serie et les figures des portraits enfumés pendus à la muraille.

C'étaient les aïeux de notre hôte, des chevaliers bardés de fer, des conseillers en perruque, et de belles dames au visage fardé et aux cheveux poudrés à blanc, tenant une rose à la main.

Tout à coup le feu prit un étrange degré d'activité, une lueur blafarde
40 illumina la chambre, et je vis clairement que ce que j'avais pris pour de vaines peintures était la réalité ; car les prunelles de ces êtres encadrés remuaient, scintillaient d'une façon singulière ; leurs lèvres s'ouvraient et se fermaient comme des lèvres de gens qui parlent, mais je n'entendais rien que le tic-tac de la pendule et le sifflement de la bise d'automne.

45 Une terreur insurmontable s'empara de moi, mes cheveux se hérissè-rent sur mon front, mes dents s'entrechoquèrent à se briser, une sueur froide inonda tout mon corps.

La pendule sonna onze heures. Le vibrement du dernier coup retentit longtemps, et, lorsqu'il fut éteint tout à fait…

50 Oh ! non, je n'ose pas dire ce qui arriva, personne ne me croirait, et l'on me prendrait pour un fou.

Les bougies s'allumèrent toutes seules, le soufflet, sans qu'aucun être visible lui imprimât le mouvement, se prit à souffler le feu, en râlant comme un vieillard asthmatique, pendant que les pincettes fourgonnaient dans
55 les tisons et que la pelle relevait les cendres.

Ensuite une cafetière se jeta en bas d'une table où elle était posée, et se dirigea, clopin-clopant, vers le foyer, où elle se plaça entre les tisons.

Quelques instants après, les fauteuils commencèrent à s'ébranler, et, agitant leurs pieds tortillés d'une manière surprenante, vinrent se ran-
60 ger autour de la cheminée.

Iʳᵉ partie.

LECTURE MÉTHODIQUE

■ Par l'étude des pronoms personnels, précisez qui parle. Le **narrateur** peut-il être identifié avec certitude ? Ce choix narratif est-il important dans ce genre de récit ?

■ Repérez et analysez tous les éléments du contexte spatial et du contexte temporel. Classez-les du plus large au plus précis. Quelles **relations** pouvez-vous établir entre ces éléments et d'une part **l'évolution du récit,** d'autre part sa **tonalité** fantastique ?

■ Quels sont les **phénomènes anormaux ?** Établissez une typologie de ceux que vous trouvez dans le texte. Repérez aussi les verbes de perception. Que remarquez-vous ?

■ Déduisez des réponses précédentes quelques caractéristiques du **récit fantastique.**

PARCOURS CULTUREL

■ En faisant appel à vos connaissances personnelles et en cherchant dans des manuels de littérature, citez des auteurs et des titres **d'œuvres fantastiques** (du XVIIIᵉ au XXᵉ siècle, littérature française et étrangère). Repérez des éléments récurrents dans les titres et dans les thèmes abordés puis classez-les.

guides *p. 237-342-369-386*

Maupassant

BIOGRAPHIE P. 324

Apparition

Au cours d'une soirée, le vieux marquis de la Tour Samuel raconte une scène dont il a été, dans sa jeunesse, l'acteur et le témoin. Un de ses proches, rencontré par hasard, l'avait chargé d'une mission : aller dans son château chercher des documents…

Je l'[1]écartai violemment et je pénétrai dans la maison. Je traversai d'abord la cuisine, puis deux petites pièces que cet homme habitait avec sa femme. Je franchis ensuite un grand vestibule, je montai l'escalier et je reconnus la porte indiquée par mon ami.

5 Je l'ouvris sans peine et j'entrai.

L'appartement était tellement sombre que je n'y distinguai rien d'abord. Je m'arrêtai, saisi par cette odeur moisie et fade des pièces inhabitées et condamnées, des chambres mortes. Puis, peu à peu, mes yeux s'habituèrent à l'obscurité, et je vis assez nettement une grande pièce en désordre,

10 avec un lit sans draps, mais gardant ses matelas et ses oreillers, dont l'un portait l'empreinte profonde d'un coude ou d'une tête comme si on venait de se poser dessus. Les sièges semblaient en déroute. Je remarquai qu'une porte, celle d'une armoire sans doute, était demeurée entrouverte. J'allai d'abord à la fenêtre pour donner du jour et je l'ouvris ; mais les

15 ferrures du contrevent étaient tellement rouillées que je ne pus les faire céder.

J'essayai même de les casser avec mon sabre, sans y parvenir. Comme je m'irritais de ces efforts inutiles, et comme mes yeux s'étaient enfin parfaitement accoutumés à l'ombre, je renonçai à l'espoir d'y voir plus clair

20 et j'allai au secrétaire.

Je m'assis dans un fauteuil, j'abattis la tablette, j'ouvris le tiroir indiqué. Il était plein jusqu'aux bords. Il ne me fallait que trois paquets, que je savais comment reconnaître, et je me mis à les chercher.

Je m'écarquillais les yeux à déchiffrer les suscriptions, quand je crus

25 entendre ou plutôt sentir un frôlement derrière moi. Je n'y pris point garde, pensant qu'un courant d'air avait fait remuer quelque étoffe. Mais, au bout d'une minute, un autre mouvement, presque indistinct, me fit passer sur la peau un singulier petit frisson désagréable. C'était tellement bête d'être ému, même à peine, que je ne voulus pas me retourner, par

30 pudeur pour moi-même. Je venais alors de découvrir la seconde des liasses qu'il me fallait ; et je trouvais justement la troisième, quand un grand et pénible soupir, poussé contre mon épaule, me fit faire un bond de fou à deux mètres de là. Dans mon élan je m'étais retourné, la main sur la poignée de mon sabre, et certes, si je ne l'avais pas senti à mon

35 côté, je me serais enfui comme un lâche.

Une grande femme vêtue de blanc me regardait, debout derrière le fauteuil où j'étais assis une seconde plus tôt.

Une telle secousse me courut dans les membres que je faillis m'abattre à la renverse ! Oh ! personne ne peut comprendre, à moins de les avoir

40 ressenties, ces épouvantables et stupides terreurs. L'âme se fond ; on ne sent plus son cœur ; le corps entier devient mou comme une éponge, on dirait que tout l'intérieur de nous s'écroule.

Je ne crois pas aux fantômes ; eh bien ! j'ai défailli sous la hideuse peur des morts, et j'ai souffert, oh ! souffert en quelques instants plus qu'en

45 tout le reste de ma vie, dans l'angoisse irrésistible des épouvantes surnaturelles.

1. « *l* » désigne le jardinier qui s'est opposé au passage du marquis.

LECTURE MÉTHODIQUE

■ **Quelles sont les différentes étapes du récit ?** Observez les indicateurs de temps et de lieu. Comment se manifeste **l'atmosphère tendue ?**

■ À quelle **personne** est écrit le récit ? Est-ce important ? Lorsqu'il rapporte la rencontre avec le fantôme, le narrateur ne se contente pas de **raconter.** Que fait-il d'autre ? À quoi le voyez-vous ?

guides p. 237-386-418

« Coudoyer le fantastique »

Auteur de contes fantastiques, Maupassant s'est également interrogé sur les relations entre ce genre et le contexte socio-culturel.

Lentement, depuis vingt ans, le surnaturel est sorti de nos âmes. Il s'est évaporé comme s'évapore un parfum quand la bouteille est débouchée. En portant l'orifice aux narines et en aspirant longtemps, longtemps, on retrouve à peine une vague sen-
5 teur. C'est fini.

Nos petits-enfants s'étonneront des croyances naïves de leurs pères à des choses si ridicules et si invraisemblables. Ils ne sauront jamais ce qu'était autrefois, la nuit, la peur du mystérieux, la peur du sur-naturel. C'est à peine si quelques centaines d'hommes s'acharnent
10 encore à croire aux visites des esprits, aux influences de certains êtres ou de certaines choses, au somnambulisme lucide, à tout le charlatanisme des spirites. C'est fini.

Notre pauvre esprit inquiet, impuissant, borné, effaré par tout effet dont il ne saisissait pas la cause, épouvanté par le spectacle
15 incessant et incompréhensible du monde, a tremblé pendant des siècles sous des croyances étranges et enfantines qui lui servaient à expliquer l'inconnu. Aujourd'hui, il devine qu'il s'est trompé, et il cherche à comprendre, sans savoir encore. Le premier pas, le grand pas est fait. Nous avons rejeté le mystérieux qui n'est plus
20 pour nous inexploré.

Dans vingt ans, la peur de l'irréel n'existera plus même dans le peuple des champs. Il semble que la Création ait pris un autre aspect, une autre figure, une autre signification qu'autrefois. De là va cer-tainement résulter la fin de la littérature fantastique.

25 Elle a eu, cette littérature, des périodes et des allures bien diverses, depuis le roman de chevalerie, *Les Mille et Une Nuits,* les poèmes héroïques, jusqu'aux contes de fées et aux troublantes his-toires d'Hoffmann et d'Edgar Poe.

Quand l'homme croyait sans hésitation, les écrivains fantastiques
30 ne prenaient point de précautions pour dérouler leurs surprenantes histoires. Ils entraient, du premier coup, dans l'impossible, et y demeuraient, variant à l'infini les combinaisons invraisemblables, les apparitions, toutes les ruses effrayantes pour enfanter l'épou-vante.

35 Mais, quand le doute eut pénétré enfin dans les esprits, l'art est devenu plus subtil. L'écrivain a cherché les nuances, a rôdé autour du surnaturel plutôt que d'y pénétrer. Il a trouvé des effets ter-ribles en demeurant sur la limite du possible, en jetant les âmes dans l'hésitation, dans l'effarement. Le lecteur indécis ne savait plus,
40 perdait pied comme en une eau dont le fond manque à tout ins-tant, se raccrochait brusquement au réel pour s'enfoncer encore tout aussitôt, et se débattre de nouveau dans une confusion pénible et enfiévrante comme un cauchemar.

L'extraordinaire puissance terrifiante d'Hoffmann et d'Edgar Poe
45 vient de cette habileté savante, de cette façon particulière de cou-doyer le fantastique et de troubler, avec des faits naturels où reste pourtant quelque chose d'inexpliqué et de presque impossible.

Le Gaulois, 7 octobre 1883.

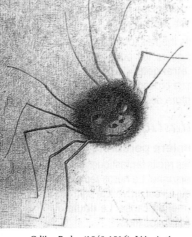

Odilon Redon (1840-1916), *L'Araignée sou-riante* (lithographie ; Paris, Bibliothèque Nationale de France).

LECTURE MÉTHODIQUE

■ Repérez et analysez le déve-loppement et les modifications du champ lexical du **surnaturel.** À quels autres champs lexicaux se trouve-t-il associé, positive-ment, négativement ? Détermi-nez alors quels sont les trois **notions clefs** du texte.

■ À partir du repérage des indi-cateurs temporels et de l'ana-lyse des temps verbaux du texte, dites en quoi **le temps** est essentiel.

■ À quel **type de texte** appartient cet extrait (narratif, descriptif, argumentatif) ?

VERS LA DISSERTATION

■ Y a-t-il une opposition entre le fantastique et la science ? Répondez à cette question sous une forme argumentée.

guides p. 39-151-237

Le fantastique

Héritage de la littérature européenne du XVIIIe siècle, le fantastique se développe au XIXe siècle parce qu'il rejoint, et révèle, certaines incertitudes. On le définit comme l'intrusion du surnaturel dans le réel quotidien. Se développant avec le Romantisme, il coexiste avec le Réalisme.

■ Origines et développement

Parallèle au rationalisme philosophique, est né, au XVIIIe siècle, un courant sensible qui s'intéresse à l'irrationnel. *Le Diable amoureux,* de Cazotte, en est une illustration. En même temps, ce **goût pour le surnaturel et pour le rêve** à tendance cauchemardesque imprégnait la littérature romantique allemande et le roman noir anglais : pactes diaboliques, apparitions démoniaques, phénomènes mystérieux. Le Romantisme français, influencé par ces littératures, en a exploité les thèmes en réponse aux angoisses et aux incertitudes du siècle : disparition des croyances religieuses, non-respect des traditions, modification des structures sociales. En contrepartie, l'importance accordée à la sensibilité, au rêve, conduit des écrivains à aborder avec curiosité les frontières fluctuantes du réel. Après 1850, l'essor du Réalisme et le Naturalisme ne mettent pas fin à ces recherches : au contraire, elles **contrebalancent les certitudes positivistes**∗. Maupassant explique l'évolution du fantastique, en montrant qu'il doit être d'autant plus subtil que les certitudes humaines sont mieux fondées ▷▷▷ *p. 341.* Tout l'art de Poe et d'Hoffmann, écrit-il, consiste à jouer habilement sur *la limite du possible.*

■ Caractéristiques et thèmes

Un certain nombre d'éléments récurrents permettent de faire apparaître les caractères du fantastique.

■ Les apparitions et animations

Le fantastique est peuplé d'apparitions (formes indécises, spectres) et d'objets qui s'animent (une cafetière, un presse-papiers, des meubles…). Ces indices visibles d'une vie « **impossible** » sèment le doute et l'angoisse. On trouve aussi le thème du double obsédant *(Le Horla).*

Une variante de l'animation est la résurrection, ou le vampire.

■ Le pouvoir magique de certains objets

Le talisman est un élément important. Balzac l'utilise dans *La Peau de chagrin.* Une peau magique semble capable d'exaucer tous les désirs du héros, en échange de sa vie. On en arrive ainsi au pacte.

■ Le pacte avec les puissances occultes

Thème majeur du *Faust* de Goethe, le pacte est un motif fréquent du fantastique. Un contrat passé avec des forces démoniaques garantit puissance, bonheur, éternité en échange de l'âme.

■ Les pouvoirs magiques des êtres

Il arrive enfin que certains êtres soient eux-mêmes, à leur insu, dotés de pouvoirs extraordinaires : double vue, prémonition, métamorphose ou… capacité de passer à travers les murs, comme le personnage de M. Aymé, au XXe siècle.

À travers ces différents thèmes, on perçoit que la littérature fantastique ouvre les portes d'un univers d'« **inquiétante étrangeté** ». Elle est aidée en cela par l'utilisation de procédés qui relèvent de la structure et de l'écriture des récits.

■ L'écriture fantastique

■ Le récit à la première personne

Il est intéressant que les récits fantastiques soient écrits à la première personne. Le héros témoigne ainsi lui-même de ce qui lui est arrivé. Ce sont ses propres facultés qu'il met en cause. Le **doute** et l'incertitude n'en sont que plus forts.

■ L'insistance sur un état second

Beaucoup de situations favorables au fantastique sont associées à une sorte d'état second. Fatigue, fièvre, état d'ivresse, somnolence, drogues conduisent le héros à **la limite de la conscience,** dans l'incertitude entre la veille et le sommeil.

■ Le contexte spatio-temporel

Ces précisions sont elles-mêmes génératrices de fantastique. Les **lieux** sont souvent les mêmes : endroits isolés, bords de rivière, maisons inhabitées, magasins d'antiquités. Le **moment** joue aussi un rôle important (crépuscule, nuit, minuit) ainsi que les conditions météorologiques (brouillard, pluie, tout ce qui brouille les données perceptibles).

■ Les figures de style

Les reconnaître permet de mieux analyser « l'écriture fantastique » :

- *les personnifications*∗ : elles soulignent l'animation des objets ;

- *les comparaisons*∗ *et les métaphores*∗ : elles révèlent ou créent des analogies entre deux mondes ainsi que leurs interférences inquiétantes. Elles soulignent des phénomènes de métamorphoses. Associées au lexique de l'incertitude, elles font comprendre à quel point le fantastique relève de ce que Maupassant appelle le « **somnambulisme lucide** » ▷▷▷ *p. 341.*

XXe s.

historiques et culturels

Max Ernst, *La Roue du Soleil ou Grande Marine*
■ Décrivez ce que vous voyez sur ce tableau et retrouvez les relations avec le *double titre*.
■ Quels effets crée *l'opposition* entre les figures géométriques nettes et l'imprécision qui les entoure, entre les couleurs, entre les deux parties du tableau ?
■ Quelles peuvent être les *significations symboliques* de ce tableau composé en 1926 ?

Henri Thiriet, *De Dion Bouton*, 1902 (affiche publicitaire, 112 × 75 cm ; Paris, Musée de la Publicité).

Le XXᵉ siècle, annoncé et attendu comme un siècle heureux, se révèle, lorsqu'on tente d'en faire le bilan, comme l'époque du progrès triomphant, mais aussi celle de la barbarie et des pires inégalités. La succession de deux conflits mondiaux, les multiples interactions politico-économiques, l'extension de toutes les formes de communication constituent les aspects les plus perceptibles d'un phénomène caractéristique : la mondialisation des problèmes. Ainsi, pour étudier la situation politique, sociale et économique de la France, il convient de la replacer dans un contexte plus large d'imbrications à l'échelle planétaire. Nécessairement schématique, la présentation des événements du siècle permet néanmoins de comprendre les modifications des mentalités et les interrogations inquiètes nées du déclin des idéologies*.

■ *La Belle époque et ses menaces (1900-1914)*

Ouvert pour la France dans l'euphorie du développement industriel et de l'expansion coloniale, le siècle commence par la « Belle époque », dont l'enthousiasme masque un arrière-plan à la fois complexe et menaçant. La domination économique et politique de l'Allemagne de Guillaume II avait conduit la France à créer un système d'alliance (la Triple Entente avec l'Angleterre et la Russie).

Plusieurs crises graves, comme celles du Maroc, qui opposent la France à l'Allemagne, mettent en péril cet équilibre. Par ailleurs, le conflit bosniaque, né des rivalités entre l'Autriche et la Russie autour des Balkans, crée un état de guerre latent dans cette région. L'assassinat, le 28 juillet 1914, de François-Ferdinand, prince héritier d'Autriche, déclenche une guerre que le jeu des alliances rend rapidement internationale. La Première Guerre mondiale commence le 2 août 1914.

Illustration de la p. 343 :
Max Ernst (1891-1976), *La Roue du Soleil* ou *Grande Marine*, 1926 (huile sur toile, 114 × 112 cm ; Collection particulière).

Théophile Steinlen (1859-1923), *Soldats en marche*, 1916 (lithographie, 45 × 56 cm ; Genève, Musée du Petit Palais). ▶

■ La Première Guerre mondiale (1914-1918)

L'assassinat de Jaurès, le 31 juillet 1914, révèle en France la détermination des partisans de la guerre, qui ne perçoivent pas l'ampleur du danger. Après les grandes offensives de 1914, on assiste, de 1915 à 1917, à une guerre de positions, une guerre d'usure qui confronte les soldats à l'horreur des tranchées puis à celle des gaz. De nombreuses œuvres littéraires, comme *Le Feu,* de Henri Barbusse, ou *Civilisation,* de Georges Duhamel, témoignent de cette inhumanité. L'année 1917 est particulièrement importante : échecs militaires en France et en Italie, mutineries réprimées par des exécutions capitales, grèves à l'arrière. Avec la Révolution d'Octobre, la chute du tsarisme entraîne la Russie hors du conflit. L'entrée en guerre des États-Unis détermine un tournant qui conduit, à l'automne 1918, à la défaite de l'Allemagne. Le traité de Versailles (28 juin 1919), perçu comme un « diktat » par les Allemands, est lourd de conséquences pour la suite des relations européennes.

Orchestre de jazz à La Nouvelle-Orléans en 1920. Jimmy Durante au piano, Alamo Club.

■ L'Entre-deux-guerres (1918-1939)

Cette période, qui s'étend entre deux conflits, porte la marque de cette situation : d'un côté, le soulagement de la paix, mais aussi le bilan déplorable de la guerre ; de l'autre, le sentiment précaire d'une stabilisation, alors que se profilent d'autres menaces elles-mêmes issues du traité de Versailles. Les rapports de forces se sont modifiés en Europe : la révolution bolchévique tente des percées en Allemagne et en Hongrie, mais en vain. Le contentieux franco-allemand s'alourdit de l'amertume et d'une volonté de revanche du côté germanique. Malgré la conscience d'une consolidation de l'économie, en France, par le paiement des réparations de guerre, notamment, l'équilibre reste très fragile. À partir de 1930, les conséquences de la grande crise américaine touchent certains pays européens, déstabilisant leur économie. C'est à la faveur de troubles sociaux (paupérisation) et de difficultés économiques (inflation), précisément, conduisant à un contrôle plus fort de l'État, que se mettent en place les régimes fascistes en Italie et en Allemagne. Parallèlement une poussée démocratique se fait jour : en Espagne, elle conduit à la guerre civile (1936-39). En France, elle déclenche l'arrivée au pouvoir du Front populaire en 1936.

■ La Seconde Guerre mondiale (1939-1945)

Provoqué par les annexions successives que mène l'Allemagne nazie en Europe, ce conflit, comme le premier, connaît rapidement une vaste extension territoriale. La France, écrasée sur le plan militaire, signe un armistice en juin 1940. Gouvernée par le maréchal Pétain, elle est soumise à la domination de l'occupant tandis que peu à peu, en relation avec Londres, se mettent en place les mouvements de résistance. Elle subit aussi, comme les autres pays occupés, les lois raciales du IIIᵉ Reich, ce qui entraîne la déportation de nombreux Juifs. Les grandes étapes de la guerre, qui se poursuit sur plusieurs fronts, sont la bataille de Stalingrad (1942-43), le débarquement des Alliés en Afrique du Nord (novembre 1942), en Italie (1943), puis en Normandie (6 juin 1944). La jonction des troupes alliées et des troupes russes.

Raoul Hausmann (1886-1971), *Tête mécanique* dite *l'Esprit de notre temps,* 1919 (marotte de perruquier et assemblage divers, hauteur de 32,5 cm ; Paris, Musée national d'art moderne, Centre Georges-Pompidou).

déclenche la capitulation de l'Allemagne en mai 1945. Planétaire, le conflit a également pour terrain l'Extrême-Orient. Les 6 et 9 août 1945, les deux bombardements atomiques d'Hiroshima et de Nagasaki contraignent le Japon à capituler après l'instauration, lors de la conférence de Yalta (en février 1945), d'un nouvel ordre mondial. On découvre alors que, sur les champs de bataille que sont l'Europe, l'Afrique, l'Orient et l'Extrême-Orient, l'horreur a atteint son comble. La fin de la guerre fait connaître à tous l'existence des camps d'extermination et les génocides systématiques. Les valeurs humanistes ont été balayées par toutes les formes de barbarie.

■ Des années d'après-guerre aux « sixties » (1945-1960)

Cette période est marquée, partout, par les politiques de reconstruction tandis que s'effectue une prise de conscience très douloureuse et que naissent des interrogations sur les responsabilités. Parallèlement, une des conséquences de la conférence de Yalta est l'instauration d'une situation de guerre froide sur le plan économique et politique entre : le bloc capitaliste d'un côté, dont les États-Unis sont le chef de file, et le bloc socialiste, dirigé par l'URSS derrière le « rideau de fer » et bientôt le mur de Berlin. Ils s'affrontent sur le plan idéologique et se rencontrent sur le terrain de nouvelles guerres, celle de Corée d'abord, celle d'Indochine ensuite, qui se transformera en guerre du Viêt-nam, tandis que l'ONU, organisme créé en 1945 pour succéder à la Société des Nations, s'efforce de sauvegarder la paix. Schématiquement, on peut dire que le bloc de l'Ouest, en Europe, se relève de ses ruines tout en affrontant le problème de la décolonisation, tandis que le bloc socialiste (URSS et République satellites) connaît un durcissement. Le régime stalinien (jusqu'à la mort de Staline, en 1953) impose un autoritarisme qui ne tolère aucune contestation. Des « purges » d'une ampleur jamais atteinte font disparaître systématiquement tous les opposants. La France, dirigée à partir de 1958 par le général de Gaulle, affronte le problème de la guerre d'Algérie (1954-62), qui se termine par l'indépendance de ce pays, mais est vécue comme un déchirement national. Elle abandonne l'Indochine après la défaite de Diên Biên Phu (1954) et doit laisser ses ex-colonies accéder à l'indépendance (Maroc, Tunisie, certains pays d'Afrique). Parallèlement, c'est pendant cette période que se met en place l'Union européenne : le Marché commun, né du traité de Rome (25 mars 1957), regroupe d'abord six pays, puis douze. Il entre en vigueur le 1er janvier 1959 : l'Europe cherche à se construire dans un monde où se fait de plus en plus sentir la dis-

torsion entre l'accélération du progrès scientifique d'une part, le retard dans les modes de pensée et dans les modes de vie d'autre part.

Duane Hanson (née en 1925), *Touristes*, 1970 (New York, Collection particulière).

■ Les crises culturelles et économiques, la chute des idéologies (1960-1992)

Ces trente années, « les trente glorieuses », sont marquées par des bouleversements historiques très importants et par un phénomène « d'accélération » dans tous les domaines, tandis que se développent la société de consommation et la civilisation de masse. En 1968, l'Europe est atteinte par une crise de société qui éclate durant le printemps et l'été : le sentiment d'une nécessaire évolution des mœurs, les contestations diverses (système éducatif, structures familiales, conditions de travail), le refus des contraintes, celui des traditions, les mouvements de libération, comme celui de Tchécoslovaquie en août 68, secouent les fondements politiques et sociaux de plusieurs pays d'Europe. Puis l'effervescence s'apaise dans une recherche de confort et de sécurité individualiste. Les deux guerres du Moyen-Orient, guerre des Six Jours en 1967, guerre du Kippour en 1973, soulignent la fragilité des équilibres économiques rompus par la crise pétrolière. Celle-ci conduit non seulement à des restrictions importantes mais à l'apparition d'une véritable « politique énergétique » dans de nombreux pays. Plus que jamais,on prend conscience des imbrications politico-économiques, capables de provoquer la chute de certains régimes et de donner naissance à des dictatures. Les pays nouvellement indépendants, en Afrique notamment, vivent dans une instabilité politique qui rend difficile le dialogue Nord-Sud entre États industrialisés et pays pauvres, en voie de développement. Les phénomènes d'immigration prennent une ampleur telle qu'ils font resurgir certaines formes de nationalismes qu'on aurait cru oubliées. Le travail de la contestation, dans les pays du bloc socialiste, dû à l'échec économique de certains régimes, provoque, parfois de manière inattendue, des chutes qui entraînent des réactions en chaîne : la destruction du mur de Berlin (9 novembre 1989), appelé aussi « mur de la honte », la réunification de l'Allemagne, l'effondrement de la dictature roumaine de N. Ceaucescu (décembre 1989), puis l'éclatement du régime soviétique et l'éparpillement des différentes républiques socialistes en États autonomes ou regroupés. La perte de crédibilité de l'idéologie communiste est à l'image de certains désarrois de la fin du siècle. Le retour des menaces nationalistes, dont le conflit yougoslave est un exemple en apparence sans solution, la confrontation permanente entre pays riches et industriels d'une part, pays pauvres et endettés de l'autre, comptent parmi les interrogations et les angoisses actuelles. À ces incertitudes s'ajoutent des maux nouveaux, en expansion rapide, et dévastateurs. L'ampleur prise par le phénomène du sida et par la drogue est à l'origine d'inquiétudes graves.

Siècle d'accélération intense du progrès, siècle dominé par la communication et par les échanges, siècle de découverte de la lune, le XXᵉ siècle, avec sa civilisation de masse et ses inégalités, se termine sur une période troublée et troublante. Si l'intelligence humaine et ses découvertes peuvent susciter l'admiration, si la science a livré quelques-uns de ses secrets, la question qui obsède les penseurs porte sur l'utilisation qui peut être faite de ses applications. L'image de « l'apprenti sorcier », incapable de maîtriser ses inventions, hante les esprits en cette fin de deuxième millénaire.

▲
Alberto Giacometti (1901-1966), *Femme debout II,* 1959/1960 (bronze, 275 × 55 × 33 cm ; Paris, Musée national d'art moderne, Centre Georges-Pompidou).

◄ Arman, *Long term parking,* 1982 (Jouy-en-Josas, Fondation Cartier).

Robert Delaunay (1885-1941), *Tour Eiffel* dite *La Tour rouge*, 1911/1912 (huile sur toile, 125 × 90,3 cm ; Solomon R. Guggenheim Museum, New York).

"Prête-moi ton grand bruit, ta grande allure si douce,
Ton glissement nocturne à travers l'Europe illuminée,
Ô train de luxe ! et l'angoissante musique
Qui bruit le long de tes couloirs de cuir doré,
Tandis que derrière les portes laquées, aux loquets de cuivre
    lourd,
Dorment les millionnaires. [...]
Prêtez-moi, ô Orient-Express, Sud-Brenner-Bahn, prêtez-moi
Vos miraculeux bruits sourds et
Vos vibrantes voix de chanterelle ;
Prêtez-moi la respiration légère et facile
Des locomotives hautes et minces, aux mouvements
Si aisés, les locomotives des rapides,
Précédant sans effort quatre wagons jaunes à lettres d'or
Dans les solitudes montagnardes de la Serbie,
Et, plus loin, à travers la Bulgarie pleine de roses...

Ah ! il faut que ces bruits et que ce mouvement
Entrent dans mes poèmes et disent
Pour moi ma vie indicible, ma vie
D'enfant qui ne veut rien savoir, sinon
Espérer éternellement des choses vagues."

Valéry Larbaud, *Les poésies de A.-O. Barnabooth*, « Ode ». Éd. Gallimard.

■ Quelles sont les caractéristiques de cette *représentation* de la tour Eiffel ? Analysez la tour elle-même et son environnement.
■ Quelle est la *technique* du peintre ?
■ Quelle *signification symbolique* peut-on trouver à cette technique de fonctionnement. d'éclatement des formes et des couleurs ?

Les quatorze premières années du siècle sont caractérisées par un optimisme qui masque, volontairement peut-être, les menaces de plus en plus précises de conflit. Développement, industrialisation, voyages, cosmopolitisme, sont les mots clés d'une période où les classes favorisées s'étourdissent de luxe, tandis que le progrès laisse espérer à tous un bonheur partagé. Les arts, la littérature s'orientent dans des voies nouvelles.

Une époque de progrès

Dans le sillage de la révolution industrielle, les débuts du siècle sont marqués par un développement intense des techniques : multiplication des réseaux de voies ferrées à travers l'Europe, création de trains de luxe comme l'*Orient-Express*. C'est en 1911 que se font les premiers essais de locomotives électriques. Le domaine de l'aéronautique est en pleine expansion. Les sociétés Breguet et Morane Saulnier voient le jour en 1911 : Blériot traverse la Manche en 1909 et, en 1913, Roland Garros effectue la première traversée de la Méditerranée. C'est aussi l'époque qui voit le premier planeur, le premier vol en hélicoptère, le premier saut en parachute. Il y a quelque chose d'aventureux dans les applications techniques des sciences, aussi bien dans la conquête des airs que dans les expéditions lointaines comme celle de Charcot dans l'Antarctique. L'automobile commence à se vulgariser : la vitesse, ce « vice nouveau », comme l'appelle Paul Morand, exerce une véritable fascination. L'âge de l'acier, illustré par la tour Eiffel, d'abord si décriée, se développe à travers de nombreuses constructions. On utilise de nouveaux matériaux, comme le béton armé, pour construire les « villes tentaculaires » dont parle Verhaeren. Tout laisse croire à une ère de prospérité, marquée pourtant par des grèves sévères, dans les mines du Nord en 1906 et chez les cheminots en 1910.

Une vie sociale brillante

Alors que les classes défavorisées obtiennent quelques avantages sociaux grâce à l'action des syndicats (journée de huit heures pour les mineurs, création de retraites ouvrières), ce qui frappe, pendant les années qui précèdent la guerre, ce sont les images brillantes et frivoles de la vie mondaine. L'expression « Belle époque » s'explique par les fêtes et les divertissements. Toute une frange de la société, aisée et désœuvrée, fréquente les « lieux de plaisir » que sont les casinos des villes touristiques (Vienne, Venise, Monte-Carlo…), et leurs palaces. Les cabarets, les music-halls, les théâtres connaissent un grand succès, notamment à Paris, qui voit naître les premières salles de cinéma : on y passe les films de Méliès. En même temps, la vie sociale est troublée par les attentats anarchistes et les actions terroristes de la « bande à Bonnot » (1911-1913), ainsi que par certaines affaires comme le scandale Caillaux (la femme du ministre des Finances tue le directeur du *Figaro*).
Occupés par les problèmes intérieurs et les plaisirs, les Français ne perçoivent assez tôt ni le surarmement allemand ni les menaces qui pèsent sur les Balkans.
L'annonce de la guerre, le 2 août 1914, les frappe comme un coup de tonnerre, les faisant passer de l'insouciance à l'horreur.

Les incidences sur les arts

Le contexte d'optimisme et d'innovation du début du siècle est favorable à la création artistique. L'éclatement du monde industriel provoque une vision fragmentée de la réalité, qui aboutit, en peinture, au cubisme, à travers les recherches de Cézanne, d'abord, puis de Delaunay, Braque, Picasso, Fernand Léger. En même temps, un intérêt pour l'ethnologie oriente l'inspiration des peintres et des sculpteurs vers les arts africains et océaniens. Paradoxalement, la littérature traduit une vision morcelée du monde (celle de Cendrars, de V. Larbaud ou d'Apollinaire) parallèlement au courant unanimiste (Romain Rolland, Charles Vildrac) qui pense englober la totalité du monde perceptible. La danse est à l'honneur avec la découverte des ballets russes du chorégraphe Diaghilev et du compositeur Stravinski. Le théâtre connaît les succès de Claudel et les débuts de Giraudoux. L'extraordinaire floraison d'œuvres majeures (Gide, Proust, Colette, R. Rolland, Martin du Gard) dans le domaine romanesque fait de cette période un moment très riche et novateur. La guerre modifie cette orientation en suscitant une inspiration tout autre : on écrit pour témoigner et dénoncer, comme le font H. Barbusse (*Le Feu*), G. Duhamel, R. Dorgelès, parce qu'aucun des écrivains ne reste insensible à la disparition des valeurs que révèle le conflit généralisé. C'est dans ce contexte que se développe le mouvement DADA, contestataire et déstabilisateur, qui donne naissance au Surréalisme, juste après la guerre. Avec l'ensemble des bouleversements politiques et sociaux, l'esthétique est aussi sur la voie du changement.

Alain

De son vrai nom Émile Chartier, Alain marqua profondément l'enseignement de la philosophie. Humaniste, cartésien, il fut un penseur rigoureux et exigeant, s'exprimant de manière à la fois simple et dense en de brefs textes qui composent ses très nombreux *Propos,* consacrés à la littérature, à l'esthétique, au bonheur et à tous les aspects de la vie individuelle et sociale.

1868-1951

Portrait : *Alain,* 1936.

Propos sur le bonheur - 1911

« Il est ordinaire que l'on ait plus de bonheur
par l'imagination que par les biens réels... »

*S'interrogeant sur le bonheur, Alain envisage ici la condition des rois, qui paraît
si enviable à de nombreux hommes. Il développe ainsi une conception originale du
bonheur : pour le goûter, il faut avoir du mal à l'obtenir, avec quelques risques.*

Il est bon d'avoir un peu de mal à vivre et de ne pas suivre une route tout unie. Je plains les rois s'ils n'ont qu'à désirer ; et les dieux, s'il y en a quelque part, doivent être un peu neurasthéniques. On dit que dans les temps passés ils prenaient forme de voyageurs et venaient frapper aux
5 portes ; sans doute ils trouvaient un peu de bonheur à éprouver la faim, la soif et les passions de l'amour. Seulement, dès qu'ils pensaient un peu à leur puissance, ils se disaient que tout cela n'était qu'un jeu, et qu'ils pouvaient tuer leurs désirs s'ils le voulaient, en supprimant le temps et la distance. Tout compte fait ils s'ennuyaient ; ils ont dû se pendre ou se
10 noyer, depuis ce temps-là ; ou bien ils dorment comme la belle au bois dormait. Le bonheur suppose sans doute toujours quelque inquiétude, quelque passion, une pointe de douleur qui nous éveille à nous-même.

   Il est ordinaire que l'on ait plus de bonheur par l'imagination que par les biens réels. Cela vient de ce que, lorsque l'on a les biens réels, on croit
15 que tout est dit, et l'on s'assied au lieu de courir. Il y a deux richesses ; celle qui laisse assis ennuie ; celle qui plaît est celle qui veut des projets encore et des travaux, comme est pour le paysan un champ qu'il convoitait, et dont il est enfin le maître ; car c'est la puissance qui plaît, non point la puissance au repos, mais la puissance en action. L'homme qui ne
20 fait rien n'aime rien. Apportez-lui des bonheurs tout faits, il détourne la tête comme un malade. Au reste, qui n'aime mieux faire la musique que l'entendre ? Le difficile est ce qui plaît. Aussi toutes les fois qu'il y a quelque obstacle sur la route, cela fouette le sang et ravive le feu. Qui voudrait d'une couronne olympique si on la gagnait sans peine ? Personne n'en

25 voudrait. Qui voudrait jouer aux cartes sans risquer jamais de perdre ?
Voici un vieux roi qui joue avec des courtisans ; quand il perd, il se met
en colère, et les courtisans le savent bien ; depuis que les courtisans ont
bien appris à jouer, le roi ne perd jamais. Aussi voyez comme il repousse
les cartes. Il se lève, il monte à cheval ; il part pour la chasse ; mais c'est
une chasse de roi, le gibier lui vient dans les jambes ; les chevreuils aussi
30 sont courtisans.

J'ai connu plus d'un roi. C'étaient de petits rois, d'un petit royaume ;
rois dans leur famille, trop aimés, trop flattés, trop choyés, trop bien servis. Ils n'avaient point le temps de désirer. Des yeux attentifs lisaient dans
leur pensée. Eh bien, ces petits Jupiters voulaient malgré tout lancer la
35 foudre ; ils inventaient des obstacles ; ils se forgeaient des désirs capricieux, changeaient comme un soleil de janvier, voulaient à tout prix vouloir, et tombaient de l'ennui dans l'extravagance. Que les dieux, s'ils ne
sont pas morts d'ennui, ne vous donnent pas à gouverner de ces plats
royaumes ; qu'ils vous conduisent par des chemins de montagnes ; qu'ils
40 vous donnent pour compagne quelque bonne mule d'Andalousie, qui ait
les yeux comme des puits, le front comme une enclume, et qui s'arrête
tout à coup parce qu'elle voit sur la route l'ombre de ses oreilles.

22 janvier 1908, « *Le roi s'ennuie* ». Éd. Gallimard.

■ TEXTE ÉCHO

Le bonheur est dans le pré. Cours-y vite, cours-y vite.
Le bonheur est dans le pré. Cours-y vite. Il va filer.

Si tu veux le rattraper, cours-y vite, cours-y vite.
Si tu veux le rattraper, cours-y vite. Il va filer.

5 Dans l'ache et le serpolet, cours-y vite, cours-y vite,
dans l'ache et le serpolet, cours-y vite. Il va filer.

Sur les cornes du bélier, cours-y vite, cours-y vite,
sur les cornes du bélier, cours-y vite. Il va filer.

Sur le flot du sourcelet, cours-y vite, cours-y vite,
10 sur le flot du sourcelet, cours-y vite. Il va filer.

De pommier en ceriser, cours-y vite, cours-y vite,
de pommier en cerisier, cours-y vite. Il va filer.

Saute par-dessus la haie, cours-y vite, cours-y vite.
Saute par-dessus la haie, cours-y vite ! Il a filé !

Paul Fort, *Ballades françaises,* « L'alouette », Éd. Flammarion.

LECTURE MÉTHODIQUE

■ L'ensemble du texte développe, à propos du bonheur, une **idée essentielle** reprise sous plusieurs
formes et à travers plusieurs exemples. Reformulez cette idée.

■ Retrouvez ensuite ce qui joue le rôle d'**argument**
et ce qui constitue les **exemples.** La distinction entre
les deux est-elle toujours facile ?

■ Comment celui qui parle associe-t-il son **lecteur** à
ses propos ? Quel est l'**objectif** de cette manière de
procéder ?

■ À la lumière des réponses données aux questions
précédentes, expliquez le **titre** de ce propos : « **Le
roi s'ennuie** ».

ÉCRITURE

■ **Expliquez** pourquoi on a *plus de bonheur par
l'imagination que par les biens réels.*

■ **Partagez-vous** le point de vue d'Alain sur le bonheur associé à une certaine difficulté ?

guide ▶ p.151

Blaise Cendrars

Une jeunesse sous le signe du voyage

Blaise Cendrars, de son vrai nom Frédéric-Louis Sauser, est né en Suisse en 1887. Dès sa quinzième année, il quitte sa famille et entreprend de longs voyages qui le conduisent en Sibérie, en Chine, au Canada, puis à New York et en Amérique du Sud. Plaçant sa vie sous le signe de l'aventure, lui-même se définit comme un « bourlingueur ».

1887-1961

À ces voyages réels répondent les voyages imaginaires que sont la lecture et l'écriture. Ces derniers donneront naissance à des recueils de poèmes et à des récits comme *Les Pâques à New York* (1912), *Feuilles de routes* (1924) ou *Bourlinguer* (1948).

De la vie réelle à la littérature

Au fil des années, la littérature prend d'ailleurs le pas sur l'aventure et les voyages. Dans les années vingt, Blaise Cendrars s'installe à Paris et s'intéresse au cinéma. Aux yeux de ses contemporains, l'auteur de *La Prose du transsibérien* devient peu à peu le poète du monde moderne et du progrès. Les villes, les ports, les trains, la publicité, les machines et la vitesse occupent une place privilégiée dans son œuvre poétique et romanesque. À partir des années quarante, le poète s'éloigne des milieux littéraires et puise dans ses souvenirs de voyages les matériaux nécessaires à l'élaboration de récits plus nettement autobiographiques. Il meurt à Paris en 1961.

La Prose du transsibérien - 1913

« Le train palpite au cœur des horizons plombés »

La Prose du transsibérien et de la petite Jehanne[1] de France évoque le voyage en train qui conduisit Cendrars, alors âgé de seize ans, de Russie en Mandchourie, en compagnie de Jeanne, fille perdue de Montmartre. Dans le passage qui suit, le poète transcrit les impressions fugitives que font naître le voyage et la vitesse.

1. « Jehanne » est l'orthographe ancienne de Jeanne.
2. colline de la partie nord de Paris qui était, à l'époque de Blaise Cendrars, le quartier des artistes. C'est également sur cette butte que se situe la basilique du Sacré-Cœur.

Je suis en route
  J'ai toujours été en route
Je suis en route avec la petite Jehanne de France
Le train fait un saut périlleux et retombe sur toutes ses roues
5 Le train retombe sur ses roues
Le train retombe toujours sur toutes ses roues

« Blaise, dis, sommes-nous bien loin de Montmartre ?[2] »

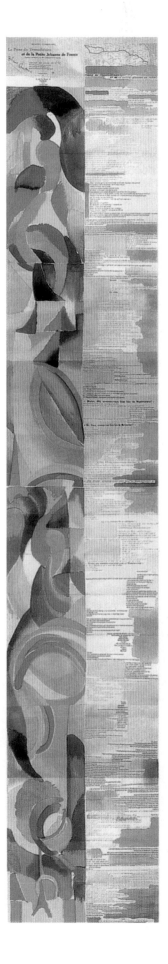

Nous sommes loin, Jeanne, tu roules depuis sept jours
Tu es loin de Montmartre, de la Butte qui t'a nourrie, du
    Sacré-Cœur contre lequel tu t'es blottie
10 Paris a disparu et son énorme flambée
Il n'y a plus que les cendres continues
La pluie qui tombe
La tourbe qui se gonfle
La Sibérie qui tourne
15 Les lourdes nappes de neige qui remontent
Et le grelot de la folie qui grelotte comme un dernier désir
    dans l'air bleu
Le train palpite au cœur des horizons plombés
Et ton chagrin ricane…

« Dis, Blaise, sommes-nous bien loin de Montmartre ? »

20 Les inquiétudes
Oublie tes inquiétudes
Toutes les gares lézardées obliques sur la route
Les fils télégraphiques auxquels elles pendent
Les poteaux grimaçants qui gesticulent et les étranglent
25 Le monde s'étire s'allonge et se retire comme un harmonica
    qu'une main sadique tourmente
Dans les déchirures du ciel, les locomotives en furie
S'enfuient
Et dans les trous,
Les roues vertigineuses les bouches les voix
30 Et les chiens du malheur qui aboient à nos trousses
Les démons sont déchaînés[3].
Ferrailles
Tout est un faux accord
Le broun-roun-roun des roues
35 Chocs
Rebondissements
Nous sommes un orage sous le crâne d'un sourd…

                          Éd. Denoël.

3. Allusions à la guerre russo-japonaise qui sévit alors en Mandchourie et oblige Blaise Cendrars à rechercher des contrées plus calmes.

◀ Couleurs simultanées de Sonia Delaunay pour *La Prose du Transsibérien et de la petite Jehanne de France* de Blaise Cendrars, 1913 (dépliant, 200 X 36 cm ; Paris, Bibliothèque Littéraire Jacques Doucet).

LECTURE MÉTHODIQUE

■ Retrouvez-vous dans cet extrait des éléments en relation avec les termes **prose** et **transsibérien ?** Qu'y a-t-il d'étonnant dans cette relation ?

■ En tenant compte de la typographie et de la structure des phrases, analysez le **rythme** du texte.

■ Comment le poète rend-il compte de la réalité du **voyage ferroviaire** effectué ? Récapitulez, à partir d'une étude des champs lexicaux du texte, les principaux thèmes abordés.

■ Par l'étude du choix des verbes, des images et des associations insolites de mots, précisez quelle est la **tonalité** de cet extrait.

guides p. 39-78-342-358-381

Guillaume Apollinaire

Apollinaire incarne la transformation qui s'est opérée dans la poésie française du XXᵉ siècle. Héritier des poètes du XIXᵉ siècle, il peut être également considéré comme le précurseur des Surréalistes.

1880-1918

Les origines et la jeunesse

Guillaume Apollinaire, de son vrai nom Wilhelm Apollinaris de Kostrowitzky, est né à Rome en août 1880, d'une mère polonaise et d'un père inconnu. Son enfance et son adolescence ont pour cadre l'Italie, la Côte d'Azur puis Paris et la Belgique. En 1901, engagé comme précepteur dans une famille allemande, il s'éprend d'Annie Playden, une jeune gouvernante anglaise qui lui inspire quelques-uns des plus beaux poèmes d'*Alcools* (1913) mais finit par l'éconduire. Désemparé, Guillaume rentre à Paris avant d'entreprendre de nombreux voyages dans toute l'Europe.

Le poète et les milieux artistiques

À son retour, il se mêle aux milieux artistiques parisiens et fréquente les peintres de sa génération (Picasso, Derain, Jacob). Il se lie également à l'aquarelliste Marie Laurencin avec qui il vit jusqu'en 1912. Ces rencontres contribuent à développer son goût des images insolites et des innovations poétiques. Menant une double activité de critique d'art et de poète, Guillaume Apollinaire vit de sa plume et s'affirme comme un écrivain d'avant-garde.

Le poète et la guerre

En 1914 le poète décide de s'engager. Grièvement blessé à la tête par un éclat d'obus, il est réformé deux ans plus tard. Il reprend alors ses activités littéraires. Atteint par la grippe espagnole, il meurt en novembre 1918.

Marie Laurencin (1885-1956), *Apollinaire et ses amis,* 1909 (huile sur toile, 130 × 194 ; Paris, Musée national d'art moderne, Centre Georges-Pompidou).

Guillaume Apollinaire, photographié par Pablo Picasso en 1910.

Alcools - 1913

Zone

*Alcools rassemble des poèmes écrits à des époques différentes. Au dernier moment,
le poète a décidé de supprimer systématiquement toute ponctuation.
Poème liminaire d'*Alcools, *« Zone » est l'une des pièces les plus novatrices.*

Louis Marcoussis (1883-1941), aquarelle gouachée pour *Alcools* de
Guillaume Apollinaire, 1913 (éditions Mercure de France ; Paris,
Bibliothèque Nationale de France).

A la fin tu[1] es las de ce monde ancien

Bergère ô tour Eiffel[2] le troupeau des ponts bêle ce matin

Tu en as assez de vivre dans l'antiquité grecque et romaine

Ici même les automobiles ont l'air d'être anciennes

5 La religion seule est restée toute neuve la religion

Est restée simple comme les hangars de Port-Aviation

Seul en Europe tu n'es pas antique ô Christianisme

L'Européen le plus moderne c'est vous Pape Pie X[3]

Et toi que les fenêtres observent la honte te retient

10 D'entrer dans une église et de t'y confesser ce matin

Tu lis les prospectus les catalogues les affiches qui chantent tout haut

Voilà la poésie ce matin et pour la prose il y a les journaux

Il y a les livraisons à 25 centimes pleines d'aventures policières[4]

Portraits des grands hommes et mille titres divers

15 J'ai vu ce matin une jolie rue dont j'ai oublié le nom

Neuve et propre du soleil elle était le clairon

Les directeurs les ouvriers et les belles sténo-dactylographes

Du lundi matin au samedi soir quatre fois par jour y passent

Le matin par trois fois la sirène y gémit

20 Une cloche rageuse y aboie vers midi

Les inscriptions des enseignes et des murailles

Les plaques les avis à la façon des perroquets criaillent

J'aime la grâce de cette rue industrielle

Située à Paris entre la rue Aumont-Thiéville et l'avenue des Ternes

Vers 1-24. Éd. Gallimard.

1. c'est à lui-même que le poète
s'adresse.
2. construite pour l'Exposition
universelle de 1889, la tour
Eiffel est d'un modernisme
qui fascine les écrivains et
les peintres de la génération
d'Apollinaire.
3. pape de 1903 à 1914.
En 1911, Pie X avait béni
l'aviateur Beaumont qui avait
survolé la place Saint-Pierre.
4. Apollinaire ne les dénigre
pas. Il a, par exemple, fait éloge
du célèbre « Fantomas ».

LECTURE MÉTHODIQUE

■ Repérez et classez les **pronoms personnels** utilisés par le poète. Qu'y a-t-il d'original dans cet emploi ?
Quelle est la situation de communication ?

■ Montrez, en vous appuyant notamment sur une analyse des champs lexicaux, que cet extrait de *Zone*
peut être lu comme un **hymne** au **progrès**. Classez
avec méthode les divers éléments que vous aurez
dégagés.

■ *Voilà la poésie ce matin,* peut-on lire au vers 12.
D'après ce texte, qu'est-ce que la **poésie** pour Apollinaire ? En quoi le poète nous propose-t-il une vision
poétique du monde moderne ?

■ Observez la forme métrique et syntaxique adoptée
par Apollinaire.
Qu'a-t-elle d'original ?

VERS LE COMMENTAIRE LITTÉRAIRE

■ En prenant appui sur les repérages de lecture méthodique, traiter les axes de commentaire suivants :
- les éléments témoignant d'une **sensibilité à la vie
moderne ;**
- l'expression d'une **expérience personnelle ;**
- une **poésie insolite** qui s'inspire du quotidien.

guides p. 78-358-381-386

Marie

On ne sait si l'inspiratrice de ce poème est Marie Laurencin ou la jeune Mareye qu'Apollinaire rencontra à Stavelot en Belgique. Quoi qu'il en soit, c'est avec lyrisme et simplicité que le poète chante le souvenir de cette femme aimée.

Marie Laurencin (1885-1956), *L'Italienne,* 1925 (huile sur toile ; Collection particulière).

Vous y dansiez petite fille
Y danserez-vous mère-grand
C'est la maclotte¹ qui sautille
Toutes les cloches sonneront
5 Quand donc reviendrez-vous Marie

Les masques sont silencieux
Et la musique est si lointaine
Qu'elle semble venir des cieux
Oui je veux vous aimer mais vous aimer à peine
10 Et mon mal est délicieux

Les brebis s'en vont dans la neige
Flocons de laine et ceux d'argent
Des soldats passent et que n'ai-je
Un cœur à moi ce cœur changeant
15 Changeant et puis encor que sais-je

Sais-je où s'en iront tes cheveux
Crépus comme mer qui moutonne
Sais-je où s'en iront tes cheveux
Et tes mains feuilles de l'automne
20 Que jonchent aussi nos aveux

Je passais au bord de la Seine
Un livre ancien sous le bras
Le fleuve est pareil à ma peine
Il s'écoule et ne tarit pas
25 Quand donc finira la semaine

Éd. Gallimard.

1. danse populaire belge.

LECTURE MÉTHODIQUE

■ Relevez et classez de façon méthodique les différents éléments qui, sur le plan thématique, lexical, ou formel, apparentent ce texte à une **chanson**.

■ Ce poème est dépourvu de ponctuation. Quels sont, selon vous, les effets produits par cette **innovation stylistique ?**

■ À partir d'une analyse des temps verbaux, des champs lexicaux et de certaines figures (comme la comparaison et la métaphore), précisez quelle est la **tonalité** du texte. Quels sont les **sentiments** exprimés par le poète ?

■ Que connote le **prénom** célébré par Apollinaire ? Justifiez votre réponse en vous appuyant sur une analyse précise du lexique employé par le poète.

guides p. 39-78-276-418

Calligrammes - 1918

La colombe poignardée et le jet d'eau

Avec les « Calligrammes » Apollinaire reprend et modernise une tradition qui remonte à Rabelais[1] et peut-être à l'Antiquité. Les mots et les lettres des textes qu'il rédige sont disposés de manière à représenter un dessin.

Éd. Gallimard.

1. dans le Ve *Livre*, Rabelais fait l'éloge de la « dive bouteille » en disposant ses mots et ses phrases de manière à former le dessin d'une bouteille.
2. exprimer son émerveillement, son ravissement.
3. néologisme forgé à partir du substantif « mélancolie ».

LECTURE MÉTHODIQUE

■ Décrivez ce que vous voyez : qu'a d'original ce qui est présenté sur cette page ? Comment s'établit précisément la relation entre le **dessin** et le **titre** ?

■ En suivant quel **parcours de lecture** peut-on (ou faut-il), à votre avis, lire ce calligramme ? Comment certaines **lettres** sont-elles mises en valeur ? Pourquoi ?

■ Observez le lexique utilisé par le poète. Quels sont les **sentiments** exprimés ? Que symbolisent la colombe et sa mort, le jet d'eau et ses *pleurs* ? Comment interprétez-vous la présence de tant de **prénoms** et de **noms** dans le texte ?

PARCOURS CULTUREL

■ Observez les **noms** qui composent ce calligramme : en utilisant la biographie du poète et en faisant quelques recherches complémentaires, dites qui sont ces amis d'Apollinaire. Précisez à quels **domaines artistiques** appartiennent certains d'entre eux.

guides p. 276-358-381

Renouveau poétique au XXe siècle

La fin du XIXe siècle a vu la création du vers libre. Les poètes du début du XXe siècle vont plus loin dans l'innovation. Les images de l'univers industriel, l'absence de ponctuation, l'insolite et les calligrammes sont autant d'illustrations de la manière dont est perçu le monde : fragmenté, changeant, enthousiasmant, mais aussi menaçant.

■ La poétique de la modernité

Le XXe siècle, dont on pressent qu'il sera l'ère de l'acier, du fer et du verre, l'univers des échanges et des communications, offre de nouveaux thèmes d'inspiration. Ainsi, le **monde industriel** est pris comme un réservoir d'images et d'associations poétiques. Larbaud célèbre l'univers ferroviaire ▷▷▷ *p. 348,* sans craindre d'utiliser un vocabulaire technique *(gares, rails, wagons, quais).* Grâce à lui, et à Cendrars ▷▷▷ *p. 352,* la géométrie compliquée des bifurcations et des voies ferrées devient une poésie de la découverte. Les lignes, la complexité des réseaux sont vues comme autant de dessins insolites permettant de décrypter certains aspects du monde moderne. Le **progrès** se révèle aussi dans les villes, dont la brutalité industrielle est prise comme thème d'inspiration. Apollinaire s'attache à leurs aspects nouveaux, « hangars » d'aviation, à Paris, agitation des transports (les *troupeaux d'autobus*), publicités placardées un peu partout, lumières.

■ Une écriture novatrice

Les perceptions nouvelles d'un monde en évolution passent par des techniques d'expression nouvelles elles aussi. À la fragmentation des tableaux de R. Delaunay ▷▷▷ *p. 348,* correspond la fragmentation d'une **écriture en rupture.** En poésie, différentes interprétations sont possibles grâce à l'absence de ponctuation, remplacée par *le rythme même et la coupe des vers.*

■ **L'écriture discontinue :** On l'observe dans la poésie de Cendrars, de Verhaeren, de Larbaud : alternance de vers courts et longs, absence de liens logiques, juxtaposition d'images et d'évocations qui donnent l'impression de se « télescoper ». Phrases nominales, énumérations de termes placés bout à bout créent *une sorte de puzzle* désordonné ▷▷▷ *p. 353.*

> *Les démons sont déchaînés*
> *Ferrailles*
> *Tout est un faux accord*
> *Le broun-roun-roun des roues*
> *Chocs*
> *Rebondissements*

La discontinuité est aussi celle des changements de pronoms personnels dans « Zone » :

> *À la fin tu es las.* [...]
> *J'ai vu ce matin...*

■ **Les images insolites :** Elles viennent des rapprochements inattendus, comparaisons, métaphores, révélant et créant des analogies sonores, visuelles, enrichies par des inventions lexicales :

> *Les tramways feux verts sur l'échine*
> *Musiquent au long des portées*
> *De rails leurs folies de machines*
>
> Apollinaire.

ou encore :

> *La rue - et ses remous comme des câbles*
> *Noués autour des monuments*
> *Fuit et revient en longs enlacements*
>
> Verhaeren.

■ **La suppression de la ponctuation**
Adoptée par Apollinaire dans *Alcools,* elle brouille les repères donnés au lecteur et permet des **lectures multiples,** en jouant sur l'organisation des groupes syntaxiques, la structure du vers et les rythmes. Ainsi, dans la première strophe du « Pont Mirabeau », le vers 2 peut se rattacher au premier ou au troisième :

> *Sous le pont Mirabeau coule la Seine*
> *Et nos amours*
> *Faut-il qu'il m'en souvienne*
> *La joie venait toujours après la peine*

Elle accentue l'incertitude, l'ambiguïté, favorise l'hésitation dans l'évocation d'états psychologiques et en souligne la complexité.

■ **Les calligrammes :** Ce mode d'écriture qui associe le texte et le dessin est une tentative pour utiliser les *possibilités figuratives du vers,* en tant que succession de mots, malléable et transformable. La ligne horizontale et droite du vers devient courbe, ou suite décalée de termes, ou encore ligne oblique, ou sinueuse, de longueurs différentes, de formes variables. Le calligramme associe un titre, un texte et sa représentation figurative, ▷▷▷ *p. 357.* Le dessin renvoie au titre, le texte s'y associe de manière souvent symbolique. Ainsi, dans « La colombe poignardée et le jet d'eau », les deux éléments du titre sont identifiables, mais le rapport entre l'énumération des noms cités et le jet d'eau n'est pas clairement indiqué. L'ensemble de ces innovations témoigne d'une **libération** et d'une **souplesse** plus grandes. L'infinité des possibilités que semble offrir la modernité apporte aux artistes une créativité qui paraît elle-même sans limites.

Edmond Rostand

1868-1918

Edmond Rostand est né à Marseille en avril 1868, dans une famille bourgeoise et cultivée. Il commence sa carrière littéraire comme essayiste et poète puis connaît des débuts difficiles au théâtre. Son grand succès reste néanmoins *Cyrano de Bergerac* joué pour la première fois en 1897 devant un public enthousiaste. En 1900, la publication d'un second drame intitulé *L'Aiglon* consolide sa réputation. À la fin de sa vie, l'écrivain tourne le dos aux honneurs qui lui sont faits et se retire à Cambo, dans le Pays basque. Il meurt à Paris en 1918.

Ses contemporains ont vu en lui un héritier du théâtre romantique de Musset ou de Hugo. Le public d'aujourd'hui est, en revanche, davantage séduit par l'originalité de sa dramaturgie et la truculence de sa fantaisie verbale.

Portrait : *Edmond Rostand*, photographié par l'atelier Nadar (Paris, Bibliothèque Nationale de France).

Cyrano de Bergerac - 1897

« Ah ! non ! c'est un peu court, jeune homme ! »

Edmond Rostand s'est assez peu soucié de l'identité du véritable Cyrano de Bergerac, écrivain du XVIIe siècle ▷▷▷ p. 115. Le Cyrano qu'il met en scène est d'abord un personnage de fantaisie. Il appartient au corps militaire des Cadets de Gascogne et s'est forgé la réputation d'être, à la fois, vaillant combattant et fin rhétoriqueur[1]. Affligé d'un nez démesurément long, Cyrano est l'objet de multiples sarcasmes. Provoqué par le vicomte de Valvert à propos de son nez, il improvise ce monologue.

CYRANO

Ah ! non ! c'est un peu court,
          [jeune homme !
On pouvait dire… Oh ! Dieu !… bien des choses en somme…
En variant le ton, - par exemple, tenez :
Agressif : « Moi, monsieur, si j'avais un tel nez,
Il faudrait sur-le-champ que je me l'amputasse ! »
5 Amical : « Mais il doit tremper dans votre tasse !
Pour boire, faites-vous fabriquer un hanap[2] ! »
Descriptif : « C'est un roc ! c'est un pic ! c'est un cap !
Que dis-je, c'est un cap ?… C'est une péninsule ! »
Curieux : « De quoi sert cette oblongue capsule ?
10 D'écritoire, monsieur, ou de boîte à ciseaux ? »

1. la rhétorique est l'art de bien parler et de convaincre.
2. grand récipient pour boire, monté sur un pied et muni d'un couvercle.

Coquelin aîné dans le rôle de Cyrano de Bergerac, 1897 (photographie ; Paris, Bibliothèque Nationale de France, A.S.P.).

3. fumer, priser du tabac.
4. poète comique grec (vers 445 -
vers 386 av. J.-C.).
5. crochet.
6. avec emphase, c'est-à-dire
sur un ton déclamatoire.
7. allusion à la pièce de
Théophile de Viau, intitulée
*Les Amours tragiques de Pyrame
et Thisbé,* dans laquelle
Pyrame s'exclame :
*Ah ! Voici le poignard qui du
sang de son maître/S'est souillé
lâchement ; il en rougit, le traître.*

Gracieux : « Aimez-vous à ce point les oiseaux
Que paternellement vous vous préoccupâtes
De tendre ce perchoir à leurs petites pattes ? »
Truculent : « Ça, monsieur, lorsque vous pétunez[3],
15   La vapeur du tabac vous sort-elle du nez
Sans qu'un voisin ne crie au feu de cheminée ? »
Prévenant : « Gardez-vous, votre tête entraînée
Par ce poids, de tomber en avant sur le sol ! »
Tendre : « Faites-lui faire un petit parasol
20   De peur que sa couleur au soleil ne se fane ! »
Pédant : « L'animal, seul, monsieur, qu'Aristophane[4]
Appelle Hippocampelephantocamélos
Dut avoir sous le front tant de chair sur tant d'os ! »
Cavalier : « Quoi, l'ami, ce croc[5] est à la mode ?
25   Pour pendre son chapeau, c'est vraiment très commode ! »
Emphatique[6] : « Aucun vent ne peut, nez magistral,
T'enrhumer tout entier, excepté le mistral ! »
Dramatique : « C'est la mer Rouge quand il saigne ! »
Admiratif : « Pour un parfumeur, quelle enseigne ! »
30   Lyrique : « Est-ce une conque, êtes-vous un triton ! »
Naïf : « Ce monument, quand le visite-t-on ? »
Respectueux : « Souffrez, monsieur, qu'on vous salue,
C'est là ce qui s'appelle avoir pignon sur rue ! »
Campagnard : « Hé, ardé ! C'est-y un nez ? Nanain !
35   C'est queuqu'navet géant ou ben queuqu'melon nain ! »
Militaire : « Pointez contre cavalerie ! »
Pratique : « Voulez-vous le mettre en loterie ?
Assurément, monsieur, ce sera le gros lot ! »
Enfin, parodiant Pyrame[7] en un sanglot :
40   « Le voilà donc ce nez qui des traits de son maître
A détruit l'harmonie ! Il en rougit, le traître ! »
— Voilà ce qu'à peu près, mon cher, vous m'auriez dit
Si vous aviez un peu de lettres et d'esprit :
Mais d'esprit, ô le plus lamentable des êtres,
45   Vous n'en eûtes jamais un atome, et de lettres
Vous n'avez que les trois qui forment le mot : sot !

Acte I, scène 4. Éd. Fasquelle.

LECTURE MÉTHODIQUE

■ À quoi voyez-vous que Cyrano parvient, comme il l'annonce au début de cette tirade, à parler de son **nez** en **variant le ton ?**

■ Expliquez en quoi les termes destinés à annoncer le **ton** adopté par Cyrano (« descriptif », « gracieux », « emphatique », etc.) se trouvent illustrés par les deux vers qui suivent. Appuyez-vous sur une analyse des champs lexicaux, des registres utilisés, des figures de style, de la syntaxe et de la ponctuation.

■ Cette scène s'achève par un duel entre Cyrano et le vicomte de Valvert. Comment le personnage prépare-t-il ce retour à une **situation conflictuelle ?** (Observez notamment la progression du ton et l'art d'amener la pointe finale.) D'où vient, là encore, son habileté rhétorique ?

guides p. 39-78-128-395

Paul Claudel

Paul Claudel est né à Villeneuve-sur-Fère, dans l'Aisne, en août 1868. Doublement influencé par sa sœur Camille, sculpteur de talent, et par la découverte de Rimbaud, il se tourne rapidement vers l'art et la littérature. Entré par hasard dans Notre-Dame de Paris le jour de Noël 1886, il se sent brusquement « illuminé » par la grâce et retrouve la foi qu'il avait perdue.

Dans la dernière décennie du XIXᵉ siècle, Claudel publie ses premières pièces de théâtre *(Tête d'Or, La Ville)*. Il entreprend parallèlement une brillante carrière de diplomate qui l'entraîne en Extrême-Orient.

De retour en France en 1935, il se consacre à son œuvre et acquiert une notoriété croissante. Il meurt à Paris en 1955.

1868-1955

Portrait : *Paul Claudel* en 1948, photo Keystone (détail).

L'Échange - 1893

(Seconde version, 1952)

« Le théâtre. Vous ne savez pas ce que c'est ? »

Composée en 1893, cette pièce fut réécrite par Claudel, dans un style plus libre, en 1952.
La situation mise en scène est assez simple : un jeune couple, Louis Laine et sa femme Marthe d'origine paysanne, rencontre en Amérique un autre couple : Thomas Pollock Nageoire, redoutable homme d'affaires, et Lechy Elbernon, artiste « vamp[1] ». Dans ce passage de l'Acte I, Lechy explique à Marthe ce qu'est, à ses yeux, le théâtre.

J e suis actrice, vous savez. Je joue sur le théâtre.
Le théâtre. Vous ne savez pas ce que c'est ?

MARTHE

Je ne sais pas.

LECHY ELBERNON *(elle prend position et en avant la musique !)*.

Il y a la scène et la salle.
⁵ Tout étant clos, les gens viennent là le soir et ils sont assis par rangées les uns derrière les autres, regardant. Regardant.

MARTHE

1. femme fatale et irrésistible.

Quoi ? Qu'est-ce qu'ils regardent puisque tout est fermé ?

Georges Pitoëff, maquette de décor pour *L'Échange* de Paul Claudel, 1917 (crayons de couleur, 17,5 x 25,2 cm ; Paris, Bibliothèque Nationale de France, A.S.P., Collection G. Pitoëff).

LECHY ELBERNON

Ils regardent le rideau de la scène.
Et ce qu'il y a derrière quand il est levé.
10 Attention ! attention ! il va arriver quelque chose !
Quelque chose de pas vrai comme si c'était vrai !

MARTHE

Mais puisque ce n'est pas vrai !

LECHY ELBERNON

Le vrai ! Le vrai, tout le monde sent bien que c'est un rideau !
Tout le monde sent bien qu'il y a quelque chose derrière.

THOMAS POLLOCK NAGEOIRE

15 Un autre rideau ?

LECHY ELBERNON

Une *patience !* Ce que nous appelons une *patience !*
Quelque chose qui fait prendre patience ! Un rideau qui bouge !
Dans votre vie à vous, rien n'arrive. Rien qui aille d'un bout à l'autre.
Rien ne commence, rien ne finit.
20 Ça vaut la peine d'aller au théâtre pour voir quelque chose qui arrive.
Vous entendez ! Qui arrive pour de bon ! Qui commence et qui finisse !
(À Louis Laine) : Qu'est-ce que tu dis du théâtre, bébé ?

LOUIS LAINE

C'est l'endroit qui est nulle part. On a mis des bâtons pour empêcher
d'entrer. Maintenant on est quelqu'un tous ensemble. On est quelqu'un
25 qui attend. Quelqu'un qui regarde.

MARTHE

Qui regarde quoi ?

LOUIS LAINE

Ce qui va arriver.

LECHY ELBERNON

C'est moi, c'est moi qui arrive !

Ça vaut la peine d'arriver !

30 Ça vaut la peine d'arriver ! Ça vaut la peine de lui arriver, cette espèce
de sacrée mâchoire ouverte pour vous engloutir,

Pour se faire du bien avec, chaque mouvement que vous lui faites avec
art avec furie pour lui entrer ! *(Toute cette ligne dite d'un seule trait.)*

Et je n'ai qu'à parler, le moindre mot qui me sort, avec art, avec furie !

35 pour ressentir tout cela sur moi qui écoute, toutes ces âmes qui se for-
gent, qui se reforgent à grands coups de marteau sur la mienne.

Et je suis là qui leur arrive à tous, terrible, toute nue !

Le caissier qui sait que demain

On lui vérifiera ses livres, et la mère adultère dont l'enfant vient de

40 tomber malade,

Et celui qui vient de voler pour la première fois et celui qui n'a rien
fait de tout le jour.

Et moi, je suis celle-là qui leur arrive à grands coups, coup sur coup
pour leur arracher le cœur, avec art, avec furie, terrible, toute nue !

LOUIS LAINE

45 Regardez-la ! J'ai peur ! Le personnage lui sort par tous les pores !

THOMAS POLLOCK NAGEOIRE

N'ayez pas peur ! Elle joue.

Acte I. Éd. Mercure de France.

LECTURE MÉTHODIQUE

■ Par l'analyse des propos de Lechy Elbernon, dites en quoi cet extrait propose une **réponse** à la question initialement posée : « Le théâtre. Vous ne savez pas ce que c'est ? » Classez les différents points abordés par cette réponse ?

■ Observez les réactions de Marthe et de Louis Laine. Que nous apprennent-elles sur les liens qui s'établissent, au théâtre, entre l'acteur et son public ? Pourquoi cette **illusion** qu'est le jeu théâtral agit-elle avec autant de force sur les spectateurs ? À quelles **perceptions** fait-elle appel ?

■ À la fin de cet extrait, Thomas Pollock Nageoire s'exclame : « N'ayez pas peur ! **Elle joue.** » Comment comprenez-vous cette affirmation ? En quoi peut-on dire qu'il y a précisément, dans ce passage, **théâtre** dans le théâtre ?

VERS LA DISSERTATION

■ En songeant aux décors, à la façon dont l'espace et le temps sont envisagés, à l'expression des sentiments ou à la relation qui unit le comédien à son personnage, vous vous demanderez ce que signifie la notion d'**illusion théâtrale**.
Appuyez votre réflexion sur ce texte de Claudel et sur d'autres pièces que vous connaissez (par exemple, *p. 134*), pour illustrer vos remarques.

guides p. 39-78-386

Alain-Fournier

Alain-Fournier, de son vrai nom Henri-Alban Fournier, naît en 1886, dans un village du Cher où ses parents sont instituteurs. Il entreprend des études de lettres à Paris et noue une amitié profonde avec Jacques Rivière qui épousera sa sœur Isabelle en 1909 et deviendra directeur de la *Nouvelle Revue française*. En 1913, Alain-Fournier publie *Le Grand Meaulnes*, son premier roman. L'année suivante il entreprend un second récit, *Colombe Blanchet,* qui restera inachevé : en septembre 1914, en effet, quelques semaines seulement après le début de la Première Guerre mondiale, le jeune écrivain est tué au combat.

Il laisse derrière lui un seul véritable roman, dans lequel il s'attache à faire revivre, avec poésie et simplicité, la féerie du monde de l'enfance.

1886-1914

Portrait : *Alain-Fournier*, 1905 (Paris, Bibliothèque Nationale de France).

Le Grand Meaulnes - 1913

« Ces bâtisses avaient un mystérieux air de fête »

L'histoire se déroule en Sologne, dans la campagne où Alain-Fournier a lui-même passé une partie de son enfance. Augustin Meaulnes, que ses camarades de classe nomment « le grand Meaulnes », s'est égaré dans la nature : il découvre un vieux manoir abandonné qui devient, en pleine nuit, le cadre d'une fête champêtre, aussi étrange qu'inattendue.

Il était dans une petite cour formée par des bâtiments des dépendances. Tout y paraissait vieux et ruiné. Les ouvertures au bas des escaliers étaient béantes, car les portes depuis longtemps avaient été enlevées ; on n'avait pas non plus remplacé les carreaux des fenêtres qui faisaient
5 des trous noirs dans les murs. Et pourtant toutes ces bâtisses avaient un mystérieux air de fête. Une sorte de reflet coloré flottait dans les chambres basses où l'on avait dû allumer aussi, du côté de la campagne, des lanternes. Enfin, en prêtant l'oreille, Meaulnes crut entendre comme un chant, comme des voix d'enfants et de jeunes filles, là-bas, vers les bâtiments
10 confus où le vent secouait des branches devant les ouvertures roses, vertes et bleues des fenêtres.

Il était là, dans son grand manteau, comme un chasseur, à demi penché, prêtant l'oreille, lorsqu'un extraordinaire petit jeune homme sortit du bâtiment voisin, qu'on aurait cru désert.
15 Il avait un chapeau haut de forme très cintré qui brillait dans la nuit comme s'il eût été d'argent ; un habit dont le col lui montait dans les cheveux, un gilet très ouvert, un pantalon à sous-pieds... Cet élégant, qui pouvait avoir quinze ans, marchait sur la pointe des pieds comme

Pablo Picasso (1881-1973), *Arlequin au miroir,* 1923 (huile sur toile, 100 X 81 cm ; Lugano, Collection Thyssen-Bornemisza).

s'il eût été soulevé par les élas-
20 tiques de son pantalon, mais avec une rapidité extraordinaire. Il salua Meaulnes au passage sans s'arrêter, profondément, automatique-
25 ment, et disparut dans l'obscurité, vers le bâtiment central, ferme, château ou abbaye, dont la tourelle avait guidé l'écolier au début de
30 l'après-midi.

Après un instant d'hésitation, notre héros emboîta le pas au curieux petit personnage. Ils traversèrent une sorte
35 de grande cour-jardin, passèrent entre des massifs, contournèrent un vivier enclos de palissades, un puits, et se trouvèrent enfin au seuil de la
40 demeure centrale.

Une lourde porte de bois, arrondie dans le haut et cloutée comme une porte de presbytère, était à demi ouverte.
45 L'élégant s'y engouffra.
Meaulnes le suivit, et, dès ses premiers pas dans le corridor, il se trouva sans voir personne, entouré de rires, de chants, d'appels et de poursuites.

Tout au bout de celui-ci passait un couloir transversal. Meaulnes hési-
50 tait s'il allait pousser jusqu'au fond ou bien ouvrir une des portes derrière lesquelles il entendait un bruit de voix, lorsqu'il vit passer dans le fond deux fillettes qui se poursuivaient. Il courut pour les voir et les rattraper, à pas de loup, sur ses escarpins. Un bruit de portes qui s'ouvrent, deux visages de quinze ans que la fraîcheur du soir et la poursuite ont
55 rendus tout roses, sous de grands cabriolets à brides, et tout va disparaître dans un brusque éclat de lumière.

Une seconde, elles tournent sur elles-mêmes, par jeu ; leurs amples jupes légères se soulèvent et se gonflent ; on aperçoit la dentelle de leurs longs, amusants pantalons ; puis, ensemble, après cette pirouette, elles
60 bondissent dans la pièce et referment la porte.

Meaulnes reste un moment ébloui et titubant dans ce corridor noir.

Chapitre 13. Éd. Fayard.

LECTURE MÉTHODIQUE

■ En vous appuyant sur un repérage des champs lexicaux, des comparaisons et des métaphores qui parcourent le texte, dites quelle **atmosphère** se dégage des lieux où se trouve le héros.

■ Le personnage que rencontre le grand Meaulnes est présenté comme **extraordinaire, curieux.** À quoi ces caractéristiques sont-elles perceptibles ? Comment le trouble éprouvé par Meaulnes est-il exprimé ?

■ La fin du texte est écrite au présent : quel est l'effet produit ?
Comment peut-on expliquer ce **changement de temps ?**

■ *guides* p. 39-78-237-323-418

Marcel Proust

1871-1922

Une jeunesse maladive et mondaine

Né à Auteuil en 1871 d'un père médecin et d'une mère issue d'une riche famille bourgeoise, M. Proust est élevé dans un milieu privilégié. Mais souffrant de violentes crises d'asthme dès 1881, il est fréquemment obligé d'interrompre sa scolarité. Bachelier en 1889, il entreprend des études de lettres et de droit et fréquente les milieux aristocratiques parisiens.

Les débuts littéraires

À cette époque, Marcel Proust publie ses premiers textes dans des revues, traduit une partie de l'œuvre du critique d'art anglais John Ruskin et entreprend, à partir de 1896, un roman autobiographique qui reste inachevé *(Jean Santeuil)*. La mort de son père en 1903, puis surtout celle de sa mère en 1905, le bouleversent profondément. Déprimé, malade, le jeune écrivain abandonne ses relations mondaines et vit en reclus.

Portrait : Jacques-Émile Blanche (détail), (1861-1942), *Marcel Proust*, 1892 (huile sur toile ; Paris, Musée d'Orsay).

L'élaboration d'une œuvre originale

Cloîtré dans un appartement capitonné qu'il ne quitte guère que l'été pour se rendre à Cabourg, travaillant la nuit, Proust façonne alors un projet de grande envergure. Après la rédaction d'un ouvrage tenant à la fois du récit et de l'essai *(Contre Sainte-Beuve)*, il entreprend, en effet, dès 1909, l'élaboration des sept volumes de l'œuvre qu'il intitule *À la Recherche du temps perdu*. Il meurt en 1922, sans avoir eu le temps d'en revoir les deux derniers volumes.

Marcel Proust (1871-1922), *Carnets de notes autographes* (Paris, Bibliothèque Nationale de France).

À *la Recherche du temps perdu*
- 1913-1927
Du côté de chez Swann - 1913

« Elle avait penché vers mon lit
sa figure aimante… »

Du côté de chez Swann *est le premier des sept romans qui composent* À la recherche du temps perdu. *Faisant revivre les êtres qui l'entouraient alors, le narrateur y relate sa petite enfance et le souvenir des vacances passées chez sa grand-tante à* « Combray ».
Dans le texte qui suit, il évoque « le moment douloureux » et angoissant que constituait pour lui le coucher.

Ma seule consolation, quand je montais me coucher, était que maman viendrait m'embrasser quand je serais dans mon lit. Mais ce bonsoir durait si peu de temps, elle redescendait si vite, que le moment où je l'entendais monter, puis où passait dans le couloir à double porte le
5 bruit léger de sa robe de jardin en mousseline bleue, à laquelle pendaient de petits cordons de paille tressée, était pour moi un moment douloureux. Il annonçait celui qui allait le suivre, où elle m'aurait quitté, où elle serait redescendue. De sorte que ce bonsoir que j'aimais tant, j'en arrivais à souhaiter qu'il vînt le plus tard possible, à ce que se prolon-
10 geât le temps de répit où maman n'était pas encore venue. Quelquefois quand, après m'avoir embrassé, elle ouvrait la porte pour partir, je voulais la rappeler, lui dire « embrasse-moi une fois encore », mais je savais qu'aussitôt elle aurait son visage fâché, car la concession qu'elle faisait à ma tristesse et à mon agitation en montant m'embrasser, en m'appor-
15 tant ce baiser de paix, agaçait mon père qui trouvait ces rites absurdes, et elle eût voulu tâcher de m'en faire perdre le besoin, l'habitude, bien loin de me laisser prendre celle de lui demander, quand elle était déjà sur le pas de la porte, un baiser de plus. Or la voir fâchée détruisait tout le calme qu'elle m'avait apporté un instant avant, quand elle avait pen-
20 ché vers mon lit sa figure aimante, et me l'avait tendue comme une hostie pour une communion de paix où mes lèvres puiseraient sa présence réelle et le pouvoir de m'endormir.

« Combray ». Éd. Gallimard.

LECTURE MÉTHODIQUE

■ Par l'observation et l'analyse des champs lexicaux, faites apparaître l'importance de **l'affectivité** dans le texte et ses aspects contradictoires. Quelles figures de style soulignent les **paradoxes** de la situation ?

■ Observez les pronoms personnels : peut-on dire avec certitude à quel **genre littéraire** appartient cet extrait ?

■ Étudiez les modes verbaux utilisés dans ce passage : que **traduisent-ils** ?

■ Deux personnages sont mis en cause dans cet extrait : quel est le **point de vue** unique envisagé ?

■ Distinguez dans ce passage ce qui appartient au **récit** et ce qui appartient à **l'analyse.** Que pouvez-vous déduire de ces modalités en ce qui concerne le moment de l'écriture ?

PARCOURS CULTUREL

■ Qu'est-ce qu'un **rite ?** À quels domaines ce terme fait-il référence ?

Le côté de Guermantes

« Et cette main était en somme placée si loin du Guermantes »

Dans Le Côté de Guermantes, *le narrateur dépeint, avec une précision de socio-logue, les comportements et les rites d'une famille aristocratique fidèle à des tra-ditions dépassées.*

Tous les Guermantes, de ceux qui l'étaient vraiment, quand on vous présentait à eux, procédaient à une sorte de cérémonie, à peu près comme si le fait qu'ils vous eussent tendu la main eût été aussi considé-rable que s'il s'était agi de vous sacrer chevalier. Au moment où un
5 Guermantes, n'eût-il que vingt ans, mais marchant déjà sur les traces de ses aînés, entendait votre nom prononcé par le présentateur, il laissait tomber sur vous, comme s'il n'était nullement décidé à vous dire bonjour, un regard généralement bleu, toujours de la froideur d'un acier qu'il semblait prêt à vous plonger
10 dans les plus profonds replis du cœur. C'est du reste ce que les Guermantes croyaient faire en effet, se jugeant tous des psychologues de premier ordre. Ils pensaient de plus accroître par cette inspection l'amabilité du salut qui allait suivre et qui ne vous serait délivré qu'à bon escient. Tout ceci se pas-
15 sait à une distance de vous qui, petite s'il se fût agi d'une passe d'armes, semblait énorme pour une poignée de main et glaçait dans le deuxième cas comme elle eût fait dans le premier, de sorte que quand le Guermantes, après une rapide tournée accomplie dans les dernières cachettes de votre âme
20 et de votre honorabilité, vous avait jugé digne de vous ren-contrer désormais avec lui, sa main, dirigée vers vous au bout d'un bras tendu dans toute sa longueur, avait l'air de vous présenter un fleuret pour un combat singulier, et cette main était en somme placée si loin du Guermantes à ce moment-
25 là que, quand il inclinait alors la tête, il était difficile de dis-tinguer si c'était vous ou sa propre main qu'il saluait.

Sem (1863-1934), *Robert de Montesquiou et Georges de Yturri,* 1900 (caricature ; Paris, Bibliothèque Nationale de France).

LECTURE MÉTHODIQUE

■ Repérez dans le texte tout ce qui **illustre** l'expres-sion *une sorte de cérémonie :* utilisez le lexique, les temps verbaux, les procédés de la généralisation.

■ De quelle *cérémonie* s'agit-il ? Étudiez le constant **parallélisme** sur lequel est construit le texte en repé-rant et en analysant les procédés de la comparaison.

■ Quelles sont les **étapes** du rituel ? Par quelles arti-culations logiques et chronologiques le récit pro-gresse-t-il jusqu'à la **chute finale ?**

■ Par le repérage et l'analyse des hyperboles, des connotations et de certains modalisateurs, dites quelle est la **tonalité** du texte.

VERS LE COMMENTAIRE LITTÉRAIRE

■ En prenant appui sur les repérages de lecture métho-dique, traiter les axes de commentaire suivants :
- les éléments d'un **portrait en action ;**
- une **critique** sévère : son objet, la manière de pro-céder du narrateur ;
- la **situation originale du lecteur** et l'efficacité de ce choix fait par le narrateur.

VERS LA DISSERTATION

■ La **comédie** est-elle le seul genre littéraire per-mettant de mettre en scène les vices humains et de les corriger ? Répondez à cette question à partir **d'autres genres** représentés dans ce manuel.

guides p. 39-78-224-418

Énoncé / Énonciation

Dans toute situation de communication, ▷ ▷ ▷ *p. 386,* comprendre un message, c'est comprendre son contenu mais aussi le contexte dans lequel il est émis ; dans cette perspective maîtriser les deux notions « énoncé » et « énonciation » permet d'appréhender les différents aspects d'un message et de l'œuvre littéraire en particulier.

■ *Définitions*

Dans le texte ▷ ▷ ▷ *p. 74,* la phrase *le temps s'en va...* constitue un **énoncé.** C'est une affirmation qui, dégagée de son contexte, n'est associée à aucune situation particulière.

En revanche, d'autres passages du même poème donnent des indications sur la situation dans laquelle l'énoncé est produit, ou **situation d'énonciation.** Celle-ci peut se repérer grâce à des indices, appelés **marques de l'énonciation,** qui la caractérisent. Dans le poème de Ronsard, on trouve ainsi :
- la présence de l'**émetteur** *(je)* et du **récepteur** *(vous, ma dame)* ;
- l'utilisation des temps verbaux (présent et futur surtout) qui **situent l'action** par rapport au moment où « parle » l'émetteur (= moment de l'énonciation) ;
- la référence à la **situation temporelle** : les marques *à ce vêpre, ce soir,* n'ont de sens que par rapport au moment de l'envoi du bouquet.

La connaissance de la situation d'énonciation permet de comprendre **le sens d'un texte :** ici les fleurs épanouies sont un présent amoureux du poète à la femme aimée ; les marques temporelles indiquent une urgence : profiter des fleurs, c'est, métaphoriquement, profiter de la vie. L'ensemble du poème s'éclaire alors, et les mots *le temps s'en va* ne constatent plus seulement la fuite du temps, ils sont associés à un avertissement : il faut jouir de la vie. Les données précédentes valent pour toute situation d'énonciation, mais en ce qui concerne le **texte littéraire,** des problèmes spécifiques se posent.

■ *L'énonciation dans l'œuvre littéraire*

■ Dans l'œuvre littéraire, la situation d'énonciation peut être celle de la fiction : ainsi, dans la *Lettre persane 37* ▷ ▷ ▷ *p. 214,* les marques de l'énonciation révèlent :
- **la présence** de l'émetteur *(Usbeck / je / nous)* et du récepteur *(Ibben / vous)* ;
- la situation dans l'**espace** *(de Paris)* ;
- la situation dans **le temps**
 (le 7 de la lune de Maharram).

Ces marques permettent de comprendre qu'un Persan en voyage en France renseigne son correspondant resté en Perse sur le système politique français.

■ Mais il est souvent essentiel de connaître la **situation d'énonciation de l'œuvre elle-même,** c'est-à-dire les conditions dans lesquelles celle-ci a été produite (émetteur/auteur, temps, lieu) : dans l'exemple précédent, savoir que l'œuvre est écrite vers 1713 par Montesquieu, philosophe des Lumières, qui critique le régime en place, éclaire le sens de l'évocation du roi, sujet de la lettre : sous l'apparente objectivité du texte se profile la critique de l'arbitraire et de l'injustice.

■ Les données relatives à la situation d'énonciation dans ce cas reposent pour une part sur des **savoirs implicites,** qui concernent essentiellement l'émetteur, le récepteur et l'époque : ici, il faut connaître la position de Montesquieu par rapport à son temps, et le véritable **récepteur** du texte, le lecteur ▷ ▷ ▷ *p. 139.* C'est le cas aussi en particulier dans le poème *C* ▷ ▷ ▷ *p. 398 :* connaître la date de composition (1942) et l'attitude d'Aragon dans la France en guerre permet de comprendre l'engagement du texte.

■ Parfois ces marques de l'énonciation sont **partielles et discrètes :** à l'intérieur de la fiction l'auteur intervient plus ou moins explicitement. Ainsi chez Stendhal ▷ ▷ ▷ *p. 288 : J'avoue que la faiblesse dont Julien fait preuve dans ce monologue me donne une piètre opinion de lui.* Ce procédé d'intrusion insiste sur le fait que l'auteur est bien le véritable émetteur ; il peut ainsi donner son opinion par rapport à ce qui est dit.

Dans le cas particulier du **texte d'idées,** la position de l'auteur peut être par là définie : Hugo écrit dans la Préface de *Cromwell : La cage des unités ne renferme qu'un squelette :* le vocabulaire péjoratif *(cage, squelette)* et la construction restrictive soulignent l'opposition de l'auteur aux règles du théâtre classique. L'analyse de la situation d'énonciation permet d'identifier à qui appartiennent les points de vue et les prises de position énoncés.

■ Ainsi la connaissance de la situation d'énonciation est doublement nécessaire. En ce qui concerne l'œuvre littéraire elle est utile pour comprendre la fiction, pour saisir les véritables **intentions de l'auteur** et pour identifier l'émetteur du message.

2. L'entre-deux-guerres 1919-1939

Éluard

Michaux

Desnos

Supervielle

Giraudoux

Gide

Cendrars

Colette

Céline

René Magritte (1898-1967), *Au Seuil de la liberté* (huile sur toile, 115,2 x 147 cm ; Rotterdam, Musée Boymans Van Beuningen).

■ Analysez la *composition* de ce tableau, ses différents éléments.

■ Quelles significations trouvez-vous à ces divers rapprochements ? Quel est, selon vous, *l'élément prédominant* ?

"Nous autres, civilisations, nous savons maintenant que nous sommes mortelles.

Nous avions entendu parler de mondes disparus tout entiers, d'empires coulés à pic avec tous leurs hommes et tous leurs engins ; descendus au fond inexplorable des siècles avec leurs dieux et leurs lois, leurs académies et leurs sciences pures et appliquées, avec leurs grammaires, leurs dictionnaires, leurs classiques, leurs romantiques et leurs symbolistes, leurs critiques et les critiques de leurs critiques. Nous savions bien que toute la terre apparente est faite de cendres, que la cendre signifie quelque chose. Nous apercevions, à travers l'épaisseur de l'histoire, les fantômes d'immenses navires qui furent chargés de richesse et d'esprit. Nous ne pouvions pas les compter. Mais ces naufrages, après tout, n'étaient pas notre affaire.

Élam, Ninive, Babylone étaient de beaux noms vagues, et la ruine totale de ces mondes avait aussi peu de signification pour nous que leur existence même. Mais France, Angleterre, Russie... ce seraient aussi de beaux noms, Lusitania aussi est un beau nom. Et nous voyons maintenant que l'abîme de l'histoire est assez grand pour tout le monde. Nous sentons qu'une civilisation a la même fragilité qu'une vie. Les circonstances qui enverraient les œuvres de Keats et celles de Baudelaire rejoindre les œuvres de Ménandre ne sont plus du tout inconcevables : elles sont dans les journaux."

Paul Valéry, *Variété*, « La crise de l'esprit », Éd. Gallimard (1924-1944).

Comme le constate P. Valéry, le premier conflit mondial a fait naître le sentiment de la mort des civilisations, et la conscience de la barbarie humaine. Les conséquences de la guerre sont immenses. La vie politique, sociale, économique s'en trouve bouleversée, avec des répercussions sur les différentes activités artistiques et culturelles.

La vie économique

Malgré sa victoire, la France, en 1918, se trouve dans une situation déplorable. Elle est affaiblie démographiquement par les pertes dues à la guerre (1 300 000 tués ou disparus, auxquels il faut ajouter les décès prématurés des grands blessés). Ces circonstances, aggravées par une natalité en baisse, entraînent un vieillissement de la population qui se traduit par une charge pour les populations actives et un manque de dynamisme.

Sur le plan économique, tout est en ruine : l'agriculture a beaucoup souffert de la guerre. Dans l'industrie, les moyens de production ont été anéantis et les infrastructures (voies ferrées, routes, voies d'eau) mises hors d'usage. La reconstruction se heurte à de graves problèmes financiers.

Peu à peu, cependant, malgré plusieurs crises monétaires et financières, une apparence de rétablissement laisse croire à une prospérité revenue (1922-1929). On peut alors parler de « Seconde révolution industrielle », marquée par la création de grands groupes, de cartels comme celui de l'acier ou celui du pétrole.

Venue des États-Unis la rationalisation du travail, mise au point par Taylor, se double d'une standardisation de la production, qui devient production de masse, et du développement de la publicité. En 1929, la France n'est pas immédiatement touchée par la grande dépression. Elle en subit les effets en 1932 : diminution des exportations, fléchissement de la production, nécessité d'interventions de l'État. Les années 29-32 sont marquées, en France, par des mouvements politiques et syndicaux qui conduisent au Front populaire en 1936, puis à sa liquidation, au moment où les préoccupations s'orientent vers les menaces de conflit avec l'Allemagne.

Les conséquences sociales et morales

Certains aspects de la vie sociale se sont trouvés modifiés par la guerre. Le premier effet est une sorte de **brassage des classes**. L'égalité de situation dans les tranchées, au front, a nivelé certaines différences de statut, d'éducation ou de fortune. Parallèlement, un fort ressentiment à l'égard du capitalisme et des classes dirigeantes a préparé le terrain pour des idéologies d'ordre et de contestation qui apparaissent, notamment **le fascisme**. La guerre a aussi réactivé un mouvement pacifiste.

Sur le plan moral, la conscience de l'échec des valeurs humanistes est très profonde. Le sentiment d'un sacrifice héroïque, absurde et inutile, crée des rancœurs et fait naître une revendication de plaisir et de liberté, un refus de la morale austère. Les « années folles » naissent de cette volonté de libération qu'illustre l'œuvre de Gide, *Les Nourritures terrestres*, hymne à la vie et à la sensualité. Cette liberté s'extériorise dans la mode féminine, les femmes affichant alors une indépendance et une assurance gagnées pendant que les hommes étaient à la guerre : robes plus courtes et plus simples, coiffures « à la garçonne », la mode des années 20-30 révèle des modifications inattendues. Étourdissement, oubli, on aime les extravagances qu'accompagnent les rythmes syncopés du jazz et les nouvelles danses venues d'outre-Atlantique.

La vie culturelle

La conscience d'une fragilité des valeurs, le refus du rationalisme, la primauté accordée à l'intuition et à l'inconscient conduisent à un non-conformisme qui n'hésite pas à choquer. C'est dans ce climat que se développe, à la suite du Dadaïsme ▷ ▷ ▷ *p. 382,* le **mouvement surréaliste,** dont le nom même souligne la volonté d'aller au-delà de toute réalité vers ce qui existe en l'homme de plus instinctif. A. Breton, Aragon, Éluard, Desnos, Picasso, Max Ernst, Dali explorent l'univers des rêves, des états seconds, captant l'insolite d'une réalité aléatoire et imprévisible.

Les années 30 sont très riches sur le plan de la réflexion philosophique : Bergson, Alain, Bachelard. À travers l'influence de penseurs comme Heidegger et Kierkegaard naît une réflexion sur l'existence, origine de l'**Existentialisme** de Sartre.

C'est aussi ce que traduit le roman, marqué par une forte **influence américaine** (Faulkner, Dos Passos). Sartre, Céline, Malraux, Nizan, Bernanos, Valéry, Giraudoux, Montherlant s'interrogent sur le sens de l'engagement. La poésie fleurit avec Claudel, Jacob, Reverdy, Saint-John Perse, Supervielle, mais sans trouver de véritable public. À partir de 1936 (Front populaire, guerre d'Espagne et menaces d'un conflit proche), la vie intellectuelle traduit de nouveau les doutes et les incertitudes qui sont celles de chacun.

Paul Éluard

La jeunesse

Éluard, de son vrai nom Eugène Grindel, naît en 1895, à Saint-Denis dans la banlieue parisienne. Atteint de tuberculose, il interrompt ses études à l'âge de seize ans et se fait soigner en Suisse. C'est là qu'il découvre la poésie et commence à écrire. En 1912, il rencontre Gala, une jeune Russe, qu'il épouse cinq ans plus tard. Entre-temps le poète a été mobilisé.

1895-1952

Le Surréalisme

En 1919, Éluard se lie à André Breton et devient, à ses côtés, l'un des fondateurs du groupe surréaliste. Il côtoie les peintres de sa génération (Picasso, De Chirico, Dali, Max Ernst) et publie ses premiers recueils importants : *Capitale de la douleur* (1926), *L'Amour, la Poésie* (1929), *La Vie immédiate* (1932). En 1929, il rompt avec Gala - qui devient la compagne de Salvador Dali - et rencontre Nusch (Maria Benz) qu'il épouse en 1934.

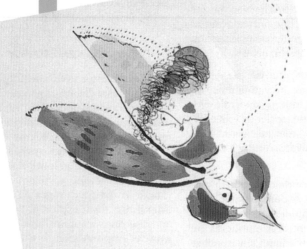

Le temps de l'engagement politique

Son œuvre est indissociable de son engagement politique. Dès la guerre d'Espagne, en 1936, Éluard lutte contre la montée du fascisme. Pendant la Seconde Guerre mondiale, il s'inscrit au parti communiste, entre dans la Résistance et multiplie les publications clandestines.

En 1946, la mort brutale de Nusch le plonge dans un profond désespoir. Trois ans plus tard, la rencontre de Dominique, sa dernière compagne, lui permet de retrouver une certaine quiétude. Il meurt en 1952.

Portrait : *Paul Éluard - Surimpression*, photographie de Izis.

Marc Chagall (1887-1985), Frontispice pour *Le dur désir de durer* de Paul Éluard, 1950 (Paris, Bibliothèque littéraire Jacques Doucet).

Constantin Brancusi (1874-1957), *La Muse endormie*, 1910 (bronze ; Paris, Musée national d'art moderne, Centre Georges-Pompidou).

Capitale de la douleur - 1926

« La courbe de tes yeux fait le tour de mon cœur... »

Capitale de la douleur *appartient à la période surréaliste d'Éluard. En quête d'un autre langage, le poète y favorise l'éclosion d'images inattendues.*

L a courbe de tes yeux fait le tour de mon cœur,
   Un rond de danse et de douceur,
Auréole du temps, berceau nocturne et sûr,
Et si je ne sais plus tout ce que j'ai vécu
5 C'est que tes yeux ne m'ont pas toujours vu.

Feuilles de jour et mousse de rosée,
Roseaux du vent, sourires parfumés,
Ailes couvrant le monde de lumière,
Bateaux chargés du ciel et de la mer,
10 Chasseurs des bruits et sources des couleurs,

Parfums éclos d'une couvée d'aurores
Qui gît toujours sur la paille des astres,
Comme le jour dépend de l'innocence
Le monde entier dépend de tes yeux purs
15 Et tout mon sang coule dans leurs regards.

Éd. Gallimard.

LECTURE MÉTHODIQUE

▪ Qu'observez-vous en comparant le **premier** et le **dernier** vers du poème ?

▪ Par le repérage des champs lexicaux et des images, déterminez les **trois thèmes** qui s'entrelacent dans ce texte et faites apparaître les liens qui les unissent.

▪ Sur quelle **figure géométrique** est construit ce poème ? Quels termes reprennent cette image tout au long du texte ?

▪ À qui s'adresse le poète ? Quel **rôle** lui assigne-t-il ?

VERS LE COMMENTAIRE LITTÉRAIRE

▪ En prenant appui sur les repérages de lecture méthodique, rédigez les axes de commentaire suivants :
- Faites apparaître les différents liens qui sont mis en relief dans le poème entre le **regard,** le **cœur** et le **monde.**
- Comment s'exprime tout au long du texte l'idée de la **naissance ?** Quelle est son importance, que connote-t-elle ?
- Établissez les relations que souligne le texte entre la **poésie,** le **monde** et l'**amour.**

guides p. 39-78-381-386

Le temps déborde - 1947

*Le 28 novembre 1946, Nusch, compagne d'Éluard depuis dix-sept ans, succombe
à une hémorragie cérébrale. Sa disparition et la douleur qu'elle occasionne sont
au cœur de ce recueil, qui ne compte guère plus d'une dizaine de poèmes.*

Vingt-huit novembre mil neuf cent quarante-six

☆

Nous ne vieillirons pas ensemble
Voici le jour
En trop : le temps déborde.

☆

Mon amour si léger prend le poids d'un supplice.

Nusch Éluard, photographiée par Man Ray en 1937.

NOTRE VIE

Notre vie tu l'as faite elle est ensevelie
 Aurore d'une ville un beau matin de mai
Sur laquelle la terre a refermé son poing
Aurore en moi dix-sept années toujours plus claires
5 Et la mort entre en moi comme dans un moulin

Notre vie disais-tu si contente de vivre
Et de donner la vie à ce que nous aimions
Mais la mort a rompu l'équilibre du temps
La mort qui vient la mort qui va la mort vécue
10 La mort visible boit et mange à mes dépens

Morte visible Nusch invisible et plus dure
Que la soif et la faim à mon corps épuisé
Masque de neige sur la terre et sous la terre
Source des larmes dans la nuit masque d'aveugle
15 Mon passé se dissout je fais place au silence.

Éd. Seghers.

LECTURE MÉTHODIQUE

■ Par l'observation des principaux champs lexicaux du
texte, de l'intitulé « notre vie », de l'emploi des temps
verbaux et du jeu des pronoms personnels, dites
quels sont les **thèmes** que le poète **oppose.**

■ Comment ces oppositions s'organisent-elles dans le
texte ? Quel rôle le **vers central** (vers 8) joue-t-il dans
la mise en place et la progression des thèmes ?

■ Par quels procédés le poète exprime-t-il sa **souffrance ?** Comment comprenez-vous, sur ce point, le
dernier vers du poème ?

■ Quels effets crée l'absence quasi totale de **ponctuation ?**

PARCOURS CULTUREL

■ Comparez ce poème d'Éluard à « Demain, dès
l'aube... » de Victor Hugo, *p. 273.*
- En quoi ces deux textes peuvent-ils être **rapprochés ?**
- Quelles **différences** percevez-vous en ce qui
concerne l'énonciation des deux textes et l'expression
de la douleur ?

guides p. 39-88-276-386-418

Henri Michaux

Henri Michaux est né à Namur, en Belgique, en 1899. Révolté contre son milieu familial, il abandonne, à vingt ans, des études de médecine et effectue de grands voyages : voyages réels qui le conduisent en Turquie, en Extrême-Orient puis en Amérique du Sud et lui inspirent *Ecuador* (1929) ou *Un barbare en Asie* (1933), voyages imaginaires à travers la lecture, l'écriture, la peinture. Influencé par les Surréalistes, il entreprend également d'explorer l'inconscient, les « espaces du dedans ». De ces « épreuves » naîtront de multiples créations littéraires ou picturales : *Mes Propriétés* (1929), *La Nuit remue* (1935), *Connaissance par les gouffres* (1961). Naturalisé français en 1955, Michaux meurt à Paris en octobre 1984.

1899-1984

Portrait : *Henri Michaux*, photographié par Gisèle Freund.

Qui je fus - 1927

Le Grand Combat

Le recueil Qui je fus *témoigne d'une volonté d'inventer un nouveau langage poétique.*

Il l'emparouille et l'endosque contre terre ;
Il le rague et le roupète jusqu'à son drâle ;
Il le pratèle et le libucque et lui barufle les ouillais ;
Il le tocarde et le marmine,
5 Le manage rape à ri et ripe à ra.
Enfin il l'écorcobalisse.

L'autre hésite, s'espudrine, se défaisse, se torse et se ruine.
C'en sera bientôt fini de lui ;
Il se reprise et s'emmargine… mais en vain
10 Le cerceau tombe qui a tant roulé.
Abrah ! Abrah ! Abrah !
Le pied a failli !
Le bras a cassé !
Le sang a coulé !
15 Fouille, fouille, fouille,
Dans la marmite de son ventre est un grand secret
Mégères alentour qui pleurez dans vos mouchoirs ;
On s'étonne, on s'étonne, on s'étonne
Et on vous regarde
20 On cherche aussi, nous autres, le Grand Secret.

Éd. Gallimard.

LECTURE MÉTHODIQUE

■ Lisez ce texte à haute voix. Quelles **difficultés** rencontrez-vous ?

■ Relevez et classez les procédés par lesquels le poète **malmène** le langage. Quelles techniques adopte-t-il ? Quels effets produit-il ?

■ Par l'étude des rythmes et des mètres, de la syntaxe et de la ponctuation, trouvez **la tonalité** de ce poème.

■ Quelle(s) signification(s) faut-il attribuer à ce texte ? Selon vous, qu'est-ce que **le Grand Secret** ?

PARCOURS CULTUREL

■ D'autres auteurs sont des adeptes des **jeux d'écriture**. Retrouvez-les dans ce manuel et répertoriez quelques-unes de leurs inventions verbales.

guides p. 87-128-306-381

Henri Michaux (1899-1984), *Emportez-moi* (aquarelle extraite de *Peintures et dessins* de Michaux, Éditions du Point du Jour, 1946 ; Paris, Bibliothèque Littéraire Jacques Doucet).

Mes propriétés - 1929

Emportez-moi

À la suite d'un voyage en Équateur, Henri Michaux se tourne vers les voyages imaginaires que sont pour lui la poésie et la peinture.

Emportez-moi dans une caravelle,
Dans une vieille et douce caravelle,
Dans l'étrave, ou si l'on veut, dans l'écume,
Et perdez-moi, au loin, au loin.

5 Dans l'attelage d'un autre âge.
Dans le velours trompeur de la neige.
Dans l'haleine de quelques chiens réunis.
Dans la troupe exténuée des feuilles mortes.

Emportez-moi sans me briser, dans les baisers,
10 Dans les poitrines qui se soulèvent et respirent,
Sur les tapis des paumes et leur sourire,
Dans les corridors des os longs et des articulations.

Emportez-moi, ou plutôt enfouissez-moi.

Éd. Gallimard.

LECTURE MÉTHODIQUE

■ Observez le **titre** du poème et la façon dont **débutent** les strophes et certains vers. Quel est l'effet produit ? Que traduit-il ?

■ Par l'étude des champs lexicaux, des connotations, des modes verbaux et de certaines figures de style, montrez comment le poète exprime son **désir d'être emporté.** Qu'a d'original et de poétique le voyage qu'il évoque ?

■ Que connote le **dernier verbe** du poème ? Quels sont les termes ou les expressions des strophes précédentes qui, par leurs connotations, ont conduit à l'idée sur laquelle s'achève le texte ?

PARCOURS CULTUREL

■ En vous appuyant sur ce texte et sur ceux des pages *94, 305, 307, 308, 348, 352,* établissez une typologie des **voyages** évoqués. Classez leurs caractéristiques et leurs objectifs.

guides p. 39-78-381-418

Robert Desnos

Né à Paris en juillet 1900, Robert Desnos se passionne très tôt pour le dessin et la poésie. Son goût pour la littérature d'avant-garde lui permet de nouer de solides amitiés avec A. Breton, Louis Aragon et Éluard. Il joue alors un rôle déterminant dans l'élaboration du groupe surréaliste. De leurs recherches naîtront des recueils comme *Deuil pour deuil* (1924), *La Liberté ou l'amour* (1927) ou *Corps et biens* (1930).

En 1929, refusant d'entrer au parti communiste, Desnos est mis à l'écart du groupe. Devenu journaliste puis réalisateur d'émissions radiophoniques en 1934, il s'inquiète de la montée du fascisme. Pendant la Seconde Guerre mondiale, il entre dans la Résistance. Arrêté par la Gestapo et déporté, il meurt d'épuisement en juin 1945, au camp de Térézin, en Tchécoslovaquie.

1900-1945

C'est les bottes de sept lieues cette phrase : « je me vois » - 1926

Les Gorges froides

Virtuose du langage, le poète favorise les associations de termes ou d'images insolites et cherche à libérer l'expression poétique du contrôle de la raison.

A la poste d'hier tu télégraphieras
que nous sommes bien morts avec les hirondelles.
Facteur triste facteur un cercueil sous ton bras
va-t'en porter ma lettre aux fleurs à tire d'elle.

5 La boussole est en os mon cœur tu t'y fieras.
Quelque tibia marque le pôle et les marelles
pour amputés ont un sinistre aspect d'opéras.
Que pour mon épitaphe un dieu taille ses grêles !

C'est ce soir que je meurs, ma chère Tombe-Issoire[1],
10 ton regard le plus beau ne fut qu'un accessoire
de la machinerie étrange du bonjour.

Adieu ! Je vous aimai sans scrupule et sans ruse,
ma Folie-Méricourt[1], ma silencieuse intruse.
Boussole à flèche torse annonce le retour.

Éd. Gallimard.

1. il s'agit de deux rues parisiennes.

LECTURE MÉTHODIQUE

■ À quelle expression fait penser le titre ? Quel est son **sens** ? Quelle **transformation** le poète lui a-t-il fait subir ?

■ Repérez dans le texte les expressions qui relèvent du même **procédé**. Quel effet produisent-elles ?

■ Le poète fait subir d'autres **transformations** au lan-

gage : lesquelles ? Classez-les en fonction de critères que vous établirez vous-même.

■ Comment Desnos a-t-il donné à cette **fantaisie** une apparence de **rigueur** ? Appuyez-vous sur la syntaxe et sur la forme du texte pour répondre à cette question.

guides p. 69-128-139-381-382

Joan Miró (1893-1983), *Peinture,* 1927 (aquarelle et motifs sur toile, 97 x 130 cm ; Liverpool, The Tate Gallery).

Corps et biens - 1930

Un jour qu'il faisait nuit

Corps et biens est sans doute le recueil le plus connu de Robert Desnos. Le texte qui suit témoigne de la liberté que le poète prend avec la langue dont il se fait ici un véritable expérimentateur.

Il s'envola au fond de la rivière.
Les pierres en bois d'ébène les fils de fer en or et la croix sans branche.
Tout rien.
Je la hais d'amour comme tout un chacun.
5 Le mort respirait de grandes bouffées de vide.
Le compas traçait des carrés et des triangles à cinq côtés.
Après cela il descendit au grenier.
Les étoiles de midi resplendissaient.
Le chasseur revenait carnassière pleine de poissons sur la rive au milieu
de la Seine.
10 Un ver de terre marque le centre du cercle sur la circonférence.
En silence mes yeux prononcèrent un bruyant discours.
Alors nous avancions dans une allée déserte où se pressait la foule.
Quand la marche nous eut bien reposés nous eûmes le courage de nous
asseoir puis au réveil nos yeux se fermèrent et l'aube versa sur nous les
réservoirs de la nuit.
La pluie nous sécha.

Éd. Gallimard.

LECTURE MÉTHODIQUE

■ Sur quelle **figure de style** le titre du poème est-il construit ? Établissez une typologie de toutes les formes qu'elle prend à l'intérieur du texte.

■ Observez la ponctuation : quelles indications donne-t-elle sur la **structure** du poème ? À quel **genre** appartient-il ?

■ Caractérisez ce **récit** (incohérent, fantaisiste…) en justifiant votre réponse.

PARCOURS CULTUREL

■ Lisez l'ode de Théophile de Viau ▷ ▷ ▷ *p. 112,* et comparez les deux textes en faisant apparaître leurs points communs et leurs différences.

guides p. 78-306-381-382

Jules Supervielle

Jules Supervielle est né à Montevideo, en Uruguay, en 1884. Ses parents, d'origine française, meurent accidentellement empoisonnés quelques mois seulement après sa naissance. Élevé par un oncle et une tante, l'enfant vit d'abord en Amérique du Sud, puis en France, où il effectuera toutes ses études.

Bénéficiant d'une grande fortune personnelle, il consacre sa vie à la littérature et multiplie les voyages entre les deux continents. Il meurt à Paris en 1960.

1884-1960

Portrait : *Jules Supervielle*, photographié par Agnès Varda.

La Fable du monde
- 1938

Docilité

Jules Supervielle a fréquemment célébré ces « amis inconnus¹ » que sont pour lui les gens simples, les animaux ou les végétaux. Dans ce poème extrait de La Fable du monde, *la forêt personnifiée prend la parole.*

La forêt dit : « C'est toujours moi la sacrifiée,
On me harcèle, on me traverse, on me brise à coups de hache,
On me cherche noise², on me tourmente sans raison,
On me lance des oiseaux à la tête ou des fourmis dans les jambes,
5 Et l'on me grave des noms auxquels je ne puis m'attacher.
Ah ! On ne le sait que trop que je ne puis me défendre
Comme un cheval qu'on agace ou la vache mécontente.
Et pourtant je fais toujours ce qu'on m'avait dit de faire.
On m'ordonna : "Prenez racine." Et je donnai de la racine tant que je pus.
10 "Faites de l'ombre." Et j'en fis autant qu'il était raisonnable.
"Cessez d'en donner l'hiver." Je perdis mes feuilles jusqu'à la dernière.

1. *Les amis inconnus* est le titre d'un recueil de poèmes publié en 1934.
2. chercher querelle.

Max Ernst (1891-1976), *Arbre solitaire et arbres conjugaux,* 1940 (huile sur toile, 81,5 × 100,5 cm ; Lugano, Collection Thyssen-Bornemisza).

Mois par mois et jour par jour je sais bien ce que je dois faire,
Voilà longtemps qu'on n'a plus besoin de me commander.
Alors pourquoi ces bûcherons qui s'en viennent au pas cadencé ?
15 Que l'on me dise ce qu'on attend de moi, et je le ferai,
Qu'on me réponde par un nuage ou quelque signe dans le ciel,
Je ne suis pas une révoltée, je ne cherche querelle à personne.
Mais il me semble tout de même que l'on pourrait bien me répondre
Lorsque le vent qui se lève fait de moi une questionneuse. »

Éd. Gallimard.

LECTURE MÉTHODIQUE

■ **Qui parle** dans ce texte ? Mettez en évidence toutes les marques du discours direct. Combien y a-t-il de **locuteurs ?**

■ Par l'observation de ce que dit la forêt et de la manière dont elle le dit, justifiez le **titre** du poème.

■ Par l'analyse des temps verbaux, dites comment évolue le discours de la forêt. Quelle est sa **tonalité ?**

■ Ce poème appartient à un recueil intitulé *La Fable du monde.* En prenant appui sur la fiche de la page 184 et sur la lecture des *Fables* de La Fontaine, retrou- vez dans ce texte tout ce qui peut faire référence à ce **genre** poétique. Utilisez aussi le champ sémantique du mot « fable ».

■ En quoi peut-on dire que dans ce texte le poète joue avec les mots ? Repérez quelques exemples proches du Surréalisme.

PARCOURS CULTUREL

■ Retrouvez dans ce manuel un texte poétique consa- cré à une forêt sacrifiée. Comparez les deux textes en trouvant vous-même vos critères de comparaison.

guides p. 39-184-330-382-386

Signifiant et signifié

Toute communication se fait grâce à des signes : les mots, le morse, le code de la route, les gestes des sourds, etc.

Le signe linguistique

■ Dans le langage humain, le signe se compose de :
- la forme même du mot, son **signifiant,** exprimé à l'écrit par les lettres qui composent le mot, à l'oral par les sons : ainsi : « lit », représenté par [li] de manière phonétique ;
- ce que désigne le mot, son **signifié.** Ici : le lit est « un meuble sur lequel on se couche » (définition du dictionnaire).

■ L'association entre signifiant et signifié est **arbitraire :** le même signifié s'exprime dans d'autres langues par les signifiants *Bed, Bett,* etc. L'association entre signifié et signifiant suppose l'existence et la maîtrise d'un **code** ▷▷▷ *p. 139.* Les deux éléments constitutifs du signe sont à l'origine de différents **jeux :** les uns et les autres sont générateurs d'**effets** qu'il faut savoir repérer et interpréter.

Jeux sur le signifiant

■ **L'assonance** est la reprise de **voyelles** semblables dans des mots ou expressions proches :
Je revis ces campagnes où j'entendis si souvent siffler la grive ▷▷▷ *p. 256.* La reprise du [i], son aigu et bref, évoque le chant de l'oiseau.

■ **L'allitération** est la reprise de **consonnes** semblables dans des mots ou expressions proches :
Je ne sentais plus que les cymbales du soleil ▷▷▷ *p. 412.* La répétition du son [s] évoque la force obsédante du soleil martelant le front du narrateur. Assonance et allitération peuvent être associées ; c'est le cas chez Chateaubriand : la reprise du son [i] se double de la reprise du son [s], créant une harmonie qui imite le sifflement de la grive.

■ **La paronomase** rapproche des mots de sonorités ressemblantes mais de sens différent :
Aux arbres des forêts le marbre des forts est. Ici la création poétique surréaliste joue bien davantage sur le mot lui-même que sur le sens de la phrase, créant à la fois un effet de surprise et un certain mystère. La paronomase peut être également génératrice de confusion par effet d'homophonie *(les quatre sans cou* de Desnos, qui peut s'écrire également *les quatre cents coups).* Il en résulte des jeux de mots comiques ou des images inattendues. Dans « La Petite épître au roi », Marot construit un texte entier sur des paronomases rimant entre elles ▷▷▷ *p. 34.*

Jeux sur le signifié

Il faut rappeler le double aspect du signifié ▷▷▷ *p. 39 :* un mot a un sens premier « objectif », celui du dictionnaire, son **sens dénoté***. Il peut aussi prendre d'autres sens, en fonction du contexte, des intentions du narrateur, de l'expérience, de la culture, des sentiments du lecteur : ce sont les **sens connotés***. Le soleil chez Camus, par exemple, évoque la douleur et la mort.
Les jeux sur le signifié sont essentiellement les figures appelées **métaphore** et **comparaison,** ▷▷▷ *p. 78,* qui associent des signifiés différents, en créant une image :
C'était comme une plaie triste la rue.   Céline.

Jeux sur la relation signifiant/signifié

■ Prédominance du signifiant

Il s'agit de l'invention de mots dont les sons imitent une réalité : *[Il] l'endosque contre terre,* ▷▷▷ Michaux, *p. 375.*
La prédominance des dentales (**d** et **t**) et du son **k** évoque les coups, la brutalité : le seul signifiant suffit à donner un sens au texte. Les **onomatopées** ont une fonction analogue : le *broun-roun-roun* des roues ▷▷▷ *p. 353* suggère par la répétition des sonorités le roulement du train.

■ Prédominance du signifié

Dans le cas particulier du **calligramme** ▷▷▷ *p. 358,* le signifiant se plie au sens du mot. Chez Apollinaire ▷▷▷ *p. 357,* le dessin fait avec des mots imite le jet d'eau évoqué dans le titre du poème : le texte a un intérêt graphique autant que littéraire.

■ Jeux sur l'arbitraire du signe

L'écrivain peut mettre en relief l'arbitraire de la relation entre signifiant et signifié : Tardieu, dans *Un mot pour un autre,* remplace ainsi un mot par un autre. Il dénonce par là le **caractère conventionnel du langage,** et aussi des mondanités qu'il évoque. Les conventions sociales permettent de comprendre que « *Faites-la grossir* » signifie *Faites-la entrer.* Rabelais dans le *Quart Livre* imagine des « paroles » en forme de petits glaçons colorés lorsque les mots sont des noms de couleur ▷▷▷ *p. 53 : Dragées perlées de diverses couleurs... des mots d'azur, des mots de sable, des mots dorés.*

Connaître les notions de signifiant et de signifié permet de mieux saisir la **musique d'un texte** et sa **signification** profonde.

Le Surréalisme

Le mot **Surréalisme** désigne un mouvement artistique qui s'est développé entre les deux guerres sous la direction d'André Breton (1896-1966). Héritier du courant **Dada**, le **Surréalisme** se caractérise par la volonté d'exprimer le fonctionnement de la pensée en dehors du contrôle de la raison. **L'écriture automatique,** le jaillissement des images, les heurts créatifs de mots ou leurs rapprochements aléatoires sont des illustrations de cette nouvelle manière d'écrire.

▮ *Le Dadaïsme*

Dada est un mot inventé par un groupe d'écrivains et de poètes rassemblés à Zurich en 1916, au moment où la barbarie du premier conflit mondial fait douter de toutes les valeurs. Subversion et contestation, le mouvement Dada, autour de son chef de file Tristan Tzara, cristallise tous les refus, y compris sur le plan de la création. L'écriture poétique se fait au hasard du regroupement des mots, les caractères typographiques sont mélangés, on crée des tableaux avec des collages de papiers et de matériaux divers. Les mots clés sont **invention** et **liberté.** Ce qui compte est la volonté d'aller au-delà des limites du raisonnable. Le **Dadaïsme** ne refuse ni l'incohérence ni la provocation, aussi bien en peinture qu'en littérature. Il utilise les onomatopées, exprime les cris, la violence et caricature le réel. C'est sur ce mouvement que s'appuie le **Surréalisme.**

▮ *Le Surréalisme*

Il doit son nom à Apollinaire et se trouve défini par A. Breton dans le *Manifeste du Surréalisme* (1924) comme la *dictée de la pensée en l'absence de tout contrôle exercé par la raison, en dehors de toute préoccupation esthétique ou morale.*
À cette définition se rattachent des caractéristiques que l'ont peut regrouper ici.

▪ **Le refus du réel et de la logique**
De la provocation dadaïste, le Surréalisme conserve la révolte contre le conformisme, la recherche des associations insolites, génératrices ou révélatrices de réalités nouvelles. Ainsi, lorsqu'Éluard écrit : *La terre est bleue comme une orange,* il rassemble plusieurs notions sans logique apparente et pourtant acceptables. De même, dans le quatrain suivant, de Robert Desnos, p. 377 :
À la poste d'hier tu télégraphieras
Que nous sommes bien morts avec les hirondelles.
Facteur triste facteur un cercueil sous ton bras
Va-t'en porter ma lettre aux fleurs à tire d'elle.

Le jeu sur les notions temporelles (le futur, le passé qui se prolonge dans le présent, mais qui ne peut être exprimé par *nous* à cause de la mort) dépasse les limites de l'intelligible. Le **Surréalisme** se marque là dans l'incongruité de certains rapprochements, comme en témoignent ces titres : « Clair de terre », « Poisson soluble »…
L'insolite vient aussi des jeux de mots inattendus : l'expression *à tire d'elle* joue sur la confusion *elle* / *aile* et fait naître l'image d'un personnage.

▪ **Les rêves et l'inconscient**
Les rêves, l'inconscient et l'imagination constituent, pour les Surréalistes, des réservoirs d'images que mettent en relief différentes techniques d'écriture. Laisser aller sa plume lorsqu'on est en état d'hypnose ou de demi conscience est une façon de ne pas contrôler la pensée et de libérer les élans les plus secrets et les plus imprévisibles. **L'écriture automatique** a pour objectif de traduire les états intellectuels sans contrôle de la raison. Elle consiste à *rédiger un monologue de débit aussi rapide que possible sur lequel l'esprit critique du sujet ne puisse porter aucun jugement, qui ne s'embarrasse ensuite d'aucune réticence et qui soit aussi exactement que possible la* pensée parlée.

D'autres techniques d'écriture proches du jeu laissent une grande part au hasard, comme le « **cadavre exquis** », qui consiste à écrire des éléments de phrases sur un papier que l'on fait circuler. Chacun complète la phrase sans savoir ce qu'il y a avant. La succession imprévisible des éléments constitue un texte original et aléatoire. La première expérience conduisit à la phrase *Le cadavre exquis boira le vin nouveau,* dont le début servit de nom à cette pratique d'écriture poétique. De manière générale, l'écriture surréaliste cherche à rendre compte, avec une intervention minime de la raison, des activités créatrices de l'être humain.

▮ *Évolution du mouvement*

Le **Surréalisme** a regroupé des poètes comme Desnos, Aragon, Éluard, Max Jacob, Cocteau, Michaux, mais aussi des peintres comme Dali, Max Ernst, De Chirico, Magritte, dont les œuvres font apparaître des superpositions de réalité et de rêve, et des images très inattendues du réel. Confronté aux engagements politiques, ce mouvement qui refusait de s'enfermer dans des manifestes, éclate en 1935 lorsqu'il entre en conflit avec le communisme. Il survit à la guerre, influençant des romanciers comme J. Gracq puis disparaît.

Jean Giraudoux

1882-1944

Jean Giraudoux est né à Bellac, dans la Haute-Vienne, en octobre 1882. Après de brillantes études, il se passionne pour la culture allemande et effectue plusieurs voyages à l'étranger. En 1910, il entame une carrière diplomatique que la Première Guerre mondiale interrompt momentanément.

La rencontre de Louis Jouvet, acteur et metteur en scène, lui révèle, dès 1928, sa vocation d'homme de théâtre. Enthousiasmé par le théâtre, Giraudoux multiplie les publications. *Siegfried* (1928), *Amphitryon 38* (1929), *Intermezzo* (1933) ou *La Guerre de Troie n'aura pas lieu* (1935) font de lui le grand dramaturge de l'Entre-deux-guerres.

En 1940, l'écrivain refuse de servir le gouvernement de Vichy et démissionne de son poste de haut fonctionnaire. Il se retire en province et se consacre à son œuvre.

Il meurt à Paris en janvier 1944, quelques mois seulement avant la Libération.

Portrait : Mariano, XX⁵ siècle, *Jean Giraudoux* (dessin, Collection particulière).

Intermezzo - 1933

« Je reste une minute, pour la transition »

La présence d'un spectre dans une petite ville tranquille du Limousin provoque un « intermède¹ » aussi étrange qu'inattendu. Les habitants sont inquiets et racontent qu'Isabelle, la jeune institutrice remplaçante, a, chaque soir, « des rendez-vous avec le Spectre ». Un inspecteur d'Académie est chargé de mener l'enquête et de rétablir l'ordre. Le maire, le droguiste et le contrôleur des Poids et Mesures aimeraient également en savoir davantage.
Dans la scène 7 de l'Acte I, après avoir été mise à l'épreuve par l'inspecteur, Isabelle se retrouve seule avec le droguiste. Elle attend que le spectre apparaisse.

ISABELLE. LE DROGUISTE.

ISABELLE

Vous avez à dire quelque chose, monsieur le Droguiste ?

LE DROGUISTE
Non. Je n'ai absolument rien à dire.

ISABELLE
À faire, alors ?

LE DROGUISTE
Non, je n'ai absolument rien à faire. Je reste une minute, pour la tran-
5 sition.

1. traduction du terme italien *intermezzo.* Au théâtre, un intermède est un divertissement que l'on donnait jadis sur la scène pendant les entractes de la pièce principale.

Léon Leyritz, maquette de décor pour *Intermezzo* de Giraudoux, mis en scène par Louis Jouvet à la Comédie des Champs-Élysées en 1933 (crayon et gouache ; Paris, Bibliothèque Nationale de France, A.S.P.).

ISABELLE

Quelle transition ?

LE DROGUISTE

À mon âge, mademoiselle, chacun se rend compte du personnage que le destin a entendu lui faire jouer sur la scène de la vie. Moi, il m'utilise pour les transitions.

ISABELLE

10   Certes, vous êtes toujours le bienvenu.

LE DROGUISTE

Ce n'est pas précisément ce que je veux dire. Mais je sens que ma présence sert toujours d'écluse entre deux instants qui ne sont pas au même niveau, de tampon entre deux épisodes qui se heurtent, entre le bonheur et le malheur, le précis et le trouble, ou inversement. On le sait dans la 15 ville… C'est toujours moi que l'on charge d'apprendre l'accident mortel d'auto de leur amant à des femmes qui jouent au bridge, le gain du million de la loterie à un cardiaque. C'est moi qui ai annoncé la déclaration de la guerre à l'Union des mères des soldats de l'active… J'arrive, et, par cette seule présence, le passé prend la main du présent le plus inat- 20 tendu.

ISABELLE

Et vous voyez la nécessité d'une transition en ce moment ?

LE DROGUISTE

Au plus haut point. Nous voilà installés, du fait de l'Inspecteur, dans un présent ridicule, trivial, cruel, et il ne faut pas être grand clerc pour sentir que, pourtant, en cette minute, un moment de douceur et de 25 calme suprême cherche, dans le soir, à se poser. Et il y a aussi la transition à ménager entre l'Isabelle que nous connaissons, si vive, si terrestre, et je ne sais quelle Isabelle amoureuse et surnaturelle, à nous inconnue.

ISABELLE

Comment allez-vous vous y prendre ?

LE DROGUISTE

Avec vous, rien de plus simple. Avec cette femme au bridge dont l'amant
30 s'était noyé, certes, il m'a fallu un bon quart d'heure. Elle avait cent d'as,
trois rois, et on lui contrait les rois sans atout de sa demande. Elle sur-
contrait, naturellement... L'amener de ce délire à son Emmanuel noyé,
ce ne fut pas une petite affaire... Mais avec vous, Isabelle, pour que le
mystère s'installe sur le moment le plus vulgaire, il suffit d'un rien, d'un
35 geste, de ce geste... d'un silence, de ce silence... *(Court silence.)* Voyez,
c'est presque fait. Mes collègues en transition, la chauve-souris, la chouette,
commencent doucement leur ronde... Dites seulement le nom de cette
heure : et tout sera prêt.

ISABELLE

Tout haut ?

LE DROGUISTE

40 Oui, qu'on entende...

ISABELLE

On m'a dit jadis qu'elle s'appelait le crépuscule.

LE DROGUISTE

On ne vous a pas menti... Et, au crépuscule, quel écho vient des
petites villes ?

ISABELLE

Celui des clairons qui s'exercent. *(Clairons.)*

LE DROGUISTE

45 Écoutez-les... Il y a trois bruits qui sont le diapason de notre pays, le
ratissage des allées dans le sommeil de l'aube, le coup de feu d'après vêpres,
et les clairons au crépuscule...

ISABELLE

Ils se taisent.

LE DROGUISTE

Et quand le dernier clairon s'est tu, qui se dresse parmi les roseaux et
50 les saules, qui ajuste sa cape noire, et circule à travers les cyprès et les ifs,
s'adossant aux ombres déjà prises de la future nuit ?...

ISABELLE, *souriant.*

Le spectre ! Le spectre !

LE DROGUISTE, *disparaissant.*

Voilà... J'ai fini !

Acte I, scène 7. Éd. Grasset.

Léon Leyritz, maquettes des costumes d'Isabelle et du droguiste pour *Intermezzo* de J. Giraudoux, mis en scène par Louis Jouvet à la Comédie des Champs-Élysées, 1933 (crayon et gouache ; Paris, Bibliothèque Nationale de France, A.S.P.).

LECTURE MÉTHODIQUE

■ Observez les deux **premières répliques** du droguiste. Qu'ont-elles d'original pour un personnage de théâtre ? Qu'attendrait-on normalement ensuite ?

■ Repérez tous les emplois du mot **transition**. Quels sont ses différents sens dans le texte ? Comment le droguiste l'illustre-t-il dans ses répliques ?

■ En quoi le droguiste remplit-il, dans cette scène, le **rôle** qu'il définit ? Par l'analyse de tout ce qui évoque une évolution (sentiments, comportements, temps), dites en quoi cette scène est, elle-même, une scène de « transition ».

■ Qu'y a-t-il de **poétique** dans le texte ?

PARCOURS CULTUREL

■ Recherchez le champ sémantique du mot « transition ». Dites notamment - en vous appuyant sur des exemples précis - ce qu'est, au **théâtre**, une scène de transition et ce qu'on appelle une « transition » dans un **devoir** de français. La fonction est-elle la même dans les deux cas ?

guides p. 39-78-139-386

La situation de communication

La **situation de communication** met en jeu les éléments relatifs aux fonctions du langage ▷▷▷ *p. 139* : l'émetteur, le récepteur (particulièrement dans l'œuvre littéraire), la teneur du message, les conditions de sa transmission et de sa réception.

■ *Le problème du récepteur*

■ Un récepteur explicite : le lecteur

Il arrive que le récepteur du message soit explicitement le lecteur. L'indice déterminant, en l'absence de tout interlocuteur différent et connu, est l'utilisation de la **deuxième personne** ▷▷▷ *p. 233*. Ce choix, qui utilise la fonction impressive du langage ▷▷▷ *p. 139,* crée un **lien direct** entre l'émetteur et le lecteur/récepteur. Il peut arriver aussi que le récepteur soit inclus dans un *nous* qui l'associe à l'émetteur dans une expérience commune : *Notre monde vient d'en trouver un autre,* écrit Montaigne ▷▷▷ *p. 95.* L'émetteur et le récepteur sont étroitement rapprochés, et associés. L'appel direct au lecteur/récepteur se produit souvent dans des textes d'idées, surtout lorsqu'il s'agit de persuader…

■ Le lecteur, récepteur implicite

Le plus souvent (roman, poésie), le récepteur n'est pas explicitement désigné. Mais la publication de l'œuvre constitue un acte par lequel l'auteur cherche à communiquer avec des lecteurs potentiels. **Indirect,** le message n'en existe pas moins. La poésie transmet des **sentiments personnels** ▷▷▷ *p. 262.* Le roman s'adresse au lecteur pour lui délivrer un **message :** dénonciation des manières de vivre en 1830, chez Stendhal ▷▷▷ *p. 288,* mise en relief des injustices sociales et des espoirs ouvriers chez Zola. Sans s'adresser directement au lecteur, l'émetteur fait appel à sa **sensibilité,** à son **imagination.**

■ Émetteur et récepteur identifiés

Ce cas est celui du dialogue dans le roman, de la lettre, du dialogue de théâtre. Le récepteur peut être fictif (personnage de roman), imaginaire (d'Aubigné s'adressant aux damnés de l'enfer ▷▷▷ *p. 86*), ou réel (Madame de Sévigné écrit à Madame de Grignan ▷▷▷ *p. 187*). En apparence, le lecteur n'est pas concerné par le message, qui ne s'adresse pas directement à lui. Pourtant, on peut considérer qu'il en est le destinataire. Ainsi, dans la « Lettre à Pantagruel », Gargantua définit une éducation qui constitue un modèle idéal pour le XVIᵉ siècle. Il s'adresse donc à l'ensemble de ses lecteurs. L'identification claire du récepteur permet un bon fonctionnement de la communication : c'est sur ces erreurs d'identification que reposent les quiproquos au théâtre. Mais d'autres éléments entrent en jeu.

■ *L'importance du code*

Si l'émetteur et le récepteur utilisent le même **code,** le message passe sans difficulté. Le jeu des questions / réponses dans *Intermezzo* en est un exemple ▷▷▷ *p. 383.*
Mais si le code diffère, le message n'est pas compris ou est mal interprété. Par exemple, un lecteur non averti a besoin de notes pour comprendre un texte du XVIᵉ siècle parce qu'il ignore le code spécifique de la langue de l'époque. De même, la méconnaissance des milieux mondains du XVIIᵉ siècle enlève à la lettre de Madame de Sévigné une partie de son intérêt ▷▷▷ *p. 186.* L'utilisation, dans la Préciosité, d'un code complexe était de nature à faciliter la communication entre « initiés » mais à en exclure les autres. Or le lecteur du XXᵉ siècle n'est pas « initié ». On peut enfin ajouter que, même si l'émetteur et le récepteur utilisent le même code, la polysémie du texte littéraire multiplie les interprétations, et parfois les malentendus.

■ *L'importance des présupposés*

Outre le code, la situation de communication met en jeu la situation d'énonciation, les conditions particulières dans lesquelles est produit un énoncé. Dans le poème de Hugo, « Demain, dès l'aube… », ne pas savoir qui représente la deuxième personne *(Vois-tu)* pourrait conduire à interpréter ce poème comme une déclaration amoureuse alors qu'il est destiné à la fille du poète.
Pour interpréter correctement le message qui passe entre les Persans dans les *Lettres persanes,* il faut savoir que ce qui est dit n'émane pas des Persans, mais que Montesquieu est faussement naïf et utilise donc un code reposant sur l'ironie pour critiquer les institutions et non simplement les présenter ▷▷▷ *p. 214.* Les éléments implicites liés à une situation présupposée sont tellement importants qu'ils peuvent suffire.
Ainsi J. Tardieu peut-il mettre *un mot pour un autre* lorsque la situation présentée est conventionnelle ▷▷▷ *p. 426.* Le lecteur comprend que *Faites-la grossir* signifie *Faites-la entrer.* Le théâtre utilise beaucoup ces procédés.
Ainsi Horace n'identifie pas Arnolphe parce qu'il ne connaît pas son second nom : le message qu'il adresse est alors dévié de son sens ▷▷▷ *p. 159.* Ce n'est plus une confidence mais un renseignement.

C'est donc **l'identification du récepteur,** la connaissance des éléments du **code** et les **présupposés** de la situation d'énonciation qui déterminent la bonne réception du message et l'efficacité de l'interprétation.

André Gide

André Gide naît à Paris en 1869, dans une famille de la haute bourgeoisie protestante. Il y reçoit une éducation religieuse et morale extrêmement austère.

À la fin de son adolescence, Gide s'insurge contre son milieu familial et se consacre à la littérature. Au cours d'un séjour en Tunisie, il traverse une crise spirituelle et prend conscience de son homosexualité, qu'il ne cessera ensuite de revendiquer. Les œuvres qu'il publie alors, qu'il s'agisse des *Nourritures terrestres* (1897), de *L'Immoraliste* (1902), de *La Porte étroite* (1909), témoignent d'une volonté de s'affranchir des carcans qu'impose toute morale. À partir des années vingt, l'écrivain prend conscience de la nécessité d'un engagement politique : il dénonce le colonialisme, participe à la lutte contre le fascisme et condamne, dès 1936, les excès du stalinisme. Il consacre les dernières années de sa vie à son œuvre, alors internationalement reconnue. Il meurt à Paris, en 1951.

1869-1951

Portrait : Jacques-Émile Blanche (1861-1942), *André Gide* (détail), 1912 (huile sur toile, 81 × 98 cm ; Rouen, Musée des Beaux-Arts).

Les Faux-Monnayeurs - 1925

« Je signe du ridicule nom qui est le vôtre »

Quelques jours avant de passer les épreuves du baccalauréat, Bernard Profitendieu découvre dans le secrétaire de sa mère des lettres d'amour prouvant qu'il n'est pas le fils du juge d'instruction Albéric Profitendieu. L'adolescent révolté décide alors de quitter le domicile familial.
Avant son départ, il écrit à celui qu'il prenait jusqu'alors pour son père la lettre que voici.

Monsieur,

J'ai compris, à la suite de certaine découverte que j'ai faite par hasard cet après-midi, que je dois cesser de vous considérer comme mon père, et c'est pour moi un immense soulagement. En me sentant si peu d'amour pour vous, j'ai longtemps cru que j'étais un fils dénaturé ; je préfère savoir
5 que je ne suis pas votre fils du tout. Peut-être estimez-vous que je vous dois la reconnaissance pour avoir été traité par vous comme un de vos enfants ; mais d'abord j'ai toujours senti entre eux et moi votre différence d'égards, et puis tout ce que vous en avez fait, je vous connais assez pour savoir que c'était par horreur du scandale, pour cacher une situation qui
10 ne vous faisait pas beaucoup d'honneur - et enfin parce que vous ne pouviez faire autrement. Je préfère partir sans revoir ma mère, parce que je craindrais, en lui faisant mes adieux définitifs, de m'attendrir et aussi parce que devant moi, elle pourrait se sentir dans une fausse situation - ce qui me serait désagréable. Je doute que son affection pour moi soit bien vive ;

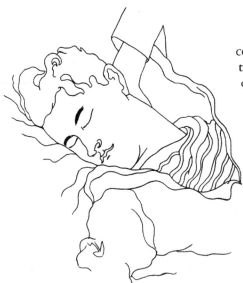

Jean Cocteau (1889-1963), *Jeune homme endormi*, vers 1930 (dessin ; Paris, Bibliothèque Nationale de France).

comme j'étais le plus souvent en pension, elle n'a guère eu le 15
temps de me connaître, et comme ma vue lui rappelait sans cesse
quelque chose de sa vie qu'elle aurait voulu effacer, je pense qu'elle
me verra partir avec soulagement et plaisir. Dites-lui, si vous
en avez le courage, que je ne lui en veux pas de m'avoir fait
bâtard ; qu'au contraire, je préfère ça à savoir que je suis né 20
de vous. (Excusez-moi de parler ainsi ; mon intention n'est
pas de vous écrire des insultes ; mais ce que j'en dis va vous
permettre de me mépriser, et cela vous soulagera.)

Si vous désirez que je garde le silence sur les secrètes raisons qui m'ont fait quitter votre foyer, je vous prie de ne 25
point chercher à m'y faire revenir. La décision que je prends
de vous quitter est irrévocable. Je ne sais ce qu'a pu vous
coûter mon entretien jusqu'à ce jour ; je pouvais accepter
de vivre à vos dépens tant que j'étais dans l'ignorance, mais
il va sans dire que je préfère ne rien recevoir de vous à 30
l'avenir. L'idée de vous devoir quoi que ce soit m'est
intolérable, et je crois que, si c'était à recommencer, je
préférerais mourir de faim plutôt que de m'asseoir à votre table. Heu-
reusement, il me semble me souvenir d'avoir entendu dire que ma mère,
quand elle vous a épousé, était plus riche que vous. Je suis donc libre de 35
penser que je n'ai vécu qu'à sa charge. Je la remercie, la tiens quitte de
tout le reste, et lui demande de m'oublier. Vous trouverez bien un moyen
d'expliquer mon départ auprès de ceux qui pourraient s'en étonner. Je
vous permets de me charger (mais je sais bien que vous n'attendrez pas
ma permission pour le faire). 40

Je signe du ridicule nom qui est le vôtre, que je voudrais pouvoir vous
rendre, et qu'il me tarde de déshonorer.

Bernard Profitendieu.

P.-S. Je laisse chez vous toutes mes affaires qui pourront servir à Caloub[1]
plus légitimement, je l'espère pour vous.

Éd. Gallimard.

1. jeune frère de Bernard.

Cendrars

BIOGRAPHIE P. 352

Moravagine - 1926

« Tout devenait monstrueux dans cette solitude… »

L'aventure et le voyage ont nourri les récits de Blaise Cendrars. Dans cet extrait de Moravagine, *roman publié en 1926, l'auteur évoque une périlleuse expédition sur l'Orénoque*[1].

Nous remontions l'Orénoque sans parler.

Cela dura des semaines, des mois.

Il faisait une chaleur d'étuve.

Deux d'entre nous étaient toujours en train de ramer, le troisième s'occu-
5 pait de pêche et de chasse. À l'aide de quelques branchages et des palmes,
nous avions transformé notre chaloupe en carbet[2]. Nous étions donc à
l'ombre. Malgré cela, nous pelions, la peau nous tombait de partout et
nos visages étaient tellement racornis que chacun de nous avait l'air de
porter un masque. Et ce masque nouveau qui nous collait au visage, qui
10 se rétrécissait, nous comprimait le crâne, nous meurtrissait, nous défor-
mait le cerveau. Coincées, à l'étroit, nos pensées s'atrophiaient.

Vie mystérieuse de l'œil.

1. l'Orénoque est un fleuve
d'Amérique du Sud.
2. aux Antilles, un « carbet »
est une grande case collective.

José Gamarra, *Quetzal,* 1983/1984 (huile sur toile, 200 X 200 cm ; Paris, Galerie Albert Loeb).

Agrandissement.

Milliards d'éphémères, d'infusoires, de bacilles, d'algues, de levures,
15 regards, ferments du cerveau.

Silence.

Tout devenait monstrueux dans cette solitude aquatique, dans cette
profondeur sylvestre, la chaloupe, nos ustensiles, nos gestes, nos mets,
ce fleuve sans courant que nous remontions et qui allait s'élargissant, ces
20 arbres barbus, ces taillis élastiques, ces fourrés secrets, ces frondaisons sécu-
laires, les lianes, toutes ces herbes sans nom, cette sève débordante, ce
soleil prisonnier comme une nymphe et qui tissait, tissait son cocon, cette
buée de chaleur que nous remorquions, ces nuages en formation, ces vapeurs
molles, cette route ondoyante, cet océan de feuilles, de coton, d'étoupe,
25 de lichens, de mousses, de grouillement d'étoiles, de ciel de velours, cette
lune qui coulait comme un sirop, nos avirons feutrés, les remous, le
silence.

Nous étions entourés de fougères arborescentes, de fleurs velues, de
parfums charnus, d'humus glauque.
30 Écoulement. Devenir. Compénétration. Tumescence[3]. Boursouflure
d'un bourgeon, éclosion d'une feuille, écorce poisseuse, fruit baveux,
racine qui suce, graine qui distille. Germination. Champignonnage.
Phosphorescence. Pourriture. Vie.

Vie, vie, vie, vie, vie, vie, vie, vie.
35 Mystérieuse présence pour laquelle éclatent à heure fixe les spectacles
les plus grandioses de la nature.

Misère de l'impuissance humaine, comment ne pas en être épouvanté,
c'était tous les jours la même chose !

Éd. Denoël.

3. gonflement.

LECTURE MÉTHODIQUE

■ Observez la **disposition typographique** et la nature
des phrases de cet extrait de roman. Qu'a-t-il d'original par rapport à l'écriture romanesque ? De quel
autre **genre** pourrait-on le rapprocher ?

■ *Tout devenait monstrueux* rapporte le narrateur :
quelle est cette **monstruosité ?** Par quels moyens
stylistiques est-elle rendue ? Quelle est la **tonalité** du
texte ?

■ Comment s'expriment, dans le texte, les **relations**
entre les voyageurs et la nature environnante ?

Classez ces relations selon des critères que vous
établirez à partir du texte.

VERS LE COMMENTAIRE LITTÉRAIRE

■ Prenez appui sur les repérages de la lecture
méthodique pour traiter les axes de commentaire
suivants :
- Quelles sont les images de la **nature** données ici ?
Quelle est leur tonalité ?
- Quelle est la **situation de l'être humain** dans un
tel univers ? Comment est-elle ressentie par le narrateur et ses compagnons ?
- En quoi peut-on dire ici que la vie est associée à la
notion de **paradoxe ?**

guides p. 39-78-87-316-381

Colette

Sidonie-Gabrielle Colette est née à Saint-Sauveur-en-Pui-saye, dans l'Yonne, en janvier 1873. Dès ses premières années, son père lui fait découvrir le monde des livres : sa mère Sidonie (« Sido ») l'éveille aux joies de la nature. Adoles-cente, Colette a le sentiment d'être devenue « Reine de la terre ». À vingt ans, elle quitte sa région natale pour épouser le chroniqueur Henri Gauthier-Villars, dit Willy, qui l'introduit dans les milieux littéraires.

Pendant plusieurs années, Colette accepte d'écrire, pour son mari, des romans qu'il signe de son pseudonyme. Meurtrie par cette première expé-rience conjugale et littéraire, elle obtient le divorce en 1906.

Désormais indépendante, elle entreprend une carrière au music-hall, écrit des nouvelles (*Les Vrilles de la vigne,* 1908) et devient journaliste. En 1912, elle épouse Henry de Jouvenel, rédacteur en chef du *Matin.* Mais cette union, dont naîtra une fille, s'achève par un second divorce, en 1924.

Différentes œuvres : *Le Blé en herbe* (1923), *La Naissance du jour* (1928) ou *Sido* (1929) la révèlent à un large public. Elle épouse Maurice Gou-deket en 1935. Elle meurt à Paris en 1954, laissant derrière elle une œuvre qui peut être lue comme une méditation poétique sur la nature, l'exis-tence et le bonheur.

1873-1954

Portrait : Émile Charmy, *Colette,* 1921 (Collection particulière).

Sido - 1929

« J'aimais tant l'aube, déjà, que ma mère me l'accordait en récompense »

Dans Sido, *Colette s'est attachée à romancer ses souvenirs d'enfance en accordant une place centrale à la figure inoubliable de sa mère. Sido lui a transmis l'art de goûter le bonheur simple qu'offre la nature.*

C ar j'aimais tant l'aube, déjà, que ma mère me l'accordait en récom-pense. J'obtenais qu'elle m'éveillât à trois heures et demie, et je m'en allais, un panier vide à chaque bras, vers des terres maraîchères qui se réfugiaient dans le pli étroit de la rivière, vers les fraises, les cassis et les
5 groseilles barbues.

À trois heures et demie, tout dormait dans un bleu originel, humide et confus, et quand je descendais le chemin de sable, le brouillard retenu par son poids baignait d'abord mes jambes, puis mon petit torse bien fait, atteignait mes lèvres, mes oreilles et mes narines plus sensibles que
10 tout le reste de mon corps… J'allais seule, ce pays mal pensant était sans dangers. C'est sur ce chemin, c'est à cette heure que je prenais conscience de mon prix, d'un état de grâce indicible et de ma connivence avec le premier souffle accouru, le premier oiseau, le soleil encore ovale, déformé par son éclosion…

Pierre Bonnard (1867-1947), *La Fenêtre ouverte*, 1921 (huile sur toile, 118 x 96 cm ; Washington, The Phillips Collection).

15   Ma mère me laissait partir, après m'avoir nommée « Beauté, Joyau-tout-en-or » ; elle regardait courir et décroître sur la pente son œuvre, « chef-d'œuvre », disait-elle. J'étais peut-être jolie ; ma mère et mes portraits de ce temps-là ne sont pas toujours d'accord... Je l'étais à cause de mon âge et du lever du jour, à cause des yeux bleus assombris par la ver-
20 dure, des cheveux blonds qui ne seraient lissés qu'à mon retour, et de ma supériorité d'enfant éveillé sur les autres enfants endormis.

    Je revenais à la cloche de la première messe. Mais pas avant d'avoir mangé mon saoul, pas avant d'avoir, dans les bois, décrit un grand circuit de chien qui chasse seul, et goûté l'eau de deux sources perdues, que je révérais.
25 L'une se haussait hors de la terre par une convulsion cristalline, une sorte de sanglot, et traçait elle-même son lit sableux. Elle se décourageait aussitôt née et replongeait sous la terre. L'autre source, presque invisible, froissait l'herbe comme un serpent, s'étalait secrète au centre d'un pré où des narcisses, fleuris en ronde, attestaient seuls sa présence. La pre-
30 mière avait goût de feuille de chêne, la seconde de fer et de tige de jacinthe... Rien qu'à parler d'elles je souhaite que leur saveur m'emplisse la bouche au moment de tout finir, et que j'emporte, avec moi, cette gorgée imaginaire...

Éd. Hachette.

LECTURE MÉTHODIQUE

■ Par le repérage des indicateurs temporels, du temps des verbes et du lexique, dites ce qui permet de déterminer le **moment de la journée** pendant lequel se déroule l'action.

■ Comment s'expriment dans le texte les **relations** entre l'aube et la narratrice ? Étudiez le vocabulaire des **sentiments** et celui des **perceptions** pour répondre à cette question. Précisez aussi quelle est la **tonalité** du texte.

■ En prenant appui sur les pronoms personnels et les variations des temps, dites à quel **genre littéraire** appartient ce texte. Qui a vécu l'aube ? Qui raconte cette expérience ?

ÉCRITURE

■ En prenant appui sur certains textes étudiés, présentez, en les illustrant, les différentes formes que peuvent prendre les **relations de l'homme avec la nature**.

guides p. 39-257-276-418

1894-1961

L.-F. Céline

De l'enfance aux années d'errance

Né dans la région parisienne en mai 1894, Louis-Ferdinand Céline entre en apprentissage chez un joaillier parisien à l'âge de seize ans. Aspirant à une vie plus exaltante, il s'engage dans l'armée en 1912. Blessé, il est réformé et part au Cameroun pour faire fortune. Il en revient en 1917, malade et désabusé.

Du médecin au romancier

En 1919, il prépare seul son baccalauréat et obtient, cinq plus tard, un doctorat en médecine. À la même époque, Céline s'éprend d'Elizabeth Craig, une danseuse américaine, à laquelle il dédie le *Voyage au bout de la nuit,* publié en 1932. Ce premier roman, jugé à la fois très maîtrisé et scandaleux, lui assure un succès renforcé par la publication de *Mort à crédit,* en 1936.

Du scandale à l'exil

Pendant la Seconde Guerre mondiale, l'écrivain choque par ses choix politiques : il publie des pamphlets violemment anticommunistes et affiche un antisémitisme qui le conduit, pendant l'Occupation, à une collaboration avec le nazisme. À la Libération, il s'enfuit à l'étranger mais n'échappe pas à la justice. De retour en France en 1951, il vit, dans la solitude, les dix dernières années de son existence.

Voyage au bout de la nuit
- 1932

« Je croyais bien que c'était fini »

Ce roman raconte les tribulations de Ferdinand Bardamu, personnage proche de Céline. Le récit de ses aventures est pour Céline l'occasion de dénoncer les horreurs de la guerre et les tares de l'humanité. Il le fait dans une langue provocatrice. Le texte qui suit relate la première expérience de Bardamu au front. Ce dernier tombe dans une embuscade avec son colonel. Un messager couvert de boue et tremblant se présente soudain à l'officier.

Sous ce regard d'opprobre[1], le messager vacillant se remit au « garde-à-vous », les petits doigts sur la couture du pantalon, comme il se doit dans ces cas-là. Il oscillait ainsi, raidi, sur le talus, la transpiration lui coulant le long de la jugulaire[2], et ses mâchoires tremblaient si fort
5 qu'il en poussait des petits cris avortés, tel un petit chien qui rêve. On ne pouvait démêler s'il voulait nous parler ou bien s'il pleurait.

Nos Allemands accroupis au fin bout de la route venaient justement de changer d'instrument. C'est à la mitrailleuse qu'ils poursuivaient à

1. honte, ignominie, avilissement.
2. courroie passant sous le menton pour maintenir un casque sur la tête.

Gino Severini (1883-1966), *Canons en action*, 1915
(huile sur toile, 50 X 61 cm ; Milan, Collection Guarini).

présent leurs sottises ; ils en craquaient comme de gros paquets d'allu-
10 mettes et tout autour de nous venaient voler des essaims de balles rageuses,
pointilleuses comme des guêpes.

L'homme arriva tout de même à sortir de sa bouche quelque chose d'arti-
culé :

– Le maréchal des logis Barousse vient d'être tué, mon colonel, qu'il
15 dit tout d'un trait.

– Et alors ?

– Il a été tué en allant chercher le fourgon à pain sur la route des Étrapes,
mon colonel !

– Et alors ?

20 – Il a été éclaté par un obus !

– Et alors, nom de Dieu !

– Et voilà ! Mon colonel…

– C'est tout ?

– Oui, c'est tout, mon colonel.

25 – Et le pain ? demanda le colonel.

Ce fut la fin de ce dialogue parce que je me souviens bien qu'il a eu
le temps de dire tout juste : « Et le pain ? » Et puis ce fut tout. Après
ça, rien que du feu et puis du bruit avec. Mais alors un de ces bruits comme
on ne croirait jamais qu'il en existe. On en a eu tellement plein les yeux,
30 les oreilles, le nez, la bouche, tout de suite, du bruit, que je croyais bien
que c'était fini, que j'étais devenu du feu et du bruit moi-même.

Et puis non, le feu est parti, le bruit est resté longtemps dans ma tête,
et puis les bras et les jambes qui tremblaient comme si quelqu'un vous
les secouait de par-derrière. Ils avaient l'air de me quitter, et puis ils me
35 sont restés quand même mes membres. Dans la fumée qui piqua les yeux
encore pendant longtemps, l'odeur pointue de la poudre et du soufre nous
restait comme pour tuer les punaises et les puces de la terre entière.

Éd. Gallimard.

LECTURE MÉTHODIQUE

■ Par le repérage et l'analyse du champ lexical dominant - dont vous classerez les éléments - dites quel
est le **thème** du passage.

■ Comment le narrateur fait-il comprendre la **violence**
et **l'absurdité** des situations évoquées ? Répondez

à cette question en vous appuyant sur une étude du
lexique, des connotations, des niveaux de langue et
des techniques d'écriture (récit, dialogue, etc.).

■ À quoi voit-on que le narrateur est à la fois **observateur** et acteur de la scène rapportée ?

guides p. 39-238-330-395

Les registres de langue

Des termes différents peuvent exprimer la même réalité sans être utilisés dans les mêmes situations : *bouffer, manger, prendre un repas* appartiennent à des **registres** (ou **niveaux**) **de langue** différents.

Les différents registres

Quand Rabelais écrit à propos de Gargantua : *Puis [...] pissait [...], rotait, pétait...* ▷▷▷ *p. 43* ou quand Céline rapporte : *Le maréchal des logis vient d'être tué qu'il dit tout d'un trait*, le vocabulaire dans le premier cas, la syntaxe dans le second sont très familiers, voire vulgaires et incorrects. Ce style appartient au **registre de langue familier.** Mais si Tournier écrit :
L'inspiration baroque de l'Araucan avait eu un résultat qui, pour dérisoire qu'il fût, comportait cependant un certain aspect positif ▷▷▷ *p. 433,* ici, au contraire, le vocabulaire est peu courant *(baroque, dérisoire)*, la syntaxe est recherchée (utilisation de l'imparfait du subjonctif) : la phrase appartient au **registre de langue soutenu.**

Dans *Exercices de style* enfin, le « récit » de Queneau relève d'un troisième niveau de langue : *Il abandonna d'ailleurs rapidement la discussion* ▷▷▷ *p. 417.* Ici, ni vulgarité, ni recherche : il s'agit d'un **registre de langue courant.**

Ces distinctions ne sont pas toujours si nettes. À l'intérieur du même registre, il y a souvent des nuances. Ainsi du registre familier on passe très facilement à la grossièreté.

Comment les repérer

▪ **Le registre familier**

Le **vocabulaire** est très concret, voire argotique, grossier : *connerie* ▷▷▷ Prévert, *p. 400.*
Parfois la fin d'un mot est coupée (apocope) ou modifiée : *ciné* ou *cinoche* pour *cinéma*.

En **syntaxe,** les phrases, souvent brèves, ne respectent pas les règles grammaticales ; ainsi chez Céline les irrégularités portent sur :
- la cohérence des pronoms : *Nous on avançait.*
- les structures internes des propositions, par absence d'un terme : *Faut pas croire.*
- les interrogations : *C'est tout ?*

▪ **Le registre soutenu**

Le **vocabulaire** utilise des termes rares et des images élégantes. Ainsi Colette évoque une source : *(qui) se haussait hors de la terre par une convulsion cristalline,* ▷▷▷ *p. 392.*

La **syntaxe** privilégie les phrases complexes, utilise l'imparfait du subjonctif et pratique les inversions.

▪ **Le registre courant**

Il peut se définir par élimination : c'est celui qui n'est ni familier ni soutenu. Le **vocabulaire** est usuel : on oppose par exemple *maison* à *baraque* (familier), et à *demeure* (soutenu).

La **syntaxe** est grammaticalement correcte, sans recherche. Ainsi on peut comparer : *Est-ce que je peux venir ?* à *je peux venir ?* (familier) et *puis-je venir ?* (soutenu).

Comment les utiliser

▪ **D'une façon générale,** l'utilisation des registres de langue est fonction de la situation ▷▷▷ *p. 369, 386 ;* l'émetteur doit utiliser le registre pertinent dans une situation donnée : un élève peut dire à un camarade qu'un texte est « rigolo » ou « marrant », mais, s'adressant à un examinateur, il a intérêt à changer de registre ! (ici : « amusant » ou « comique »). À l'écrit, le registre familier est à proscrire ; il correspond, dans des textes littéraires, à des intentions particulières.

▪ **Dans l'œuvre littéraire,** l'utilisation d'un registre non courant est signifiante :
Le choix d'un **registre familier** relève d'intentions diverses. Ce registre s'utilise à l'origine dans les **textes comiques,** souvent grossiers par tradition : Rabelais ▷▷▷ *p. 43.*
Il transcrit le langage de certains personnages appartenant à des **groupes socio-culturels** qui utilisent le registre familier.
Dans le roman du xxᵉ siècle (Céline), l'utilisation du registre familier va de pair avec celle de la première personne ; l'auteur gomme ainsi la distance entre le narrateur et le lecteur, supposés parler le même langage oral : le registre familier est d'abord **oral.**
L'irruption de termes grossiers dans un texte en registre courant est significative d'une intention de l'auteur : Prévert dénonce la guerre en la qualifiant de *connerie.*

▪ L'utilisation du **registre soutenu** peut être fonction d'un courant littéraire : la Préciosité le privilégie. Il est de règle dans les textes classiques et il est fréquent dans les textes non contemporains : il correspond à l'expression d'une solennité (Bossuet), ou à une volonté de l'écrivain de situer le texte hors de l'expérience courante.

La maîtrise de cette notion est donc indispensable à plusieurs titres, autant dans les situations de la vie courante que dans l'étude littéraire.

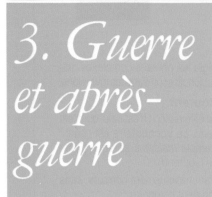

3. Guerre et après-guerre

Aragon

Prévert

Ponge

Char

Anouilh

Sartre

Camus

Queneau

Maquisard du maquis de Grammond, photographié par Izis en 1944.

Écrit par R. Desnos pendant l'Occupation, ce poème témoigne de la vie dans la clandestinité mais aussi de la force de l'espoir.

Demain

"*Âgé de cent mille ans, j'aurais encor la force*
De t'attendre, ô demain pressenti par l'espoir.
Le temps, vieillard souffrant de multiples entorses,
Peut gémir : Le matin est neuf, neuf est le soir.

Mais depuis trop de mois nous vivons à la veille,
Nous veillons, nous gardons la lumière et le feu,
Nous parlons à voix basse et nous tendons l'oreille
À maint bruit vite éteint et perdu comme au jeu.

Or, du fond de la nuit, nous témoignons encore
De la splendeur du jour et de tous ses présents.
Si nous ne dormons pas c'est pour guetter l'aurore
Qui prouvera qu'enfin nous vivons au présent."

R. Desnos, *État de veille*, Éd. Gallimard, 1943.

Le conflit de 1939-1945 laisse derrière lui un monde en ruines et un bouleversement très profond des consciences. Les millions de morts, la barbarie généralisée, la désagrégation des valeurs ouvrent sur des interrogations multiples. Tandis que s'opère une indispensable reconstruction matérielle, le monde qui se reconstitue subit de nombreuses modifications : réorganisation des blocs politiques, évolution du progrès, nouveaux systèmes de pensée. Les modes d'expression témoignent de mutations importantes, qui préfigurent l'évolution accélérée des trente dernières années du XXe siècle.

Les suites de la guerre

Lorsque la Seconde Guerre mondiale s'achève, tout est à reconstruire, le cadre même de la vie, l'économie, l'unité nationale, la confiance en l'être humain, dont on a découvert qu'il pouvait être l'instrument du mal absolu. En France, l'entrée dans la paix est marquée tout d'abord par une volonté d'épuration : installation d'une Haute Cour, poursuite et condamnation des collaborateurs au régime d'Occupation. Cette difficile remise en ordre s'accompagne d'une lutte contre le marché noir. Il faut aussi régler le problème du retour des prisonniers, restaurer l'économie, remettre en état les outils de production, construire des logements pour faire face au « baby-boom » des années d'après-guerre. Sur le plan politique, le discrédit des partis traditionnels crée une poussée vers la gauche, encore porteuse des espoirs nés avec la Résistance. Du CNR[1] émane un gouvernement d'union nationale. La Constitution de 1946 définit la IVe République (1946-1958), période d'instabilité ministérielle, marquée par les problèmes de **décolonisation** : difficultés avec la Tunisie et le Maroc, Guerre d'Indochine, débuts, en 1954, de la Guerre d'Algérie.

Cette période est aussi caractérisée par la volonté d'une **restauration économique**. Celle-ci passe par la nationalisation d'entreprises. La réorganisation de la Sécurité sociale apporte des garanties et témoigne d'un souci de progrès social. Sur le plan financier, l'inflation reste forte et engendre plusieurs crises. Au moment où prend fin la IVe République (arrivée du général de Gaulle au pouvoir à la faveur de la Guerre d'Algérie en 1958), en dépit des difficultés politiques, le bilan fait état du développement des outils de production, d'une modernisation sensible, en relation avec une évolution scientifique et technique très dense sur le plan mondial. La France est entrée dès lors dans l'ère du modernisme.

1. sigle désignant le Conseil National de la Résistance.

Des modifications de fond

Préparées par les découvertes de la première moitié du siècle, les applications qui voient le jour dans la seconde contribuent à une extraordinaire **avancée du progrès**, mais aussi à des **interrogations philosophiques et morales**. Les deux explosions nucléaires d'Hiroshima et de Nagasaki (août 1945) ont révélé la maîtrise et les dangers de l'énergie nucléaire, confrontant les scientifiques et les philosophes à un dilemme : comment dominer et limiter des recherches, des découvertes et des applications qui, d'un côté, améliorent les conditions de vie des hommes et, de l'autre, constituent une menace de destruction à moyen ou long terme ? La mise en place de l'**informatique**, qui modifie la manière d'utiliser l'information, la découverte de produits nouveaux, fabriqués par synthèse, l'astrophysique, la médecine, avec l'identification de l'ADN, conduisent à reconsidérer les connaissances. Des interrogations inquiètes naissent, concernant la place de l'homme dans le monde, sa position face à l'espace, dont il entreprend la conquête, son rôle social. Car les progrès scientifiques rapides font naître l'idée d'un bonheur matériel facilement accessible : posséder plus, s'entourer d'objets nouveaux. La nouvelle « philosophie » du bonheur est celle de « l'avoir », comme le rappelle sans cesse la **publicité**.

La littérature et les arts

Le domaine culturel se révèle comme le miroir des modifications que vit la société d'après-guerre. Illustrée par Camus, la **philosophie de l'absurde** se rattache au sentiment que l'être humain, soucieux de cohérence, se trouve confronté à un monde auquel il ne trouve pas de signification. Athée, ce courant ne trouve aucune explication métaphysique à l'existence humaine et développe une attitude elle-même paradoxale de révolte face au monde et d'acceptation de ce qui fait sa beauté. **L'existentialisme** représenté par Sartre pose comme fondamentale la liberté de l'être, qui se fait lui-même à partir de ses propres choix. Le **structuralisme**, dont le chef de file est Claude Lévi-Strauss, est une tentative d'explication du monde à travers la recherche de structures et de codes. Ce mouvement a des incidences importantes sur la linguistique, l'analyse des textes littéraires et des signes, formes de représentations qui peuplent notre univers.

L'art traduit aussi ces inquiétudes et ces recherches : non figuratif, abstrait (avec Hartung, N. de Staël, Soulages, Vasarély…), il s'interroge sur les différentes perceptions et images du monde tout en s'intégrant à l'univers des objets, qui devient prépondérant.

Louis Aragon

Né à Paris en 1897, Louis Aragon manifeste très tôt un don pour l'écriture et effectue une brillante scolarité. En 1917, il rencontre André Breton avec lequel il s'engage dans l'aventure surréaliste. La publication du roman intitulé *Le Paysan de Paris* (1926) fait de lui un écrivain d'avant-garde. À la fin des années vingt, Aragon s'inscrit au parti communiste et rencontre Elsa Triolet[1] qui devient sa femme. Il s'éloigne alors du Surréalisme et s'engage activement dans l'action politique. Pendant la Seconde Guerre mondiale, il entre dans la Résistance et publie clandestinement plusieurs recueils de poèmes.

Après la Libération, Aragon poursuit son œuvre romanesque et poétique tout en restant un écrivain engagé. Il meurt à Paris en 1982, douze ans après la disparition de la compagne qu'il n'a cessé de célébrer.

1897-1982

Portrait : *Louis Aragon*, photographié par Henri Cartier-Bresson (détail).

Les yeux d'Elsa - 1942

C

Dans le texte qui suit, Aragon évoque la fuite de l'armée française devant les troupes de l'Allemagne nazie.

J'ai traversé les ponts de Cé[2]
C'est là que tout a commencé

Une chanson des temps passés
Parle d'un chevalier blessé

5 D'une rose sur la chaussée
Et d'un corsage délacé

Du château d'un duc insensé
Et des cygnes dans les fossés

De la prairie où vient danser
10 Une éternelle fiancée

Et j'ai bu comme un lait glacé
Le long lai[3] des gloires faussées

La Loire emporte mes pensées
Avec les voitures versées

15 Et les armes désamorcées
Et les larmes effacées

Ô ma France ô ma délaissée
J'ai traversé les ponts de Cé

Éd. Seghers.

1. Elsa Triolet, d'origine russe, était la belle-sœur du poète Maïakovski. Elle-même était écrivain.
2. en juin 1940, l'armée française en déroute s'était repliée au sud de la Loire en franchissant les ponts de Cé, près d'Angers.
3. nom donné à certains poèmes narratifs ou lyriques du Moyen Âge écrits en octosyllabes.

LECTURE MÉTHODIQUE

■ Par l'analyse des rimes, des assonances et des allitérations, expliquez le **titre** du poème. Qu'a d'original le texte ?

■ Par l'observation du lexique, mettez en évidence tout ce qui suggère le **Moyen Âge**.

■ Relevez et classez les éléments qui font référence à la **situation de guerre** vécue par le poète.

■ Quelle peut être l'utilité de cette **mise en parallèle** de deux époques différentes ? Quelle est, selon vous, la **portée symbolique** du poème ?

PARCOURS CULTUREL

■ Faites une recherche pour déterminer le sens des mots suivants : chevalier, prouesse, suzerain, adoubement, dame, vassal, jongleur, troubadour, ménestrel, clerc, qui renvoient tous à l'**univers médiéval.**

guides p. 306-381-407

Jacques Prévert

Jacques Prévert est né à Neuilly-sur-Seine en 1900 dans une famille modeste. Il interrompt ses études à l'âge de quinze ans pour gagner sa vie avant de devenir, au cours des années vingt, l'un des compagnons de route du Surréalisme. Vers 1930, il se tourne vers le théâtre et le cinéma.

En 1946, il publie *Paroles,* son premier recueil de poèmes, qui obtient un succès immédiat et fait de lui un artiste populaire. Installé à Saint-Paul-de-Vence de 1948 à 1955, puis de nouveau à Paris, il publie d'autres recueils : *Spectacle* (1951), *La Pluie et le Beau Temps* (1955), *Fatras* (1966). Il meurt en 1977 dans sa maison du cap de la Hague en Normandie.

1900-1977

Portrait : *Jacques Prévert*, photographié par René Burri (détail).

Paroles - 1946

Barbara

De nombreux poèmes de Paroles *ont été écrits au cours de la Seconde Guerre mondiale. Dans le texte qui suit, Prévert évoque, avec émotion et réalisme, le souvenir d'une jeune femme heureuse entrevue à Brest avant les bombardements.*

Rappelle-toi Barbara
Il pleuvait sans cesse sur Brest ce jour-là
Et tu marchais souriante
Épanouie ravie ruisselante
5 Sous la pluie
Rappelle-toi Barbara
Il pleuvait sans cesse sur Brest
Et je t'ai croisée rue de Siam
Tu souriais
10 Et moi je souriais de même
Rappelle-toi Barbara
Toi que je ne connaissais pas
Toi qui ne me connaissais pas
Rappelle-toi
15 Rappelle-toi quand même ce jour-là
N'oublie pas
Un homme sous un porche s'abritait
Et il a crié ton nom
Barbara
20 Et tu as couru vers lui sous la pluie
Ruisselante ravie épanouie
Et tu t'es jetée dans ses bras

Bal du 14 juillet, boulevard Saint-Michel, photographié par Izis en 1958.

Rappelle-toi cela Barbara
Et ne m'en veux pas si je te tutoie
25 Je dis tu à tous ceux que j'aime
Même si je ne les ai vus qu'une seule fois
Je dis tu à tous ceux qui s'aiment
Même si je ne les connais pas
Rappelle-toi Barbara
30 N'oublie pas
Cette pluie sage et heureuse
Sur ton visage heureux
Sur cette ville heureuse
Cette pluie sur la mer
35 Sur l'arsenal
Sur le bateau d'Ouessant
Oh Barbara
Quelle connerie la guerre
Qu'es-tu devenue maintenant
40 Sous cette pluie de fer
De feu d'acier de sang

Et celui qui te serrait dans ses bras
Amoureusement
Est-il mort disparu ou bien encore vivant
45 Oh Barbara
Il pleut sans cesse sur Brest
Comme il pleuvait avant
Mais ce n'est plus pareil et tout est abîmé
C'est une pluie de deuil terrible et désolée
50 Ce n'est même plus l'orage
De fer d'acier de sang
Tout simplement des nuages
Qui crèvent comme des chiens
Des chiens qui disparaissent
55 Au fil de l'eau sur Brest
Et vont pourrir au loin
Au loin très loin de Brest
Dont il ne reste rien.

Éd. Gallimard.

LECTURE MÉTHODIQUE

■ Repérez les anaphores du texte et leurs variantes. Quel est l'**effet** produit ?

■ Par l'observation des temps verbaux et des indicateurs temporels, étudiez l'**évolution** du texte. À quel moment y a-t-il **changement** ?

■ À quelle **modification thématique** cette structure correspond-elle ? Étudiez les **deux** thèmes traités dans ce poème en prenant appui sur les champs lexicaux et précisez ce qui les unit.

■ À partir des thèmes traités, des rythmes et des images, dites quelle est la **tonalité** de ce texte poétique.

guides p. 39-381-418

Francis Ponge

Francis Ponge est né à Montpellier en 1899. Après une enfance heureuse, il entreprend des études mais les interrompt après plusieurs échecs. Il entre alors dans la vie active et publie ses premiers textes dans des revues. En 1923, à la suite de la mort de son père, il abandonne son emploi et traverse une longue période de crise personnelle. Puis il se marie et entre aux messageries Hachette. Accablé par le travail, le poète ne dispose guère, pour écrire, que de *vingt minutes le soir avant d'être envahi par le sommeil.* Il rédige alors de courts poèmes en prose consacrés au monde des objets.

1899-1988

En 1942, la publication du *Parti pris des choses* lui permet d'accéder au monde de la littérature. Devenu professeur en 1952, il publie d'autres recueils et multiplie les conférences destinées à présenter son entreprise poétique.

À la fin de sa vie, comblé d'hommages et de prix, il se retire à Bar-sur-Loup, près de Grasse, et retrouve la douceur méridionale qui berça son enfance. Il s'y éteint en 1988.

Portrait : *Francis Ponge,* photographié par Izis en 1952.

Le Parti pris des choses - 1942

L'huître

Le titre du premier recueil de Ponge définit de façon claire l'essentiel de sa démarche poétique. L'auteur du Parti pris des choses *se veut le poète des réalités familières et l'interprète des choses muettes.*

L'huître, de la grosseur d'un galet moyen, est d'une apparence plus rugueuse, d'une couleur moins unie, brillamment blanchâtre. C'est un monde opiniâtrement clos. Pourtant on peut l'ouvrir : il faut alors la tenir au creux d'un torchon, se servir d'un couteau ébréché et peu franc,
5 s'y reprendre à plusieurs fois. Les doigts curieux s'y coupent, s'y cassent les ongles : c'est un travail grossier. Les coups qu'on lui porte marquent son enveloppe de ronds blancs, d'une sorte de halos.

À l'intérieur l'on trouve tout un monde, à boire et à manger : sous un *firmament*[1] (à proprement parler) de nacre, les cieux d'en-dessus s'affais-
10 sent sur les cieux d'en-dessous, pour ne plus former qu'une mare, un sachet visqueux et verdâtre, qui flue et reflue à l'odeur et à la vue, frangé d'une dentelle noirâtre sur les bords.

Parfois très rare une formule[2] perle à leur gosier de nacre, d'où l'on trouve aussitôt à s'orner.

Éd. Gallimard.

1. voûte céleste (littéralement soutien, appui).
2. du latin *formula* qui signifie « petite forme ».

LECTURE MÉTHODIQUE

■ Observez et analysez la **structure** de ce texte. À quoi correspondent les trois paragraphes qui le composent ? Selon quelle **méthode** Ponge aborde-t-il la présentation de l'huître ?

■ Comment peut se justifier dans le texte l'expression : ***On trouve tout un monde*** ?

■ Repérez des expressions du texte qui montrent que le poète **joue avec les mots.**

■ Ce texte est un **poème en prose.** À quoi le voyez-vous ?

PARCOURS CULTUREL

■ Cherchez le champ sémantique du mot **parti.** Plus précisément, que signifie « prendre parti » et « le parti pris » ? Quelles connotations s'attachent à ces deux expressions ?

VERS LA DISSERTATION

■ Le rôle du poète vous semble-t-il être de *prendre le parti* des choses ? En prenant appui sur des textes poétiques, vous montrerez en quoi certains poètes le font. Vous pourrez vous demander ensuite si ce rôle n'a pas d'autres aspects, que vous préciserez.

guides p. 128-316-323-381

La Rage de l'expression - 1952

Le Mimosa *(extrait)*

Le recueil La Rage de l'expression *se présente comme un ensemble de notes, d'ébauches, de réflexions éparses et inachevées. Le poète feint de livrer au lecteur les brouillons de son travail.*
Voici le début d'une longue étude consacrée au mimosa.

1. voir guide *p. 174.*
2. un histrion est un acteur bouffon qui joue des farces grossières.
3. le nom « vulgaire » d'une plante s'oppose au nom scientifique généralement emprunté à la langue latine. *Mimosa* est le nom « vulgaire » que l'on donne à certains arbustes que les spécialistes nomment *acacia decurrens* ou *acacia dealbata.*
4. le « tamaris » est un arbrisseau à petites fleurs roses qui croît sur les littoraux méditerranéens.

Sur fond d'azur le voici, comme un personnage de la comédie italienne[1], avec un rien d'histrionisme[2] saugrenu, poudré comme Pierrot, dans son costume à pois jaunes, le mimosa.

Mais ce n'est pas un arbuste lunaire : plutôt solaire, multisolaire…
5 Un caractère d'une naïve gloriole, vite découragé.

Chaque grain n'est aucunement lisse, mais, formé de poils soyeux, un astre si l'on veut, étoilé au maximum.

Les feuilles ont l'air de grandes plumes, très légères et cependant très accablées d'elles-mêmes ; plus attendrissantes dès lors que d'autres palmes,
10 par là aussi très distinguées. Et pourtant, il y a quelque chose actuellement de vulgaire[3] dans l'idée du mimosa ; c'est une fleur qui vient d'être vulgarisée.

… Comme dans tamaris[4] il y a tamis, dans mimosa il y a mima.

Éd. Gallimard.

Pierre Bonnard (1867-1947), *L'Atelier au mimosa*, 1939/1946 (huile sur toile, 127 X 127 cm ; Musée National d'Art moderne, Centre Georges-Pompidou).

LECTURE MÉTHODIQUE

■ Par l'observation du début et de la fin du texte, précisez sur quelle **figure** s'ouvre et se ferme la présentation du Mimosa. Qu'y a-t-il de « saugrenu » dans le personnage évoqué ?

■ Étudiez précisément la façon dont le poète procède pour **décrire** l'arbuste. Observez pour cela les adverbes, les articulations logiques, les champs lexicaux et la ponctuation. À quelles réalités le poète fait-il appel ? Quelle attitude adopte-t-il devant le Mimosa ?

■ Recherchez dans un dictionnaire l'**étymologie** du terme « mimosa ». En quoi l'origine de ce mot vous permet-elle de mieux comprendre le texte ?

VERS LE COMMENTAIRE LITTÉRAIRE

■ Prenez appui sur les repérages de lecture méthodique pour construire un ou plusieurs axes de commentaire littéraire.

PARCOURS CULTUREL

■ Que désigne la notion de **personnification ?** Justifiez votre réponse en vous appuyant sur des exemples précis tirés de vos lectures.

■ Quelles différences faites-vous entre les notions de **personnification** et de **personnalisation ?** Dans quel contexte peut-on employer ces termes ?

guides p. 39-78-323

René Char

René Char est né en 1907 à L'Isle-sur-Sorgue, petit village du Vaucluse auquel il restera toute sa vie très attaché. Après une enfance rendue difficile par la disparition de son père en 1918, il se passionne pour la littérature et rédige ses premiers poèmes. À la fin des années vingt, il publie deux recueils qui lui permettent d'entrer en contact avec Paul Éluard et André Breton. Jusqu'en 1935, il vit à Paris et adhère momentanément au groupe surréaliste.

1907-1988

Au cours de la Seconde Guerre mondiale, il entre dans la Résistance sous le nom de capitaine Alexandre. Il participe alors à des actions de sabotage et prépare des terrains de parachutage dans le maquis.

Après la Libération, il publie plusieurs recueils - *Seuls demeurent* (1945), *Feuillets d'Hypnos* (1946), *Fureur et mystère* (1948) - et noue de solides amitiés avec certains peintres de sa génération (Picasso, Nicolas de Staël, Miró). Retiré à L'Isle-sur-Sorgue, il poursuit son œuvre poétique à l'écart des influences et des modes.

Jusqu'à sa mort, survenue en 1988, le poète restera fidèle à ces paysages du Vaucluse dont il n'a cessé de chanter la beauté.

Portrait : Victor Brauner (1903-1966), *Portrait de René Char,* 1934 (huile sur toile, 35 X 27 cm ; Paris, Bibliothèque Littéraire Jacques Doucet).

Feuillets d'Hypnos - 1946

« J'ai aimé farouchement mes semblables cette journée-là… »

Les textes qui composent Feuillets d'Hypnos[1] *ont été écrits entre 1943 et 1944 sous forme de notes éparses. Le poète, qui était alors engagé dans la Résistance, y rapporte les événements dont il fut témoin et médite sur la précarité de l'existence humaine.*
Le texte qui suit évoque les épreuves subies par un village au cours de la Seconde Guerre mondiale.

1. fils *d'Érèbe* et de *Nyx* (la Nuit) et frère jumeau de *Thanatos* (la Mort), *Hypnos* est le dieu du Sommeil dans la mythologie grecque. Il est, aux yeux de Char, le symbole des années obscures que la France en guerre traverse dans l'attente d'un jour nouveau.
2. créée sous l'Occupation par le gouvernement de Vichy, la « Milice » était une formation paramilitaire chargée d'aider les Allemands dans leur lutte contre la Résistance.
3. il s'agit sans doute de Marcelle Sidoine-Pons, une amie de R. Char, engagée dans la Résistance.

L e boulanger n'avait pas encore dégrafé les rideaux de fer de sa boutique que déjà le village était assiégé, bâillonné, hypnotisé, mis dans l'impossibilité de bouger. Deux compagnies de SS et un détachement de miliciens[2] le tenaient sous la gueule de leurs mitrailleuses et de
5 leurs mortiers. Alors commença l'épreuve.
  Les habitants furent jetés hors des maisons et sommés de se rassembler sur la place centrale. Les clés sur les portes. Un vieux, dur d'oreille, qui ne tenait pas compte assez vite de l'ordre, vit les quatre murs et le toit de sa grange voler en morceaux sous l'effet d'une bombe. Depuis quatre
10 heures j'étais éveillé. Marcelle[3] était venue à mon volet me chuchoter l'alerte.

J'avais reconnu immédiatement l'inutilité d'essayer de franchir le cordon de surveillance et de gagner la campagne. Je changeai rapidement de logis. La maison inhabitée où je me réfugiai autorisait, à toute extrémité, une résistance armée efficace. Je pouvais suivre de la fenêtre, der-
15 rière les rideaux jaunis, les allées et venues nerveuses des occupants. Pas un des miens[4] n'était présent au village. Cette pensée me rassura. À quelques kilomètres de là, ils suivraient mes consignes et resteraient tapis. Des coups me parvenaient, ponctués d'injures. Les SS avaient surpris un jeune maçon qui revenait de relever des collets. Sa frayeur le désigna à
20 leurs tortures. Une voix se penchait hurlante sur le corps tuméfié : « Où est-il ? Conduis-nous », suivie de silence. Et coups de pied et coups de crosse de pleuvoir. Une rage insensée s'empara de moi, chassa mon angoisse. Mes mains communiquaient à mon arme leur sueur crispée, exaltaient sa puissance contenue. Je calculais que le malheureux se tairait encore
25 cinq minutes, puis, fatalement, il *parlerait*. J'eus honte de souhaiter sa mort avant cette échéance. Alors apparut jaillissant de chaque rue la marée des femmes, des enfants, des vieillards, se rendant au lieu de rassemblement, suivant un *plan concerté*. Ils se hâtaient sans hâte, ruisselant littéralement sur les SS, les paralysant « en toute bonne foi ». Le maçon fut
30 laissé pour mort. Furieuse, la patrouille se fraya un chemin à travers la foule et porta ses pas plus loin. Avec une prudence infinie, maintenant des yeux anxieux et bons regardaient dans ma direction, passaient comme un jet de lampe sur ma fenêtre. Je me découvris à moitié et un sourire se détacha de ma pâleur. Je tenais à ces êtres par mille fils confiants dont
35 pas un ne devait se rompre.

      J'ai aimé farouchement mes semblables cette journée-là, bien au-delà du sacrifice.

Éd. Gallimard.

4. pendant la Seconde Guerre mondiale, René Char dirigea un réseau de résistants.

Jean Fautrier (1898-1964), *Grande tête tragique*, 1942 (bronze, 33,5 cm de hauteur ; Paris, Musée national d'art moderne, Centre Georges-Pompidou).

LECTURE MÉTHODIQUE

■ Quels éléments du texte permettent de **dater historiquement** l'épisode qu'il retrace ?

■ Par le repérage et l'analyse des pronoms personnels et de certaines indications spatiales, dites **par qui est vue** la scène. Est-ce un élément important ? Dans quelle situation se trouve le lecteur ?

■ Étudiez comment le texte développe et illustre la phrase : *Alors commença l'épreuve.*

■ Expliquez les deux dernières phrases. Comment retrouve-t-on dans le texte les *mille fils* dont parle le narrateur ?

■ Quelle est la **portée symbolique** de la scène relatée ?

ÉCRITURE

■ À partir du contenu du texte, expliquez et justifiez l'affirmation de la dernière phrase de l'extrait : *J'ai aimé farouchement mes semblables cette journée-là, bien au-delà du sacrifice.*

guides *p. 39-237-369-386-418*

Georges Braque (1882-1963), *Les Oiseaux* (plafond de la salle Henri II du Louvre).

Les Matinaux - 1950

Qu'il vive !

Le ton du recueil Les Matinaux *contraste avec celui des* Feuillets d'Hypnos. *Le poème qui suit est l'évocation d'un pays rêvé et personnifié.*

*C*e pays n'est qu'un vœu de l'esprit, un contre-sépulcre[1].

Dans mon pays, les tendres preuves du printemps et les oiseaux mal habillés sont préférés aux buts lointains.

La vérité attend l'aurore à côté d'une bougie. Le verre de fenêtre est négligé. Qu'importe à l'attentif.

5 Dans mon pays, on ne questionne pas un homme ému.

Il n'y a pas d'ombre maligne sur la barque chavirée.

Bonjour à peine, est inconnu dans mon pays.

On n'emprunte que ce qui peut se rendre augmenté.

Il y a des feuilles, beaucoup de feuilles sur les arbres de mon pays. Les 10 branches sont libres de n'avoir pas de fruits.

On ne croit pas à la bonne foi du vainqueur.

Dans mon pays, on remercie.

Éd. Gallimard.

1. un sépulcre est un monument consacré à la sépulture d'un ou de plusieurs morts. En faisant de ce *pays* un *contre-sépulcre,* le poète suggère qu'il est porteur de vie.

LECTURE MÉTHODIQUE

■ Par l'observation des anaphores, de la ponctuation et de la disposition typographique, étudiez la manière dont ce texte est **structuré.**

■ Par l'analyse du lexique, des connotations et des réalités évoquées, dites quelles sont les valeurs sur lesquelles repose ce pays. À quel **domaine** appartiennent-elles ?

■ Comment expliquez-vous l'emploi des **caractères** **italiques** dans la phrase mise en exergue par le poète ? Quelle orientation cette **phrase liminaire** donne-t-elle à l'ensemble du poème ?

ÉCRITURE

■ En prenant pour modèle le texte de R. Char, présentez, sous une forme poétique, l'image d'un **pays idéal,** ou d'une **société rêvée.**

guides p. 78-369-381-386

L'écrivain engagé

L'expression « **écrivain engagé** » vient de J.-P. Sartre, qui l'a définie dans l'essai *Situations II* en disant que tout écrivain est *en situation dans son époque*, et comme tel *responsable de chaque parole* aussi bien que de *chaque silence*. Mais bien avant Sartre, il s'est trouvé des écrivains pour prendre position, témoigner, dénoncer, faisant de leur plume une arme et de leur talent un instrument au service d'une cause.

La notion d'engagement

L'observation du champ sémantique* du mot **engagement** fait apparaître les sens : *combat, affirmation des convictions, prises de position*. Le terme fait donc entrer en jeu la volonté de définir une position et de s'y tenir, par rapport à un contexte politique, religieux ou social. Mais prendre parti, c'est déjà agir. Pour l'écrivain, l'action consiste à écrire en transformant, selon Sartre, sa *plume* en *épée*.

Les circonstances

Elles mettent en cause des situations dans lesquelles se trouvent bafoués les droits fondamentaux de l'être humain et les impératifs de la conscience.

■ Circonstances religieuses

La violence des guerres de Religion de la Renaissance a poussé certains écrivains à prendre position pour ou contre les partis en présence. Ronsard du côté catholique, d'Aubigné du côté protestant s'élèvent contre les massacres et contre les déchirements de la nation. Le sentiment d'une appartenance nationale, la capacité humaine de s'émouvoir poussent à prendre parti et à dénoncer, parce que l'indifférence et le silence deviennent inacceptables dans un contexte de guerre civile.

■ Circonstances politiques

Certaines, très violentes, suscitent des prises de position catégoriques, la Révolution, par exemple, ou les guerres, qui déclenchent aussi bien les protestations que les appels à la résistance. L'arbitraire, la destruction conduisent à des témoignages et à des dénonciations. Dans les *Châtiments* Hugo s'en prend avec vigueur à celui qu'il considère comme un « gredin », un imposteur, Napoléon III, et donne une présentation très négative du régime impérial ▷ ▷ ▷ *p. 270*. Pendant la Seconde Guerre mondiale, l'installation de l'ordre nazi a provoqué la résistance de certains écrivains, malgré les risques (torture, exécutions). Certains y ont laissé leur vie, comme R. Desnos ▷ ▷ ▷ *p. 377*.

■ Circonstances sociales

Elles sont parfois moins violentes. Le XVIIIe siècle philosophique en est un exemple. Les philosophes luttent contre une situation politique et sociale qui leur paraît contestable : la monarchie absolue, les inégalités, le régime de la justice constituent un ensemble contre lequel ils exercent leur critique, l'attaquant par des moyens directs ou détournés. Le combat de Zola en faveur du capitaine Dreyfus s'inscrit dans la même ligne : faire triompher la justice dans un contexte de déchaînement antisémite. Au XXe siècle, les prises de position contre le colonialisme (Sartre), contre l'apartheid (A. Brink, N. Gordimer, Prix Nobel de littérature en 1991), contre les camps soviétiques (Soljenitsyne), jouent un rôle équivalent.

Les « armes »

S'engager, c'est témoigner, prendre position, dénoncer. L'écrivain le fait par son écriture : adaptant les genres et les styles.

■ La poésie

Le poète engagé peut jouer sur la **brièveté** d'un poème (18 vers pour « C » ▷ ▷ ▷ *p. 398*) ou sur sa **longueur** (*Les Tragiques* ▷ ▷ ▷ *p. 84*).

Le **rythme** de la poésie est aussi un élément important : l'alexandrin assène des formules frappantes (*Châtiments* ▷ ▷ ▷ *p. 270*) ou développe sur plusieurs vers des tableaux ou des récits.

La poésie utilise enfin des **figures** expressives : anaphore, répétitions, antithèses, parallélismes, métaphores, comparaisons. Par exemple, d'Aubigné comparant la France à une mère déchirée atteint la sensibilité et fait réagir par la force de cette image.

■ Les textes en prose

Narratifs, comme le conte, la lettre ou le roman, ils peuvent être aussi analytiques, comme l'article de dictionnaire. Les textes narratifs mettent en scène des situations qui font réagir, ou qui font réfléchir : Céline ▷ ▷ ▷ *p. 393*. Le mélange de fiction et de réalité apporte une force supplémentaire en favorisant la concentration d'événements dans le temps. Les textes analytiques font davantage appel au raisonnement. Les articles de dictionnaire ▷ ▷ ▷ *p. 221* permettent de définir pour faire ensuite dévier la définition vers la **critique.** Dans tous les cas, l'utilisation de **l'ironie** ▷ ▷ ▷ *p. 224*, est un moyen intéressant d'attirer l'attention sur le caractère inacceptable de certaines situations. Cela fait partie des armes, puisqu'il est toujours question d'écrire *d'une plume de fer sur un papier d'acier* Ronsard ▷ ▷ ▷ *p. 82*.

407

Jean Anouilh

La vie de Jean Anouilh, né à Bordeaux en 1910, est celle d'un homme qui s'est entièrement consacré au théâtre.

Il découvre sa vocation, à dix-huit ans, en assistant à la représentation d'une pièce de Giraudoux ▷▷▷ *p. 383*. Il abandonne alors ses études, devient pour un temps le secrétaire de l'acteur Louis Jouvet et rédige ses premières pièces. Après la publication de *L'Hermine* en 1932, il épouse une jeune actrice et tente de vivre de sa plume. Quelques années plus tard, *Le Voyageur sans bagages* (1937), *Le Bal des voleurs* (1938) puis *Antigone* (1944) le révèlent au grand public.

Cette réussite au théâtre dissimule cependant une amertume personnelle que les événements politiques internationaux (notamment la guerre de 1939-1945) et des difficultés conjugales viennent accroître. Il meurt à Paris en 1987, laissant derrière lui une œuvre théâtrale d'une grande diversité.

1910-1987

Antigone - 1944

« C'est propre, la tragédie. C'est reposant, c'est sûr… »

*Le sujet d'*Antigone *est emprunté à la tragédie du poète grec Sophocle (V* s. av. J.-C.). À la mort de leur père Œdipe, Étéocle et Polynice se disputent le trône de Thèbes et s'entre-tuent. Leur oncle Créon décide d'interdire, sous peine de mort, l'inhumation de Polynice. Antigone, la sœur de ce dernier, brave l'autorité royale en tentant d'ensevelir le corps de son frère laissé à l'abandon. Arrêtée, elle est conduite à Créon par trois gardes. C'est alors que le chœur entre en scène et prononce la tirade suivante.*

LE CHŒUR

E t voilà. Maintenant le ressort est bandé. Cela n'a plus qu'à se dérouler tout seul. C'est cela qui est commode dans la tragédie. On donne le petit coup de pouce pour que cela démarre, rien, un regard pendant une seconde à une fille qui passe et lève les bras dans la rue, une envie
5 d'honneur un beau matin, au réveil, comme de quelque chose qui se mange, une question de trop qu'on se pose un soir… C'est tout. Après, on n'a plus qu'à laisser faire. On est tranquille. Cela roule tout seul. C'est minutieux, bien huilé depuis toujours. La mort, la trahison, le désespoir sont

là, tout prêts, et les éclats, et les orages, et les silences, tous les silences :
10 le silence au commencement quand les deux amants sont nus l'un en face
de l'autre pour la première fois, sans oser bouger tout de suite, dans la
chambre sombre, le silence quand les cris de la foule éclatent autour du
vainqueur — et on dirait un film dont le son s'est enrayé, toutes ces
bouches ouvertes dont il ne sort rien, toute cette clameur qui n'est qu'une
15 image, et le vainqueur, déjà vaincu, seul au milieu de son silence...
  C'est propre, la tragédie. C'est reposant, c'est sûr... Dans le drame,
avec ces traîtres, avec ces méchants acharnés, cette innocence persécutée,
ces vengeurs, ces terre-neuve, ces lueurs d'espoir, cela devient épouvantable de mourir, comme un accident. On aurait peut-être pu arriver à temps
20 avec les gendarmes. Dans la tragédie on est tranquille. D'abord, on est
entre soi. On est tous innocents en somme ! Ce n'est pas parce qu'il y en
a un qui tue et l'autre qui est tué. C'est une question de distribution. Et
puis, surtout, c'est reposant, la tragédie, parce qu'on sait qu'il n'y a plus
d'espoir, le sale espoir ; qu'on est pris, qu'on est enfin pris comme un rat,
25 avec tout le ciel sur son dos, et qu'on n'a plus qu'à crier, — pas à gémir,
non, pas à se plaindre, — à gueuler à pleine voix ce qu'on avait à dire,
qu'on n'avait jamais dit et qu'on ne savait peut-être même pas encore.
Et pour rien : pour se le dire à soi, pour l'apprendre, soi. Dans le drame,
on se débat, parce qu'on espère en sortir. C'est ignoble, c'est utilitaire.
30 Là, c'est gratuit. C'est pour les rois. Et il n'y a plus rien à tenter, enfin !

                                                          Éd. de la Table Ronde, 1946.

André Barsacq (1909-1973), maquette de décor pour *Antigone* de Jean Anouilh, mise en scène d'André Barsacq au Théâtre de l'Atelier en 1944 (huile sur toile, 45,7 × 60,5 cm ; Paris, Biblio-thèque Nationale de France, A.S.P.).

LECTURE MÉTHODIQUE

■ À partir d'un repérage lexical, dites ce qui, d'après ce texte, caractérise la **tragédie**. Classez vos remarques selon un principe faisant intervenir les **éléments constitutifs** du théâtre.

■ Quelles **différences** apparaissent, dans le texte, entre tragédie et drame ?

■ Mettez en parallèle les **éléments « modernes »** du texte (la pièce date de 1944) et les **éléments antiques**. Quels **effets**, selon vous, produit le mélange des deux ?

PARCOURS CULTUREL

■ Cherchez ce que représente le **chœur** dans la tra-gédie antique. Quelle est sa composition, quel est son rôle ?

■ À partir de cette recherche, dites si le chœur vous semble ici jouer son **rôle traditionnel**. Quelle peut être **l'utilité** de cette présentation à un moment clé de la pièce (l'arrestation d'Antigone) ?

■ Retrouvez les éléments « modernes » et antiques dans le **décor** présenté ci-dessus.

guides p. 39-157

© Gisèle FREUND

1905-1980

Jean-Paul Sartre

Orphelin de père dès sa petite enfance, Sartre est élevé par sa mère et ses grands-parents, dans un univers protégé, dominé par les livres. Il raconte dans *Les mots* comment la passion de la lecture l'a conduit à l'écriture, considérée comme un instrument d'engagement politique.

Résistant pendant la guerre, intellectuel de gauche associé à de nombreux combats militants (contre la guerre d'Algérie, contre la torture, contre toutes les formes de colonialisme), il est aussi le chef de file du mouvement existentialiste. Cette philosophie repose sur l'idée que l'être humain n'est pas déterminé à sa naissance et qu'il lui revient d'utiliser sa liberté pour « devenir » ce qu'il n'est pas encore. Auteur de traités philosophiques, Sartre illustre sa pensée dans des romans comme *La Nausée* ou dans des pièces de théâtre *(Les Mains sales, Huis clos)* dont certaines sont reprises de mythes antiques *(Les Mouches)*.

Atteint de cécité à la fin d'une vie consacrée simultanément à la littérature et à l'engagement, Sartre meurt à Paris en 1980.

Portrait : *Jean-Paul Sartre,* photographié par Gisèle Freund.

Les Mouches - 1943

« Je suis libre, Électre »

Dans Les Mouches, *Sartre reprend, en le transformant, un épisode de la légende des Atrides, famille de la mythologie grecque maudite par les dieux. Oreste, fils d'Agamemnon et de Clytemnestre, est encore enfant lorsque Égisthe, l'amant de sa mère, tue son père et l'éloigne de la ville d'Argos. Quelques années plus tard, Oreste, de retour dans sa patrie, décide - sous l'influence de sa sœur Électre - de venger son père en tuant, successivement, Égisthe et sa mère Clytemnestre.*
Dans le texte qui suit, Oreste retrouve Électre après avoir accompli son crime. Cette dernière est effrayée par les Érinyes, les déesses de la vengeance et du remords. Oreste, au contraire, voit dans son acte pleinement assumé le symbole de la liberté humaine.

ORESTE

Je suis libre, Électre ; la liberté a fondu sur moi comme la foudre.

ÉLECTRE

Libre ? Moi, je ne me sens pas libre. Peux-tu faire que tout ceci n'ait pas été ? Quelque chose est arrivé que nous ne sommes plus libres de défaire. Peux-tu empêcher que nous soyons pour toujours les assassins de notre
5 mère ?

ORESTE

Crois-tu que je voudrais l'empêcher ? J'ai fait *mon* acte, Électre, et cet acte était bon. Je le porterai sur mes épaules comme un passeur d'eau porte les voyageurs, je le ferai passer sur l'autre rive et j'en rendrai compte. Et plus il sera lourd à porter, plus je me réjouirai, car ma liberté, c'est lui.
10 Hier encore, je marchais au hasard sur la terre, et des milliers de chemins fuyaient sous mes pas, car ils appartenaient à d'autres. Je les ai tous empruntés, celui des haleurs, qui court au long de la rivière, et le sentier du muletier et la route pavée des conducteurs de chars ; mais aucun n'était à moi. Aujourd'hui, il n'y en a plus qu'un, et Dieu sait où il mène :
15 mais c'est *mon* chemin. Qu'as-tu ?

ÉLECTRE

Je ne peux plus te voir ! Ces lampes n'éclairent pas. J'entends ta voix, mais elle me fait mal, elle me coupe comme un couteau. Est-ce qu'il fera toujours aussi noir, désormais, même le jour ? Oreste ! Les voilà !

ORESTE

Qui ?

ÉLECTRE

20 Les voilà ! D'où viennent-elles ? Elles pendent du plafond comme des grappes de raisins noirs, et ce sont elles qui noircissent les murs ; elles se glissent entre les lumières et mes yeux, et ce sont leurs ombres qui me dérobent ton visage.

ORESTE

Les mouches…

ÉLECTRE

25 Écoute !… Écoute le bruit de leurs ailes, pareil au ronflement d'une forge. Elles nous entourent, Oreste. Elles nous guettent ; tout à l'heure elles s'abattront sur nous, et je sentirai mille pattes gluantes sur mon corps. Où fuir, Oreste ? Elles enflent, elles enflent, les voilà grosses comme des abeilles, elles nous suivront partout en épais tourbillons. Horreur ! Je vois
30 leurs yeux, leurs millions d'yeux qui nous regardent.

ORESTE

Que nous importent les mouches ?

ÉLECTRE

Ce sont les Érinyes, Oreste, les déesses du remords.

Acte II, sc. 8. Éd. Gallimard.

LECTURE MÉTHODIQUE

■ Par le repérage et l'analyse des champs lexicaux dominants, dites quel est le **thème** de cette confrontation. Quelles sont les **deux notions** mises en cause ? Quelle est leur relation ?

■ Observez les **répliques** des personnages : que remarquez-vous ? Que peut-on en déduire ? À quoi voyez-vous que les deux personnages **s'opposent** ?

■ Repérez les différentes **images** du dialogue. Dites à quels domaines elles appartiennent et quel effet produit leur emploi.

■ Recherchez qui sont les **Érinyes** et, en tenant compte de l'avant-dernière réplique d'Électre, expliquez le **titre** de la pièce.

PARCOURS CULTUREL

■ Plusieurs auteurs du xxᵉ siècle, parmi lesquels Giraudoux, Anouilh, Cocteau et Sartre, ont repris des **mythes antiques** pour les transposer. Quelles réflexions peut inspirer ce phénomène de **transposition** ? Plus précisément, quelle peut être son efficacité dans un contexte de bouleversement comme la Seconde Guerre mondiale ?

■ À partir de la recherche précédente, cherchez quelles peuvent être les fonctions des **mythes antiques.**

guides p. 39-369-386

Albert Camus

Albert Camus naît en 1913, à Mondovi, en Algérie et toute son œuvre porte la marque d'un attachement profond à ce pays. Par suite de la mort de son père, tué à la guerre, son enfance est celle d'un enfant pauvre. Plus tard il fait des études de philosophie, mais la tuberculose l'empêche de devenir professeur. Il partage alors son temps entre le journalisme, le théâtre, comme metteur en scène, et l'écriture.

1913-1960

Pendant la guerre, il milite dans la Résistance en dirigeant le journal clandestin *Combat.* En 1942, la publication de *L'Étranger,* attire l'attention sur un nouveau courant de pensée, la philosophie de l'absurde. Le sentiment de l'absurde naît, d'après Camus, d'un besoin humain d'ordre et de cohérence dans un monde qui n'a, lui, ni sens, ni cohérence. Camus garde pourtant sa foi en l'être humain. Sa pensée est caractérisée par un humanisme enraciné dans la culture classique, et par une perception très sensible du monde : le soleil, la mer et les paysages méditerranéens jouent un grand rôle dans ses romans.

La guerre d'Algérie est vécue par Camus comme un déchirement, qui l'oppose à certains de ses amis dont Sartre. Elle n'est pas terminée lorsqu'il meurt dans un accident de voiture en 1960.

Portrait : *Albert Camus,* photographié par Henri Cartier-Bresson (détail).

L'Étranger - 1942

« J'ai compris que j'avais détruit l'équilibre du jour »

Un dimanche après-midi, Meursault, le narrateur du roman, se trouve sur une plage algéroise en compagnie de Marie, sa maîtresse, et de Raymond, l'un de ses amis. Des Arabes, qui ont un compte à régler avec ce dernier, les suivent : une bagarre éclate au cours de laquelle Raymond reçoit un coup de couteau dans le bras. Craignant que le conflit ne dégénère, Meursault lui prend son revolver. Un peu plus tard, alors qu'il est seul, il rencontre de nouveau l'un des deux Arabes.

C'était le même soleil que le jour où j'avais enterré maman et, comme alors, le front surtout me faisait mal et toutes ses veines battaient ensemble sous la peau. À cause de cette brûlure que je ne pouvais plus supporter, j'ai fait un mouvement en avant. Je savais que c'était stupide,
5 que je ne me débarrasserais pas du soleil en me déplaçant d'un pas. Mais j'ai fait un pas, un seul pas en avant. Et cette fois, sans se soulever, l'Arabe a tiré son couteau qu'il m'a présenté dans le soleil. La lumière a giclé sur l'acier et c'était comme une longue lame étincelante qui m'atteignait au front. Au même instant, la sueur amassée dans mes sourcils a
10 coulé d'un coup sur les paupières et les a recouvertes d'un voile tiède et épais. Mes yeux étaient aveuglés derrière ce rideau de larmes et de sel. Je ne sentais plus que les cymbales du soleil sur mon front et, indistinctement, le glaive éclatant jailli du couteau toujours en face de moi. Cette

épée brûlante rongeait mes cils et fouillait mes yeux douloureux. C'est
15 alors que tout a vacillé. La mer a charrié un souffle épais et ardent. Il m'a
semblé que le ciel s'ouvrait sur toute son étendue pour laisser pleuvoir
du feu. Tout mon être s'est tendu et j'ai crispé ma main sur le revolver.
La gâchette a cédé, j'ai touché le ventre poli de la crosse et c'est là, dans
le bruit à la fois sec et assourdissant, que tout a commencé. J'ai secoué
20 la sueur et le soleil. J'ai compris que j'avais détruit l'équilibre du jour,
le silence exceptionnel d'une plage où j'avais été heureux. Alors, j'ai tiré
encore quatre fois sur un corps inerte où les balles s'enfonçaient sans qu'il
y parût. Et c'était comme quatre coups brefs que je frappais sur la porte
du malheur.

Iʳᵉ partie. Éd. Gallimard.

LECTURE MÉTHODIQUE

■ **Qui raconte ?** Prenez appui sur les pronoms personnels pour répondre à cette question. Peut-on caractériser avec certitude le **genre littéraire** auquel appartient ce texte ?

■ Par l'observation des champs lexicaux, des métaphores et des termes faisant référence aux sensations, dites quel est le rôle joué par le **soleil**.

■ En vous appuyant sur une analyse de la progression du récit et des articulations logiques qu'il comporte, étudiez de quelle façon s'enchaînent les **événements.**

■ Quelles sont, selon le narrateur, les **conséquences** de son geste ? Répondez à cette question en étudiant en particulier la **valeur symbolique** de certains éléments situés à la fin du passage.

■ Ce passage termine la Iʳᵉ partie. À quoi voit-on qu'il est **décisif ?**

guides p. 39-237-418

Les Justes - 1950

« Ce jour-là, la révolution sera haïe de l'humanité entière »

A. Camus était passionné de théâtre. Dans Les Justes, *il met en scène une situation et des personnages historiques, des révolutionnaires russes auteurs d'un attentat à la bombe en 1905 contre le grand-duc Serge, oncle du tsar. Dans le passage qui suit, Kaliayev, celui qui devait lancer la bombe, revient auprès des membres du groupe en avouant qu'il n'a pas accompli l'attentat parce que des enfants se trouvaient dans la calèche du grand-duc.*

STEPAN
L'Organisation t'avait commandé de tuer le grand-duc.

KALIAYEV
C'est vrai. Mais elle ne m'avait pas demandé d'assassiner des enfants.

ANNENKOV
Yanek[1] a raison. Ceci n'était pas prévu.

STEPAN
Il devait obéir.

ANNENKOV
5 Je suis le responsable. Il fallait que tout fût prévu et que personne ne pût hésiter sur ce qu'il y avait à faire. Il faut seulement décider si nous laissons échapper définitivement cette occasion ou si nous ordonnons à Yanek[1] d'attendre la sortie du théâtre. Alexis ?

1. diminutif d'Ivan, prénom de Kaliayev.

413

Casimir Malevitch (1878-1935),
L'homme qui court. 1933-1934
(huile sur toile ; Paris, MNAMGP).

VOINOV

Je ne sais pas. Je crois que j'aurais fait comme Yanek[1]. Mais je ne suis pas
10 sûr de moi. *(Plus bas.)* Mes mains tremblent.

ANNENKOV

Dora ?

DORA, *avec violence.*

J'aurais reculé, comme Yanek. Puis-je conseiller aux autres ce que moi-
même je ne pourrais pas faire ?

STEPAN

Est-ce que vous vous rendez compte de ce que signifie cette décision ?
15 Deux mois de filatures, de terribles dangers courus et évités, deux mois
perdus à jamais. Egor arrêté pour rien. Rikov pendu pour rien. Et il faudrait recommencer ? Encore de longues semaines de veilles et de ruses,
de tension incessante, avant de retrouver l'occasion propice ? Êtes-vous
fous ?

ANNENKOV

20 Dans deux jours, le grand-duc retournera au théâtre, tu le sais bien.

STEPAN

Deux jours où nous risquons d'être pris, tu l'as dit toi-même.

KALIAYEV

Je pars.

DORA

Attends ! *(À Stepan.)* Pourrais-tu, toi, Stepan, les yeux ouverts, tirer à bout
portant sur un enfant ?

STEPAN

25 Je le pourrais si l'Organisation le commandait.

DORA

Pourquoi fermes-tu les yeux ?

STEPAN

Moi ? J'ai fermé les yeux ?

DORA

Oui.

STEPAN

Alors, c'était pour mieux imaginer la scène et répondre en connaissance
30 de cause.

DORA

Ouvre les yeux et comprends que l'Organisation perdrait ses pouvoirs et
son influence si elle tolérait, un seul moment, que des enfants fussent
broyés par nos bombes.

STEPAN

Je n'ai pas assez de cœur pour ces niaiseries. Quand nous nous décide-
35 rons à oublier les enfants, ce jour-là, nous serons les maîtres du monde
et la révolution triomphera.

DORA

Ce jour-là, la révolution sera haïe de l'humanité entière.

STEPAN

Qu'importe si nous l'aimons assez fort pour l'imposer à l'humanité entière
et la sauver d'elle-même et de son esclavage.

DORA

40 Et si l'humanité entière rejette la révolution ? Et si le peuple entier, pour qui tu luttes, refuse que ses enfants soient tués ? Faudra-t-il le frapper aussi ?

STEPAN

Oui, s'il le faut, et jusqu'à ce qu'il comprenne. Moi aussi, j'aime le peuple.

Acte II. Éd. Gallimard.

LECTURE MÉTHODIQUE

■ À travers les répliques des différents personnages, et en prenant appui sur les éléments lexicaux, dites quelles sont les deux **thèses qui s'affrontent.**

■ **Donnez le nom** de ceux qui soutiennent chacune des deux thèses. Que remarquez-vous ?

■ Quels sont les **arguments** invoqués pour soutenir chaque thèse ? Différenciez-les en précisant le **domaine** auquel chacun d'entre eux fait référence. Lesquels vous semblent avoir le plus de force ?

■ Qu'y a-t-il de **paradoxal** dans la dernière réplique de Stepan ?

ÉCRITURE

■ Dans ce dialogue, le personnage qui s'appelle Annenkov ne parle pas beaucoup, mais **ses paroles ont du poids.** Dites ce que vous pensez personnellement de son intervention par rapport aux propos qu'échangent les autres personnages.

■ Comment jugez-vous l'attitude de Kaliayev, et sa « désobéissance » ? Donnez votre point de vue personnel sous une forme argumentée.

guides p. 139-151

L'Été - 1954

« Il n'y a plus de déserts »

Dans L'Été, *recueil en prose lyrique essentiellement consacré à la terre algérienne, Albert Camus célèbre la beauté sensuelle des paysages méditerranéens et s'interroge sur le poids et le sens de l'Histoire. Les premières pages de l'essai de 1939 intitulé « Le Minotaure ou la halte d'Oran[1] » se présentent comme une méditation sur le monde des villes et la « solitude peuplée » que l'on vient y chercher.*

Il n'y a plus de déserts. Il n'y a plus d'îles. Le besoin pourtant s'en fait sentir. Pour comprendre le monde, il faut parfois se détourner ; pour mieux servir les hommes, les tenir un moment à distance. Mais où trouver la solitude nécessaire à la force, la longue respiration où l'esprit se
5 rassemble et le courage se mesure ? Il reste les grandes villes. Simplement, il y faut encore des conditions.

Les villes que l'Europe nous offre sont trop pleines des rumeurs du passé. Une oreille exercée peut y percevoir des bruits d'ailes, une palpitation d'âmes. On y sent le vertige des siècles, des révolutions, de la gloire. On
10 s'y souvient que l'Occident s'est forgé dans les clameurs. Cela ne fait pas assez de silence.

Paris est souvent un désert pour le cœur, mais à certaines heures, du haut du Père-Lachaise[2], souffle un vent de révolution qui remplit soudain ce désert de drapeaux et de grandeurs vaincues. Ainsi de quelques

1. ville algérienne.
2. cimetière parisien.

Gilles Aillaud, *Sans titre,* 1985
(150 X 200 cm ; Paris, Galerie de
France).

3. rivière traversant l'Autriche.
4. long boulevard circulaire
établi sur l'emplacement
d'anciennes fortifications.
5. île de la Seine à Paris.
6. personnage ambitieux qui
apparaît notamment dans
Le Père Goriot de Balzac.
Le roman se termine sur cette
exclamation passionnée, au
cimetière du Père-Lachaise.

15 villes espagnoles, de Florence ou de Prague. Salzbourg serait paisible sans
Mozart. Mais, de loin en loin, court sur la Salzach[3] le grand cri orgueilleux
de don Juan plongeant aux enfers. Vienne paraît plus silencieuse, c'est
une jeune fille parmi les villes. Les pierres n'ont pas plus de trois siècles
et leur jeunesse ignore la mélancolie. Mais Vienne est à un carrefour d'his-
20 toire. Autour d'elle retentissent des chocs d'empires. Certains soirs où le
ciel se couvre de sang, les chevaux de pierre, sur les monuments du
Ring[4], semblent s'envoler. Dans cet instant fugitif, où tout parle de puissance et d'histoire, on peut distinctement entendre, sous la ruée des escadrons polonais, la chute fracassante du royaume ottoman. Cela non plus
25 ne fait pas assez de silence.

Certes, c'est bien cette solitude peuplée qu'on vient chercher dans les
villes d'Europe. Du moins, les hommes qui savent ce qu'ils ont à faire.
Ils peuvent y choisir leur compagnie, la prendre et la laisser. Combien
d'esprits se sont trempés dans ce voyage entre leur chambre d'hôtel et
30 les vieilles pierres de l'île Saint-Louis[5] ! Il est vrai que d'autres y ont péri
d'isolement. Pour les premiers, en tout cas, ils y trouvaient leurs raisons
de croître et de s'affirmer. Ils étaient seuls et ils ne l'étaient pas. Des siècles
d'histoire et de beauté, le témoignage ardent de mille vies révolues les
accompagnaient le long de la Seine et leur parlaient à la fois de tradi-
35 tions et de conquêtes. Mais leur jeunesse les poussait à appeler cette
compagnie. Il vient un temps, des époques, où elle est importune. « À
nous deux ! » s'écrie Rastignac[6], devant l'énorme moisissure de la ville
parisienne. Deux, oui, mais c'est encore trop !

Le désert lui-même a pris un sens, on l'a surchargé de poésie. Pour
40 toutes les douleurs du monde, c'est un lieu consacré. Ce que le cœur
demande à certains moments, au contraire, ce sont justement des lieux
sans poésie.

Éd. Gallimard.

LECTURE MÉTHODIQUE

■ Sur quel paradoxe est construit le premier paragraphe du texte ? Appuyez-vous sur les **termes antithétiques** pour répondre à cette question. Quelles
formules précises reprennent la même idée ?

■ Étudiez comment s'exprime, dans la suite du texte,
l'opposition entre **silence** et **bruit**. De quels bruits
s'agit-il ? Élucidez quelques-unes des références historiques.

■ En prenant appui sur les réponses aux premières
questions et sur le découpage du texte en paragraphes, dites précisément quelle est sa **structure**.

VERS LE RÉSUMÉ

■ Résumez le texte au 1/4 de sa longueur en respectant l'organisation des idées et le système de l'énonciation.

guides p. 39-78-151

Raymond Queneau

Raymond Queneau naît au Havre en 1903. Après des études de philosophie, il participe pour un temps au mouvement surréaliste. Partisan d'un renouvellement des formes littéraires, l'auteur de *Zazie dans le métro* dirige, dès 1960, les travaux de l'OULIPO (Ouvroir de Littérature Potentielle[1]) et se livre aux jeux verbaux les plus insolites. Il meurt à Paris en 1976.

1903-1976

Exercices de style - 1947

Dans ses Exercices de style, *Raymond Queneau propose quatre-vingt-dix-neuf versions différentes de la même histoire anodine en modifiant, à chaque fois, le registre de la langue, le vocabulaire, la syntaxe, le style.*

Récit

Un jour vers midi du côté du parc Monceau[2], sur la plate-forme arrière d'un autobus à peu près complet de la ligne S (aujourd'hui 84), j'aperçus un personnage au cou fort long qui portait un feutre mou entouré d'un galon tressé au lieu de ruban. Cet individu interpella tout
5 à coup son voisin en prétendant que celui-ci faisait exprès de lui marcher sur les pieds chaque fois qu'il montait ou descendait des voyageurs. Il abandonna d'ailleurs rapidement la discussion pour se jeter sur une place devenue libre.

Deux heures plus tard, je le revis devant la gare Saint-Lazare en grande
10 conversation avec un ami qui lui conseillait de diminuer l'échancrure de son pardessus en en faisant remonter le bouton supérieur par quelque tailleur compétent.

Métaphoriquement

Au centre du jour, jeté dans le tas des sardines voyageuses d'un coléoptère à l'abdomen blanchâtre, un poulet au grand cou déplumé harangua soudain l'une, paisible, d'entre elles et son langage se déploya dans les airs, humide d'une protestation. Puis, attiré par un vide, l'oisillon s'y
5 précipita.

Dans un morne désert urbain, je le revis le jour même se faisant moucher l'arrogance pour un quelconque bouton.

Éd. Gallimard.

Portrait : *Raymond Queneau* en 1928, autoportrait (montage photographique ; Paris, Bibliothèque Nationale de France).

1. voir *p. 128.*
2. parc parisien.

LECTURE MÉTHODIQUE

■ En vous appuyant sur une analyse de la syntaxe, du lexique et des principales figures de style, justifiez le **titre** de chacun des textes. En quoi ces derniers sont-ils différents ? L'anecdote relatée est-elle la même dans les deux textes ?

■ Relevez et étudiez les métaphores contenues dans le second texte. À quels passages du premier texte correspondent-elles ? Quels **effets** produisent-elles ?

guides p. 39-78-237

Temps et modes verbaux

Le verbe constitue un élément clé de la phrase. Le choix des **temps** et **modes** offre de nombreuses variations et renseigne sur la situation de l'action dans la temporalité et sur son existence présentée comme réelle ou hypothétique.

◼ *Les temps verbaux*

◼ Temps absolus, temps relatifs

Les temps situent l'action par rapport aux grandes divisions temporelles (passé, présent, futur). On peut dire également que cette situation se fait par rapport au moment de la parole (de l'**énonciation**) ou par rapport à un autre moment lui aussi daté. On distingue ainsi :

- **Les temps absolus** (imparfait, passé simple, passé composé, futur), utilisés par rapport au présent de la parole ou de l'écriture (énonciation).

- **Les temps relatifs** (plus-que-parfait, passé antérieur, futur antérieur), utilisés par rapport à un événement daté.

Ainsi, lorsque Chateaubriand écrit :
Hier au soir je me promenais seul,
l'imparfait situe l'action dans un passé proche du présent de l'écriture (la veille, exactement). En revanche, lorsqu'il répond à la question : *Que sont devenus Henri et Gabrielle ?* en disant : *Ce que je serai devenu quand ces Mémoires seront publiés,* il évoque un futur lui-même lié à un autre moment dont la date n'est pas encore fixée ▷▷▷ *p. 256.*

◼ Valeurs des temps

Les différents temps ont plusieurs valeurs dont la connaissance est importante dans la lecture méthodique des textes.

- **Le présent :** Exprimant une action qui se déroule au moment où l'on parle (*Je signe du ridicule nom qui est le vôtre* ▷▷▷ *p. 387),* il peut aussi souligner l'habitude, la répétition, la généralisation (*pour ce que rire est le propre de l'homme*) et l'actualisation d'une action passée (*Meaulnes reste un moment ébloui* ▷▷▷ *p. 365),* ce qui arrive souvent dans les textes historiques (présent de narration). Employé sous forme de périphrase, il peut aussi exprimer le passé récent (*Notre monde vient d'en trouver un autre* ▷▷▷ *p. 95)* ou le futur proche (*Il va partir).*

- **L'imparfait :** Exprimant une action passée, il insiste sur sa durée (*Hier au soir, je me promenais seul* ▷▷▷ *p. 256).* Il peut aussi exprimer la répétition et l'habitude dans le passé (*Quand je l'écoutais alors, j'étais triste...* ▷▷▷ *p. 256).* Il est le temps par excellence de la description mais se trouve aussi abondamment utilisé dans le récit.

- **Le passé simple :** Peu employé dans la langue parlée, ce temps, qui est celui du récit, exprime des actions qui se sont déroulées à un moment précis du passé (*le messager vacillant se remit au « garde-à-vous »* ▷▷▷ *p. 393).* Il a parfois une valeur ponctuelle, parfois une valeur durative (*Cela dura des semaines, des mois* ▷▷▷ *p. 389).* Il permet l'expression d'actions présentées dans une succession.

- **Le futur :** Il souligne que l'action, non réalisée dans le présent, le sera dans un temps à venir. Il peut insister sur la certitude (*Demain, dès l'aube, à l'heure où blanchit la campagne/je partirai...* ▷▷▷ *p. 273)* sur l'ordre ou la recommandation (*À la poste d'hier tu télégraphieras* ▷▷▷ *p. 377).* Dans un texte historique, il indique que le locuteur anticipe et présente des faits comme non accomplis au moment où il se situe, mais certains (*Il mourra à Paris en...).*

- **Le passé composé :** Exprimant une action achevée, il insiste tantôt sur cet achèvement, tantôt sur des conséquences se prolongeant jusque dans le présent (*j'ai marché plus vite qu'un autre et j'ai fait le tour de la vie* ▷▷▷ *p. 256).* Dire que l'on *a appris* implique ainsi que l'on possède un savoir.
Il est également utilisé dans la langue parlée comme temps du récit oral à la place du passé simple.

- **Le plus-que-parfait et le futur antérieur :** Ce sont deux temps relatifs qui sont employés pour situer des actions dans le passé (plus-que-parfait) ou dans le futur (futur antérieur), relativement à d'autres moments datés. Dans le discours indirect, le plus-que-parfait est la transposition du passé composé (*Il affirme qu'il est venu → il affirma qu'il était venu).*

- **Le passé antérieur :** Temps relatif, lui aussi, il situe l'action par rapport à un moment passé (au passé simple) : *Quand il eut fini, il partit.*

◼ L'aspect des temps

Le mot « **aspect** » désigne la façon dont l'action est réalisée. On classe les temps selon qu'ils soulignent **l'aspect accompli** (précisant la fin de l'action) ou **l'aspect inaccompli** (la fin de l'action n'est pas précisée). Ainsi le présent, le futur, l'imparfait, le passé simple insistent sur l'aspect inaccompli de l'action. Le passé composé, le plus-que-parfait, le futur antérieur et le passé antérieur insistent, quant à eux, sur l'aspect accompli.

◼ *Les modes verbaux*

On parle de « mode » selon que l'action est considérée par celui qui parle comme réelle ou hypothétique, virtuelle, potentielle. Les modes verbaux jouent un rôle important dans l'expression de cette réalité ou de cette potentialité, mais ils ne sont pas les seuls. Certains temps ont aussi ce pouvoir, ainsi que les « auxiliaires de mode ». On distingue l'indicatif (mode du réel) et les autres modes, subjonctif, impératif, conditionnel, qui sont ceux de l'incertain.

■ L'indicatif

Il est utilisé pour mettre en relief le caractère réel d'une action ou d'un état et ce, dans des moments variés du temps. L'emploi du futur marque que la réalisation de l'action est considérée comme certaine.

■ L'impératif

Mode de l'ordre, il exprime une **injonction** qui peut prendre la forme d'une **défense** (ordre négatif), d'une prière, d'une exhortation, d'une recommandation, d'un conseil :
Cent fois sur le métier remettez votre ouvrage, Polissez-le cent fois et le repolissez ▷▷▷ *p. 201.*
On le trouve dans des textes à tendance didactique, comme dans *l'Art poétique* de Boileau ▷▷▷ *p. 201.*

■ Le subjonctif

Il est par excellence le mode de la **potentialité.** Il souligne les possibilités de réalisation d'une action mais peut aussi les mettre en doute. Comme il ne comporte que quatre temps, il est moins riche que l'indicatif en ce qui concerne l'expression du temps. Cette caractéristique concourt à faire de lui le mode de l'incertain. Il faut distinguer ses emplois dans des propositions indépendantes ou principales d'une part, dans des subordonnées d'autre part.

- **Le subjonctif** dans les propositions **indépendantes** ou **principales :** Il est utilisé pour exprimer l'ordre *(Qu'il vienne !),* le souhait *(Pourvu qu'il soit là !),* la défense *(Qu'il ne fasse rien, surtout),* l'indignation, la menace *(Qu'il vienne un peu !).* Il est alors le mode de l'affectivité et permet, avec l'aide de la ponctuation, l'expression de nombreux sentiments.

- **Le subjonctif** dans les propositions **subordonnées :** Il a des emplois équivalents. Il est parfois obligatoire. Parfois, son emploi souligne une nuance modale particulière :
• Dans les propositions **conjonctives,** sujets ou objets, son emploi dépend du verbe de la principale. Il suit un verbe exprimant un ordre, une crainte, un souhait ou divers sentiments (craindre, vouloir, redouter, se réjouir) :
J'en arrivais à souhaiter qu'il vînt le plus tard possible ▷▷▷ *p. 367.*
• Dans les propositions **circonstancielles :** Il est

associé à l'expression du but, de la concession, de la conséquence, parfois du temps (lorsqu'on emploie *avant que).*
• Dans les propositions **relatives,** le subjonctif insiste sur la potentialité, sur un objectif recherché ou une conséquence visée, mais sans que l'on puisse en vérifier la réalisation *(Il cherche une maison qui convienne à l'ensemble de la famille).*

■ Le conditionnel

C'est le mode de l'éventuel, de l'irréel. Il est encore moins riche en temps que le subjonctif. Il faut distinguer ses emplois dans une phrase simple ou dans une phrase complexe.

- **Le conditionnel** dans une **phrase simple :** Il souligne l'éventualité *(Il pourrait venir),* le caractère non certain d'un événement *(les inondations auraient fait de nombreuses victimes),* le conseil *(Vous pourriez agir autrement).*

- **Le conditionnel** dans une **phrase complexe :** Il entre dans un système hypothétique, soulignant que la réalisation de l'action est soumise, dans l'avenir ou dans le présent, à une condition :
Voilà ce qu'à peu près, mon cher, vous m'auriez dit Si vous aviez un peu de lettres et d'esprit ▷▷▷ *p. 359.*
Dans cet exemple précis, la condition est considérée comme non réalisée dans le présent, ce que l'on peut percevoir à la lecture du contexte.
N.B. Il ne faut pas confondre le **conditionnel mode** et le **conditionnel temps,** qui est la transcription du futur dans le passé, notamment dans le discours indirect et indirect libre : *Il affirme qu'il viendra* se transforme en *Il affirmait qu'il viendrait.*
Il arrive cependant que la distinction soit difficile à établir entre les deux.

■ Valeur modale des temps

Certains temps de l'indicatif peuvent avoir une valeur modale. C'est le cas du futur (et du futur antérieur) qui exprime l'incertitude *(Il aura sans doute raté le train)* ou l'ordre *(Vous penserez à éteindre le feu).* C'est aussi le cas de l'imparfait, qui souligne l'hésitation *(Je voulais vous dire...),* l'éventualité *(sans moi, il était perdu),* le souhait *(Si seulement elle pouvait réussir !).*
Les différentes modalités de l'action peuvent s'exprimer aussi grâce à des auxiliaires de mode *(falloir, devoir, pouvoir, hésiter à, manquer de)* et grâce à des modalisateurs qui prennent la forme d'adverbes soulignant l'incertitude, l'hésitation, le doute *(certainement, peut-être, sans doute, certes...).*

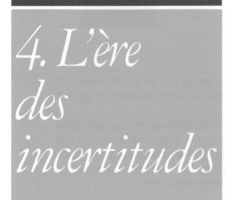

4. L'ère des incertitudes

Beckett

Ionesco

Tardieu

Yourcenar

C. Roy

Butor

Tournier

Sarraute

Paul Rebeyrolles, *Narcisse*, 1989 (peinture sur toile, 250 X 250 cm ; Collection particulière).

■ En quoi ce tableau illustre-t-il le *mythe de Narcisse* ?

■ Que montre-t-il d'inquiétant, d'angoissant ? Étudiez successivement le *portrait* lui-même et son *reflet*.

■ Ce tableau est-il à votre avis, représentatif de la *fin du XXᵉ siècle* ?

"Qui sommes-nous ? D'où venons-nous ? Où allons-nous ? Nous avons des réponses physiques, biologiques, anthropologiques, sociologiques, historiques de plus en plus certaines à ces questions. Mais ces réponses n'ouvrent-elles pas des questions beaucoup plus vastes que celles qu'elles renferment ? Nous sommes dans un univers où sans cesse, par myriades, des étoiles meurent, éclatent, naissent et renaissent. Nous sommes des êtres physiques situés dans le troisième satellite d'un petit soleil de la Voie lactée. Nous sommes les êtres biologiques les plus cérébralement développés du rameau cérébralement le plus développé de l'évolution animale. Nous sommes des humains de l'espèce dite homo sapiens, *pour qui le problème, l'énigme, le mystère les plus grands sont sa propre capacité à résoudre les problèmes, dénouer les énigmes, considérer les mystères. Nous sommes parties constitutives, intégrées, autonomes et serves à la fois, de sociétés gigantesques nommées nations. Nous sommes dans le cinquantième millénaire - le cinq millième siècle - du devenir des sociétés humaines, dans le dixième millénaire de l'aventure historique des sociétés-États, et nous allons peut-être aborder le troisième millénaire de l'ère chrétienne occidentale.*

Mais nous sommes devenus irrémédiablement perplexes et désorientés sur notre situation dans le monde, depuis que nous avons appris que nous étions dans une petite toupie qui tourne en plein ciel autour d'une boule de feu. Et lorsque nous avons compris que notre soleil était un astre pygmée perdu parmi des milliards d'étoiles, relégué à la périphérie d'une petite galaxie de banlieue, nous avons perdu toute certitude fondamentale sur notre situation, notre destin, notre sens."

Edgar Morin, *Pour sortir du XXᵉ siècle*, Éd. Nathan, 1981.

La période qui s'étend de 1958 à nos jours est caractérisée par un double phénomène en apparence contradictoire : d'un côté la mondialisation des informations et des problèmes, par suite de l'intense développement des communications, de l'autre une fragmentation de la connaissance et de l'approche du monde. Ce paradoxe est à l'image d'une évolution qui centralise et disperse, multiplie les données tout en les morcelant et fait disparaître les repères traditionnels. Le passage d'un millénaire à l'autre fait converger les incertitudes d'un siècle de progrès où se mêlent tous les extrêmes.

Refus et crises

Caractérisées par une intense activité de développement (scientifique et industriel) et de modernisation, les années 1958-68 suscitent dans les sociétés occidentales (États-Unis et Europe) des réactions de malaise. Le « baby-boom » est à l'origine d'un rajeunissement de la population : la génération de l'après-guerre atteint sa majorité entre 1960 et 1968, sans trouver, dans la vie sociale et politique, de réponses à ses aspirations. Aux Guerres de décolonisation (Algérie, Afrique, Viêt-nam), elle oppose une idéologie de paix et d'amour qui s'épanouit dans le mouvement hippie et culmine lors des grands rassemblements musicaux comme celui de Woodstock (1969). La *Beat Generation* américaine des années 50 fait des émules en Europe, valorisant le voyage, le refus des valeurs bourgeoises. Face au monde adulte qui tente de sauvegarder des traditions stables, les adolescents se regroupent et professent des idéaux de liberté et de contestation, revendiquant le droit de disposer d'eux-mêmes, de « faire la route » et de se droguer. Cette contestation atteint son apogée en 1968, année qui voit se développer de véritables révolutions culturelles ou politiques (en France, le mouvement de Mai 68 parti de l'université de Nanterre, en Tchécoslovaquie : l'opposition au régime soviétique). Une ère de réformes semble s'ouvrir, mais les lendemains ne sont pas novateurs : l'insurrection praguoise est écrasée par les chars en août. En France, les années 70 voient revenir les incertitudes idéologiques dans une société de consommation dominée par la force des médias.

Masse et consommation

Le choc pétrolier de 1973 fait apparaître la puissance des imbrications économiques et politiques. Les restrictions imposées sur le plan de la consommation d'énergie, l'orientation vers le nucléaire et la recherche d'énergies de remplacement révèlent une fragilité des sociétés modernes dont l'existence est associée à la consommation. En France, comme dans d'autres pays, la situation est à l'origine d'un dynamisme nouveau : intensification de la construction, grands travaux, exportation de technologie, implantation de multinationales, extraordinaire expansion de l'informatique qui s'installe dans tous les secteurs de la vie économique. Cette période de développement et de recherche suscite pourtant de nombreuses interrogations : le progrès ne va-t-il pas plus vite que la réflexion qui devrait l'accompagner ? La modification des structures juridiques et législatives est plus lente. Par ailleurs que devient l'homme pris dans ces réseaux qui le dominent et risquent de l'écraser ? Les dangers du progrès mis au service des sociétés (notamment dans les régimes totalitaires) sont perçus et dénoncés, mais il est difficile de s'opposer à ses accélérations qui touchent aux notions d'espace et de temps. On ne pense plus qu'en masse, groupe, pourcentages. Et l'on peut craindre que l'individu ne perde une grande part de sa liberté, soumis à des médias qui font l'information plus qu'ils ne la transmettent et qui conditionnent les opinions plus qu'ils n'aident à leur formation.

La vie culturelle

Les deux notions de masse et de consommation influencent la vie culturelle. On peut remarquer d'abord des orientations nouvelles, qui reflètent les phénomènes sociaux. Le « Nouveau roman* », par exemple, dans les années 60, illustre le refus des structures traditionnelles (plus d'histoire, plus de personnage, plus de narrateur). Au théâtre, les pièces d'Ionesco et de Beckett mettent en scène le conformisme du langage, et le désespoir de ceux pour qui la vie n'a aucun sens. D'autres écrivains (Perec, Tardieu, Queneau) luttent contre le conformisme intellectuel par des contraintes formelles pleines de virtuosité (écrire un roman sans la lettre e). Ces tendances coexistent avec une production surabondante et variée, aussi éphémère que les objets de consommation, qui privilégie le vécu et l'expérience (journalistique, politique...). Entre la soumission aux modes de fonctionnement de la société de masse et de consommation et le refus, les écrivains ont un choix difficile. C'est celui de tous les créateurs, mais aussi de chaque individu, dont la liberté et l'autonomie se trouvent « grignotées » par le caractère tentaculaire de l'environnement. L'absence de repères solides et de points d'ancrage pour sauvegarder son individualité est, comme le signale le sociologue E. Morin, la caractéristique de cette fin de siècle tentée par le scientisme et l'écologie.

1906-1989

Samuel Beckett

Né en 1906, près de Dublin, en Irlande, Samuel Beckett arrive à Paris à l'âge de vingt-deux ans. Il est alors lecteur à l'École Normale Supérieure. En 1937, il se fixe à Paris à la suite de plusieurs années de détresse, de misère et de voyages en Europe. Après une première œuvre en anglais *(Murphy)*, il décide d'écrire en français *(Molloy, Malone meurt, L'Innommable)*. Il se tourne alors vers le théâtre, et utilise ce genre pour traduire le vide et la désespérance que lui inspirent le monde et la condition humaine. Il s'inscrit, en le développant, dans le théâtre de l'absurde traitant, par la dérision et par l'ironie, des angoisses et des attentes de l'être humain. *En attendant Godot* (1953), *Fin de partie* mettent en scène des clochards qui révèlent, dans des dialogues décousus, l'absurdité et l'impuissance du langage. Prix Nobel de littérature en 1969, Beckett meurt en 1989.

Portrait : *Samuel Beckett*, photographié par Brigitte Enguerand (détail).

En attendant Godot - 1953

« Je me demande… ce que tu serais devenu…
sans moi… »

Vladimir et Estragon, les deux personnages sur lesquels s'ouvre cette pièce, attendent sans grand espoir la venue de Godot[1]. Ces clochards loufoques et désespérés qui symbolisent la misère humaine et la solitude de l'homme sans Dieu, devisent et se querellent pour essayer de tuer le temps. Voici le début de la pièce.

R*oute à la campagne, avec arbre.*
Soir.

Estragon, assis sur une pierre, essaie d'enlever sa chaussure. Il s'y acharne des deux mains, en ahanant. Il s'arrête, à bout de forces, se repose en haletant, recommence. Même jeu.

Entre Vladimir.

ESTRAGON *(renonçant à nouveau).* - Rien à faire.
VLADIMIR *(s'approchant à petits pas raides, les jambes écartées).* - Je commence à le croire. *(Il s'immobilise.)* J'ai longtemps résisté à cette pensée, en me disant, Vladimir, sois raisonnable. Tu n'as pas encore tout essayé.
5 Et je reprenais le combat. *(Il se recueille, songeant au combat. À Estragon.)* - Alors, te revoilà, toi.
ESTRAGON. - Tu crois ?
VLADIMIR. - Je suis content de te revoir. Je te croyais parti pour toujours.
10 ESTRAGON. - Moi aussi.

1. en anglais, le mot *God* signifie Dieu.

VLADIMIR. - Que faire pour fêter cette réunion ? *(Il réfléchit.)* Lève-toi que je t'embrasse. *(Il tend la main à Estragon.)*

ESTRAGON *(avec irritation).* - Tout à l'heure, tout à l'heure.

Silence.

15 VLADIMIR *(froissé, froidement).* - Peut-on savoir où monsieur a passé la nuit ?

ESTRAGON. - Dans un fossé.

VLADIMIR *(épaté).* - Un fossé ! Où ça ?

ESTRAGON *(sans geste).* - Par là.

VLADIMIR. - Et on ne t'a pas battu ?

20 ESTRAGON. - Si... Pas trop.

VLADIMIR. - Toujours les mêmes ?

ESTRAGON. - Les mêmes ? Je ne sais pas.

Silence.

VLADIMIR. - Quand j'y pense... depuis le temps... je me demande... ce que tu serais devenu... sans moi... *(Avec décision.)* Tu ne serais plus qu'un 25 petit tas d'ossements à l'heure qu'il est, pas d'erreur.

ESTRAGON *(piqué au vif).* - Et après ?

VLADIMIR *(accablé).* - C'est trop pour un seul homme. *(Un temps. Avec vivacité.)* D'un autre côté, à quoi bon se décourager à présent, voilà ce que je me dis. Il fallait y penser il y a une éternité, vers 1900.

30 ESTRAGON. - Assez. Aide-moi à enlever cette saloperie.

VLADIMIR. - La main dans la main on se serait jeté en bas de la tour Eiffel, parmi les premiers. On portait beau alors. Maintenant il est trop tard. On ne nous laisserait même pas monter. *(Estragon s'acharne sur sa* 35 *chaussure.)* Qu'est-ce tu fais ?

ESTRAGON. - Je me déchausse. Ça ne t'est jamais arrivé, à toi ?

VLADIMIR. - Depuis le temps que je te dis qu'il faut les enlever tous les jours. Tu ferais mieux de m'écouter.

ESTRAGON *(faiblement).* - Aide-moi !

40 VLADIMIR. - Tu as mal ?

ESTRAGON. - Mal ! Il me demande si j'ai mal !

VLADIMIR *(avec emportement).* - Il n'y a jamais que toi qui souffres ! Moi je ne compte pas. Je voudrais pourtant te voir à ma place. Tu m'en dirais des nouvelles.

45 ESTRAGON. - Tu as eu mal ?

VLADIMIR. - Mal ! Il me demande si j'ai eu mal !

ESTRAGON *(pointant l'index).* - Ce n'est pas une raison pour ne pas te boutonner.

VLADIMIR *(se penchant).* - C'est vrai. *(Il se boutonne.)* Pas de laisser-aller 50 dans les petites choses.

ESTRAGON. - Qu'est-ce que tu veux que je te dise, tu attends toujours le dernier moment.

VLADIMIR *(rêveusement).* - Le dernier moment... *(Il médite.)* C'est long, mais ce sera bon. Qui disait ça ?

Éd. de Minuit.

Matias, maquettes de costumes pour *En attendant Godot* de Samuel Beckett, mis en scène par Roger Blin au Théâtre de l'Odéon en 1978 (aquarelle et mine de plomb, 50 × 32 cm ; Paris, Bibliothèque de la Comédie-Française).

LECTURE MÉTHODIQUE

■ Par l'observation des didascalies, du **lexique** et des principaux thèmes du passage, dites ce qui fait **l'originalité** de cette **scène d'exposition**.

■ En vous appuyant sur une analyse des **répliques**, étudiez le dialogue des deux personnages. Que nous apprend-il sur leur **façon de vivre ?** Quelles relations entretiennent-ils ? À quoi le **langage** leur sert-il ?

■ En quoi ce texte est-il, à la fois, d'une tonalité **comique** et **tragique ?** Répondez à cette question en tenant compte de la situation mise en scène, du comportement et du langage des personnages.

guides *p. 157-175-386-395*

Eugène Ionesco

Originaire de Roumanie, Eugène Ionesco vit en France de 1913 à 1925, puis retourne dans son pays pour finalement se fixer à Paris à partir de la Seconde Guerre mondiale. Il se fait connaître au théâtre avec *La Cantatrice chauve* (créée en 1950), puis avec *La Leçon* (1951), *Les Chaises* (1952), *Rhinocéros* (1959), *Le Roi se meurt* (1962). Ce théâtre, qui met en évidence les absurdités du conformisme, la routine des habitudes, le vide du langage stéréotypé porte la trace des interrogations de son auteur sur le danger des idéologies qui s'installent progressivement, véritables maladies pernicieuses comme la « rhinocérite ».

1912-1994

Portrait : *Eugène Ionesco*, photo Keystone.

Rhinocéros - 1959

« Je suis le dernier homme (…)
Je ne capitule pas ! »

Rhinocéros met en scène une petite ville tranquille soudain bouleversée par l'arrivée de rhinocéros. D'abord frappés de stupeur, les habitants s'habituent si bien à la situation qu'ils deviennent peu à peu rhinocéros eux-mêmes. Seul, Bérenger, un marginal qui refuse toutes les formes de conformisme, n'est pas atteint. Au dénouement, dans la plus totale solitude, il s'interroge sur sa situation ; ne serait-il pas plus simple de faire comme tout le monde ?

BÉRENGER

C'est moi, c'est moi. *(Lorsqu'il accroche les tableaux, on s'aperçoit que ceux-ci représentent un vieillard, une grosse femme, un autre homme. La laideur de ces portraits contraste avec les têtes des rhinocéros qui sont devenues très belles. Bérenger s'écarte pour contempler les tableaux.)* Je ne suis pas beau, je ne suis
5 pas beau. *(Il décroche les tableaux, les jette par terre avec fureur, il va vers la glace.)* Ce sont eux qui sont beaux. J'ai eu tort ! Oh ! comme je voudrais être comme eux. Je n'ai pas de corne, hélas ! Que c'est laid, un front plat. Il m'en faudrait une ou deux, pour rehausser mes traits tombants. Ça viendra peut-être, et je n'aurai plus honte, je pourrai aller tous les retrouver.
10 Mais ça ne pousse pas ! *(Il regarde les paumes de ses mains.)* Mes mains sont moites. Deviendront-elles rugueuses ? *(Il enlève son veston, défait sa chemise,*

1. personnage présent dans d'autres pièces de Ionesco.

424

Jacques Noël (né en 1924), maquette de décor pour *Rhinocéros* d'Eugène Ionesco, mis en scène par Jean-Louis Barrault en 1960 au Théâtre de France (gouache ; Paris, Bibliothèque Nationale de France, A.S.P.).

contemple sa poitrine dans la glace.) J'ai la peau flasque. Ah, ce corps trop blanc, et poilu ! Comme je voudrais avoir une peau dure et cette magnifique couleur d'un vert sombre, une nudité décente, sans poils, comme
15 la leur ! *(Il écoute les barrissements.)* Leurs chants ont du charme, un peu âpre, mais un charme certain ! Si je pouvais faire comme eux. *(Il essaye de les imiter.)* Ahh, ahh, brr ! Non, ça n'est pas ça ! Essayons encore, plus fort ! Ahh, ahh, brr ! non, non, ce n'est pas ça, que c'est faible, comme cela manque de vigueur ! Je n'arrive pas à barrir. Je hurle seulement. Ahh,
20 ahh, brr ! Les hurlements ne sont pas des barrissements ! Comme j'ai mauvaise conscience, j'aurais dû les suivre à temps. Trop tard maintenant ! Hélas, je suis un monstre, je suis un monstre. Hélas, jamais je ne deviendrai rhinocéros, jamais, jamais ! Je ne peux plus changer. Je voudrais bien, je voudrais tellement, mais je ne peux pas. Je ne peux plus me voir. J'ai
25 trop honte ! *(Il tourne le dos à la glace.)* Comme je suis laid ! Malheur à celui qui veut conserver son originalité ! *(Il a un brusque sursaut.)* Eh bien, tant pis ! Je me défendrai contre tout le monde ! Ma carabine, ma carabine ! *(Il se retourne face au mur du fond où sont fixées les têtes des rhinocéros, tout en criant :)* Contre tout le monde, je me défendrai ! Je suis le dernier
30 homme, je le resterai jusqu'au bout ! Je ne capitule pas !

RIDEAU

Acte III (fin de la pièce). Éd. Gallimard.

LECTURE MÉTHODIQUE

■ Observez les **didascalies** : quelles informations donnent-elles ? À qui s'adressent ces informations ?

■ Par l'observation, l'analyse et la classification des réactions de Bérenger, dites quelle est **l'évolution** de la tirade. À quel moment se produit la décision finale ?

■ En vous appuyant sur le repérage des onomatopées, des interjections et des comparaisons, analysez la **tonalité** de la tirade : est-elle comique ? pathétique ?

■ Comment comprenez-vous les affirmations suivantes : *Je suis un monstre, Malheur à celui qui veut conserver son originalité !*

PARCOURS CULTUREL

■ La littérature et la peinture utilisent souvent des rapprochements hommes/animaux. Trouvez des exemples de ce « **bestiaire humain** ». Précisez la nature du rapprochement et ses objectifs.

guides p. 139-175-381

Jean Tardieu

Jean Tardieu est né en 1903 à Saint-Germain-de-Joux (Ain) dans une famille d'artistes. Après avoir suivi des études à la Sorbonne et fait paraître, dès 1927, quelques poèmes dans la NRF, il publie son premier recueil, *Le Fleuve caché,* en 1933. Pendant la Seconde Guerre mondiale, il participe à la Résistance sans cesser d'écrire. À la Libération, il occupe différents postes de direction à la Radiodiffusion française et se tourne activement vers le théâtre. Il envisage alors, comme lui-même l'écrit, « de construire une sorte de "catalogue" des diverses possibilités théâtrales » et rédige une multitude de « drames-éclairs » qu'il rassemble et publie dans deux volumes aux titres symboliques : *Théâtre de chambre* (1955) et *Poèmes à jouer* (1960).

1903-1995

Portrait : *Jean Tardieu*, photographié par Gérard Uféras.

Un mot pour un autre - 1951

Les propos du « récitant » - personnage que le dramaturge fait s'avancer sur scène devant le rideau fermé en guise de prologue - permettent de mieux comprendre le sens de la pièce dont sont ici présentées les deux premières pages :
« Vers l'année 1900, une curieuse épidémie s'abattit sur la population des villes, principalement sur les classes fortunées. Les misérables atteints de ce mal prenaient soudain les mots les uns pour les autres, comme s'ils eussent puisé au hasard les paroles dans un sac. »
Au lever du rideau, Madame est seule. Elle est assise sur un « sopha » et lit un livre. On sonne au loin.

LA BONNE, *entrant.*

Madame, c'est Madame de Perleminouze.

MADAME
Ah ! Quelle grappe ! Faites-la vite grossir !
La Bonne sort. Madame, en attendant la visiteuse, se met au piano et joue. Il en sort un tout petit air de boîte à musique.
Retour de la Bonne, suivie de Madame de Perleminouze.

LA BONNE, *annonçant.*
Madame la comtesse de Perleminouze !

MADAME, *fermant le piano*
et allant au-devant de son amie.
Chère, très chère peluche ! Depuis combien de trous, depuis combien
5 de galets n'avais-je pas eu le mitron de vous sucrer !

MADAME DE PERLEMINOUZE, *très affectée.*
Hélas ! Chère ! j'étais moi-même très, très vitreuse ! Mes trois plus jeunes tourteaux ont eu la citronnade, l'un après l'autre. Pendant tout le début du corsaire, je n'ai fait que nicher des moulins, courir chez le ludion ou chez le tabouret, j'ai passé des puits à surveiller leur carbure, à leur
10 donner des pinces et des moussons. Bref, je n'ai pas eu une minette à moi.

MADAME

Pauvre chère ! Et moi qui ne me grattais de rien !

MADAME DE PERLEMINOUZE

Tant mieux ! Je m'en recuis ! Vous avez bien mérité de vous tartiner,
après les gommes que vous avez brûlées ! Poussez donc : depuis le mou
de Crapaud jusqu'à la mi-Brioche, on ne vous a vue ni au « Water-proof »,
15 ni sous les alpagas du bois de Migraine ! Il fallait que vous fussiez vraiment gargarisée !

MADAME, *soupirant.*

Il est vrai !... Ah ! Quelle céruse ! Je ne puis y mouiller sans gravir.

MADAME DE PERLEMINOUZE, *confidentiellement.*

Alors, toujours pas de pralines ?

MADAME

Aucune.

MADAME DE PERLEMINOUZE

20   Pas même un grain de riflard ?

MADAME

Pas un ! Il n'a jamais daigné me repiquer, depuis le flot où il m'a
zébrée !

MADAME DE PERLEMINOUZE

Quel ronfleur ! Mais il fallait lui racler des flammèches !

MADAME

C'est ce que j'ai fait. Je lui en ai raclé quatre, cinq, six peut-être en
25 quelques mous : jamais il n'a ramoné.

MADAME DE PERLEMINOUZE

Pauvre chère petite tisane !... *(Rêveuse et tentatrice.)* Si j'étais vous, je
prendrais un autre lampion !

MADAME

Impossible ! On voit que vous ne le coulissez pas ! Il a sur moi un terrible foulard ! Je suis sa mouche, sa mitaine, sa sarcelle ; il est mon rotin,
30 mon sifflet ; sans lui je ne peux ni coincer ni glapir ; jamais je ne le bou-
clerai ! *(Changeant de ton.)* Mais j'y touille, vous flotterez bien quelque
chose ; une cloque de zoulou, deux doigts de loto ?

MADAME DE PERLEMINOUZE, *acceptant.*

Merci, avec grand soleil.

MADAME, *elle sonne, sonne en vain ; se lève et appelle.*

Irma !... Irma, voyons ! Oh cette biche ! Elle est courbe comme un
35 tronc... Excusez-moi, il faut que j'aille à la basoche, masquer cette pantoufle. Je radoube dans une minette.

Éd. Gallimard.

LECTURE MÉTHODIQUE

■Quel phénomène observez-vous lorsque vous lisez
ce texte ? Essayez de classer les différents **procédés**
mis en jeu dans le remplacement d'un mot par un autre.

■Est-il facile de comprendre le texte ? de le « traduire » ? Quels **éléments** vous aident dans cette
double démarche ? Faites-en la classification.

PARCOURS CULTUREL

■En vous appuyant sur les éléments découverts lors
de la lecture méthodique du texte et dans le guide
p. 381, dites quels sont les aspects du **langage** et de
la **communication** sur lesquels l'auteur nous invite
à réfléchir.

guides *p. 128-139-369-381-386*

Marguerite Yourcenar

1903-1987

Première femme à entrer à l'Académie française, M. Yourcenar naît en 1903, à Bruxelles. Son véritable nom est de Crayencourt, dont les lettres ont été reprises pour former Yourcenar. Auteur de nouvelles et de courts romans, écrits avant la Seconde Guerre mondiale, elle quitte l'Europe en 1939 pour s'installer dans une petite île de la côte Est des États-Unis. Elle élabore alors une œuvre plus importante, qui comporte les *Mémoires d'Hadrien* (1951), réflexion humaniste et politique prêtée à un empereur romain, et l'*Œuvre au noir* (1968), qui se passe à l'époque de la Renaissance. Traductrice de *spirituals* et de chants traditionnels des esclaves noirs, elle est aussi une autobiographe qui a présenté sa vie et celle de sa famille dans une trilogie comportant *Souvenirs pieux, Archives du Nord, Quoi ? l'éternité.* Elle s'est aussi expliquée sur son œuvre dans une série d'entretiens intitulés *Les Yeux ouverts.*

Portrait : *Marguerite Yourcenar.*

Mémoires d'Hadrien
- 1951

« Je m'accommoderais fort mal d'un monde sans livres… »

Dans les Mémoires d'Hadrien, *œuvre qui se présente comme l'autobiographie de l'empereur romain (IIe siècle ap. J.-C.) qui porte ce nom, M. Yourcenar donne la parole à un humaniste qui réfléchit sur le pouvoir, sur les hommes, sur lui-même. Le passage qui suit est consacré aux « instruments » de connaissance et d'appréciation de l'existence et du monde.*

Comme tout le monde, je n'ai à mon service que trois moyens d'évaluer l'existence humaine : l'étude de soi, la plus difficile et la plus dangereuse, mais aussi la plus féconde des méthodes ; l'observation des hommes, qui s'arrangent le plus souvent pour cacher leurs secrets ou pour
5 nous faire croire qu'ils en ont ; les livres, avec les erreurs particulières de perspective qui naissent entre leurs lignes. J'ai lu à peu près tout ce que nos historiens, nos poètes, et même nos conteurs ont écrit, bien que ces derniers soient réputés frivoles, et je leur dois peut-être plus d'informations que je n'en ai recueilli dans les situations assez variées de ma propre
10 vie. La lettre écrite m'a enseigné à écouter la voix humaine tout comme les grandes attitudes immobiles des statues m'ont appris à apprécier les gestes. Par contre, et dans la suite, la vie m'a éclairci les livres.

Mais ceux-ci mentent, et même les plus sincères. Les moins habiles, faute de mots et de phrases où ils la pourraient enfermer, retiennent de

la vie une image plate et pauvre ; tels, comme Lucain[1], l'alourdissent et
l'encombrent d'une solennité qu'elle n'a pas. D'autres, au contraire,
comme Pétrone[2], l'allègent, font d'elle une balle bondissante et creuse,
facile à recevoir et à lancer dans un univers sans poids. Les poètes nous
transportent dans un monde plus vaste ou plus beau, plus ardent ou plus
20 doux que celui qui nous est donné, différent par là même et en pratique
presque inhabitable. Les philosophes font subir à la réalité, pour pouvoir
l'étudier pure, à peu près les mêmes transformations que le feu ou le pilon
font subir aux corps ; rien d'un être ou d'un fait, tels que nous l'avons
connu, ne paraît subsister dans ces cristaux ou dans cette cendre. Les his-
25 toriens nous proposent du passé des systèmes trop complets, des séries
de causes et d'effets trop exacts et trop clairs pour avoir jamais été entièrement vrais ; ils réarrangent cette docile matière morte, et je sais que
même à Plutarque[3] échappera toujours Alexandre. Les conteurs, les
auteurs de fables milésiennes, ne font guère, comme des bouchers, que
30 d'appendre à l'étal de petits morceaux de viande appréciés des mouches.
Je m'accommoderais fort mal d'un monde sans livres, mais la réalité n'est
pas là, parce qu'elle n'y tient pas tout entière.

L'observation directe des hommes est une méthode moins complète
encore, bornée le plus souvent aux constatations assez basses dont se repaît
35 la malveillance humaine. Le rang, la position, tous nos hasards, restrei-
gnent le champ de vision du connaisseur d'hommes ; mon esclave a pour
m'observer des facilités complètement différentes de celles que j'ai pour
l'observer lui-même ; elles sont aussi courtes que les miennes.

Quant à l'observation de moi-même, je m'y oblige, ne fût-ce que pour
40 entrer en composition avec cet individu auprès de qui je serai jusqu'au
bout forcé de vivre, mais une familiarité de près de soixante ans comporte encore bien des chances d'erreurs. Au plus profond, ma connaissance de moi-même est obscure, intérieure, informulée, secrète comme
une complicité. Au plus impersonnel, elle est aussi glacée que les théo-
45 ries que je puis élaborer sur les nombres : j'emploie ce que j'ai d'intelligence à voir de loin et de plus haut ma vie, qui devient alors la vie d'un
autre.

Ire partie, « Animula vagula blandula ». Éd. Gallimard.

1. poète latin auteur d'une
épopée consacrée à la guerre
civile entre César et Pompée,
la *Pharsale* (Ier siècle ap. J.-C.).
2. auteur latin qui a composé
le *Satyricon* (Ier siècle ap. J.-C.).
3. historien grec (Ier siècle
ap. J.-C.), auteur de *Vies* de
personnages célèbres, dont
Alexandre le Grand.

LECTURE MÉTHODIQUE

■ Utilisez les données du **paratexte** pour déterminer qui parle ici. Quelle **relation** établissez-vous entre la personnalité du locuteur et les exemples donnés dans le texte ?

■ **Délimitez** la première phrase du texte, observez la manière dont elle est construite, puis la **structure** de la suite et les différents paragraphes. Qu'observez-vous concernant les idées énoncées et leur **ordre ?**

■ En quoi pourrait-on dire que l'analyse précise de chacun des « trois moyens » **apporte un démenti** à l'efficacité annoncée dans la première phrase ?

■ Construisez un **tableau** pour faire apparaître les **éléments opposés** concernant chaque « moyen » cité. Quelles sont les connotations des éléments les plus nombreux ?

■ À la lumière de l'ensemble du texte, dites quelle est précisément la **thèse** soutenue par celui qui parle ?

ÉCRITURE

■ Reprenez chacun des « **reproches** » prononcés par le locuteur à l'encontre des hommes de Lettres dans le second paragraphe *(poètes, philosophes, historiens, conteurs)* et expliquez pourquoi ils peuvent tous être accusés de mentir et de ne pas rendre exactement la réalité. Donnez des exemples littéraires pour illustrer vos arguments.

■ Exposez sous une forme argumentée ce que signifie pour vous *apprécier l'existence*. Donnez au verbe *apprécier* plusieurs sens différents.

guide p. 151

Claude Roy

Claude Roy naît à Paris en 1915. Fait prisonnier au cours de la Seconde Guerre mondiale, il s'évade, découvre le communisme à travers la Résistance et se présente comme un écrivain engagé. Après la guerre, il effectue de longs voyages à travers le monde en qualité de journaliste et publie plusieurs recueils de poèmes : *Le Poète mineur* (1949), *Un seul poème* (1954). En 1982, atteint d'un cancer, C. Roy craint que son « permis de séjour sur la terre » ne lui soit retiré. Sorti vainqueur de la lutte contre la maladie, le poète, depuis, ne cesse de célébrer la vie.

1915-1997

Portrait : *Claude Roy*, photographié par Ulf Andersen (détail).

À *la lisière du temps* - 1984

Matinée de printemps
Souvenir de mai 1982

Dans ce poème, Claude Roy s'adresse à sa femme, Loleh Bellon. Il évoque les moments de bonheur simple qui ont précédé la découverte de sa maladie.

La petite araignée épeire[1] entre deux tiges du rosier
travaille à sa toile   Elle en a le plan clair dans sa tête
Elle m'ignore visiblement   Nous ne sommes pas en relations

Les hirondelles retour du Caire   reconstruisent leur nid éboulé
5 J'aimerais pouvoir les reconnaître   Sont-elles les mêmes que l'an dernier ?
Elles ont l'air de m'accepter   Mais nos rapports restent lointains

Tu lis dans un fauteuil de toile   corps au soleil tête à l'ombre
J'ai déjà lu le livre que tu lis   Parfois j'entre dans tes pensées
et parfois je reste dehors   Nous avons de très tendres liens

10 L'araignée   l'hirondelle   toi   moi   et la chatte grise qui rôde dans l'herbe
le même espace   le même soleil   le même temps
Tout se tient   D'accord
Mais tout est pourtant   assez différent

Éd. Gallimard.

1. petite araignée des jardins.

LECTURE MÉTHODIQUE

■ Par l'observation du cadre spatial et temporel, du lexique et de la valeur symbolique de certains éléments évoqués, dites de quoi se compose le **bonheur** pour Claude Roy. Organisez votre réponse en classant les différents éléments découverts.

■ **Le bonheur de vivre** est-il le seul sentiment exprimé dans ce poème ? Répondez à cette question en tenant compte du lexique et de la typographie.

■ En vous appuyant notamment sur une analyse de la fin des trois premières strophes et sur l'étude approfondie de la dernière, dites quelle **conception du monde** se dégage de ce poème ?

■ En quoi la **forme poétique** adoptée est-elle originale ?

guides p. 39-306

Michel Butor

Originaire de Mons-en-Barœul, près de Lille, Michel Butor a vécu à Paris avant d'enseigner la philosophie et la littérature dans divers pays étrangers (Égypte, Angleterre, États-Unis, Allemagne, Suisse). Il publie ses premiers romans au cours des années cinquante - *Passage de Milan* (1954), *L'Emploi du temps* (1956), *La Modification* (1957) - et fait d'emblée figure d'écrivain novateur. Partageant son temps entre l'enseignement, les voyages et l'écriture, il n'a cessé de chercher de nouveaux modes d'expression.

Né en 1926

Portrait : *Michel Butor*, photographié par Louis Monier (détail).

La Modification - 1957

Cet extrait est le début d'une œuvre représentative du « Nouveau Roman ».

Vous avez mis le pied gauche sur la rainure de cuivre, et de votre épaule droite vous essayez en vain de pousser un peu plus le panneau coulissant.

Vous vous introduisez par l'étroite ouverture en vous frottant contre
5 ses bords, puis, votre valise couverte de granuleux cuir sombre couleur d'épaisse bouteille, votre valise assez petite d'homme habitué aux longs voyages, vous l'arrachez par sa poignée collante, avec vos doigts qui se sont échauffés, si peu lourde qu'elle soit, de l'avoir portée jusqu'ici, vous la soulevez et vous sentez vos muscles et vos tendons se dessiner non seu-
10 lement dans vos phalanges, dans votre paume, votre poignet et votre bras, mais dans votre épaule aussi, dans toute la moitié du dos et dans vos vertèbres depuis votre cou jusqu'aux reins.

Non, ce n'est pas seulement l'heure, à peine matinale, qui est responsable de cette faiblesse inhabituelle, c'est déjà l'âge qui cherche à vous
15 convaincre de sa domination sur votre corps, et pourtant, vous venez seulement d'atteindre les quarante-cinq ans.

Vos yeux sont mal ouverts, comme voilés de fumée légère, vos paupières sensibles et mal lubrifiées, vos tempes crispées, à la peau tendue et comme raidie en plis minces, vos cheveux, qui se clairsèment et gri-
20 sonnent, insensiblement pour autrui mais non pour vous, pour Henriette[1] et pour Cécile[1], ni même pour les enfants désormais, sont un peu hérissés et tout votre corps à l'intérieur de vos habits qui le gênent, le serrent et lui pèsent, est comme baigné, dans son réveil imparfait, d'une eau agitée et gazeuse pleine d'animalcules en suspension.

Début du roman. Éd. de Minuit.

1. ces deux femmes sont respectivement l'épouse et la maîtresse de « vous ».

LECTURE MÉTHODIQUE

■Ce texte remplit-il les fonctions attendues par une **première page** de roman ? Qu'apprenons-nous sur le personnage et sur la situation dans laquelle il se trouve ? Où la scène se déroule-t-elle ?

■En observant les pronoms personnels, les temps verbaux et les différentes modalités d'écriture (récit, description, explication), dites ce qu'a d'**insolite** ce texte.

■En particulier, faites le point sur les différentes interprétations possibles de « **vous** ».

guides p. 237-323-418

Michel Tournier

Né à Paris en 1924 dans une famille aisée et cultivée, Michel Tournier s'est d'abord tourné vers la philosophie mais il renonce à l'enseignement.

Traducteur, animateur de radio et de télévision, journaliste, il ne publie son premier roman, *Vendredi ou les limbes du Pacifique,* qu'en 1967. Couronné par le prix Goncourt en 1970 pour *Le Roi des aulnes,* Michel Tournier connaît alors un succès immédiat. En quelques années, essais, romans, nouvelles, livres pour enfants se succèdent pour faire de l'auteur des *Météores* un écrivain populaire dont la fonction naturelle est, comme lui-même le rappelle, « d'allumer des foyers de réflexion, de contestation, de remise en cause de l'ordre établi ».

Né en 1924

Michel Tournier, photographié par Sophie Bassouls (détail).

Vendredi ou les limbes du Pacifique - 1967

« Métamorphosé en homme-plante… »

Dans son premier roman, Michel Tournier reprend le thème de Robinson Crusoé façonné par Daniel Defoe au début du XVIIIe siècle. Mais alors que l'écrivain anglais entendait prouver, par la cohabitation forcée de Robinson et de Vendredi, la supériorité du monde civilisé sur la vie sauvage, Michel Tournier fait de l'indien Vendredi l'initiateur de la vraie vie.
Dans le texte qui suit, l'auteur évoque l'étrangeté des relations que l'Araucan[1] établit avec le règne végétal.

En effet ces arbustes avaient tous été visiblement déracinés et replantés *à l'envers,* les branches enfouies dans la terre et les racines dressées vers le ciel. Et ce qui achevait de donner un aspect fantastique à cette plantation monstrueuse, c'est qu'ils paraissaient tous s'être accommodés
5 de ce traitement barbare. Des pousses vertes et même des touffes de feuilles apparaissaient à la pointe des racines, ce qui supposait que les branches enterrées avaient su se métamorphoser elles-mêmes en racines, et que la sève avait inversé le sens de sa circulation. Robinson ne pouvait s'arracher à l'examen de ce phénomène. Que Vendredi ait eu cette fantaisie et
10 l'ait exécutée était déjà assez inquiétant. Mais les arbustes avaient accepté ce traitement, Speranza[2] avait acquiescé apparemment à cette extravagance.

1. Vendredi est originaire d'une peuplade indienne.
2. Speranza est le nom de l'île sur laquelle se trouvent Robinson et Vendredi.

432

Pour cette fois au moins l'inspiration baroque de l'Araucan avait eu un résultat qui, pour dérisoire qu'il fût, comportait cependant un certain aspect positif et n'avait pas abouti à une pure destruction. Robinson
15 n'avait pas fini de méditer cette découverte ! Il revenait sur ses pas quand Tenn[3] tomba en arrêt devant un massif de magnolias envahi par le lierre, puis progressa lentement, le cou tendu, en posant ses pattes précautionneusement. Enfin il s'immobilisa le nez sur l'un des troncs. Alors le tronc s'agita, et le rire de Vendredi éclata. L'Araucan avait dissimulé sa
20 tête sous un casque de fleurs. Sur tout son corps nu, il avait dessiné avec du jus de génipapo des feuilles de lierre dont les rameaux montaient le long de ses cuisses et s'enroulaient autour de son torse. Ainsi métamorphosé en homme-plante, secoué d'un rire démentiel, il entoura Robinson d'une chorégraphie éperdue. Puis il se dirigea vers le rivage pour se
25 laver dans les vagues, et Robinson, pensif et silencieux, le regarda s'enfoncer toujours dansant dans l'ombre verte des palétuviers.

Éd. Gallimard.

3. Tenn est le chien de Robinson.

Homme des bois à Central Park, 1972,
photographie d'Arthur Tress.

LECTURE MÉTHODIQUE

■ Par l'observation de la structure du texte, des différentes modalités d'écriture (description, récit, réflexion au style indirect libre) et de ses articulations logiques, dites quelles sont les **étapes** de la découverte faite par Robinson.

■ Comment le narrateur évoque-t-il les **relations** particulières que Vendredi entretient avec le monde végétal ? Répondez à cette question en vous appuyant sur une analyse des champs lexicaux.

■ En quoi les deux hommes **s'opposent-ils ?** Comment l'auteur parvient-il à suggérer le caractère antithétique de leur comportement et de leur personnalité ?

PARCOURS CULTUREL

■ L'histoire de **Robinson Crusoé** a été traitée par plusieurs écrivains. Lesquels ? Qu'y a-t-il en elle d'aussi attirant ? En quoi peut-on dire qu'il s'agit d'un mythe ?

guides p. 39-237-323-330

Nathalie Sarraute

Né en 1900 à Ivanovo, en Russie, Nathalie Tcherniak arrive à Paris à l'âge de deux ans. Après avoir suivi des études d'anglais et de droit, elle s'inscrit au Barreau et se tourne vers la littérature. Dès 1932, elle compose une série de textes brefs qu'elle publiera six ans plus tard sous le titre de *Tropismes*. Renonçant à son métier d'avocat en 1941, elle écrit son premier roman *(Portrait d'un inconnu)* et nourrit, parallèlement, une réflexion critique et théorique sur la littérature qui donnera naissance à *L'Ère du soupçon,* essai publié avec grand succès en 1956. Considérée comme l'un des écrivains majeurs du « Nouveau Roman », Nathalie Sarraute est aussi l'auteur de plusieurs pièces de théâtre - *Le Mensonge* (1967), *Pour un oui ou pour un non* (1982) - et d'une autobiographie intitulée *Enfance* (1983).

Née en 1900

Portrait : *Nathalie Sarraute,* photographiée par Louis Monier (détail).

Enfance - 1983

Dans cet ouvrage autobiographique, Nathalie Sarraute entreprend d'évoquer ses « souvenirs d'enfance ». Elle le fait sur un mode original, comme en témoigne le début de l'ouvrage, l'incipit.

Alors, tu vas vraiment faire ça ? « Évoquer tes souvenirs d'enfance »... Comme ces mots te gênent, tu ne les aimes pas. Mais reconnais que ce sont les seuls mots qui conviennent. Tu veux « évoquer tes souvenirs »... il n'y a pas à tortiller, c'est bien ça.

5 - Oui, je n'y peux rien, ça me tente, je ne sais pas pourquoi...

- C'est peut-être... est-ce que ce ne serait pas... on ne s'en rend parfois pas compte... c'est peut-être que tes forces déclinent...

- Non, je ne crois pas... du moins je ne le sens pas...

- Et pourtant ce que tu veux faire... « évoquer tes souvenirs »... est-
10 ce que ce ne serait pas...

- Oh, je t'en prie...

- Si, il faut se le demander : est-ce que ce ne serait pas prendre ta retraite ? te ranger ? quitter ton élément, où jusqu'ici, tant bien que mal...

- Oui, comme tu dis, tant bien que mal...

15 - Peut-être, mais c'est le seul où tu aies jamais pu vivre... celui...

- Oh, à quoi bon ? je le connais.

Nathalie Sarraute enfant.

- Est-ce vrai ? Tu n'as vraiment pas oublié comment c'était là-bas ? comment là-bas tout fluctue, se transforme, s'échappe... tu avances à tâtons, toujours
20 cherchant, te tendant... vers quoi ? qu'est-ce que c'est ? ça ne ressemble à rien... personne n'en parle... ça se dérobe, tu l'agrippes comme tu peux, tu le pousses... où ? n'importe où, pourvu que ça trouve un milieu propice où ça se développe, où ça parvienne
25 peut-être à vivre... Tiens, rien que d'y penser...

- Oui, ça te rend grandiloquent. Je dirai même outrecuidant. Je me demande si ce n'est pas toujours cette même crainte... Souviens-toi comme elle revient chaque fois que quelque chose encore informe se pro-
30 pose... Ce qui nous est resté des anciennes tentatives nous paraît toujours avoir l'avantage sur ce qui tremblote quelque part dans les limbes...

- Mais justement, ce que je crains, cette fois, c'est que ça ne tremble pas... pas assez... que ce soit fixé
35 une fois pour toutes, du « tout cuit », donné d'avance...

- Rassure-toi pour ce qui est d'être donné... c'est encore tout vacillant, aucun mot écrit, aucune parole ne l'ont encore touché, il me semble que ça palpite
40 faiblement... hors des mots... comme toujours... des petits bouts de quelque chose d'encore vivant... je voudrais, avant qu'ils disparaissent... laisse-moi...

Éd. Gallimard.

LECTURE MÉTHODIQUE

■ En observant la ponctuation, la typographie et la structure du passage, dites ce qui fait la **particularité** de ce texte.

■ À quoi les deux **voix** correspondent-elles ? Répondez à cette question en vous appuyant sur une analyse précise du dialogue qui s'établit entre elles (tons, thèmes, points de vue, jeu des questions-réponses).

■ Comment l'auteur parvient-elle à suggérer les **hésitations**, les **incertitudes** qu'elle éprouve face au projet de raconter ses souvenirs ? Quelles objections le dialogue fait-il apparaître ? Quelles réponses apporte-t-il ?

PARCOURS CULTUREL

■ En vous appuyant, sur les extraits *p. 91, 240, 256, 404* et le guide *p. 257*, demandez-vous quelles sont les caractéristiques majeures de **l'écriture autobiographique**. Faites-le en réfléchissant notamment à la question du temps et des modalités d'écriture choisies par le narrateur.

ÉCRITURE

■ À la manière de N. Sarraute, rédigez un échange à deux voix, pour justifier et réfuter un **projet d'écriture** ou de création artistique : composition musicale, peinture...

guides p. 139-257-330-386

Outils d'analyse

En relation avec les **guides** consacrés aux différents **types** de textes, voici des tableaux rappelant comment les différents **outils d'analyse** permettent le repérage d'**axes** de **lecture méthodique** ou de **commentaire composé.**

1 Texte narratif ▷▷▷ *guides p. 237-238-330-418*

Outils d'analyse	Axes de lecture
La structure du texte	La progression du récit Comment l'intérêt du lecteur est-il suscité ?
Le rapport dialogue/récit, analyse/récit, description/récit	
Les marques temporelles	Récit au passé/récit actualisé au présent
Les temps grammaticaux	
Le mode de narration	Situation du narrateur par rapport au récit, distance, implication personnelle
L'énonciation	
Le mode de focalisation	Récit objectif, subjectif Un jugement est ou non porté à travers le récit Quel sens est donné à l'événement à travers le récit ?
Le vocabulaire appréciatif/dépréciatif	
Les connotations	
Les hyperboles, les euphémismes	

2 Texte argumentatif ▷▷▷ *guides p. 151-381-386-418*

Outils d'analyse	Axes de lecture
Les liens logiques	Le thème traité, son expression
La ponctuation	Les étapes de la démonstration
Les champs lexicaux	Les moyens de l'argumentation
L'énonciation	L'efficacité de l'argumentation
Les métaphores, les allégories	L'art de persuader
La structure des phrases	
Le rythme des phrases	
Les anaphores	

3 *Texte descriptif* ▷▷▷ *guides p. 238-323*

Outils d'analyse

- Les indicateurs de lieux
- Le mode de focalisation
- Les champs lexicaux
- Le vocabulaire appréciatif/dépréciatif
- Les hyperboles
- Les comparaisons et les métaphores
- Les connotations

Axes de lecture

- L'organisation de la description
- À travers quel regard ce qui est décrit est-il perçu ?
- La qualité du regard : ironique, amusé, attendri, admiratif, méprisant, critique…
- Description objective, subjective, réaliste, idéalisée ?
- Intention critique de la description ?
- Capacité de transfiguration de la description ?
- Quelle vision du monde passe à travers la description ?

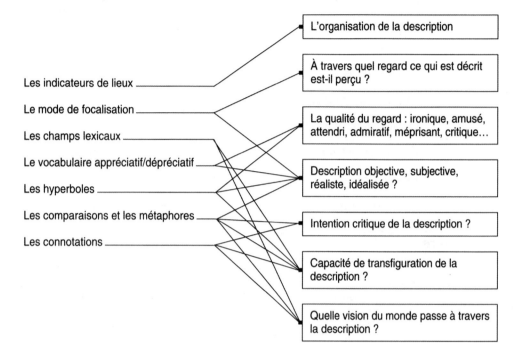

4 *Dialogue de théâtre* ▷▷▷ *guides p. 139-175-369-386-395*

Outils d'analyse

- La structure du texte
- L'énonciation
- La structure des phrases
- La longueur des répliques
- L'enchaînement des répliques
- Les jeux des pronoms
- Les monologues et les apartés
- Les didascalies
- Les hyperboles, les euphémismes
- La ponctuation
- Les champs lexicaux
- + tous les outils précédents

Axes de lecture

- Évolution de la scène, de l'intrigue, des sentiments
- Les relations entre les personnages
  Le conflit
  Une communication réussie, impossible, verbale, non verbale
- Chaque personnage caractérisé par son langage
  L'expression de l'émotion dans le langage
- L'efficacité comique, dramatique

5 *Texte poétique en vers* ▷▷▷ *guides p. 78-306-381*

Outils d'analyse

Les champs lexicaux

La forme poétique (libre, régulière)

Les métaphores

La disposition des strophes

Les antithèses, les chiasmes

Les rimes, les césures

L'énonciation

Les déterminants

Les pronoms

Les métonymies

Les rythmes

Les anaphores

Les connotations

Les sons

Axes de lecture

Caractère original du poème, expression personnelle d'un thème classique

L'entrelacement des thèmes

Les jeux d'opposition entre ou à l'intérieur des strophes

L'expression des sentiments

La poésie renouvelant le langage ordinaire
Le pouvoir transfigurateur de la poésie
Le pouvoir évocateur, musical des mots

La musicalité, l'harmonie, le pouvoir évocateur des sons

6 *Texte poétique en prose* ▷▷▷ *guides p. 78-316-381*

Outils d'analyse

Les champs lexicaux

Les métaphores, images, comparaisons et figures diverses

Les articulations logiques

La disposition en paragraphes

La ponctuation, les rythmes de phrase

Les anaphores et les répétitions

Les pronoms personnels

Les déterminants

Les connotations

Axes de lecture

La thématique et son originalité

La structure du poème

L'entrelacement des thèmes

La situation de l'émetteur du message

L'expression des sentiments

La musicalité du texte, son harmonie

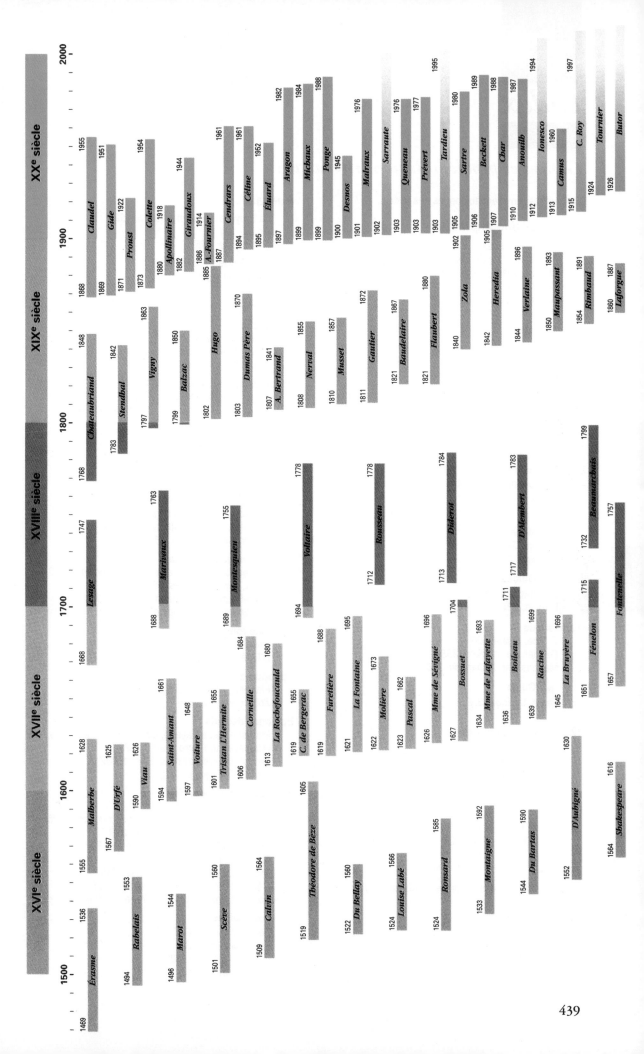

439

Index

Genres et problématiques littéraires

Les chiffres renvoient aux pages des textes.

Auteurs et œuvres

Les chiffres en gras renvoient aux biographies.

Groupements de textes

Index notionnel

Les chiffres en maigre renvoient aux pages où apparaissent ces termes signalés dans l'ouvrage par un astérisque.

Absolutisme *(141)* : Régime politique (par exemple, la monarchie absolue) dans lequel celui qui gouverne détient tous les pouvoirs.
Action (unité d') *(286)* : Au théâtre, l'action désigne le déroulement de ce qui se passe sur scène. Pour la règle de l'unité d'action, voir **guide** *p. 157.*
Alexandrin *(69, 79, 316)* : voir **guide** *p. 306.*
Alexandrine (époque) *(58)* : Période (IIIe siècle avant J.-C.) marquée par une floraison des arts dans la ville égyptienne d'Alexandrie.
Allégorie : voir **guide** *p. 79.*
Anagramme *(40, 57, 59)* : Mot formé à l'aide des lettres d'un autre mot, disposées dans un sens différent : *aimer* est l'anagramme de *Marie.*
Anaphore *(276)* : voir **guide** *p. 79.*
Anciens *(192)* : Groupe d'écrivains de la fin du XVIIe siècle et du début du XVIIIe, partisans de l'imitation de l'Antiquité. Ils s'opposent aux Modernes, partisans, eux, de l'innovation et du progrès.
Antinomique *(79, 224)* : Contraire, opposé, difficilement conciliable.
Antithèse *(57, 224)* : voir **guide** *p. 79.*
Antithétique *(224)* : Contraire, opposé, contradictoire.
Athéisme *(103, 168)* : Courant de pensée refusant toute croyance en Dieu.

Ballade *(57, 276)* : voir **guide** *p. 69.*
Baroque *(100, 107)* : voir **guide** *p. 118.*
Bienséance *(79, 130)* : Ce qu'il convient de faire ou de ne pas faire pour se conformer aux usages littéraires ou sociaux.
Bohème *(298)* : Désigne, au XIXe siècle, le milieu des artistes non conformistes, vivant de manière fantaisiste, au jour le jour.

Champ sémantique *(407)* : voir **guide** *p. 39.*
Chronique *(81)* : Suite de faits donnés dans l'ordre de leur déroulement. Récit historique.
Comparaison *(342)* : Figure d'analogie. Voir **guide** *p. 78.*
Concile de Trente *(26)* : Concile convoqué par le pape Paul III, à la demande de Charles Quint, pour faire face aux progrès de la Réforme protestante. La plupart des institutions ecclésiastiques furent révisées.
Connotation *(381)* : Différents sens que peut prendre un mot en fonction du contexte, des intentions de l'auteur, des données socioculturelles...

Conquistadores *(100)* : Terme désignant les aventuriers espagnols ou portugais partis à la conquête du Nouveau Monde à la fin du XVe siècle.
Couleur locale *(286)* : Ensemble d'éléments (objets, végétation, décor, costumes...) permettant de rendre plus vraie l'évocation de certains lieux, notamment les lieux exotiques.

Décasyllabe *(58, 69, 316)* : voir **guide** *p. 306.*
Dénotation *(39, 381)* : Sens premier d'un terme, tel qu'il est admis par tous et donné par le dictionnaire.
Désagrégation *(89)* : Destruction, séparation, dissociation.
Didactique *(226, 246)* : Qui a pour objet d'instruire.
Doctes *(157)* : Au XVIIe siècle, savants élaborant les règles en matière de littérature et d'art.
Dogme *(100, 105, 168)* : Point fondamental d'une doctrine ou d'une croyance religieuse.

Enjambement *(87)* : voir **guide** *p. 306.*
Épopée *(201)* : voir **guide** *p. 87.*
Esthétique *(130)* : Ensemble des caractères définissant le beau. Ensemble des caractères définissant un mouvement artistique.
Étiquette *(141)* : Ensemble des règlements définissant la vie à la cour, ce qu'il faut ou ne faut pas faire.

Figure de style *(323)* : voir **guide** *p. 78-79.*
Focalisation (ou point de vue, *323*) : voir **guide** *p. 238.*

Genre *(286)* : Catégorie permettant de classer les œuvres littéraires. Les trois grands genres sont traditionnellement le théâtre, la poésie et le roman, mais les séparations ne sont pas aussi nettes.

Historiographe *(104, 141, 152, 201)* : Historien nommé par un chef d'État (un roi) pour écrire l'histoire officielle du règne. Racine et Boileau furent les historiographes de Louis XIV.
Hymne *(276)* : Chant ou texte poétique écrit pour célébrer un personnage ou un événement.
Hyperbole *(57, 120, 323)* : Figure d'insistance ; voir **guides** *p. 79* et *87.*

Idéologie *(344)* : Ensemble des idées, des croyances et des doctrines propres à une époque, à une société ou à une classe.

Introspection *(259, 276)* : Observation et analyse de soi-même.
Ironie *(151)* : voir **guide** *p. 224.*

Jansénisme *(142, 152)* : voir **guide** *p. 168.*

Libertins *(120, 176)* : voir **guide** *p. 168.*
Liminaire *(270)* : Texte d'ouverture d'une œuvre, qui figure en premier et donne le ton général.
Lyrisme : voir **guide** *p. 296.*

Manifeste *(58)* : Déclaration écrite par laquelle un mouvement, un parti, un groupe... définit son programme.
Matérialisme *(168)* : Conception philosophique qui considère la matière comme seule réalité, et la pensée comme partie du monde matériel.
Métaphore *(118, 342)* : Figure d'analogie ; voir **guide** *p. 78-79.*
Méthode expérimentale *(343)* : voir **Positivisme.**
Mythe *(157)* : Récit légendaire, transmis de manière orale, et permettant de donner des explications à certains phénomènes naturels ou sociaux.

Noble de robe *(207)* : Sous l'Ancien Régime, la Robe représente l'un des états, les hommes de loi, la justice.
Nouveau Roman *(421).*

Obscurantisme *(209)* : Hostilité aux « lumières », à la diffusion de l'instruction et de la culture dans le peuple.
Octosyllabe *(69, 316)* : voir **guide** *p. 306.*
Ode *(276)* : Poème destiné à être mis en musique et célébrant des personnages ou des événements.
Onirisme *(296)* : État caractérisé par les rêves et les hallucinations.
Orphée *(58)* : Premier poète, selon la légende, il chantait au son de la lyre et pouvait, par la beauté de ses chants, charmer les bêtes.

Pamphlet *(249)* : Court écrit satirique qui attaque avec violence gouvernement, institutions, religion...
Papier-monnaie *(210).*
Parallélisme *(276)* : Structure de phrases ou de paragraphes mettant sur le même plan des mots ou des groupes de mots construits de la même manière.

Parlement *(207)* : Sous l'Ancien Régime, cour de justice souveraine.
Parodie *(201)* : Imitation satirique.
Périphrase *(120)* : Figure qui consiste à utiliser plusieurs termes pour désigner une notion. Le Siècle des Lumières est une périphrase pour désigner le XVIIIᵉ siècle.
Personnification *(118, 342)* : Figure qui attribue à des objets, à des animaux ou à des abstractions des caractéristiques humaines.
Polysémique : voir **guide** *p. 39*.
Positivisme *(248)* : Théorie d'A. Comte et par extension, toute philosophie qui privilégie les sciences et combat la métaphysique.
Préciosité *(104)* : Ensemble des traits caractérisant les Précieux et l'esprit précieux du XVIIᵉ siècle.

Quatrain : voir **guide** *p. 39*.
Quiétisme *(188)* : Doctrine religieuse développée au XVIIᵉ siècle, prônant la tranquillité de l'âme et son union avec Dieu.

Rationalisme *(168)* : Conception philosophique selon laquelle la raison est le principe de toute connaissance.
Récit *(330)* : voir **guide** *p. 69*.
Réforme *(89)* : Mouvement de protestation contre les abus de l'Église, caractérisé par la volonté de revenir aux textes sacrés et aux principes d'origine de la religion chrétienne.
Règles *(130)* : Conventions régissant le théâtre classique, notamment la tragédie. Voir **guide** *p. 157*.
Retour aux sources *(100)* : Mouvement culturel et religieux marqué par la volonté de retrouver les textes d'origine. C'est ce qui caractérise l'Humanisme et la Réforme.
Rime équivoquée : voir **guide** *p. 128*.
Rondeau *(31, 57)* : voir **guide** *p. 69*.
Rythme ternaire *(276)* : Rythme créé par l'énumération de trois éléments.

Satire *(69, 216)* : Critique moqueuse des défauts humains et des institutions.

Sonnet *(57, 99, 120, 276)* : Poème à forme fixe. Voir **guide** *p. 69*.
Stances *(276)* : Tirade en vers divisée en strophes dont chacune présente une unité de sens.
Stoïcisme *(90)* : Mouvement philosophique de l'Antiquité caractérisé par la recherche d'un équilibre avec le monde. Le Stoïcisme est aussi marqué par l'austérité et le courage.

Tercet : voir **guide** *p. 69*.

Utopie *(99)* : Désigne, étymologiquement, un lieu qui n'existe pas et, de là, une société idéale, de conception imaginaire, ou des projets irréalisables.

Vulgarisation *(209)* : Le fait de rendre accessible à un lecteur non spécialiste des connaissances techniques.

Table d'illustrations

Couverture : Manet, *La Lecture* (1868).
■ Le tableau de Manet, *La Lecture,* met en
scène deux personnages : occupant une
grande partie de l'espace ; le personnage
féminin est la femme du peintre, *Suzanne
Manet,* tout de blanc vêtue. En retrait, et dans
l'ombre, le personnage masculin qui lui fait
la lecture est un proche, *Léon Kollea.*

Maquette intérieure : Graphismes

Achevé d'imprimer en Espagne par Dédalo Offset
Dépôt légal n° 71469-6/11 mai 2011